Wolbert
Ethische Argumentation und Paränese in 1 Kor 7

Moraltheologische Studien

Systematische Abteilung
Herausgegeben von Bruno Schüller
Band 8

Werner Wolbert

Ethische Argumentation und Paränese in 1 Kor 7

Patmos Verlag Düsseldorf

CIP-Kurztitelaufnahme der Deutschen Bibliothek

Wolbert, Werner:
Ethische Argumentation und Paränese in 1 [eins]
Kor[inther] 7 [sieben] / Werner Wolbert. –
Düsseldorf : Patmos Verlag, 1981.
(Moraltheologische Studien : Systemat. Abt. ;
Bd. 8)
ISBN 3-491-71051-0
NE: Moraltheologische Studien / Systematische
Abteilung

D 6
© 1981 Patmos Verlag Düsseldorf
Alle Rechte vorbehalten
1. Auflage 1981
Umschlaggestaltung: Rüdiger Eschert
Gesamtherstellung: Lengericher Handelsdruckerei, Lengerich
ISBN 3-491-71051-0

Inhaltsverzeichnis

Vorwort

Die vorliegende Untersuchung wurde im Wintersemester 1979/80 vom Fachbereich Katholische Theologie der Westfälischen Wilhelms-Universität in Münster als Dissertation angenommen. Die Promotion wurde mir ermöglicht durch die Freistellung zum Studium von seiten des verstorbenen Bischofs von Münster, Heinrich Tenhumberg, dem ich dafür dankbar verbunden bin.

Allen, die zum Gelingen und zum Abschluß der Promotion beigetragen haben, möchte ich an dieser Stelle meinen Dank aussprechen, an erster Stelle meinem moraltheologischen Lehrer Prof. Dr. Bruno Schüller SJ; für seine Gesprächsbereitschaft, seine Ermunterung und fördernde Kritik sage ich herzlichen Dank. Manche Überlegungen habe ich mit seinem langjährigen Assistenten Dr. Rudolf Ginters durchsprechen können; die Gespräche mit ihm waren mir eine große Hilfe.

Wer sich als Moraltheologe auf die Exegese des Neuen Testaments einläßt, ist auf den Rat und die Unterstützung des Neutestamentlers angewiesen. Dem Korreferenten der Arbeit, Prof. Dr. Karl Kertelge, bin ich für sein Verständnis und seine Hilfsbereitschaft zu tiefem Dank verpflichtet.

Drei Jahre meiner Promotionszeit durfte ich in der beschaulichen Ruhe des Klosters Vinnenberg (Warendorf) verbringen; den Schwestern danke ich für die herzliche Aufnahme, die ich bei ihnen gefunden habe. Dem Bischöflichen Generalvikariat und der Westfälischen Wilhelms-Universität Münster habe ich für die Gewährung eines Druckkostenzuschusses zu danken.

Schließlich gedenke ich in Dankbarkeit meiner Eltern, deren Tod die Zeit meines Promotionsstudiums überschattete.

Münster, März 1980   Werner Wolbert

9

Einleitung

Das Zweite Vatikanische Konzil fordert, daß das Studium der Bibel „gleichsam die Seele der heiligen Theologie"[1] sei. Die Theologie habe darin ihr Fundament, sie gewinne daraus Kraft und erneuere sich.[2] Diese Forderung gilt nicht nur für die Theologie allgemein, auch die *Moraltheologie* soll nach dem Willen des Konzils „reicher genährt aus der Lehre der Schrift, in wissenschaftlicher Darlegung die Erhabenheit der Berufung der Gläubigen in Christus und ihre Verpflichtung, in der Liebe Frucht zu tragen für das Leben der Welt, erhellen".[3] Das Desiderat einer stärker an der Bibel orientierten Moraltheologie wird von Theologen ebenfalls artikuliert, allerdings oft mit größerer Schärfe. So wird der traditionellen Moraltheologie vorgeworfen, daß sie „nur ein geringes Interesse an den spezifischen sittlichen Implikationen der neutestamentlichen Überlieferung hatte und Jesus eigentlich nur als Kronzeugen einer religiös (theistisch) unterfangenen philosophischen Ethik gebrauchte".[4]

In dieser Äußerung wird der traditionellen Moraltheologie vorgeworfen, sie habe im Grunde die sittliche Botschaft des Neuen Testaments noch gar nicht zur Kenntnis genommen. Ob ein solcher Vorwurf berechtigt ist, sei dahingestellt. Jedenfalls ist die Forderung des Konzils für den Moraltheologen ein Anlaß, sich über das Verhältnis der Moraltheologie zur Bibel Gedanken zu machen. Dabei stellen sich zwei grundsätzliche Fragen:
1. *Was* kann die Moraltheologie von der Bibel lernen? Zu welchen Fragen der Ethik leistet die Schrift einen Beitrag? Welche Einsichten kann die Moraltheologie aus der Offenbarung des Alten und Neuen Testaments gewinnen? (Damit ist die *Frage nach dem Proprium einer biblischen bzw. christlichen Ethik* gestellt.)
2. *Wie* kann die Moraltheologie von der Bibel lernen? Wie sieht ein sachge-

---

[1] „veluti anima Sacrae Theologiae" (Offenbarungskonstitution „Dei Verbum" [Abk.: DV] Nr. 24; vgl. Dekret über die Priesterausbildung „Optatam totius" [Abk.: OT] Nr. 16). Texte und Übersetzungen werden zitiert nach LThK.E II.
[2] „In eoque ipsa firmissime roboratur semperque iuvenescit" (DV 24).
[3] „Doctrina S. Scripturae magis nutrita, celsitudinem vocationis fidelium in Christo illustret eorumque obligationem in caritate pro mundi vita fructum ferendi" (OT 16).
[4] P. *Hoffmann/V. Eid,* Jesus von Nazareth und eine christliche Moral, Freiburg 1975, 12.

11

rechter Umgang mit den ethischen Äußerungen der Bibel aus? (Damit ist die *Frage nach einer Hermeneutik der sittlichen Botschaft der Bibel* gestellt.) Die vorliegende Arbeit will sich vor allem der zweiten Frage widmen, wenn sie auch an der ersten nicht ganz vorübergehen kann. Die Klärung der zweiten Frage ist deswegen vordringlich, weil diese Klärung Voraussetzung für die Beantwortung der ersten Frage ist. Wie noch zu zeigen sein wird, ist für die Klärung der Frage nach dem Proprium einer christlichen (bzw. biblischen) Ethik die Unterscheidung verschiedener Genera ethischer Rede und verschiedener ethischer Fragestellungen notwendig.

Als klassisches Dokument der sittlichen Botschaft des Neuen Testaments gilt die Bergpredigt. Gleichwohl dient sie in dieser Arbeit nicht als Paradigma, an dem der rechte Umgang des Moraltheologen mit der Bibel zu demonstrieren ist. Als Paradigma wurde vielmehr das 7. Kapitel des 1. Korintherbriefes gewählt, und zwar aus drei Gründen:

1. Wo es um das Proprium einer christlichen Ethik geht bzw. um das Problem ,Bibel und Moraltheologie', dürfte es nicht uninteressant sein, die aufgezeigte Fragestellung an einem Text der Bibel zu erarbeiten, der weniger im Blickpunkt steht als die Bergpredigt.

2. Während die Äußerungen der Bergpredigt in ihrer ,Radikalität' heute ganz allgemein Eindruck machen, äußert man gegenüber der Empfehlung der Ehelosigkeit in 1 Kor 7 vielfach Vorbehalte. Der Beitrag der Bibel zu Fragen der Ethik sollte auch an Texten erörtert werden, die nicht ungeteilte Zustimmung finden.

3. Wie noch zu zeigen sein wird, ist die Unterscheidung verschiedener Genera ethischer Rede anhand von 1 Kor 7 gut zu demonstrieren; vor allem findet sich in 1 Kor 7 ein Genus ethischer Rede, das sonst innerhalb der Bibel wenig vertreten ist, nämlich normative Ethik im Unterschied zu Paränese. Was mit dieser Unterscheidung gemeint ist, soll im 1. Kapitel aufgezeigt werden.

1. Paränese und normative Ethik

Die Moraltheologie soll sich, so fordert das Konzil, aus der Schrift nähren. Aber welche Art von ‚Nahrung' findet sie in der Schrift? Auch das Konzil wird nicht behaupten wollen, man könne in der Schrift bereits einen Entwurf der Moraltheologie finden. Fast jeder Theologe, der sich über das Ethos des Neuen Testaments äußert, betont, es gebe im Neuen Testament keine systematische Ethik, eine Feststellung, die schon fast zu einem Gemeinplatz geworden ist.

Wer sich mit der sittlichen Botschaft der Schrift befaßt, fühlt sich einerseits durch die Worte der Propheten, die Forderungen Jesu und der Apostel moralisch angesprochen und herausgefordert; andererseits kann er leicht feststellen, daß er auf viele ethische Fragen (etwa Wehrdienstverweigerung, Umweltschutz, Euthanasie) in der Bibel wenigstens keine ausdrückliche Antwort findet.

Zeigt sich in dieser Beobachtung der Unterschied zwischen der sittlichen Botschaft der Schrift und einer systematischen Ethik? Bei manchen Theologen hat man den Eindruck, sie sähen hier einen wesentlichen Unterschied. Diese Erklärung befriedigt aber nicht. Die Nikomachische Ethik des Aristoteles ist zweifellos ein Werk systematischer Ethik; aber auch sie gibt auf viele ethische Fragen keine Antwort, etwa auf die Frage, ob bzw. wann es erlaubt sei, jemanden zu töten. Es reicht also offenbar nicht, die ethischen Aussagen der Bibel negativ gegen Werke philosophischer oder theologischer Ethik abzugrenzen (keine systematische Ethik, kein ethisches System, keine Normen- und Tugendlehre, nicht ‚gesetzlich' usw.). *Damit die Moraltheologie sich von der Bibel inspirieren lassen kann, müßte sie positiv bestimmen, welches Genus ethischer Aussagen in der Bibel zu finden ist.*

Diese Fragestellung sei an einem *Beispiel* veranschaulicht. Der Mensch ist normalerweise verpflichtet, die Wahrheit zu sagen. Ob in bestimmten Fällen eine Falschaussage sittlich vertretbar ist, ist eine in der Geschichte der Ethik und Moraltheologie vielfach diskutierte Frage. Die Lösung dieser Frage wird wohl niemand in Grillparzers Lustspiel „Weh dem, der lügt" suchen. Der Titel dieses Stückes beinhaltet nicht unbedingt die Behauptung, jede Falschaussage sei sittlich verwerflich. Wohl weist das Stück auf die Bedeutung der Wahrhaftigkeit hin. Damit sagt es aber noch nichts zur Frage der

Erlaubtheit der Falschaussage in bestimmten Situationen. Grillparzers Lustspiel könnte also für den Moraltheologen bloß *illustrativen* Wert haben (besonders für das Phänomen der doppelsinnigen Rede, mit der der Held des Stücks jede Falschaussage vermeidet).

Hat vielleicht auch *die Bibel* für den Moraltheologen eine solche *bloß illustrative Bedeutung?* Ein christlicher Theologe wird diese Frage vermutlich spontan verneinen. Mit diesem Nein würde er zunächst wohl nur seine Überzeugung von der Wichtigkeit der biblischen Botschaft auch für die Fragen der Moral zum Ausdruck bringen. Diese Überzeugung reicht aber für einen sachgemäßen Umgang mit den Aussagen der Bibel allein nicht aus. Die Auslegungsprinzipien müssen jeweils reflektiert und verantwortet werden. Die *Notwendigkeit einer moraltheologischen Hermeneutik* sei noch einmal an einem *Vergleich* veranschaulicht. Weil wir heute die Eigenart und Aussageabsicht des biblischen Schöpfungsberichts reflektiert haben, sind wir nicht mehr gehalten, im Namen der Bibel gegen Ergebnisse der modernen Naturwissenschaft zu Felde zu ziehen. Auf der andern Seite scheuen sich manche Theologen nicht, Unterschiede oder gar einen gewaltigen Graben zwischen der sittlichen Botschaft der Bibel und philosophischer Ethik zu behaupten.[1] Möglicherweise urteilt man auch in diesem Fall zu vorschnell. Es wäre jedenfalls denkbar, daß man das Genus biblischer Aussagen zum Thema Moral nicht ausdrücklich reflektiert hat. *Welche Formen ethischer Rede gibt es? Welche finden sich in der Bibel Alten und Neuen Testaments?* Diesen Fragen soll im folgenden zunächst nachgegangen werden.

Sicherlich lassen sich verschiedene Einteilungsprinzipien für die Formen ethischer Rede finden. Hier sollen zwei Grundformen unterschieden werden: die eine heiße ‚Paränese‘, die andere ‚normative Ethik‘. Die terminologische Unterscheidung dieser beiden Redeformen geht auf B. Schüller zurück.[2] Der Sache nach geht es um den Unterschied zwischen ethischer Mahnrede, die zum Tun des sittlich Gebotenen mahnt, und der Untersuchung dessen, was sittlich geboten ist. Im einen Fall ist als geklärt vorausgesetzt, was von einem moralischen Standpunkt aus zu tun ist, im andern Fall ist ebendies zu klären. Dieser Unterschied in der Sache ist auch schon früher bemerkt worden, wie im folgenden am Beispiel der Stoa, speziell Senecas, zu zeigen sein wird. Zunächst sei dieser Unterschied an einigen, vornehmlich biblischen Beispielen erläutert.

[1] So sagt etwa *R. Spaemann* (Wovon handelt die Moraltheologie?: IKaZ 6 (1977) 289–311, hier 306) über eine bestimmte ethische Normierungstheorie: „Die Ethik der Güterabwägung ist jene, von der es im Evangelium heißt: ‚Das tun auch die Heiden.‘ "
[2] Vgl. zu dieser Unterscheidung *Schüller,* Begründung 11–23.

1.1. Einführung der Unterscheidung an biblischen Texten

Im sogenannten Heiligkeitsgesetz des Buchs Leviticus (17–26) liest man (19,11f):

(11) „Ihr sollt nicht stehlen, nicht täuschen und einander nicht betrügen. (12) Ihr sollt nicht falsch bei meinem Namen schwören; du würdest sonst den Namen deines Gottes entweihen. Ich bin der Herr."[3] Es drängt sich unmittelbar auf, in diesen Sätzen Mahnungen oder Aufforderungen zu einem sittlichen Verhalten zu erblicken. Durch sie wird dem Gewissen der Hörer oder Leser etwas eingeschärft. Mit keinem Wort wird erklärt, welche Handlungsweisen als ein Stehlen, Täuschen oder Betrügen anzusehen sind. Es findet in diesem Sinne keine Belehrung statt. Es wird vielmehr als selbstverständlich vorausgesetzt, daß die Adressaten schon wissen, was es heißt, zu stehlen, zu täuschen und zu betrügen. Andernfalls könnten diese die Mahnung gar nicht verstehen. Im ersten Satz wird kein Grund dafür angegeben, warum man nicht stehlen, täuschen und betrügen soll. Auch in dieser Hinsicht enthält er keine Belehrung. Nur derjenige, der nicht bezweifelt, daß er weder stehlen noch täuschen noch betrügen darf, wird eine solche Mahnung annehmen können.

Angenommen, ein Proudhon lese die Mahnung. Er begreife, daß im Alten Testament der Diebstahl inhaltlich zumindest mitbestimmt ist durch die Institution Privateigentum. Er wird gegen das Alte Testament seine gegenteilige Überzeugung geltend machen: Eigentum ist Diebstahl am Volk. Damit gibt er zu verstehen, daß er ein Verbot des Stehlens, wie es im Alten Testament gemeint ist, nicht anerkennt und sich darum von der entsprechenden Mahnung nicht betroffen weiß. Die Mahnung kann also nur wirksam werden, wenn der Adressat das, wozu er ermahnt wird, für richtig hält; andernfalls muß der Mahnende versuchen, seine Mahnung zu begründen.

Die folgende Aufforderung, keinen Meineid zu leisten (V. 12), scheint nun mit einer solchen Begründung versehen zu sein. Diese Begründung ist allerdings nicht von der Art, daß sie klarstellte, warum ein falscher Schwur überhaupt zu unterlassen sei. Sie weist vielmehr auf eine Eigenart des Meineids hin, die sich erst aus dessen Unzulässigkeit ergibt. Der Meineid entweiht den Namen Gottes, weil er Mißbrauch dieses Namens ist. Ob aber etwa eine zur Rettung eines Unschuldigen vor dem Tode gemachte eidliche Falschaussage einen solchen Mißbrauch des göttlichen Namens darstellt, könnte nur durch den Erweis ihrer sittlichen Unzulässigkeit gezeigt werden. Auch das abschließende „Ich bin der Herr" erklärt nicht, warum Diebstahl oder Mein-

---

3 Die Bibelzitate sind, falls nicht anders vermerkt, der Einheitsübersetzung der Heiligen Schrift, Stuttgart 1972 (NT) bzw. 1974 (AT) entnommen; Zusätze in [ ] sind von mir.

eid überhaupt sittlich verurteilt werden müssen; diese Wendung gibt vielmehr zu verstehen: Gott selbst ist es, der hier mahnt und auffordert; diese Wendung verleiht der Mahnung eine nicht mehr zu überbietende Autorität.[4] Der aus dem Heiligkeitsgesetz zitierten Verbotsreihe seien nun einige Weisungen des sogenannten Bundesbuches (Ex 21–23) gegenübergestellt (22,24–26):

(24) „Leihst du einem aus meinem Volk, einem Armen, der neben dir wohnt, Geld, dann sollst du dich gegen ihn nicht wie ein Wucherer benehmen. Ihr sollt von ihm keinen Wucherzins fordern.

(25) Nimmst du von einem Mitbürger den Mantel zum Pfand, dann sollst du ihn bis Sonnenuntergang zurückgeben;

(26) denn es ist seine einzige Decke, der Mantel, mit dem er seinen bloßen Leib bedeckt. Worin soll er sonst schlafen? Wenn er zu mir schreit, höre ich es, denn ich habe Mitleid."

V. 24 beschreibt verhältnismäßig detailliert die Handlungsweise, die er verbietet. Er gehört, wie A. Alt sagen würde, dem ‚kasuistischen Recht' an.[5] Gleichwohl beschreibt er die Handlungsweise kaum in der Absicht, damit auch den Grund anzugeben, warum sie zu unterbleiben habe; es sei denn, man habe in der Erwähnung der Armut dessen, dem man Geld leiht, einen Hinweis darauf zu sehen, warum man gerade von ihm keine Wucherzinsen nehmen dürfe. Wie dem auch sei, es ist jedenfalls deutlich: für die zweite Weisung (V. 25), die den Mantel betrifft, gibt das Bundesbuch eine Begründung (V. 26 a). Anscheinend rechnet es mit der Frage: ‚Wieso soll ich den Mantel zurückgeben?' Der Mantel, so wird dazu erklärt, ist für jeden Menschen lebensnotwendig; das Lebensnotwendige aber darf niemandem genommen werden. Soweit läßt sich der Text als Argumentation verstehen.[6] Daß jedem Menschen das Lebensnotwendige zusteht, wird nicht begründet, sondern anscheinend für selbstverständlich gehalten. Es wäre natürlich der Einwand denkbar: ‚Ein Mensch, der aus eigener Schuld in Not geraten ist, hat das Recht auf das Lebensnotwendige verspielt.' Das Bundesbuch bringt an dieser Stelle nichts vor, was einen solchen Einwand entkräften könnte. Seine Sache ist offenbar in erster Linie die Paränese.

Immerhin läßt sich schon die *Aufgabe normativer Ethik* erkennen, nämlich *Gründe* dafür *anzugeben,* daß eine Weisung zu Recht gegeben wird, einsichtig

---

[4] Die Frage nach dem Grund für das Verbot des Meineids oder Diebstahls wäre natürlich gegenstandslos, wenn man einen theonomen Moralpositivismus vertreten würde, wenn also der Diebstahl nur deshalb unmoralisch wäre, weil Gott ihn positiv verboten hätte (malum quia prohibitum). Diese Problematik ist bereits aufgezeigt in *Platons* Dialog ‚Euthyphron'; Platon erweist hier den theonomen Moralpositivismus als unhaltbar.

[5] *A. Alt,* Die Ursprünge des israelitischen Rechts, in: ders., Kleine Schriften zur Geschichte des Volkes Israel I, München 1953, 278–332.

[6] Es wäre natürlich auch denkbar, daß die Weisung unumstritten ist, daß mit V. 26 a lediglich an das Mitleid appelliert wird. In jedem Fall eignet sich aber der Hinweis von V. 26 a als Argument, nicht dagegen die Warnung von V. 26 b.

zu machen, warum eine Handlungsweise von einem sittlichen oder rechtlichen Standpunkt aus richtig oder falsch, geboten, geraten, erlaubt oder verboten ist. Wie leicht begreiflich, ist solche Argumentation immer dann gefordert, wenn die Geltung einer behaupteten sittlichen Norm in Zweifel gezogen wird, wenn die sittliche Bewertung einer bestimmten Handlung umstritten ist.

Ein Beispiel aus dem Deuteronomium sei angefügt, und zwar Dtn 16,19: „Du sollst das Recht nicht beugen.

Du sollst kein Ansehen der Person kennen.

Du sollst keine Bestechung annehmen,

denn Bestechung macht Weise blind

und verdreht die Fälle derer, die im Recht sind."

Die ersten beiden Verbotssätze umschreiben ganz allgemein die Pflicht eines Richters, im dritten wird eine bestimmte Handlungsweise verboten, die anders als in Ex 22,24 nicht ausführlich beschrieben, sondern nur mit einem Wort benannt (A. Alt spricht bei solchen kurz und prägnant formulierten Verboten von ‚apodiktischem Recht') und bereits bewertet wird durch den Ausdruck ‚Bestechung'[7]. Aktive Bestechung versucht der, der dem in seiner Sache zuständigen Richter ein Geschenk macht, um von ihm einen Urteilsspruch zu seinen (des Schenkenden) Gunsten zu erwirken. In diesem Versuch, die Unparteilichkeit des Richters anzutasten, ist die sittliche Verwerflichkeit der Bestechung begründet. Passiver Bestechung macht sich der Richter schuldig, der ein in diesem Sinn gemeintes Geschenk annimmt. Die hier gekennzeichnete sittliche Verwerflichkeit ist in dem Wort ‚Bestechung' bereits enthalten. Solche Wertungswörter, die eine Handlungsweise nicht bloß beschreiben, sondern auch bewerten, wie Mord (= unerlaubte Tötung), Ehebruch (= sittlich verwerflicher Geschlechtsverkehr außerhalb der Ehe), Diebstahl (= unerlaubte Entwendung fremden Eigentums), Lüge (= unerlaubte Falschaussage) sind in einer *paränetischen* Redesituation, in der die sittliche Bewertung der jeweiligen Handlungsweise unbestritten ist, angemessen.[8] Die genannten negativen Wertungswörter sind der zweiten Dekalogtafel entnommen (vgl. auch das zuerst genannte Beispiel Lev 19,11);

---

[7] Man könnte kritisch fragen, ob das hebräische *šoḥad* ein so deutlich negatives Wertungswort sei wie das deutsche Wort ‚Bestechung'. Es kann schlicht ‚Geschenk' bedeuten; entsprechend übersetzen Septuaginta und Vulgata mit δῶρα bzw. ‚munera'. An bestimmten Stellen muß aber ein negativer Sinn angenommen werden, z. B. Ps 26,10 („An ihren Händen klebt Schandtat, ihre Rechte ist voll von Bestechung"); hier erfordert der Parallelismus ein negatives Wertungswort parallel zu ‚Schandtat' (*zimma*). Vor allem die Wendung *lqḥ šoḥad* (ein Geschenk annehmen) scheint „terminus technicus für die Entgegennahme von Bestechungsgeld" zu sein (so *C.J. Labuschagne*, in: THAT II 126 s.v. *ntn*). Die Wertungswörter im Kontext von Dtn 16,19 (vgl. 10,17) legen ebenfalls diese negativ wertende Bedeutung nahe.

[8] Vgl. dazu *Schüller*, Begründung 19–22. Bei normativer Ethik kommt es dagegen darauf an, die zur Diskussion stehende Handlungsweise zunächst rein deskriptiv mit einem neutralen Wort zu bezeichnen, dann die Handlung zu bewerten und diese Wertung zu begründen.

die apodiktisch formulierten Verbote des Dekalogs müssen demnach, insofern sie sich nicht der Aufgabe normativer Ethik widmen, als paränetische Rede diagnostiziert werden. Anders als im Dekalog fügt jedoch das Deuteronomium in Dtn 16,19 dem apodiktischen Verbot eine Art Begründung an. Ob es dabei einem Einwand begegnen, argumentieren, also einen Versuch normativer Ethik unternehmen will, dürfte schwer zu beurteilen sein. Ein Richter könnte natürlich einwenden, er nehme zwar Geschenke an, lasse sich aber prinzipiell in seinem Urteilsspruch davon nicht beeinflussen. Solch einem Einwand müßte das Deuteronomium aber genauer begegnen, entweder mit dem Hinweis, Geschenke beeinflußten einen Richter oft so, daß er es selber nicht merke, oder mit der Notwendigkeit, dies Verbot wegen der vielen beeinflußbaren Richter auch auf die auszudehnen, die an sich solcher Beeinflussung widerstehen könnten. Dennoch wird man nicht ausschließen können, daß der Hinweis von Dtn 16,19 d argumentativ gemeint ist. In diesem Fall würde sich das Deuteronomium an Richter wenden, die bereits blind sind für die sich aus der Annahme von Geschenken ergebenden Gefahren, würde mit einer Überlegung normativer Ethik einsichtig zu machen versuchen, warum es das Annehmen von Bestechungsgeschenken grundsätzlich verbietet. Der Hinweis von Dtn 16,19 d könnte aber auch lediglich das aufgestellte Verbot unterstreichen und einschärfen. Indem es auf die Folgen der Bestechung hinweist, würde das Deuteronomium die Richter in Israel motivieren, diesem Verbot nicht zuwiderzuhandeln. Nun sollte man zwar bei einem Richter an sich voraussetzen, daß er sich über die Folgen eines durch Bestechung korrumpierten Gerichtswesens im klaren ist. Gerade solch eine Situation ist aber ‚Sitz im Leben‘ der Paränese. Bei allen Formen der Paränese ist Übereinstimmung im Urteil über die jeweilige Handlung vorausgesetzt, Übereinstimmung damit auch über die für die Beurteilung relevanten Folgen der Handlung und deren Bewertung. Paränese hat demnach nicht zu belehren, nicht neue Einsichten zu vermitteln, sondern auf bereits Bekanntes hinzuweisen, das Gedächtnis aufzufrischen; mehr noch, dem schwachen Willen des Menschen aufzuhelfen, indem sie ermahnt, appelliert, droht und warnt, nicht nur einmal, sondern wiederholt, gelegen oder ungelegen (vgl. 2 Tim 4,2).

Was hier unter ‚Paränese‘ verstanden werden soll, ist damit an einigen Beispielen illustriert worden; es soll nun noch einmal allgemein formuliert werden. *Paränese* sei die Weise ethischer Rede, die ein sittliches Gebot bzw. Verbot einschärft, die zu einem als sittlich gefordert erkannten Verhalten ermahnt bzw. vor einem als sittlich verwerflich erkannten warnt, die eine bereits geschehene Tat je nach ihrem sittlichen Wert billigt bzw. mißbilligt, die betreffende Person lobt bzw. tadelt, wobei immer vorausgesetzt ist, daß

Subjekt und Adressat der Paränese in der Beurteilung der betreffenden Handlung übereinstimmen.

Die oben angeführten Beispiele biblischer Paränese richteten sich durchweg an potentielle Übertreter der Gebote, an Menschen also, die entweder zum Zuwiderhandeln bzw. zum Bösen überhaupt entschlossen sind, oder an Menschen, die noch unentschlossen sind, die noch schwanken zwischen dem Halten und Übertreten des betreffenden Gebots bzw. dem Guten und dem Bösen. Wie jeder Erzieher weiß, ist aber das Lob ebenso wichtig wie der Tadel. Auch der zum Guten, zum Handeln gemäß den Geboten Entschlossene braucht Bestätigung und Ermunterung, damit er auf seinem Weg fortschreitet, im Guten wächst. Wie der Tadel der bösen setzt auch das Lob der guten Tat Übereinstimmung über die sittliche Bewertung der Tat voraus; auch bei solchem Lob handelt es sich um Paränese.

Normative Ethik ist dagegen immer da gefordert, wo diese Übereinstimmung nicht besteht, wo entweder verschiedene Meinungen aufeinanderprallen oder bestimmte Personen noch gar keine Meinung über die Bewertung einer bestimmten Handlungsweise haben, wo also die Situation ethischer Verunsicherung besteht. Das Paradigma par excellence für eine solche Situation findet sich außerhalb der Bibel, in Platons Dialog ‚Kriton‘.[9] Dort besteht zwischen Sokrates und seinen Freunden Meinungsverschiedenheit darüber, ob Sokrates die Möglichkeit der Flucht aus dem Gefängnis und damit vor der Vollstreckung des Todesurteils ergreifen soll oder nicht. In solcher Situation muß jede Partei ihre Argumente vorbringen und prüfen lassen. Bei solchem Gespräch ist allerdings vorausgesetzt, daß jeder nach der *sittlich* geforderten Handlung fragt. Würde jemand Sokrates die Flucht aus rein egoistischen Gründen nahelegen, hätte er die gemeinsame Gesprächsbasis verlassen. Im Fall normativer Ethik ist also zwar die sittliche Beurteilung einer Handlung umstritten, der gemeinsame Wille, nach *moralischen* Gesichtspunkten zu entscheiden, aber vorausgesetzt. Wo ethisch argumentiert wird, darf demnach der Andersdenkende nicht der Unmoral verdächtigt werden, das heißt, jede negative Paränese hat zu unterbleiben. Hätte etwa Sokrates seine Freunde des Opportunismus bezichtigt, hätte er ihnen also vorgeworfen, sie verleiteten ihn dazu, nur sein eigenes Wohl im Auge zu haben, dann hätte er den Boden normativer Argumentation verlassen; ebenso die Freunde, wenn sie Sokrates als starrköpfig bezeichnet hätten. Tatsächlich bestreitet in Platons Dialog keine Partei der andern die lautere Absicht.

Platons Dialog ‚Kriton‘ ist ein Beispiel für ethische *Meinungsverschiedenheiten*. Beispiele für ethische *Verunsicherung,* für die Situation also, in der wenigstens einer der Gesprächspartner noch gar keine Meinung hat und nicht weiß, wie

---

[9] Am Beispiel des ‚Kriton‘ verdeutlicht auch *W.K. Frankena* die Aufgabe normativer Ethik (Analytische Ethik, München 1972, 17–20).

er sich verhalten soll, finden wir – um wieder ein biblisches Beispiel zu nennen – in den paulinischen Briefen. Weil sie verunsichert sind, fragen die Christen von Korinth, ob der Christ heiraten dürfe oder ehelos bleiben müsse, ob bestehende Ehen aufrechtzuerhalten seien (1 Kor 7), ob ein Christ Götzenopferfleisch essen dürfe (1 Kor 8–10). Wo solche Fragen gestellt werden, ist eine Antwort erfordert, und zwar eine begründete Antwort. Paulus muß sich also in 1 Kor 7–10 mit Fragen normativer Ethik befassen. Die Gemeinden des Paulus konnten sich nicht in allen Fragen des sittlich richtigen Verhaltens an Paulus wenden. Im allgemeinen muß ein Christ selber beurteilen können, was von ihm gefordert ist. Dazu fordert Paulus die Römer ausdrücklich auf: sie sollen prüfen, was der Wille Gottes ist (Röm 12,2). Für die Philipper betet Paulus, daß sie beurteilen können, worauf es ankommt (Phil 1,9). Dem Juden konzediert Paulus: „Du rühmst dich deines Gottes, du kennst seinen Willen, und du willst, aus dem Gesetz belehrt, beurteilen, worauf es ankommt" (Röm 2,17 f). Die Fähigkeit, die Paulus den Juden attestiert und den Christen bewußtmacht, betrifft nicht nur allgemein die Bereitschaft, den Willen Gottes zu tun. „Gemeint ist in unserem Zusammenhang," – so H. Schlier zu Röm 2,18 – „daß sie bei der Erkenntnis und Durchführung des Willens Gottes recht zu differenzieren und ihn in rechter Weise konkret anzuwenden wissen."[10] Τὰ διαφέροντα meint demnach das, was einen ‚Unterschied' macht, „worauf es in der jeweiligen Situation ankommt",[11] die in der jeweiligen Situation richtige Handlung. Das herauszufinden ist aber nach unserer Terminologie Aufgabe normativer Ethik, eine Aufgabe, die Paulus mit den Wendungen δοκιμάζειν τί τὸ θέλημα τοῦ θεοῦ (Röm 12,2) und δοκιμάζειν τὰ διαφέροντα (Phil 1,10; Röm 2,18) umschreibt. In den Auslegungen der genannten Stellen wird oft genau das beschrieben, was normative Ethik will, besonders deutlich bei J. Gnilka: „Das praktische Erkennen hat das für die jeweilige Situation richtige Verhalten bereitzustellen. Dabei ist eine Wahl zwischen verschiedenen Möglichkeiten vorausgesetzt, unter denen die jeweilig besten durch kritisches δοκιμάζειν ermittelt werden müssen. Was Paulus die Gemeinde lehren will, ist, daß sie die in ihr wirksam gewordene Liebe nicht unüberlegt vertun darf, sondern ἐν ἐπιγνώσει κ. πάσῃ αἰσθήσει einzufangen hat, um sie in schicklichen, sinnvollen Taten zu verwirklichen."[12] Gnilka beschreibt hier präzise die Situation, in der normative Ethik, δοκιμάζειν, gefordert ist: Es bieten sich mehrere Handlungsmöglichkeiten an, mindestens zwei, für jede dieser Handlungsmöglichkeiten sprechen

[10] H. Schlier, Der Römerbrief, Freiburg 1977, 83; vgl. auch Schrage, Einzelgebote 169 f.
[11] W. Grundmann, in: ThWNT II 263 (s. v. δόκιμος κτλ.).
[12] J. Gnilka, Der Philipperbrief, Freiburg 1968, 52; vgl. E. Käsemann, An die Römer, Tübingen ²1974, zu Röm 2,18 und 12,2. Unter αἴσθησις versteht Käsemann das „Gefühl für die jeweilige Situation" (Grundsätzliches zur Interpretation von Römer 13, in: ders., Exegetische Versuche und Besinnungen II, Göttingen ³1968, 204–222, hier 220).

gewisse Gründe (sofern der unmoralische Charakter einer Handlungsmöglichkeit bereits feststeht, wird sie gar nicht erst ernsthaft erörtert), welche von diesen Möglichkeiten aber zu ergreifen ist, ist noch nicht geklärt. In Phil 1,9 f (und Gnilkas Auslegung) wird aber noch ein anderer wichtiger Gesichtspunkt angedeutet. Paulus betet, „daß eure Liebe immer reicher an Einsicht und Verständnis wird". Die Liebe soll demnach nicht blind sein, sondern eine verständige, sehende Liebe. Die Forderung nach der Prüfung dessen, worauf es ankommt, ist eine Forderung der Liebe selber. Der Wille, Gutes zu tun, genügt nicht, man muß sich auch fragen, *wie* und *wem* man Gutes zu tun hat. Wer die Liebe üben will, ist also verpflichtet, normative Ethik zu treiben, sich genau zu überlegen, welche konkreten Taten die Liebe jeweils von ihm fordert.

Damit ist gezeigt, daß Paulus um die Eigenart und Notwendigkeit normativer Ethik weiß, daß er sie als Aufgabe des Christen begreift und sich selbst dieser Aufgabe stellt. Ja, Paulus ist der Meinung, der Christ sei in besonderer Weise zu dieser Aufgabe verpflichtet. Da der Christ sein Denken gewandelt und erneuert hat (Röm 12,1 f), da er schon bereit ist, die Liebe zu üben, und in dieser Bereitschaft durch die erfahrene Rechtfertigung gestärkt ist, kann er umso besser den Willen Gottes erkennen. „Damit wird der Anspruch erhoben, daß Christen im Blick auf den Neuen Äon der Vernunft besser Rechnung zu tragen vermögen, als die Welt es im allgemeinen tut."[13]

1.2. Andere Verwendungsweisen des Wortes ‚Paränese‘

Es ist seit langem üblich, ethische Texte der Bibel, vor allem des Neuen Testaments, mit ‚Paränese‘ zu bezeichnen. Sofern man das Wort eigens erklärt, trifft man dabei nicht, wie hier geschehen, eine Unterscheidung nach dem Skopus ethischer Rede, sondern nach der literarischen Redeform. So kann man etwa kurze und lange, poetische und prosaische, konkrete und allgemeine Mahnungen voneinander abheben. Wo man sich bei der Bestimmung dessen, was mit ‚Paränese‘ gemeint ist, von solchen Gesichtspunkten leiten läßt, wird sich ein solcher Wortgebrauch mit dem, was hier unter ‚Paränese‘ gefaßt ist, natürlich nur zum Teil decken oder sich zu ihm sogar konträr verhalten. Die folgenden Belege (die natürlich keinen vollständigen Überblick darstellen) sollen diese Unterschiede im Sprachgebrauch deutlich machen; auf diese Weise soll eventuellen rein sprachlichen Mißverständnissen vorgebeugt werden.

Bei der Bestimmung dessen, was Paränese sei, bleibt man durchweg innerhalb des Bedeutungsfelds, das für das griechische παραίνεσις lexikogra-

[13] E. *Käsemann*, An die Römer, Tübingen ²1974, 316.

phisch erfaßt ist: ‚Zuspruch, Ermunterung, Warnung, Ermahnung, Vorschrift'.

Laut Brockhaus heißt ‚Paränese' in der allgemeinen Bildungssprache „derjenige Teil einer Predigt oder Rede, der die ermahnende Anwendung auf den Leser oder Zuhörer enthält, dann auch eine ganze Rede oder ein Lesestück ermahnenden oder ermunternden Inhalts".[14] ‚Paränese' scheint hier ein Ermahnen zu bedeuten, insofern dieses sich in einer gewissen Ausführlichkeit ergeht, eben in jener Ausführlichkeit, die nun einmal einer Predigt oder Rede eigen ist. Unter dem Gesichtspunkt aber, der es erforderlich macht, Ermahnung von normativer Ethik zu unterscheiden, ist es gleichgültig, ob die Ermahnung in Form einer Predigt erfolgt oder in einer Reihe prägnanter Gebote und Verbote wie im Fall des Dekalogs oder in einsätzigen Aufforderungen wie: ‚Tu endlich deine Pflicht!', ‚Steh zu deinem Wort!'. Außerdem sieht es so aus, als ob Brockhaus das ‚Ermahnen' nicht so weitgefaßt wissen will, daß es auch eine ethische Drohrede wie die Ankündigung des göttlichen Gerichts in sich begreift. Auch in diesem Falle würde er ‚Paränese' in einer engeren Bedeutung nehmen als derjenigen, die es als Gegenbegriff zu normativer Ethik hat.

M. Dibelius läßt sich bei einer Bestimmung der Bedeutung von ‚Paränese' von einigen anderen Gesichtspunkten leiten. Er schreibt: „Unter Paränese verstehen wir... einen Text, der Mahnungen allgemein sittlichen Inhalts aneinanderreiht. Gewöhnlich richten sich die Sprüche an eine bestimmte (wenn auch vielleicht fingierte) Adresse oder haben mindestens die Form des Befehls oder Aufrufs; das unterscheidet sie von dem Gnomologium, der bloßen Sentenzen-Sammlung."[15] Ob eine Mahnung allgemeinen oder spezifischen Inhalts ist, ob sie in einer Reihe mit anderen Mahnungen steht oder für sich gesondert, das ist kaum von Bedeutung zur Bestimmung ihrer Eigenart gegenüber normativer Ethik. Dagegen dürfte es einer Mahnung eigen sein, zumindest meist die Form eines Befehls oder Aufrufs zu haben und sich an bestimmte Adressaten zu richten. Aber wie ist die Abgrenzung von einer Sentenzensammlung zu verstehen? Eine Sentenz oder Gnome, so heißt es, sei ein „knapper Ausspruch eines weisen Mannes allgemein verbindlichen Inhalts."[16] Es könnte sein, daß ein solcher Ausspruch den Cha-

14 Der große Brockhaus XIV, Leipzig [15]1933, 165 (s. v. ‚Paränese').
15 M. Dibelius, Der Brief des Jakobus, Göttingen [11]1964, 16f; an anderer Stelle (Geschichte der urchristlichen Literatur, München 1936, 140) sagt Dibelius: „Paränese nennt man eine Aneinanderreihung verschiedener häufig unzusammenhängender Mahnungen mit einheitlicher Adressierung."
16 O. Gigon/K. Rupprecht, ‚Gnome', in: Lexikon der Alten Welt, Zürich 1965, 1099. In der Rhetorik des Aristoteles (II 21 = 1394 a19–1395 b 20) findet sich ein Abschnitt „Über die Gnomologie". Ein Sinnspruch (Gnome) bezieht sich nach Aristoteles nicht auf alle allgemeinen Aussagen, sondern nur auf die, „welche sich auf das Gebiet der menschlichen Handlungen und auf das beziehen, was wir beim Handeln zu wählen oder zu meiden haben" (bezieht sich also offenbar auf das Gebiet der Ethik). Ein solcher Sinnspruch gibt keine Begründung. „Setzt man aber die

rakter und Rang eines ethischen Grundsatzes hätte, etwa: ‚Es ist besser, Unrecht zu leiden, als Unrecht zu tun'.[17] Als solcher könnte er innerhalb der normativen Ethik herangezogen werden zur Klärung der Frage, wie eine bestimmte Handlung sittlich zu beurteilen ist. Allerdings kann man sich dieser Sentenz auch bedienen, um jemanden darin zu bestärken, zu seiner sittlichen Überzeugung zu stehen, wenngleich er dafür durch Erleiden von Unrecht einen sehr hohen Preis bezahlen muß. Das macht deutlich, daß die von Dibelius vorgenommene Sonderung von Paränese und Gnomologium, so berechtigt und notwendig sie als Scheidung literarischer Gattungen ist, keine Bedeutung hat, wenn es darauf ankommt, Aufgabe und Verfahrensweisen normativer Ethik nicht mit einem Ermuntern, Ermahnen oder Warnen zu verwechseln.[18]

Wie Martin Dibelius befassen sich auch andere Exegeten besonders eingehend mit der Erklärung dessen, was sie unter ‚Paränese' verstanden wissen wollen, und zwar bei der Bestimmung der literarischen Gattung des Jakobusbriefs.[19] Signifikante Unterschiede in der Verwendung des Wortes lassen sich bei ihnen nicht feststellen. Ph. Vielhauer übernimmt wörtlich die Definition von Dibelius, um dann innerhalb und außerhalb des Neuen Testaments paränetische Texte auszusondern.[20] Er zählt dazu die Tugend- und Lasterkataloge sowie die Haustafeln. Das sind Texte, die sich auch vorzüglich dazu eignen, die Eigenart von Paränese, insofern von normativer Ethik unterschieden, deutlich zu machen. Vielhauer weist auch Röm 12 und 13 der Paränese zu. Damit kontrastiert er Röm 14,1–15,13; in diesem Abschnitt des Briefes liege nicht Paränese vor, sondern werde „ein konkretes und aktuelles Problem der römischen Gemeinde (Streit . . . über die Erlaubtheit von Fleischgenuß) . . . seiner Lösung entgegengeführt".[21] Daraufhin

Ursache und das Warum hinzu,... so wird das Ganze ein Enthymem." (II 21,3, zitiert nach der Übersetzung von A. Stahr, Aristoteles II. Die Bücher der Redekunst, Berlin[3] o. J.) Aus dieser Kennzeichnung des Aristoteles wird deutlich, daß eine Gnome unter die Paränese einzuordnen ist; vgl. zu solchen Sinnsprüchen auch *Seneca*, Brief 33.

[17] Vgl. *J. T. Shipley*, Dictionary of World Literary Terms, London [2]1979, 137 (s. v. ‚gnome'): „A maxim may be about (1) universals that are the objects of action, to be chosen or avoided in our doings; (2) men but not involving choice; (3) fate, death, the gods; (4) non-human subjects. Aristotle limits the term gnome to type (1); but all 4 appear in gnomic poetry."

[18] Interessant ist, daß *J. Moffat* von einem „gnomic style" im Jakobusbrief spricht (An Introduction to the Literature of the New Testament, Edinburgh [3]1918 [Reprinted 1961], 461); demnach scheint auch vom Standpunkt eines Exegeten der Unterschied zwischen Paränese und Gnomologium nicht von allzu großem Gewicht zu sein.

[19] So etwa *F. Mußner*, Der Jakobusbrief, Freiburg 1964, 23 f; *A. Wikenhauser/J. Schmid*, Einleitung in das Neue Testament, Freiburg [6]1973, 569; vgl. bei *M. Dibelius*, Der Brief des Jakobus, Göttingen [5]1964, 13–23, bes. 16–19.

[20] *Ph. Vielhauer*, Geschichte der urchristlichen Literatur, Berlin 1975, 49–57.

[21] Ebd. 50. Allerdings muß der Abschnitt 15,1–13 bereits als reine Paränese charakterisiert werden. Hier ergeht zwar auch am Anfang (15,1) eine Mahnung an die ‚Starken', „aber jetzt ganz allgemein und nicht mehr speziell auf die römischen Verhältnisse allein bezogen" (*H. Schlier*, Der Römerbrief, Freiburg 1977, 419). Dieser Abschnitt mahnt mit dem Hinweis auf das Vorbild

23

gibt Vielhauer als eines der ‚Formmerkmale' von Paränese an: „Keine ausführlich begründeten ethischen Entscheidungen, sondern kurze Gebote oder Ausrufe sind das auffälligste Merkmal."[22] Es läßt sich nicht übersehen, der Sache nach nimmt Vielhauer damit eine Abgrenzung der Paränese von normativer Ethik vor. Einen Streit über die Erlaubtheit einer Handlungsweise entscheiden und diese Entscheidung begründen, das heißt, normative Ethik betreiben. Aber augenscheinlich ist Vielhauer sich der Tragweite dieser Abgrenzung nicht eigentlich bewußt. Sonst hätte er sie wohl noch schärfer und weiter ausgezogen. Vermutlich ist er nicht in der Lage, ihr seine ungeteilte Aufmerksamkeit zuzuwenden, weil er in Anlehnung an Dibelius zur Kennzeichnung von Paränese a limine mehrere logisch distinkte ‚principia divisionis' zusammennimmt. Ein begründetes Urteil (= Entscheidung) darüber fällen, ob eine Handlungsweise erlaubt ist oder nicht, das ist sachlich etwas anderes als ein Ermahnen und Warnen. Nachdem man bei ethischer Rede diese fundamentale Unterscheidung getroffen hat, kann man durch Anwendung weiterer ‚principia divisionis' noch weitere Unterteilungen vornehmen. Die Begründung eines Urteils mag ausführlich oder kurz und prägnant sein, das Urteil mag sich auf eine konkretere oder weniger konkrete bestimmte Handlungsweise beziehen, der Anlaß zu diesem Urteil kann ein aktueller Zweifel sein oder ein bloß methodischer Zweifel: es handelt sich in jedem Fall um normative Ethik. Ganz ähnlich läßt sich das Genus ‚Mahnrede' unter verschiedenen Gesichtspunkten aufgliedern. Eine ethische Ermahnung kann ausführlich oder kurz, allgemein oder konkret, usuell oder aktuell, apodiktisch oder kasuistisch[23] sein und so fort. Wie man bei einer solchen Bildung von Klassen und Unterklassen vorgeht, in welcher Abfolge man die distinkten ‚principia divisionis' einander zuordnet, hängt jeweils davon ab, von welchem Interesse man geleitet ist. Und wie immer man das Interesse kennzeichnen mag, das einen Dibelius und Vielhauer veranlaßt, die Klasse paränetischer Rede durch die von ihnen aufgezählten Merkmale konstituiert zu sehen, man kann durch bloße Änderung des Erkenntnisinteresses aus ihren Angaben die beiden

---

Christi, nicht sich selbst, sondern dem Nächsten zu Gefallen zu leben; das ist einfach eine Mahnung zu moralischer Gesinnung, also Paränese. Vgl. dazu unten S. 28.

[22] *Ph. Vielhauer*, a. a. O. 51.

[23] Wie die Erörterung von Lev 19,11 f und Ex 21,24–26 (S. 15 f) gezeigt hat, sind ‚apodiktisches' und ‚kasuistisches' Recht als Unterklassen des Genus ‚Paränese' zu betrachten. Wer das nicht beachtet, kann durch diese Unterscheidung in die Irre geführt werden. Auch *E. Gerstenberger* (Wesen und Herkunft des apodiktischen Rechts, Neukirchen-Vluyn 1965, 20) hält diese Unterscheidung für mißverständlich: „Der Terminus ‚apodiktisch' scheint nicht sehr glücklich gewählt. Die Unterscheidung von Unterfällen in einem Gesetz nimmt diesem in der Regel nichts von seiner Autorität und Geltungskraft." Allerdings scheint mir – gegen Gerstenberger – nicht der Terminus ‚apodiktisch', sondern der Terminus ‚kasuistisch' in die Irre zu führen. Bei dem, was man gemeinhin unter ‚Kasuistik' versteht, handelt es sich um normative Ethik, bei dem, was A. Alt unter ‚kasuistischem Recht' versteht, handelt es sich um Paränese. Vgl. dazu *Schüller*, Begründung 16 f.

Grundformen ethischer Rede gewinnen, die von uns als Paränese und normative Ethik einander gegenübergestellt werden. Die bisher angeführten Exegeten verwenden alle ‚Paränese' in gleicher Bedeutung. Anders H. D. Wendland; er weicht von ihnen ab, und zwar in bedeutsamer Weise. Er schreibt: „Das Neue Testament redet von den Gütern dieser Erde und von den weltlichen Sozialgefügen nur im Zusammenhang von Paränesen, d. h. von konkreten Mahnreden an bestimmte Gemeinden. In diesem Sinne trägt die ganze neutestamentliche Ethik paränetischen Charakter."[24] Indem Wendland ‚Paränese' implizit definiert als Mahnrede, insofern *konkret* und *an bestimmte Gemeinden* gerichtet, gibt er dem Wort eine Bedeutung, die sich zur Definition eines Dibelius teilweise konträr verhält. Dibelius unterscheidet nämlich innerhalb des Genus Paränese konkrete und allgemeine Mahnrede; er schreibt über die Mahnungen der Paulusbriefe: „Vor allem fehlt ihnen eine unmittelbare Beziehung auf die Briefsituation. Die Regeln und Weisungen sind nicht für bestimmte Gemeinden und konkrete Fälle formuliert, sondern für die allgemeinen Bedürfnisse der älteren Christenheit. Sie haben nicht *aktuelle,* sondern *usuelle* Bedeutung."[25]

Wenn Wendland der gesamten neutestamentlichen Ethik einen ‚paränetischen' Charakter zuschreibt, dann muß man seiner Definition von ‚Paränese' den vielfach usuellen Charakter der sittlichen Mahnungen des Neuen Testaments entgegenhalten. Darüber hinaus ist festzustellen, daß er den von Vielhauer hervorgehobenen Unterschied zwischen Röm 12;13 einerseits und Röm 14 andererseits nicht berücksichtigt, mithin ‚Paränese' so weit faßt, daß es in seiner Bedeutung auch das mitumschließt, was hier als ‚normative Ethik' bezeichnet wird. In der Tat äußert Wendland, wir hätten in 1 Kor 7 „eine konkrete Paränese mit Antworten auf bestimmte Fragen vor uns";[26]

[24] *H.-D. Wendland,* Ethik des Neuen Testaments, Göttingen 1970, 2. Der ‚konkrete' Charakter der paulinischen Paränese wird von Wendland offenbar positiv beurteilt. Andere sehen in dieser Konkretion negativ ein Zeichen des ‚Kompromisses' zwischen dem christlichen Ideal und den Realitäten dieser Welt, den die Christen eingehen müßten. Zur Frage der Konkretheit und Situationsbezogenheit der paulinischen Weisungen vgl. *Schrage,* Einzelgebote 37–48. 59–70.

[25] *M. Dibelius,* Die Formgeschichte des Evangeliums, Tübingen ³1959, 239. So sind etwa die Tugend- und Lasterkataloge des Neuen Testaments (etwa Gal 5,19–23; Eph 4,32–5,2) durchaus schematisch und nicht auf konkrete Mißstände in den Gemeinden bezogen. Als Erinnerung an die Taufparänese wollen sie vielmehr die Grundentscheidung, die die Christen in der Taufe getroffen haben, ins Gedächtnis rufen; vgl. *A. Vögtle,* ‚Lasterkataloge', in: LThK² VI 806–808; *ders.,* ‚Tugendkataloge', in: LThK² X 399–401; *Schüller,* Begründung 14 f. Manche Paränese ist überdies nur scheinbar aktuell. Die Pastoralbriefe sind (falls man ihre Pseudonymität als erwiesen ansieht) ein Musterbeispiel für eine bloß fingierte konkrete Situation in der Paränese; vgl. dazu *N. Brox,* Die Pastoralbriefe, Regensburg 1969, etwa die Auslegung zu 1 Tim 1,3–7.

[26] *H.-D. Wendland,* a. a. O. 76; ähnlich spricht *A. Schulz* (Grundformen urchristlicher Paränese, in: J. Schreiner/G. Dautzenberg (Hrsg.), Gestalt und Anspruch des Neuen Testaments, Würzburg 1969, 249–261, hier 250) von „aktueller Paränese" in bezug auf 1 Kor 7; 8–10; Röm 14,1–15,7.

der Satz muß wohl gelesen werden: ,konkrete Paränese, *bestehend in* Antworten auf bestimmte Fragen'.

Am Beispiel Wendlands wird somit deutlich, daß unter ,Paränese' häufig das subsumiert wird, was hier ,normative Ethik' genannt ist. Das ist zunächst nur eine Feststellung; falls sich aber der Unterschied zwischen ethischer Mahnrede und dem Urteil über die sittliche Erlaubtheit einer Handlung als sachlich relevant und als für die rechte Interpretation der ethischen Aussagen der Bibel hilfreich bzw. notwendig erweisen sollte, müßte man auch eine klare terminologische Unterscheidung fordern. Wo man die genannten Genera ethischer Rede nicht terminologisch benennt, hat man vermutlich den Unterschied oder wenigstens die Relevanz dieses Unterschieds noch nicht wahrgenommen.

1.3. Senecas Plädoyer für Paränese

Paränese – so wurde herausgestellt – gibt keine neuen Informationen, sondern schärft Bekanntes ein, frischt das Gedächtnis auf. Aber welchen Nutzen kann dann Paränese haben? Ist sie nicht im Grunde überflüssig? Ist es gar eine Aufgabe von Moraltheologie und philosophischer Ethik, sich mit Paränese zu befassen, mit ethischer Mahnrede, deren Inhalt definitionsgemäß trivial ist? Das mag einem befremdlich erscheinen, wenn man seine Vorstellung von Philosophie an modernen Abhandlungen über Erkenntnistheorie, Wissenschaftslehre oder auch über Ethik gewonnen hat. Wer allerdings Senecas Briefe an Lucilius liest, wird feststellen müssen, daß diese Briefe zu großen Teilen aus Paränese bestehen; und Seneca selbst ist zweifellos überzeugt, daß seine Briefe an Lucilius Philosophie zu ihrem Gegenstand haben. Seneca beschäftigt sich sogar ausdrücklich mit der Frage, ob Paränese nicht überflüssig sei. In Brief 94 handelt er über jenen Teil der Philosophie, dem er die Aufgabe zuschreibt, jedem einzelnen spezielle Vorschriften zu geben (propria cuique personae praecepta dare),[27] zum Beispiel dem Ehemann zu sagen, wie er sich zu seiner Frau verhalten soll, dem Vater, wie er seine Kinder erziehen, und dem Herrn, wie er seine Sklaven leiten soll; hier werden die Umrisse einer sogenannten Haustafel sichtbar, wie sie auch im Neuen Testament vorkommen und dort zum Genus paränetischer Rede gehören. Im folgenden Brief 95 sagt er von diesem gerade behandelten Teil der Philosophie, bei den Griechen heiße er *pars paraenetica,* bei den Römern *pars praeceptiva.*[28] Offenbar ist ,Paränese' also schon bei den Griechen als

---

[27] *Seneca,* Epistulae morales (= Ep) 94,1. Die Briefe 94 und 95 werden im folgenden zitiert nach der Ausgabe von L. D. Reynolds, Tomus II, Oxford 1965; die Übersetzungen nach L. A. Seneca, Briefe an Lucilius II, übs. von E. Glaser-Gerhard, Hamburg ²1968.

[28] Ep 95,1.

Terminus für eine bestimmte ethische Redeform verwendet worden. Über den Sinn dieser Redeweise hat man sich auch bereits Gedanken gemacht. Der Stoiker Ariston von Chios bringt nämlich gegen die pars praeceptiva philosophiae eine Reihe von Einwänden vor, die Seneca in Brief 94 in extenso anführt, um sie dann zu entkräften. Die *Diskussion Senecas mit Ariston* sei hier auszugsweise referiert, da sie uns hilft, Eigenart und Bedeutung von Paränese zu erfassen.

Einer der Einwände Aristons, in die logisch elegante Form eines Dilemmas gebracht, richtet sich klar gegen ethische Mahnrede: Die Geltung der sittlichen Vorschriften, zu deren Erfüllung man ermahnt, ist entweder offenkundig oder bezweifelbar. Ist sie offenkundig, so braucht es keine Ermahnung („non desiderant manifesta monitorem"[29]); ist sie jedoch bezweifelbar, so braucht es Beweise für ihre Geltung („praecepta dare scienti supervacuum est, nescienti parum"[30]). Im Grunde zeigt Ariston nur, daß Mahnrede überflüssig *wäre,* wenn sie als normative Ethik angesehen werden müßte. Eine für selbstverständlich gehaltene Vorschrift braucht vielleicht nicht mehr eigens begründet zu werden. Aber folgt daraus auch, daß die *Erfüllung* dieser Vorschrift nicht mehr paränetisch *eingeschärft* zu werden braucht? Seneca zeigt überzeugend auf, daß diese Folgerung nicht gezogen werden darf. Er schreibt: „,Was nützt es schon, ... uns zu demonstrieren, was vor aller Augen liegt?' – Sehr viel. Manchmal nämlich wissen wir es schon, beachten es aber nicht. Ermahnung lehrt uns nichts Neues, lenkt uns aber auf die Sache hin; Ermahnung ermuntert uns, sie stützt das Gedächtnis und läßt es nicht abschweifen."[31]

Seneca weiß auch Wichtiges zu der Frage zu sagen, wie Paränese geschehen müsse, damit sie sich als wirksam erweise. Sittliche Vorschriften besäßen, wenn gewissermaßen hineingeflochten in eine Dichtung oder sentenzartig aufgenommen in eine Prosarede, eine besondere appellative Kraft. Er führt einige Sentenzen an: ,Geize mit der Zeit!', ,Erkenne dich selbst!', ,Es gibt ein Mittel gegen jedes Unrecht: Vergessen.' Von diesen Sentenzen meint Seneca: „Solche Sprüche bedürfen des Anwalts nicht. Sie greifen uns unmittelbar ans Herz und wirken – denn in ihnen regt Natur die Kräfte."[32] Danach beschreibt Seneca allgemein den Sinn der Paränese: „Die menschliche Seele trägt den Keim jeder sittlichen Tat in sich – Ermahnung läßt ihn sprossen, nicht anders, als der Feuerfunke durch den leisesten Lufthauch zur offenen Flamme entfacht wird. Wenn sie Anregung und Antrieb erfährt, entfaltet die

---

[29] Ep 94,10.
[30] Ep 94,11.
[31] Ep 94,25 („,Quid prodest... aperta monstrare?' Plurimum; interdum enim scimus nec adtendimus. Non docet admonitio sed advertit, sed excitat, sed memoriam continet nec patitur elabi").
[32] Ep 94,28 („Advocatum ista non quaerunt: adfectus ipsos tangunt et natura vim suam exercere proficiunt"). Vgl. 94,46f.

27

Tugend sich mächtig."[33] Seneca verdeutlicht das Gelingen der Paränese auch an der appellativen Wirkung guter Vorbilder. Die bloße Begegnung mit einem ‚Weisen‘ oder einem ‚großen Mann‘ rufe schwankende oder sogar zum Bösen neigende Menschen zum Tun des Guten auf. Ebenso die Unterhaltung mit sittlich hochstehenden Männern.[34] Nun, das Vorbild dürfte nicht nur durch Vergleich Paränese *erläutern,* sondern seinem Begriffe nach selbst eine Form von Paränese darstellen; jemand ist nämlich Vorbild, insofern von ihm und seinem Leben ein Appell zur Nachahmung ausgeht; ein solcher Appell aber ergeht nur da, wo die Vorbildlichkeit seines Lebens und Handelns bereits anerkannt ist.

Aristons Einwände und Senecas Gegenargumente beziehen sich zunächst auf *negative Paränese,* auf Formen der Paränese also gegenüber einem sittlich Unentschlossenen oder zum Bösen Entschiedenen. Das Verhältnis zwischen Ermahner und Ermahntem wird oft mit dem Verhältnis zwischen Arzt und Patient verglichen;[35] der zu Ermahnende ist damit zunächst der im moralischen Sinne ‚Kranke‘. So erläutert Seneca seine These, durch Paränese müsse das Gedächtnis geschärft werden, denn auch an Beispielen *unmoralischen* Verhaltens: „Du weißt, man muß Freundschaft heilig halten, aber du handelst nicht danach. Du weißt, es ist schamlos, von seiner Frau Keuschheit zu erwarten und selbst der Verführer fremder Frauen zu sein; du weißt, daß sie kein Recht hat, sich mit einem Ehebrecher einzulassen, sowenig wie du mit einer Nebenfrau, aber du handelst nicht danach. Deshalb muß man es dir hin und wieder in Erinnerung rufen."[36] Ariston ist der Meinung, in solchen Fällen sei nur durch Belehrung zu helfen,[37] Ermahnungen seien in diesem Fall unnütz. Dagegen weist Seneca auf das Phänomen *positiver Paränese* hin. Wer den Nutzen von Ermahnungen bestreitet, müßte „doch auf diese Weise auch Trostgründe (consolationes) sowie Aufmunterungen (exhortationes) für überflüssig erklären".[38] Wir halten es für richtig und notwendig, einen

---

33 Ep 94,29 („Omnium honestarum rerum semina animi gerunt, quae admonitione excitantur non aliter quam scintilla flatu levi adiuta ignem suum explicat; erigitur virtus cum tacta est et inpulsa").

34 Ep 94,40.

35 Ep 94,18–20. 22. 24.

36 Ep 94,26 („Scis amicitias sancte colendas esse, sed non facis. Scis inprobum esse qui ab uxore pudicitiam exigit, ipse alienarum corruptor uxorum; scis ut illi nil cum adultero, sic tibi nil esse debere cum paelice, et non facis. Itaque subinde ad memoriam reducendus es").

37 Man wundert sich, das Seneca Aristons Grundthese „Error est causa peccandi" (Ep 94,21) nicht ausdrücklich bestreitet, obwohl doch das obige Zitat eigentlich das Gegenteil belegt, daß man nämlich trotz richtiger Erkenntnis das Gute oft nicht tun will. Dieser Tatbestand scheint aber überhaupt von Philosophen leicht übersehen zu werden; so meint *H. J. Mc Closkey* (Meta-Ethics and Normative Ethics, The Hague 1969, 128): „What is important here is that the discovery of our duty is distinct from the decision *to do* what we ought. . . The moral judgment gives what rationally and morally ought to be an overriding knockdown reason for a decision to act, but it is possible to decide otherwise. It is strange that this needs to be argued, yet too often moral philosphers talk as if discovering what one ought to do is deciding how to act."

38 Ep 94,21; vgl. 94,49.

Menschen, der moralisch handelt, darin zu bestärken und zu ermutigen. Solch ein Mensch braucht nicht über das Gute belehrt zu werden; aber er verdient Lob und Anerkennung. Er verdient dieses Lob nicht nur, er braucht Ermunterung und Bestätigung, um auf dem richtigen Weg voranzuschreiten, obwohl er bereits die richtige Einsicht hat und dieser Einsicht gemäß handelt. Wer es nun für überflüssig erklärt, jemandem ‚die Leviten zu lesen', der muß auch Lob, Anerkennung und Ermunterung für nutzlos erklären.

1.4. Die Bedeutung allgemeiner und spezieller sittlicher Grundsätze

Seneca kennt – wie der vorhergehende Abschnitt gezeigt hat – sowohl Mahnungen allgemeiner Art, die jedem Menschen gelten (etwa „Erkenne dich selbst"), als auch Mahnungen, die an bestimmte Menschen, an einzelne Stände gerichtet sind (Väter, Kinder, Sklaven, Herren). Letztere wären als *spezielle Paränese* von *allgemeiner Paränese* zu unterscheiden. Auch innerhalb des Neuen Testaments läßt sich diese Unterscheidung durchführen. Beispiele spezieller Paränese wären etwa die Haustafeln (Eph 5,22–6,9; Kol 3,18–4,1; 1 Petr 2,18–3,7; Tit 2,1–10), als allgemeine Paränese wären etwa folgende Mahnungen zu kennzeichnen: „Ihr sollt also vollkommen sein, denn auch euer himmlischer Vater ist vollkommen" (Mt 5,48) oder „Kinder, wir wollen nicht lieben mit Wort und Zunge, sondern in Tat und Wahrheit" (1 Joh 3,18). Seneca kennt, wie gesagt, beide Formen von Paränese. Seine Auseinandersetzung mit Ariston von Chios entzündet sich allerdings an der Frage nach dem Sinn spezieller Paränese, an der Frage, ob der Teil der Philosophie, der jedem einzelnen spezielle Vorschriften gibt, nützlich sei oder nicht. In seiner Auseinandersetzung mit Ariston unterscheidet Seneca (wie wohl auch Ariston selbst) nicht deutlich zwischen Einzelmahnungen paränetischer Art[39] und der argumentativen Erstellung von partikulären Verhaltensregeln für bestimmte Lebensbereiche,[40] also zwischen spezieller Paränese und spezieller normativer Ethik. Wenn er von einer pars paraenetica philosophiae spricht, nimmt er damit also keine terminologische Abgrenzung gegen normative Ethik vor (wenngleich er das Phänomen Paränese treffend beschreibt). Entsprechend richten sich auch die von Seneca referierten und diskutierten Einwände Aristons nicht bloß gegen ethische Mahnrede, sondern zum Teil gegen spezielle sittliche Grundsätze überhaupt, seien sie nun argumentativ vermittelt oder paränetisch eingeschärft. Haben

---

[39] Vgl. Ep 94,25. 29.
[40] Vgl. Ep 94, 11f, 14f; 95,47–54.

29

also allgemeine und spezielle Paränese einerseits, allgemeine und spezielle normative Ethik andererseits jeweils eine unterschiedliche Funktion, so daß man die Unterscheidung von Paränese und normativer Ethik noch deutlicher differenzieren müßte? Auch in der Diskussion um die sittliche Botschaft der Bibel sind Einwände gerade gegen spezielle sittliche Grundsätze geäußert worden. Die „konkreten Einzelgebote in der paulinischen Paränese" waren vielen Theologen suspekt, wie W. Schrages Arbeit zu diesem Thema zur Genüge deutlich macht. Im neuen Leben des Christen, so meinte man etwa, brauche es keine Gebote, es gebe nur „die jubelnd in Gottes Willen einstimmende Seele".[41] Es besteht also Grund, die Bedeutung allgemeiner und gerade auch spezieller sittlicher Grundsätze beiderlei Genus zu erörtern. Zu diesem Zweck muß auch der Unterschied zwischen sittlichem und nicht-sittlichem Wert herausgearbeitet werden. Da gerade die Stoa auf diesen Unterschied hingewiesen und dafür eine ausgefeilte Terminologie erarbeitet hat, stützt sich unsere Darlegung im folgenden weiterhin auf die stoische Ethik, besonders auf Seneca.

Das Ziel einer *allgemeinen normativen Ethik* macht Seneca an einem Vergleich deutlich: „Alle Ziele, denen wir zustreben, müssen das höchste Gut ins Auge fassen: ihm muß jede Tat, jedes Wort entsprechen – wie die Seefahrer ihren Kurs nach einem bestimmten Stern richten."[42] Die Belehrungen (decreta, δόγματα), für die Seneca im 95. Brief plädiert, sollen also eine Art Kompaß bereitstellen, einen Leitfaden zur Beurteilung der Angemessenheit unserer Worte und Handlungen.[43] Allgemeine normative Ethik urteilt nicht über einzelne Handlungen, sondern fragt nach dem Kriterium einer solchen Beurteilung. Sie fragt: Auf welche Weise gewinne ich ein Urteil über meine Worte und Handlungen? In welcher Weise entsprechen diese Handlungen dem höchsten Gut, nach dem wir streben? Was ist überhaupt dieses höchste Gut, auf das es ankommt?

1.4.1. Sittlicher und nicht-sittlicher Wert

Für die letzte Frage ist grundlegend die folgende Unterscheidung Epiktets: „Von den vorhandenen Dingen sind die einen in unserer Gewalt, die andern nicht. In unserer Gewalt sind Meinung, Trieb, Begierde und Abneigung, kurz: alles, was unser eigenes Werk ist. Nicht in unserer Gewalt sind Leib, Besitztum, Ansehen und Stellung, kurz: alles, was nicht unser eigenes Werk ist."[44] Gegen diese Unterscheidung könnte man einwenden, Leib, Besitztum

[41] *J. Weiß*, Das Urchristentum, Göttingen 1917, 400, zitiert nach Schrage, Einzelgebote 27.
[42] *Seneca*, Ep 95,45 („Proponamus oportet finem summi boni ad quem nitamur, ad quem omne factum nostrum dictumque respiciat; veluti navigantibus ad aliquod sidus derigendus est cursus.")
[43] Zu dieser Art von Belehrung (δόγματα) vgl. auch *Epiktet*, Diatriben (= Diss) I 29,3ff.
[44] *Epiktet*, Encheiridion 1, zitiert nach der Übersetzung von E. Neitzke, Stuttgart 1965.

etc. lägen zum Teil doch in unserer Macht. Das ist zunächst richtig. Während der Mensch auf manche Güter seines Lebens wie Begabung, wohlhabendes Elternhaus gar keinen Einfluß hat, hat er auf andere Dinge wie Gesundheit, Reichtum, beruflichen Erfolg immerhin bedingten Einfluß. Ob jemand reich ist, gesund, begabt, erfolgreich, liegt aber nicht nur an ihm. Seine soziale Stellung, seine körperliche Konstitution, seine Begabung werden durch Vererbung und Milieu mitbestimmt. Selbst wenn der Mensch diese Dinge erreicht hat, können sie ihm genommen werden, die Gesundheit etwa durch eine Infektion, der Wohlstand durch eine Wirtschaftskrise, die Intelligenz durch geistige Umnachtung. Insofern liegen alle diese Dinge nicht in der Macht des Menschen.

Dieser Unterschied zwischen Dingen, die in unserer Gewalt, und andern, die nicht in unserer Gewalt sind, mag zunächst trivial erscheinen. Die Bedeutsamkeit dieser Unterscheidung leuchtet erst auf, wenn man sich fragt: Was bedeutet es für den Menschen, wenn ihm die Dinge fehlen, die nicht in seiner Gewalt sind. Der Reichtum, die äußeren Güter, können einem Menschen genommen werden; daß es ihm jetzt schlecht geht, bedeutet aber nicht, daß er ein schlechter Mensch ist. Ein Mensch, dem es gut geht, ist damit noch kein guter Mensch. Ein Mensch, der Ansehen bei seinen Mitmenschen genießt, hat damit noch kein Ansehen bei Gott, bei dem es bekanntlich kein Ansehen der Person gibt (Röm 2,11). Gott sieht nicht auf die äußeren Güter des Menschen, sondern – biblisch gesprochen – auf das Herz. Vor Gott zählen nicht die Güter, mit denen ein Mensch gesegnet oder nicht gesegnet ist, nicht die Fähigkeiten und Begabungen, die ihn auszeichnen oder ihm abgehen, sondern allein die moralische Qualität des Menschen, seine sittliche Gesinnung. Reichtum und Armut, Gesundheit und Krankheit, Ansehen und Verachtetwerden, Erfolg und Mißerfolg machen nicht die sittliche Qualität des Menschen aus. Die genannten Übel beeinträchtigen nicht seine sittliche Güte, die genannten Güter wiegen seine sittliche Schlechtigkeit nicht auf. Epiktet formuliert das so: „Folgende Sätze sind unvereinbar: ‚Ich bin reicher als du, folglich bin ich besser als du.‘ ‚Ich bin beredter, folglich besser als du.‘ Folgerichtiger sind jene: ‚Ich bin reicher als du, folglich ist mein Besitz besser als der deine.‘ ‚Ich bin beredter als du, folglich ist meine Redegewandtheit besser als deine.‘ Denn du selbst bist weder Besitz noch Redegewandtheit."[45]

---

[45] Ebd. 44; vgl. *Augustinus,* De libero arbitrio I, XV 33 (zitiert nach CChr.SL XXIX 234): „Cum igitur eisdem rebus alius male alius bene utatur, et is quidem qui male, amore his inhaeret atque implicetur – scilicet subditus eis rebus quas ei subditas esse oportebat, et ea bona sibi constituens quibus ordinandis beneque tractandis ipse esse utique deberet bonum –, ille autem qui recte his utitur, ostendat quidem bona esse, sed non sibi – non enim eum bonum melioremeue faciunt, sed ab eo potius fiunt –, et ideo non eis amore adglutinetur neque uelut membra sui animi faciat, quod fit amando, ne cum resecari coeperint, eum cruciatu ac tabe foedent, sed eis totus superferatur, et habere illa atque regere, cum opus est, paratus et amittere ac non habere paratior – cum

Die Dinge, die nicht in unserer Gewalt liegen, wie Besitz und Redegewandtheit, sollen hier als ‚nicht-sittliche Werte'[46] bezeichnet werden; mit dieser
Bezeichnung deuten wir an, daß sie nicht die sittliche Qualität eines Menschen konstituieren (wenngleich sie – wie noch zu zeigen sein wird – sittlich
relevant sind). Auf die sittliche Güte kommt es aber für den Menschen
unbedingt an. Ob er gut ist oder schlecht, den Willen Gottes tut oder nicht,
die Liebe übt oder nicht, davon hängt es ab, ob er den Sinn seines Lebens
ergreift oder verfehlt, ob er sein Heil wirkt oder verwirkt.

Daß es für den Menschen unbedingt nur auf den sittlichen Wert ankomme,
daß die nicht-sittlichen Werte seine sittliche Güte nicht konstituieren, das
will Ariston mit seiner mißverständlichen Behauptung herausstellen, die
Tugend sei das einzige Gut des Menschen, die sittliche Schlechtigkeit das
einzige Übel. Seneca referiert Aristons Ansicht folgendermaßen: „Hast du
einen Mitmenschen durch diese stoischen Lehrsätze zur Einsicht in seine
Lage gebracht, hat er erkannt, daß nicht das genußreiche, sondern das
naturgemäße Leben das glückliche ist, hat er die Tugend als das einzige Gut
des Menschen in sein Herz geschlossen, die Schande als einziges Übel
scheuen gelernt, alle übrigen Dinge des täglichen Lebens, Reichtum, Ehren-
stellen, gute Gesundheit, Kraft, Macht als neutrale Werte in ihrer Zwischen-
stellung – weder gut noch böse – einschätzen gelernt, dann bedarf es keines
Mahners in Einzelfragen, der sagt: so mußt du gehen, so essen; dies schickt
sich für den Mann, dies für die Frau, dies für den Ehemann, dies für den
Junggesellen."[47]

Für einen Theologen sind solche Gedanken vermutlich nicht fremd; er wird
sich an das augustinische „Ama et fac quod vis"[48] erinnern. Wenn Paulus die
Liebe „die Erfüllung des Gesetzes" nennt (Röm 13,10), scheint es doch zu
genügen, das eine Hauptgebot der Liebe darzulegen und einzuschärfen. Als
Theologe würde man vermutlich nicht von der Tugend als dem einzigen Gut
sprechen wie Ariston, sondern von der Liebe, von der Erfüllung des Willens

---

ergo haec ita sint, num aut argentum et aurum propter auaros accusandum putas aut cibos
propter uoraces aut uinum propter ebriosos aut muliebres formas propter scortatores et
adulteros atque hoc modo cetera, cum praesertim uideas et igne bene uti medicum et pane
scelerate ueneficum?"

[46] Vgl. dazu *Schüller*, Begründung 39–45 und 112–125.

[47] *Seneca*, Ep 94,8 („His decretis cum illum in conspectum suae condicionis adduxeris et cognoverit
beatam esse uitam non quae secundum voluptatem est sed secundum naturam, cum virtutem
unicum bonum hominis adamaverit, turpitudinem solum malum fugerit, reliqua omnia –
divitias, honores, bonam valetudinem, vires, imperia – scierit esse mediam partem nec bonis
adnumerandam nec malis, monitorem non desiderabit ad singula qui dicat ‚sic incede, sic cena;
hoc viro, hoc feminae, hoc marito, hoc caelibi convenit' "). Seneca selber betont diesen Gesichtspunkt (Einsicht in das Wesen von Moralität) in Ep 95,44–46.

[48] Hier ist auf das „Ama, et fac quod vis" angespielt, wie es meistens verstanden wird: Wer
Liebe hat, weiß schon, was er im einzelnen zu tun hat. Bei Augustinus scheint der Satz „Dilige, et
quod vis fac" eher als Gesinnungsparänese gemeint zu sein: Was du tust, das tu aus Liebe, das
heißt, aus der rechten Gesinnung. Vgl. *Augustinus*, In Epist. Joann. ad Parthos, Tractatus VII 8:
die Liebe soll die Wurzel (radix) sein, aus der die guten Taten kommen.

Gottes, von dem einen Notwendigen. Wie Ariston aber würde man heraus-stellen: es kommt nicht aufs Detail an, sondern aufs Ganze.

Bei genauerem Hinsehen zeigt sich, daß Ariston im Grunde zweierlei Thesen vertritt:

1. Wer die Tugend als das höchste Gut erfaßt hat, „der gibt sich in jedem Einzelfall die rechte Vorschrift" (94,2), der weiß auch, was er im einzelnen zu tun hat, wie er etwa mit Frau und Kindern zu leben hat (94,3); hier wird eine spezielle normative Ethik für überflüssig erklärt.

2. Einzelmahnungen erwecken den Eindruck, als gehe es für den Menschen in erster Linie darum, bestimmte Handlungen zu tun bzw. zu unterlassen. Es geht aber nicht nur darum, ungerechte Handlungen zu unterlassen, sondern darum, die Tugend der Gerechtigkeit zu erlangen (vgl. 94,11).

Die letztere These soll zuerst bedacht werden. Ariston befürchtet offenbar, daß Ermahnungen im Stil einer Haustafel diese entscheidende Bedeutung des sittlichen Gutseins verdecken. Haustafeln sowie Tugend- und Lasterka-taloge sind aus ähnlichen Gründen manchmal auch für Theologen suspekt. Haustafeln und andere sittliche Einzelforderungen mögen den Eindruck erwecken, als realisiere sich Moralität nur in bestimmten partikulären Handlungen oder als würde das sittliche Verhalten reduziert auf die Beach-tung gewisser Regeln des häuslichen Zusammenlebens, auf ‚christliche Bürgerlichkeit'. Das Auftauchen von Tugend- und Lasterkatalogen im Neuen Testament hat man nach Auskunft von W. Schrage „als bedenkliches Vordringen und Symptom von Moralismus"[49] gewertet. Unter ‚Moralis-mus' ist dabei wohl eine defiziente Form moralischen Verhaltens zu verste-hen: da in Lasterkatalogen besonders schwerwiegende Verfehlungen ge-nannt werden, könnte der Eindruck entstehen, es gehe nur um die Vermei-dung schwerer Sünden, bzw. wenn man solche schwerwiegenden Laster bei sich nicht entdecke, sei man bereits ein Gerechter und habe die Umkehr nicht mehr nötig. Lasterkataloge könnten also eine falsche Selbstbestätigung vermitteln, zu einer selbstgerechten Haltung verleiten, in diesem Sinn ein Zeichen von ‚Moralismus' sein. Die Kritiker der Haustafeln sowie der Tugend- und Lasterkataloge wollen dagegen vermutlich die Liebe aus ganzem Herzen betonen, die ‚radikale' Entscheidung zu sittlicher Güte, die sich auch in den kleinen Dingen des Alltags auswirkt, das ganze Handeln des Menschen prägen muß. Sie stellen damit heraus, daß es unbedingt auf die Liebe, auf das sittliche Gutsein, auf den sittlichen Wert ankommt.[50]
Aber wie erfährt denn der Mensch, was Liebe, was sittliche Güte bedeutet?

---

[49] *Schrage,* Einzelgebote 9.

[50] Unter ‚Moralismus' könnte allerdings auch eine rein *finale* Auffassung von Moralität verstanden sein, die Anschauung also, durch das Tun des Guten werde der Mensch zu einem guten Menschen, nicht umgekehrt, als ob der Mensch schon gut sein müsse, um das Gute tun zu können (*konsekutives* Moralverständnis); vgl. dazu unten S. 216f.

Doch zunächst nicht durch Reflexion auf das Wesen von Moralität, sondern durch Beispiele, Vorbilder gelebter, praktizierter sittlicher Güte. Was Liebe ist, leuchtet mir an Taten der Liebe auf, zunächst an den Liebestaten anderer, an den Wohltaten, die andere mir erweisen, dann auch an eigenen Taten der Liebe. In der Sorge und Hilfsbereitschaft seiner Mitmenschen, in der großmütigen Vergebung, die andere ihm gewähren, in dem Verzicht, den er selbst zugunsten anderer auf sich nimmt, wird der Mensch dessen inne, was sittliche Güte meint. Beispielhaft und vollkommen ist für die Christen die sittliche Güte realisiert in Wort und Werk Jesu, dessen Liebestat sie kennen (vgl. 2 Kor 8,9).

Aus diesen Überlegungen ergibt sich: Allgemeine Paränese stellt die sittliche Forderung als eine und unteilbare vor Augen. Spezielle Paränese aber will davon in gar keiner Weise Abstriche machen; sie zählt vielmehr konkrete Bereiche des Handelns auf, in denen dieser einen sittlichen Forderung Genüge getan werden muß. So muß das Liebesgebot exemplifiziert werden beispielsweise am Gebot der Feindesliebe; gegenüber dem Feind fällt die Liebe ja bekanntlich besonders schwer. Eine Haustafel ruft in Erinnerung, daß das Liebesgebot zu erfüllen ist in dem Verhältnis zwischen Mann und Frau, Eltern und Kindern, Sklaven und Herren. Auch spezielle Paränese zielt also in all ihren Formen immer auf die eine sittliche Forderung, in all ihren Variationen artikuliert sie das eine Grundthema des Liebesgebotes, wobei sie in Ergänzung der allgemeinen Paränese beispielhaft einige Bereiche des menschlichen Handelns aufzeigt, in denen die Liebe sich auswirken muß, oder, wie im Fall der Tugend- und Lasterkataloge, Typen sittlich richtigen bzw. sittlich falschen Verhaltens aufzählt. In all ihren Formen aber schärft Paränese den unbedingten Vorrang des sittlichen Wertes gegenüber den nicht-sittlichen Werten ein.

Wie Ariston haben wir Reichtum, Ehre, Gesundheit als nicht-sittliche Werte vom sittlichen Wert abgehoben. Es könnte nun der Einwand erhoben werden, diese Dinge dürften nicht geringgeschätzt werden. Schließlich könne man einem Armen nicht sagen, er solle sich mit der Tugend zufriedengeben bzw. nach ihr streben, irdisches Wohlergehen sei dagegen von geringer Bedeutung. Die Bezeichnung irdischer Güter als nicht-sittlicher Werte, vor allem die stoische Bezeichnung der nicht-sittlichen Werte als ‚Adiaphora‘ kann leicht ein solches Mißverständnis hervorrufen. Die stoische Lehre über die Adiaphora sei deshalb kurz dargelegt; auf diese Weise können auch eventuelle Mißverständnisse unserer eigenen Position ausgeräumt werden.

Exkurs: Die stoische Lehre über die Adiaphora
Die Stoiker – das wurde schon im obigen Zitat von Ariston deutlich – betonen, auf die Tugend, das sittlich Gute komme es unbedingt an, es sei zu ‚ergreifen‘ (αἱρετόν, expetendum), das Böse sei unbedingt zu ‚fliehen‘ (φευκτόν, fugiendum). Ariston

scheint daraus den Schluß gezogen zu haben, „daß zwischen vollkommen gesund sein und sehr schwer krank sein gar kein Unterschied bestehe".[51] Für ihn scheinen alle Adiaphora ohne *jede* Bedeutung zu sein. Wenn Ariston recht hätte (und wenn seine Worte tatsächlich so zu verstehen sind), gäbe es keine Verpflichtung, sich um die Gesundheit zu sorgen oder Notleidenden zu helfen. In dieser Weise wird oft die Position der gesamten Stoa dargestellt, als seien die Adiaphora für sie Dinge, die in jeder Beziehung ‚keinen Unterschied' machen, die in jeder Beziehung gleichgültig sind.

Aber nur in bezug auf das sittliche Gutsein machen die Adiaphora keinen Unterschied; im übrigen weiß die Stoa unter den Adiaphora durchaus zu differenzieren. Dabei macht sie aber bis in die Terminologie hinein immer den grundlegenden Unterschied zwischen der Tugend und den Adiaphora deutlich. Nur das sittlich Gute ist für sie ein Gut (ὅτι μόνον τὸ καλὸν ἀγαθόν),[52] nur das sittlich Schlechte ist ein Übel („nihil esse malum, quod turpe non sit").[53] Innerhalb der ἀδιάφορα (indifferentia) oder auch μέσα (media) unterscheidet sie dagegen Dinge von ‚Wert' (ἀξία) wie Reichtum und Gesundheit und Dinge von ‚Unwert' (ἀπαξία) wie Armut und Krankheit.[54] Die Dinge von Wert sind ‚naturgemäß' (κατὰ φύσιν) und deshalb ‚vorzuziehen' (προηγμένα, producta, promota), man muß sie ‚mitnehmen' (ληπτά, sumenda, seligenda); die Dinge von Unwert sind ‚naturwidrig' (παρὰ φύσιν) und ‚wegvorzuziehen' (ἀποπροηγμένα,[55] remota, reiecta), man soll sie ‚nicht nehmen' (ἄληπτα, secernenda, reicienda). Wenn es dem Menschen möglich ist, soll er die Dinge von Wert ‚mitnehmen' und die Dinge von Unwert vermeiden. Reichtum und Armut, Gesundheit und Krankheit sind also auch für die Stoa nicht gleichwertig bzw. gleichgültig. Darauf weist Seneca betont hin: „Wer ferner von den Philosophen (von unseren, sage ich, denen das einzige Gut die sittliche Vollkommenheit ist) bestreitet, auch das, was wir belanglos [indifferentia] nennen, habe in sich einen bestimmten Grad an Wert, und es sei das eine wichtiger als das andere? Manchem wird zuerkannt

---

51 *Cicero,* De finibus bonorum et malorum (= Fin) II 13,43, vgl. auch V 25,73: „Multa dicta sunt ab antiquis de contemnendis ac despiciendis rebus humanis; hoc unum *Aristo* tenuit: praeter vitia atque virtutes negavit rem esse ullam aut fugiendam aut expetendam" (Zitat nach SVF I Nr. 366; vgl. auch Nr. 361; Übersetzung aus Ciceros Schrift nach der Ausgabe von R. Kühner, Vom höchsten Gut und größten Übel, München o. J.).

52 Vgl. SVF III Nr. 29–45; differenziertere Formulierungen finden sich in den Zitaten SVF III Nr. 95–116. Wie man sieht, steht im Griechischen ἀγαθός für ‚gut' im nicht-sittlichen Sinn, καλός für ‚sittlich gut'. Für καλός gibt es an sich im Lateinischen kein Wort; seit Cicero fungiert aber ‚honestus' als Äquivalent (vgl. *H. Reiner,* ‚Gut', in: HWP III 937–946). Im Deutschen gibt es eine solche Unterscheidung im Bereich der Adjektive nicht. Als Substantiv bezeichnet ‚Wohl' das Gute im nicht-sittlichen Sinn, das Schlechte im nicht-sittlichen Sinn wird durch ‚Übel' benannt; für ‚sittlich schlecht' gibt es ein eigenes Adjektiv, nämlich ‚böse'. Vgl. dazu *I. Kant,* Kritik der praktischen Vernunft, A 104–107 und *Schüller,* Begründung 41 f.

53 *Cicero,* Fin III 8,29. In diesem Werk Ciceros legt dessen Gesprächspartner *M. Cato* die stoische Ethik dar. (Wegen der zusammenhängenden Darstellung der stoischen Ethik, die Cato dort gibt, ist die genannte Schrift Ciceros für die stoische Ethik interessant und wichtig.) M. Cato wundert sich darüber, daß Laster griechisch κακίαι heißen, wo κακός doch nicht-sittliche Bedeutung hat, während für ‚böse' αἰσχρός steht (lat. ‚turpis'); er übersetzt κακία deshalb nicht mit ‚malitia', sondern mit ‚vitium' (Cicero, Fin III 11,39). Im NT steht ‚böse' vor allem πονηρός; vgl. dazu *G. Harder,* πονηρός κτλ.; in: ThWNT VI 546–566.

54 Vgl. zur stoischen Ethik *H. Reiner,* Die ethische Weisheit der Stoiker heute: Gymnasium 76 (1969) 330–357, zur Terminologie bes. 337–339; *U. Wilckens,* Weisheit und Torheit, Tübingen 1959, 241–254.

55 Zu dieser eigenartigen Wortbildung vgl. *H. Reiner,* a. a. O. 338 Anm. 15.

ein wenig Ehre, manchem viel. Damit du daher keinen Irrtum begehst – unter dem Wichtigeren befindet sich der Reichtum."[56] Dem Menschen stellt sich demnach die Aufgabe, eine naturgemäße bzw. vernunftgemäße Auswahl unter den Adiaphora zu treffen. Der Mensch muß sich fragen, welche nicht-sittlichen Übel er vermeiden, welche er für sich selbst in Kauf nehmen muß, welche er andern zumuten darf, welche nicht-sittlichen Werte er bewahren bzw. für sich oder für andere ‚mitnehmen' muß. Er muß sich also beispielsweise fragen, wieviel von seinem verdienten Geld er für eigene Zwecke verwenden darf, wieviel er andern schuldet, wessen Not er möglicherweise durch Abgeben von seinem Reichtum lindern kann. Diese Fragen zu beantworten aber ist Aufgabe normativer Ethik. Normative Ethik ist da erfordert, wo man – stoisch gesprochen – nach der rechten Auswahl unter den Adiaphora fragt.

Ob ein Mensch die Liebe hat, das zeigt sich bekanntlich in seinem Verhalten, das zeigt sich etwa daran, ob er bereit ist, von dem Seinigen abzugeben, Verpflichtungen einzuhalten, Not zu lindern, ob ihm am Wohlergehen der andern ebensoviel liegt wie an seinem eigenen. Sittliche Güte besteht somit in einem rechten Verhältnis zu den nicht-sittlichen Gütern, die nicht-sittlichen Werte sind „materia"[57] für die Tugend. Der Reichtum hilft – stoisch gesprochen – dem Weisen, Wohltätigkeit und Großzügigkeit, ebenso Mäßigung und Sorgfalt zu üben und damit „seine Seele zu entfalten"[58]. Die nicht-sittlichen Werte sind also zwar nicht konstitutiv für das sittliche Gutsein, aber sie sind relevant für das sittliche Handeln.

Möglicherweise ist der Verdacht des ‚Moralismus' gegenüber spezieller Paränese noch nicht ganz ausgeräumt. Man könnte in Anlehnung an Mt 6,1–8 darauf hinweisen, es genüge nicht, zu Almosen, Beten und Fasten zu ermahnen, man müsse immer auch dazu ermahnen, das alles in der richtigen Gesinnung zu tun. Es besteht kein Zweifel, man kann aus egoistischen Gründen (um von den Menschen gesehen zu werden) Wohltätigkeit üben, man kann seine ganze Habe verschenken, aber die Liebe trotzdem nicht haben (1 Kor 13,3). Paränese muß aber, auch wo sie zu einzelnen Handlungen mahnt, immer das Ganze der Moralität intendieren; wo spezielle Paränese zu einzelnen Handlungen ermahnt, ist deshalb die Forderung der rechten Gesinnung immer impliziert.[59] Spezielle Paränese darf deshalb

---

[56] *Seneca, De vita beata* 22,4 (die Übersetzung von ‚indifferentia' mit ‚belanglos' ist natürlich nicht besonders glücklich); vgl. überhaupt die Kapitel 22–24 dieser Schrift und Senecas Brief 82. (Texte und Übersetzungen sind [außer von Brief 94 f] entnommen der Ausgabe von M. Rosenbach, L. A. Seneca, Philosophische Schriften. Lateinisch und Deutsch, Darmstadt 1969 ff).

[57] *Seneca, De vita beata* 21,4; vgl. SVF III Nr. 195 und *U. Wilckens,* a. a. O. 246 f.

[58] *Seneca,* a. a. O. 22,1.

[59] Gegen die Aussage, es komme entscheidend auf die rechte Gesinnung an, wird oft eingewandt, es komme auf das *Tun* des Gebotenen an. In diesem Sinne wendet man sich gegen eine ‚gesinnungsethische' Interpretation der Bergpredigt. So gibt *H. D. Wendland* (Ethik des Neuen Testaments, Göttingen 1970, 18) zwar zu: „Jesus will die gute Gesinnung, das gute Herz." Wendland will aber trotzdem von einer ‚gesinnungsethischen' Interpretation der Bergpredigt nichts wissen: „Es genügt nicht das Gute gewollt zu haben. Die Bergpredigt dringt auf das Tun." Das ist richtig, widerspricht aber nicht dem, was unter ‚Gesinnungsethik' (im Gegensatz zu ‚Erfolgsethik') zu verstehen ist. Unter einer ‚Erfolgsethik' versteht man nach *M. Scheler* (Der Formalismus in der Ethik und die materiale Wertethik, Bern [5]1966, 127) „eine Ethik, die den Wert der Person und des Willensaktes, ja alles übrigen Verhaltens überhaupt von der Erfahrung über die praktischen Folgen abhängig machte, welche deren Wirken in der realen Welt besitzt".

niemals als Ermunterung zur Heuchelei verstanden werden; wo sie so gemeint wäre, wäre sie keine Ermahnung zu Moralität, sondern zu Unmoral. Auf die sittliche Gesinnung kommt es unbedingt an, vor Gott ist sie das einzige, was zählt. Unter Menschen aber zählt noch etwas anderes: ob sich die sittliche Gesinnung auch zum Wohl aller Beteiligten auswirkt. Ein Mensch guten Willens kann durch unkluges Verhalten andern schweren Schaden zufügen. Es kommt also nicht nur auf den guten Willen, sondern auch auf die richtige Tat an. Dieser Unterschied ist im folgenden Abschnitt noch näher zu erläutern.

1.4.2. Normative Ethik als Belehrung über die sittlich richtige Tat

Angenommen, einem Menschen sei wertvolles Gut eines anderen zur Aufbewahrung anvertraut worden. Wir sind der Meinung, es sei seine Pflicht, dies anvertraute Gut zurückzugeben, wenn es vom Eigentümer gefordert wird. Diese Pflicht gilt ganz unabhängig davon, ob derjenige, von dem die Rückgabe des anvertrauten Gutes gefordert wird, dieser Pflicht aus Liebe oder aus Eigensucht entspricht. Es gibt also eine Pflicht, so sagt der Stoiker M. Cato, „die dem Weisen und Unweisen gemeinsam ist".[60] Der Unterschied besteht darin, daß der Weise – wir würden sagen: der Gute – das anvertraute Gut zurückgibt „kraft der Gerechtigkeit (iuste)",[61] das heißt aus sittlich guter Gesinnung, die dem Unweisen (Bösen) abgeht. Das Vorgehen des Weisen nennt Cato eine ‚richtige Handlung' (recte factum), die Verpflichtung dazu ein ‚officium perfectum' (griech. κατόρθωμα).[62] Wo die rechte Gesinnung

Von einem ‚erfolgsethischen' Standpunkt aus müßte also der sittliche Wert eines Menschen allein von den tatsächlichen Folgen seines Handelns her bemessen werden (vgl. *H. Reiner,* ‚Erfolgsethik', in: HWP II 624). Das ist aber wohl kaum der Standpunkt Jesu, der die Spende der armen Witwe (Mk 12,41–44) höher einschätzt als die größeren Spenden der Reichen; von einem ‚erfolgsethischen' Standpunkt aus müßte die Spende eines Reichen, durch die ja mehr Gutes getan werden kann, höher bewertet werden. Jesus aber stellt die arme Witwe über die Reichen, weil sie in ihrer Spende alles gibt, was sie besitzt, und dadurch ihre selbstlose Gesinnung unter Beweis stellt. Daß es auf diese Gesinnung entscheidend ankommt, soll mit dem Terminus ‚Gesinnungsethik' herausgestellt werden, nicht dagegen behauptet der Gesinnungsethiker, auf das sittliche Handeln komme es gar nicht an. Wo ein Mensch nicht mit allen Kräften versuchen würde, das Gute zu *tun,* hätte er es auch nicht wirklich gewollt, hätte er gar nicht die rechte Gesinnung. Die sittliche Gesinnung muß sich, wenn möglich, im Handeln bewähren (vgl. *M. Scheler,* a. a. O. 134–136). Wo aber ein Mensch diese Bewährungsmöglichkeit nicht hat, wo er, aus welchem Grund auch immer, nichts oder wenig Gutes tun kann, genügt die moralische Gesinnung; andernfalls ginge der Mensch ja unter Umständen schuldlos seines Heiles verlustig (vgl. dazu *H. Reiner,* ‚Gesinnungsethik', in: HWP III 539 f). Daß Jesus die Notwendigkeit des Tuns einschärft, widerspricht also nicht einer recht verstandenen Gesinnungsethik, es geht aber nicht bloß um das Tun; man muß nämlich bedenken, „daß es sich bei den von Jesus in den Antithesen ausgesprochenen Einzelgeboten um Beispiele handelt, die die ganze Lebenshaltung des Menschen gegen Gott anschaulich machen sollen" (*J. Schmid,* Das Evangelium nach Matthäus, Regensburg ⁵1965, 155).

60 *Cicero,* Fin III 18,59.
61 Ebd.
62 Ebd.; vgl. SVF III Nr. 500–523.

fehlt, wo jemand also anvertrautes Gut etwa nur aus Furcht vor Strafe zurückgibt, spricht Cato von einer ‚einfachen Pflicht‘ (officium medium) oder einfach ‚officium‘ (griech. καθῆκον); die entsprechende Tat heißt ein ‚medium factum‘.[63]

Durch diese terminologische Unterscheidung hat die Stoa auf einen wichtigen sachlichen Unterschied hingewiesen. Allerdings wird man im Deutschen diese Terminologie so nicht übernehmen. Jemandem, der anvertrautes Gut aus eigensüchtigen Motiven zurückgibt, müßte die Stoa nachsagen, er habe ‚unrichtig‘ oder ‚falsch‘ gehandelt. Im Deutschen aber denkt man bei dem Wort ‚richtig‘ (wie bei engl. ‚right‘) an die *äußere* Korrektheit einer Handlung, nicht an die *innere* Gesinnung. Ohne den Kontext bei Cicero würden wir also unter ‚recte factum‘ vermutlich etwas anderes verstehen als M. Cato, für den dieser Terminus die ‚richtige‘ Gesinnung einschließt. Es sei deshalb eine *‚sittlich richtige‘* (bzw. ‚sittlich falsche‘) *Tat* von einer *‚sittlich guten‘* (bzw. ‚sittlich schlechten‘) *Gesinnung* unterschieden.[64]

Normative Ethik beschränkt sich nun auf die Frage, ob und warum bestimmte Handlungen des Menschen sittlich richtig bzw. sittlich falsch sind (so in ihrer speziellen Form), bzw. auf das Problem, nach welchen Kriterien die Richtigkeit bzw. Falschheit einer Handlung festgestellt werden kann (so in ihrer allgemeinen Form). Die Frage, in welcher Gesinnung die zur Diskussion stehende Handlung ausgeführt wird, ob etwa ein Almosen aus Mitleid gegeben wird oder um von den Menschen gesehen zu werden, bleibt dabei aus den Überlegungen ausgeklammert. Warum das so ist bzw. so sein muß, kann uns wiederum Seneca deutlich machen. Auf Aristons Behauptung, man müsse die Habsucht heilen, dadurch daß man das Begehren nach Gütern ablege, antwortet Seneca: „Wie? Ist es nicht etwas anderes, kein Verlangen zu tragen nach Geld, etwas anderes zu wissen, wie man vom Gelde den rechten Gebrauch macht? Das letztere betrifft auch die Nicht-Habgierigen; die Habgierigen sind nur diejenigen, die kein Maß der Begehrlichkeit kennen.“[65] Wer reich ist und die Habgier abgelegt hat, ist prinzipiell bereit, andern, die in Not sind, zu helfen. Aber für ihn stellt sich dann die Frage, wem er helfen soll, da er vermutlich nicht alle Not dieser Welt lindern kann.

---

63 Ebd.; vgl. *Cicero,* De officiis I 8 und SVF III Nr. 491–499. Das Wort ‚medium‘ darf nicht zu der Meinung verleiten, es handle sich um „ein sittlich ‚neutrales‘ Gebiet, dessen Handlungen sittlich indifferent wären“ (so mit Recht *H. Schlier,* ThWNT III 441, s. v. καθήκω [τὸ καθῆκον]), es geht vielmehr um die rechte Auswahl unter den Adiaphora, um die Verwirklichung der προηγμένα (vgl. SVF III Nr. 494 f).

64 Vgl. *Schüller,* Begründung 102–111.

65 *Seneca,* Ep 94,23 („Quid quod aliud est non concupiscere pecuniam, aliud uti pecunia scire? cuius avari modum ignorant, etiam non avari usum.“); vgl. 95,43. Übrigens würde eine ‚Erfolgsethik‘ (vgl. Anm. 59) sich, insofern sie sich auf die tatsächlichen Folgen des Handelns beschränkt, mit der sittlichen Richtigkeit von Handlungen begnügen, das heißt, „sie erblickt als sittliche Norm nur die des ‚sittlich Richtigen‘, hält aber diese für diejenige des (von ihr übersehenen) sittlich Guten“ (*H. Reiner,* ‚Erfolgsethik‘, in: HWP II 624).

Er dürfte zunächst gehalten sein, im Bereich seiner eigenen Familie bzw. Verwandtschaft zu helfen, falls das notwendig ist. Die richtige Entscheidung über den rechten Umgang mit seinem Geld ist aber nicht Sache seiner moralischen Gesinnung, sondern der richtigen *Einsicht*. Die sittlich geforderte Handlungsweise zu erkennen, ist Aufgabe normativer Ethik. Wäre nun auch ein Habgieriger zu solchen Überlegungen normativer Ethik fähig? Das dürfte nicht zweifelhaft sein. Er ist durchaus in der Lage zu erkennen, welche Taten von ihm sittlich gefordert sind. Auch bei fehlender moralischer Gesinnung kann der Mensch das sittlich Richtige erkennen, kann er normative Ethik treiben.[66]

Der Unterschied von Paränese und normativer Ethik kann jetzt noch verdeutlicht werden: Normative Ethik zielt auf die *Erkenntnis* des sittlich *Richtigen,* Paränese zielt auf das *Tun* des sittlich *Guten.* Paränese zielt auf den sittlichen Wert, normative Ethik bestimmt, welche nicht-sittlichen Werte anzustreben sind. Wenn also die normative Ethik die Frage der sittlichen Gesinnung ausblendet, erklärt sie damit die sittliche Gesinnung nicht als quantité négligeable; weil vielmehr die vorhandene bzw. nicht-vorhandene sittliche Gesinnung die Wahrheit der Aussagen normativer Ethik in keiner Weise tangiert, muß sie von der sittlich richtigen Gesinnung abstrahieren. Wo allerdings jemand *ernsthaft,* nicht bloß in einem akademischen Interesse, fragt ‚Was muß ich tun?' (wie etwa die Christen von Korinth), zeigt er in dieser Frage bereits seine Bereitschaft, das sittlich Geforderte nicht nur zu erkennen, sondern auch zu tun, zeigt er damit bereits seine sittliche Gesinnung.

1.5. Einige Äußerungen Philos zum Thema Paränese

Was unter Paränese zu verstehen sei, wurde bisher mit Hilfe der stoischen Philosophie erläutert; sie weiß bereits um die unterschiedliche Aufgabenstellung von Paränese und normativer Ethik. Zum Thema Paränese sei hier noch ein weiterer antiker Zeuge aufgeführt, nämlich Philo. Er kann uns noch folgendes über die Eigenart von Paränese verdeutlichen:

1. Paränese zielt nicht auf vielerlei, sondern auf das Eine, die sittliche Gesinnung, die Tugend (stoisch gesprochen), die Liebe aus ganzem Herzen (biblisch gesprochen). Nach der Behandlung von kultischen Einzelbestimmungen aus dem Deuteronomium stellt Philo heraus: „Diese und ähnliche

---

[66] Dieser Feststellung widerspricht nicht die Auffassung des Paulus, der Christ, der sein Denken erneuert habe, könne den Willen Gottes besser erkennen (vgl. S. 21). Was Paulus meint, gilt ceteris paribus: Wo sonst gleiche Voraussetzungen gegeben sind, hat der zum Guten Entschiedene, der innerlich erneuerte Christ die bessere Einsichtsmöglichkeit in das sittlich Geforderte (vgl. *Schüller,* Proprium 341).

Gebote und Verbote sind bezüglich (der Ausübung) der Frömmigkeit gegeben, die philosophischen Lehren und Ermahnungen [ὑποθήκας καὶ παραινέσεις] (inbetreff der Gottesverehrung) sollen nun dargelegt werden. Gott fordert von dir, o Seele, – so heißt es – nichts Lästiges, Verwickeltes oder schwer Ausführbares, sondern etwas durchaus Einfaches und Leichtes: es besteht darin, daß du ihn liebest als deinen Wohltäter oder doch zum mindesten fürchtest als deinen Herrn und Gebieter, daß du auf allen Wegen wandelst, die ihm gefallen, und ihm dienest, nicht nachlässig, sondern mit ganzer von Liebe zu Gott erfüllter Seele, und daß du an seinen Geboten festhältst und Gerechtigkeit übest (5 Mos. 10,12f)."[67]

2. Paränese hat einen unterschiedlichen Akzent je nach ihrem Adressaten. Wo sie sich an einen zum Bösen Entschiedenen richtet, äußert sie sich anders als in der Ermahnung an einen noch Unentschiedenen oder in der Aufmunterung eines Gerechten. Im folgenden Text[68] unterscheidet Philo diese drei Formen der Paränese: „Das Verbot [ἀπαγόρευσις] bezieht sich auf Sünden [περὶ ἁμαρτημάτων] und wendet sich an den Schlechten [φαῦλον], das Gebot [πρόσταξις] auf vollkommene Handlungen [περὶ κατορθωμάτων]; die Ermahnung [παραίνεσις] wendet sich an die Mittelnatur [πρὸς τὸν μέσον], der weder schlecht [φαῦλον] noch gut [σπουδαῖον] ist;[69] denn ein solcher Mensch kann weder sündigen, so daß man ihm etwas verbieten könnte, noch kann er gut handeln nach dem Gebot der rechten Vernunft, sondern er bedarf der Ermahnung, die ihn lehrt, sich von dem Schlechten fernzuhalten und dem Edlen zuzustreben." Die παραίνεσις richtet sich hier also an den zwischen Gut und Böse noch Unentschiedenen.[70] Daß ein solcher Mensch richtig oder falsch handeln kann, wird nicht reflektiert; es geht also hier nicht um normative Ethik. Da das Handeln des Unentschiedenen von keiner moralischen Intention geprägt ist, ist es nicht eigentlich sittlich wertvoll. Paränese mahnt ihn, eine eindeutige Entscheidung für das Gute zu treffen. Aber auch bei den von Philo genannten Geboten und Verboten dürfte es sich um Paränese in unserm Sinn handeln (auch wenn das Wort παραίνεσις nur für die Ermahnung an den Unentschiedenen verwendet wird). Das Verbot richtet sich ja an den „Schlechten", will also nicht einen moralisch gesinnten Menschen von der Falschheit seines Handelns überzeugen[71] (das wäre normative Ethik), sondern ihm seine Schlechtigkeit

---

[67] *Philo,* Spec Leg I 299; die Übersetzungen nach L. Cohn u. a. (Hrsg.), Philo von Alexandria, Berlin ²1962–64 (die griechischen Wörter sind jeweils von mir eingesetzt).

[68] *Philo,* Leg All I 93 = SVF III Nr. 519.

[69] Bis hierhin liegt nach SVF ein Chrysipp-Zitat vor.

[70] Wie solche Unentschiedenheit zu erklären ist, ob und warum es sie gibt, braucht hier nicht erörtert zu werden.

[71] *Philo* kennt allerdings den Unterschied zwischen dem sittlich guten Willen und der sittlich richtigen Tat; er weist darauf hin in Leg All III 210 (= SVF III Nr. 512): „Denn viel Segenswertes tun manche, aber nicht zum Segnen; auch der Schlechte übt manche pflichtmäßige

vorhalten; es dürfte sich also um negative Paränese handeln. Paränese richtet sich auch an den zum Bösen Entschlossenen, ruft ihn zur Umkehr und kündigt ihm für den Fall der Weigerung das Gericht an. Den zum Guten entschiedenen Menschen mahnt die Paränese, immer aus der guten Gesinnung zu handeln (auf daß jede Tat ein κατόρθωμα ist). Auch der Vollkommene, der Weise, kann rückfällig werden. Die Entscheidung zum Guten bestimmt den Menschen in statu viae nie zur Gänze, bis in die Tiefe seiner Person; so kann er zum Bösen versucht werden, aber auch (das ist die Kehrseite) im Guten wachsen. Diese eigenartige Verfaßtheit menschlicher Freiheit (Phänomen der Konkupiszenz[72]) ist den Stoikern weithin verborgen geblieben.[73]

3. Jeder Mensch erfährt Paränese in der Stimme seines eigenen Gewissens. Philo schildert dies Phänomen so: „Denn das jeder Seele angeborene und in ihr wohnende Gewissen, das nicht gewohnt ist, etwas Unrechtes zuzulassen, das nur den Haß gegen das Schlechte und die Liebe zur Tugend kennt, ist Ankläger und Richter zugleich; wenn es einmal geweckt ist, tritt es als Ankläger auf, beschuldigt, klagt an und beschämt; als Richter hinwiederum belehrt es, erteilt Zurechtweisung, mahnt zur Umkehr; und hat es überreden können, dann ist es erfreut und ausgesöhnt, konnte es das aber nicht, dann kämpft es unversöhnlich und gibt Tag und Nacht keine Ruhe, sondern versetzt unheilbare Stiche und Wunden, bis es das elende und fluchwürdige Leben vernichtet hat."[74]

Durch sein eigenes Gewissen erfährt jeder Mensch Paränese; darauf macht schon Seneca aufmerksam, indem er schreibt: „Ein heiliger Geist wohnt in uns, unserer schlechten und guten [Taten] Beobachter und Wächter: wie er von uns behandelt wird, so behandelt er selber uns."[75] Weil jeder Mensch in seinem Innern durch sein Gewissen schon Paränese erfährt, kann auch die Paränese, die durch die Mitmenschen ergeht, ihn treffen, indem sie die Stimme seines eigenen Gewissens weckt und verstärkt.

Handlungen aus, aber nicht aus der pflichtmäßigen Seelenbeschaffenheit heraus; der Trunkene und der Wahnsinnige reden und handeln manchmal vernünftig, aber nicht aus vernünftiger Gesinnung."
Auf die gegenteilige Möglichkeit, daß nämlich der Gute sittlich falsch handeln kann, auf das Phänomen des irrigen Gewissens, habe ich in der antiken Literatur keinen Hinweis gefunden.

[72] Vgl. dazu K. Rahner, Zum theologischen Begriff der Konkupiszenz, in: ders., Schriften zur Theologie I, Einsiedeln [7]1964, 377–414.

[73] Vgl. Cicero, Fin III 14,18; IV 24,67; SVF III Nr. 110; anders Paulus in Phil 3,12.

[74] Philo, Decal 87.

[75] Seneca, Ep 41,2 („sacer intra nos spiritus sedet, malorum bonorumque nostrorum obseruator et custos: hic prout a nobis tractatus est, ita nos ipse tractat"). Vgl. Brief 43,4f; De ira III 36 und Epiktet, Diss I 14,12. Das Phänomen des Gewissens ist in der römischen Philosophie stärker in den Blick gekommen als bei den intellektualistischer veranlagten Griechen; vgl. dazu M. Pohlenz, Die Stoa I, Göttingen [3]1964, 317–319 und M. Kähler, Das Gewissen, Darmstadt 1967, 160–165.

1.6. Die Motive biblischer Paränese

Mit der Unterscheidung zwischen Paränese und normativer Ethik haben wir das Einteilungsschema deutlich gemacht, mit dem wir an die ethischen Aussagen der Bibel herangehen wollen. Welchem Genus ethischer Rede dürften sie primär zuzuordnen sein? Betreffs der sittlichen Botschaft Jesu hat schon E. W. Mayer, ohne diesen Terminus zu gebrauchen, geurteilt, daß es sich dabei um Paränese handle; er schreibt: „Er war kein Theoretiker und wollte keine ethische Theorie entwerfen. Er hat sich begnügt, in immer neuen Wendungen dem Gewissen einzuschärfen, daß es nicht nur auf ein legales Handeln ankomme, sondern auf die selbstlose Betätigung einer rückhaltlosen Liebesgesinnung."[76] Dem Gewissen eines andern einzuschärfen, es komme darauf an, aus selbstloser Liebe zu handeln, das ist eine Umschreibung dessen, was hier unter ‚Paränese' verstanden ist. Mayer sagt somit, Jesus habe sich mit Paränese „begnügt". Jesus „wollte keine ethische Theorie entwerfen", das könnte heißen: Jesus hat weder eine ethische Normierungstheorie aufgestellt[77] (das heißt, nicht gesagt, nach welchen allgemeinen Kriterien die Richtigkeit bzw. Falschheit einer Handlung zu beurteilen sei), noch hat er ein Kompendium spezieller Ethik hinterlassen. Zwar mußte er in manchen Fällen die Rechtmäßigkeit seines Handelns (beispielsweise betreffs des Sabbats) verteidigen, zwar hat er bisweilen seinen Gegnern die Richtigkeit ihres Handelns abgesprochen (vgl. etwa Mt 23,16–22), überwiegend aber mahnt er zur rechten Gesinnung. Sittliche Güte liegt ihm zuallererst am Herzen. Sittliche Richtigkeit allein (Mayer spricht kantisch von bloß „legalem" Handeln) reicht nicht aus. Liebe und Treue müssen vorbehaltlos sein (vgl. Mt 5,21–30). Auch bei Paulus (im Römer- und Galaterbrief) findet sich der Hinweis, sittlich richtiges (legales) Handeln dürfe sich nicht mit der schlechten Gesinnung der Selbstgerechtigkeit verbinden. Diese Beobachtungen legen die Vermutung nahe, daß wir in der Bibel vor allem Paränese antreffen, weniger normative Ethik. Man könnte dagegen einwenden, in der Bibel würden doch vielfach sittliche Weisungen begründet, etwa im Buch Deuteronomium. Ist das Deuteronomium demnach ein Handbuch normativer Ethik? Das kann hier nur exemplarisch an zwei Beispielen geprüft werden, zunächst an Dtn 5,12–15:

„(12) Achte auf den Sabbat: Halte ihn heilig, wie es dir der Herr, dein Gott, zur Pflicht gemacht hat.

---

[76] *E. W. Mayer*, Ethik, Gießen 1922, 133.

[77] Mit dem, was Mayer eine ‚ethische Theorie' nennt, muß natürlich nicht unbedingt eine ethische Normierungstheorie gemeint sein; unter einer ‚ethischen Theorie' kann auch eine Aussage der sogenannten Metaethik verstanden werden (vgl. dazu S. 50). Hier kommt es darauf an, daß Mayer den paränetischen Charakter der sittlichen Verkündigung Jesu herausstreicht.

(13) Sechs Tage darfst du schaffen und jede Arbeit tun.
(14) Der siebte Tag ist ein Ruhetag, dem Herrn, deinem Gott, geweiht. An ihm darfst du keine Arbeit tun: du, dein Sohn und deine Tochter, dein Sklave und deine Sklavin, dein Rind, dein Esel und dein ganzes Vieh, und der Fremde, der in deinen Stadtbereichen Wohnrecht hat. Dein Sklave und deine Sklavin sollen sich ausruhen wie du.
(15) Denk daran: Als du in Ägypten Sklave warst, hat dich der Herr, dein Gott, mit starker Hand und hocherhobenem Arm dort herausgeführt. Darum hat es dir der Herr, dein Gott, zur Pflicht gemacht, den Sabbat zu halten."

In V. 15 wird – so scheint es zunächst – eine Weisung aus dem Heilshandeln Gottes begründet („darum" in V. 15b). Der Israelit mit seinem ganzen Haus soll am Sabbat ausruhen; in diesem Zusammenhang wird Israel daran erinnert, daß es selber aus der Sklaverei in Ägypten befreit worden ist. Aber ist die Befreiungstat Jahwes tatsächlich eine *Begründung* für das geforderte Verhalten, das heißt ein Argument normativer Ethik? Wenn es so wäre, könnte man doch auch folgende ‚Begründung' erwarten: ‚Jahwe hat dich aus der Sklaverei Ägyptens befreit; darum befreie auch du deine Sklaven.'[78] Offenbar hält das Deuteronomium die Sklaverei nicht für sittlich falsch. Die sittliche Erlaubtheit der Sklaverei ist also im Sabbatgebot des deuteronomischen Dekalogs stillschweigend vorausgesetzt. Falls man V. 15a auch auf den letzten Satz von V. 14 beziehen darf,[79] ist die Aussage des Deuteronomiums hier folgende: ‚Jahwe hat dir Gutes getan, als du Sklave warst; darum tu auch du deinem Sklaven Gutes'. Was das aber in concreto erfordert, *welche* Wohltaten der Herr seinem Sklaven erweisen soll, wird nicht diskutiert; einzig die Gewährung der Sabbatruhe wird ohne Begründung genannt. Die Formulierung des Sabbatgebotes in Dtn 5,12–15 bleibt also im Rahmen der Paränese. Erst wenn die Frage diskutiert würde, ob ein von Jahwe befreiter Israelit verpflichtet sei, seine Sklaven freizulassen, wäre der Übergang in die normative Ethik vollzogen. Daß diese Freilassung etwas Gutes für den Sklaven wäre, ist klar; ob der Herr aber gerade zu *dieser* Wohltat verpflichtet ist, wäre eine Frage der normativen Ethik.

Nun scheint aber in Dtn 15,12–15 eine solche Verknüpfung zwischen der Freilassung des Sklaven im siebten Jahr und der Befreiung Israels aus Ägypten gezogen zu sein:

(15) „Denk daran: Als du in Ägypten Sklave warst, hat der Herr, dein Gott, dich freigekauft. Darum verpflichte ich dich heute auf dieses Gebot."

[78] Vgl. *Schüller,* Proprium 323 f (zu diesem Abschnitt den ganzen Aufsatz sowie auch *W. K. Frankena,* Is Morality logically dependent on Religion, in: G. Outka/J. P. Reeder, Jr. (Ed.), Religion and Morality, Garden City (N.Y.) 1973, 295–317).

[79] So *E. Jenni,* Die theologische Begründung des Sabbatgebotes im Alten Testament, Zollikon-Zürich 1956, 17.

Die Befreiung Israels aus Ägypten fordert nach Meinung des Deuteronomiums aber nicht die Befreiung des Sklaven, nicht die Abschaffung der Sklaverei überhaupt, sondern die Freilassung des hebräischen Sklaven im siebten Jahr. Die eigentliche Begründung für diese Art von Sklavenbefreiung ist also in der Institution des Sabbatjahres (V. 12) zu suchen sowie darin, daß dieser Sklave ein Landsmann ist, dem man in besonderer Weise zu Wohltaten verpflichtet ist. Der Hinweis auf die Befreiungstat Jahwes unterstreicht dagegen nur das gegebene Gebot und sieht in der Erfüllung des Gebots einen Akt der Dankbarkeit für die Befreiungstat Jahwes. Als solcher Akt der Dankbarkeit kann aber prinzipiell jedes sittlich richtige Verhalten (vor allem, wenn es mit Nachteilen für den Handelnden verbunden ist, die Dankbarkeit also etwas ‚kostet') interpretiert werden. Der Hinweis auf die Befreiungstat Jahwes bleibt also auch hier im Rahmen der Paränese. Das bestätigt uns mit andern Worten auch G. von Rad: „Der Beitrag des dt. Predigers zu dieser rechtlichen Regelung der Schuldsklaverei besteht, wie oben beim Gesetz vom Schulderlaß, in einer *Verinnerlichung* der ganzen Angelegenheit. Er schiebt dem Hörer die Gehorsamsfrage aufs Persönlichste ins Gewissen. Ihn interessiert die *Gesinnung,* also das, was der von dem Gesetz Betroffene dabei denken soll (V. 15), und daß ihm die Befolgung nicht schwerfallen soll (V. 18)."[80] Diesen Beitrag des Deuteronomiums stellt v. Rad im Vergleich mit Ex 21,1–11 heraus, wo einfach gesetzliche Bestimmungen über die Sklaverei aufgezählt werden. Auch in Ex 21,2–11 handelt es sich um Paränese in dem von uns gemeinten Sinn.[81] Man könnte es befremdlich finden, daß wir die nüchternen Bestimmungen des Bundesbuches und die zu Herzen gehenden Mahnungen des Deuteronomiums dem gleichen Genus ethischer Aussagen zuweisen. Aber, wie schon gesagt,[82] ob eine Mahnung kurz, prägnant, apodiktisch oder ausführlich, werbend und zu Herzen gehend ist, das hat auf ihre Zuordnung zum Genus Paränese keinen Einfluß. Paränese kann eben auf verschiedene Weise ergehen: man kann sittliche Gebote (Verbote) lediglich aufzählen, man kann an die Dankbarkeit, den Großmut des Menschen appellieren, man kann ihn auch durch Strafandrohung vom Bösen abzuhalten versuchen.

Es sei ein Beispiel aus dem Neuen Testament angefügt.

[80] G. von Rad, Das fünfte Buch Mose, Göttingen ²1968, 77 (Hervorhebungen von mir). G. von Rad würde hier vermutlich nicht von ‚Paränese' sprechen; er bezeichnet so die Vorrede(n) in Dtn 5–11, die der Gesetzessammlung des Deuteronomiums vorausgehen; vgl. dazu auch G. von Rad, Theologie des Alten Testaments I, München ⁵1966, 233. Ähnlich wie v. Rad über Dtn 15,15 äußert F. Hahn (Neutestamentliche Grundlagen einer christlichen Ethik: TThZ 86 (1977) 31–41, hier 39) über die Bergpredigt, es gehe dort „um eine Radikalisierung des im Alten Testament Gebotenen, allerdings nicht im Sinne zusätzlicher formaler Gebote, sondern in dem Sinn, daß das *Gewissen* der Menschen geschärft wird".
[81] Ex 21,1–11 zeigt gut, daß auch das sogenannte kasuistische Recht zum Genus Paränese zu rechnen ist (vgl. Anm. 23); keine Weisung wird dort begründet.
[82] Vgl. oben S. 24.

Jesus mahnt Lk 12,58 zur Versöhnung mit dem Hinweis auf das drohende Gericht. Soll das heißen, die Versöhnung sei nicht gefordert, falls das Gericht nicht bevorstünde, oder man könne sich unter andern Umständen mit der Versöhnung noch Zeit lassen? Wohl kaum; also begründet der Hinweis auf das drohende Gericht nicht die sittliche Pflicht zur Versöhnung. Das betont auch H. Schürmann: „Letztlich begründet der Blick auf die bevorstehende nahe Vergeltung das Versöhnungs- und Liebesgebot noch nicht, er akzentuiert beides nur, gibt solchem Tun – aus der Nähe und Gefährlichkeit des Endes – eine große und ernste Dringlichkeit. Aber warum Gott bei der kommenden Vergeltung sein Vergeben und Beseligen ausgerechnet an die Bedingung menschlicher Versöhnung und menschlichen Liebesdienstes gebunden hat – dafür gibt uns der Hinweis auf das Kommende eine innere Begründung noch keineswegs an die Hand. Wir müssen folgern: Das nahe Ende bestimmt das von Jesus geforderte Verhalten nur akzidentell, motiviert es praktisch-paränetisch, nicht aber innerlich und letztlich."[83]

Was aber „motiviert" nun das geforderte Verhalten „innerlich und letztlich"? Es sei motiviert, antwortet Schürmann, „nur akzidentell und paränetisch in der kommenden Vergeltung, wesentlich und grundsätzlicher dagegen in der Gegenwärtigkeit, der Vorgegebenheit des Heils".[84] Jesu Liebesdienst (Lk 22,27) werde so „zum anspornenden Motiv"[85] für Taten der Liebe. Sind der Liebesdienst Jesu, die Gegenwart des Heils als Argumente normativer Ethik zu verstehen? Oder meint ‚Motiv' hier etwas anderes? Wenn ich eine Person als Vorbild hinstelle, wenn ich sittliches Handeln als dankende Antwort auf das mir widerfahrene Heil interpretiere, übe ich Paränese, setze ich Übereinstimmung darüber voraus, was an der zum Vorbild gewählten Person vorbildlich ist, welche Taten als Antwort auf die mir geschenkte Liebe gelten können[86]. Schürmann scheint, wenn er von „wesentlicher und grundsätzlicher" Motivierung der Versöhnungsforderung in der Gegenwärtigkeit des Heils spricht, auch gar nicht behaupten zu wollen, der Hinweis auf die Gegenwart des Heils sei ein Argument normativer Ethik. Was hier mit ‚Motiv' bezeichnet ist, scheint in den Rahmen der Paränese zu gehören. Es empfiehlt sich also, zwischen *Argumenten* (Gründen, Begründungen) normativer Ethik und paränetischen *Motiven* zu unterscheiden. Schürmann vergleicht demnach zwei paränetische Motive miteinander.

[83] *H. Schürmann,* Eschatologie und Liebesdienst in der Verkündigung Jesu, in: ders., Ursprung und Gestalt, Düsseldorf 1970, 279–298, hier 287.
[84] Ebd. 289.
[85] Ebd.
[86] „Die Vorbildlichkeit Gottes und die Vorbildlichkeit Christi sind nicht Maßstab für die *Bedeutung* ‚sittlichen Gutseins', sondern für die *Verwirklichung* sittlicher Güte." (*Schüller,* Proprium 327). Vgl. in diesem Sinn auch *E. Zenger,* Erfahrung – Weisheit – Weisung, in: F. Kamphaus/ R. Zerfaß (Hrsg.), Ethische Predigt und Alltagsverhalten, München/Mainz 1977, 29–43, hier 38–42.

Er will wohl betonen, das Motiv der Furcht vor dem kommenden Gericht sei noch nicht Ausdruck der rechten Gesinnung. Das ‚wesentliche‘ Motiv sei der Dank für die Liebestat Jesu. ‚Wesentliche‘ und ‚akzidentelle‘ Motive zu unterscheiden, dazu müßte man die Funktion und Eigenart paränetischer Motive genauer untersuchen; das soll im folgenden an Hand einiger häufig wiederkehrender paränetischer Motive, die man auch paränetische Topoi nennen könnte, geschehen.

Was bedeutet es genau, wenn die *kommende Vergeltung* das Handeln motiviert?

Angenommen, man macht das Erlangen der ewigen Seligkeit bzw. die Vermeidung der ewigen Verdammnis zum obersten Ziel seines Handelns. Alles, was man tut, alle Dinge, die man anstrebt, scheinen dann nur Mittel zu diesem obersten Zweck zu sein. Wenn die ‚Glückseligkeit‘ in dieser Weise als Motiv mein Handeln bestimmt, ist ‚Motiv‘ im Sinn einer Finalursache verstanden, mein Handeln ist dann final determiniert durch dieses Motiv.[87] Wäre aber eine solche Handlungsmaxime nicht Ausdruck von Egoismus? Was den Handelnden bewegt, ist doch offenbar sein eigenes Davonkommen im Gericht. Solchen Verdacht äußert offenbar auch Schürmann gegenüber einem Handeln aus Furcht vor dem Gericht. Wenn aber die Furcht vor dem Gericht eine egoistische Haltung ist, ist sie dann nicht Sünde? Das Konzil von Trient hat das ausdrücklich bestritten (DS 1558), und zwar mit gutem Grund.[88] Wer sein Handeln im dargelegten Sinn von der Vermeidung der Verdammnis bestimmen sein ließe, würde von einem Mißverständnis ausgehen. Die oben hypothetisch versuchte finalursächliche Deutung des Zusammenhangs zwischen dem menschlichen Handeln und dem Erlangen der ewigen Seligkeit beruht nämlich tatsächlich auf einem Mißverständnis; diese

---

[87] An dieser Stelle müßte eigentlich der Unterschied zwischen Vorzugswahl und Entscheidung dargelegt werden (vgl. dazu den Text von *B. Schüller* in: R. Ginters (Hrsg.), Freiheit und Verantwortlichkeit, Düsseldorf 1977, 117–127). Bei den Darlegungen dieses Abschnitts geht es darum, daß die Motive der Paränese die Entscheidung bzw. die Entschiedenheit für das Gute stützen, nicht aber dem Handeln des Menschen ein Ziel neben oder über dem der sittlichen Güte setzen, daß sie die bereits zum Guten Entschlossenen nicht etwa zu einer anderen Vorzugswahl (das heißt zur Wahl anderer Mittel) bestimmen.

[88] *L. Ott* (Grundriß der Dogmatik, Freiburg ⁷1965, 511) unterscheidet den timor serviliter servilis, „d. i. die knechtische Furcht, die nur die Strafe fürchtet und am Willen zur Sünde festhält“, vom timor simpliciter servilis, „d. i. die knechtliche Furcht schlechthin, die nicht bloß die Strafe, sondern zugleich den strafenden Gott fürchtet und die Abkehr des Willens von der Sünde zur Folge hat“. Ex definitione ist nur die erste Form der Furcht Sünde, weil ein Mensch, der von solcher Furcht bestimmt ist, nicht die Sünde, sondern nur die Strafe meiden will, während im zweiten Fall der Unwert der Sünde an sich erfaßt wird (abgesehen von der mit ihr verbundenen Strafe) und eine echte Abkehr von der Sünde so ermöglicht wird. Für eine sachgerechte Einschätzung dieser bei Ott getroffenen Unterscheidung wird man bedenken müssen, daß hier wohl zunächst ein (wenigstens denkbarer) Unterschied zwischen einer Furcht vor der ewigen Strafe, die aus einer sündigen Einstellung rührt, und einer Furcht, die unvollkommene Reue ist, aufgezeigt werden soll; eine genauere phänomenologische Analyse dieser verschiedenen Arten von Furcht ist damit natürlich noch nicht gegeben. Hier kommt es nur darauf an, daß die Frage nach den rechten Motiven für die Rechtfertigungslehre bedeutsam ist.

Deutung setzt fälschlicherweise voraus, der Mensch habe die Mittel in der Hand, das Ziel ewiges Leben zu erreichen, der Mensch könne durch sein Handeln kausal auf sein ewiges Heil einwirken. Ein Arzt, der einen Kranken heilen will, verfügt im günstigen Fall über die Mittel zum Zweck, er wird die seiner Meinung nach geeignetsten Mittel zu diesem Zweck, der Gesundung des Patienten, anwenden. Medikamente, operative Eingriffe stehen in diesem Fall in einem wirkursächlichen Zusammenhang mit dem Ziel der Gesundung des Patienten. Ein solcher kausaler Zusammenhang besteht aber zwischen dem sittlichen Handeln des Menschen und dem ewigen Lohn bzw. der ewigen Strafe nicht; hier besteht vielmehr ein Verhältnis des Gebührens: das Tun des Guten *verdient* Lohn, das Tun des Bösen *verdient* Strafe.[89] Der himmlische Lohn ist damit nicht als ein dem Wert des Guten übergeordnetes Ziel zu begreifen, als wäre sittlich gutes Handeln Mittel zum Zweck (bzw. das sittlich schlechte Handeln nur schlecht, weil es das Übel der Verdammung mit sich brächte). Sittliche Güte ist vielmehr der oberste Wert in sich. *Daß* sittliche Güte Lohn verdient, unterstreicht nur den Wert sittlicher Güte, unterstreicht nur, daß sie um ihrer selbst willen angestrebt werden muß. Wenn man das Bestehen im Gericht also als Motiv des Handelns bezeichnet, ist ‚Motiv‘ hier nicht als Finalursache zu explizieren, als oberstes Ziel meines Handelns, durch das meine Handlungen im einzelnen festgelegt wären. Vielmehr stellt die Aussicht auf das kommende Gericht die moralische Uralternative zwischen Gut und Böse dem Menschen deutlicher vor Augen. Je deutlicher aber der Mensch den Wert des Guten, den Unwert des Bösen erfaßt, desto entschlossener kann er die Entscheidung zwischen Gut und Böse fällen; die Entscheidung zum Bösen wird mit größerem existentiellen Einsatz getroffen, das heißt, sie tendiert zur ‚schweren‘ Sünde, ebenso gerät die Entscheidung zum Guten in den Bereich der ‚honestas gravis‘.[90] Auf die Entscheidung zum Guten zu drängen, das Wachsen im Guten zu fördern, das wurde schon als Ziel der Paränese dargelegt. Wo dieser Aufruf

---

[89] Vgl. *I. Kant* (Kritik der praktischen Vernunft A 234, zitiert nach der Ausgabe von W. Weischedel, Darmstadt 1956 [Neudruck 1975]): „Daher ist auch die Moral nicht eigentlich die Lehre, wie wir uns glücklich *machen,* sondern wie wir der Glückseligkeit *würdig* werden sollen. Nur denn, wenn Religion dazu kommt, tritt auch die Hoffnung ein, der Glückseligkeit dereinst in dem Maße teilhaftig zu werden, als wir darauf bedacht gewesen, ihrer nicht unwürdig zu sein." Ähnlich *G. Bornkamm* (Jesus von Nazareth, Stuttgart [7]1965, 130): „Lohn und Strafe in Jesu Verkündigung bestimmen . . . niemals den Inhalt der sittlichen Forderung. Was gut und böse ist, sagt Gottes Gesetz und ergibt sich nicht erst aus den Folgen der guten und bösen Tat. Nicht weil der Mammon den Menschen ins Verderben führt, ist er böse, sondern weil er seinen Besitzer zum Sklaven macht und von Gott abwendet, darum bringt er den Menschen in die Hölle." Daß das Tun des Guten Lohn verdient, gilt übrigens unabhängig von der Frage, ob es verdienstliche gute Werke gibt oder nicht. Auch wenn man der Meinung ist, der Mensch könne aus eigener Kraft nichts Gutes tun, wenn er das Gute vollbringe, sei das immer allein das Werk Gottes, gilt, daß das Gute Lohn verdient; nur gäbe es dann bloß ein Verdienst auf seiten Gottes. Diese Frage braucht aber hier nicht erörtert zu werden.

[90] Vgl. *B. Schüller,* Gesetz und Freiheit, Düsseldorf 1966, 90–106 (auch bei R. Ginters, a. a. O. [Anm. 87] 143–151).

zum Guten aber nicht gehört wird, wo jemand sich gegen die an ihn ergehende Paränese entscheidet, wo jemand in diesem Sinn die Finsternis mehr liebt als das Licht (vgl. Joh 3,19), da erhält seine Entscheidung zum Bösen eine größere Eindeutigkeit, da ist er insofern bereits ,gerichtet'. Insofern Paränese diese eindeutige Entscheidung provoziert, erfolgt in ihrem Vollzug das ,Gericht'.

Ein anderes paränetisches Motiv ist die Nachahmung des *Vorbildes,* das Jesus gegeben hat.

Was ein Vorbild ist, wissen wir alle; aber nur wenige haben, wie etwa M. Scheler, ausdrücklich reflektiert, in welcher Weise ein Vorbild auf uns wirkt. Scheler schreibt: „Die Vorbilder . . . bestimmen . . . schon unsere hinter dem Wollen liegende ,Gesinnung'. Sie formen das *Person*-zentrum, schon ehe es dieses oder jenes will. Die Vorbilder bestimmen also den Spielraum unseres *möglichen* Wollens und Handelns."[91] Was ist dieser Spielraum, den die Vorbilder bestimmen? Vermutlich der Bereich des Guten, des sittlich Geforderten. (Scheler spricht hier nur von guten Vorbildern; was man ein ,schlechtes Vorbild' nennt, heißt bei ihm ,Gegenbild'.) Was der Mensch auch tut, wer sich an seinem Vorbild orientiert, wird aus derselben Gesinnung handeln, die im Vorbild lebendig ist. Der Christ, der dem Vorbild Jesu folgt, wird aus der Liebe, aus dem Gehorsam handeln, der in Jesus wirksam war. Ein Vorbild schreibt einem Menschen also nicht einzelne Taten vor, man lernt von ihm vielmehr, „so zu wollen und zu tun, *wie* das Vorbildwesen *will* und tut, nicht etwa, was es will und was es tut (wie bei der Ansteckung und Nachahmung und in anderer Weise beim Gehorsam)".[92] Wo der Aufruf zu sittlichem Handeln mit dem Vorbild Jesu ,motiviert' wird, ist dies Motiv also wiederum keine Zielursache, die das Handeln final determiniert. „Vorbilder ziehen die Person, die sie hat, zu sich hinan; man bewegt sich ihnen *nicht* aktiv entgegen; das Vorbild *wird* ziel-*bestimmend,* nicht aber wird es als Ziel erstrebt oder gar als Zweck gesetzt."[93]

Die Motivationskraft des Vorbildes scheint (nach Scheler) also in folgendem zu liegen:

1. Dadurch, daß es lebendig und konkret sittliche Güte verkörpert, hilft es zu einer ,realen'[94] Erfassung des sittlichen Wertes (im Gegensatz zu einer bloß begrifflich-abstrakten) und damit zur Entscheidung bzw. zu einer größeren Entschiedenheit für das Gute.

2. Dadurch, daß es das Personzentrum formt, so daß es im Menschen eine

[91] *M. Scheler,* Vorbilder und Führer, in: ders., Schriften aus dem Nachlaß I. Zur Ethik und Erkenntnislehre, Berlin 1933, 149–224, hier 163.

[92] *Ders.,* Der Formalismus in der Ethik und die materiale Wertethik, Bern ⁵1966, 566.

[93] Ebd. 564.

[94] Über den Unterschied zwischen ,begrifflichem' und ,realem' Erfassen vgl. *J. H. Newman,* Entwurf einer Zustimmungslehre, Mainz 1961, 26–68.

ihm, dem Vorbild, ähnliche Gesinnung bewirkt, werden leichter irgendwelche der sittlichen Güte entgegenstehende Neigungen ausgeschaltet. Das Wachstum im Guten erfolgt nicht bloß im Zeichen des Kampfes gegen das Böse (in Form der eigenen egoistischen Neigungen), sondern im Zeichen des Ähnlichwerdens, der Nachfolge.

Wo jemand Jesus zum Vorbild nimmt, erfaßt er demnach in ihm real sittliche Güte; er versucht, durch Wachstum im Guten ihm ähnlich zu werden. Damit wäre aber die Wirksamkeit speziell Jesu Christi als Vorbild nur unzureichend beschrieben. In ihm ist sittliche Güte nicht nur vollkommen verwirklicht, sie ist auch *mir zugute* verwirklicht, wie Paulus etwa 2 Kor 8,9 deutlich macht: „Ihr kennt die Liebestat unseres Herrn Jesus Christus: Er, der reich war, wurde um euretwillen arm, so daß ihr durch seine Armut reich wurdet." Wenn Christus *meinetwegen* arm geworden ist, profitiere ich selber von dem Handeln dessen, den ich als Vorbild anerkenne, ich werde noch stärker von diesem Vorbild bewegt, es fällt mir schwerer, in meiner Selbstsucht zu verharren. Christliche Paränese, die sich weitgehend auf den historischen Jesus, seine Worte und Taten beschränkte, würde sich ihrer Wirkkraft zu einem großen Teil berauben, weil sie die Liebestat Jesu nicht als *für uns* geschehen vor Augen stellte. R. Bultmann äußert zu 2 Kor 8,9: „Nicht sofern er [sc. Christus] überhaupt durch sein Opfer jemanden reich gemacht hat, ist er Vorbild, sondern diejenigen werden angeredet, die selbst durch sein Opfer reich geworden sind."[95] Wo jemand durch einen andern reich geworden ist, entsteht die Haltung der Dankbarkeit. Zwar ist nicht jedes Handeln aus Dankbarkeit sittlich richtig (die Kreuzzüge waren vermutlich auch durch Dankbarkeit Christus gegenüber motiviert). Dankbarkeit aber erleichtert dem Menschen die Lösung von seiner Selbstsucht, sie sprengt die ‚curvatio in se ipsum' auf. Wo also von Jesus Christus als Vorbild gesprochen wird, sollte nicht nur der irdische Jesus, sein Leben und Werk vor Augen gestellt werden, es sollte auch das Christusgeschehen miteinbezogen werden, in das der an ihn Glaubende hineingenommen ist, durch das seine Liebestat ihm zugute kommt.[96]

Noch ein weiteres Motiv sei genannt: Eine Weisung wird eingeschärft mit dem Hinweis, das sei der *Wille Gottes*.

---

[95] *R. Bultmann,* Der zweite Brief an die Korinther, Göttingen 1976, 256. Der Zusammenhang zwischen der zuvorkommenden Liebe Gottes und der Liebe des Menschen ist gut charakterisiert bei *F. Hahn,* a. a. O. (Anm. 80) 36: „Das sittliche Verhalten des Menschen soll gleichsam ‚eingebunden' werden in eine Bewegung, die von Gott ausgeht und auf Gott hinzielt. Das heißt nicht, daß sittliches Handeln überhaupt nur so möglich wäre, aber es erhält durch diesen Zusammenhang seine spezifische Gestalt: es wird Ausdruck einer aus letzten Voraussetzungen sich uns erschließenden und auf alle Kreatur ausgerichteten Liebe, und es will die anderen Menschen in eine das Menschsein transzendierende Wirklichkeit einbeziehen. Nur so verwirklicht sich daher auch die Liebe des Menschen zu Gott, ohne daß damit die Liebe zum Nächsten mit der Liebe zu Gott gleichgesetzt wäre; wohl aber ist sie deren Prüfstein."

[96] Vgl. die Auslegung zu Phil 2,5 bei *J. Gnilka,* Der Philipperbrief, Freiburg 1968, 109 f.

Es wurde schon erwähnt,[97] daß dieser Hinweis – falls man nicht einen theonomen Moralpositivismus vertritt – die sittliche Richtigkeit einer Handlung bereits voraussetzt. Wer eine sittliche Weisung als Gebot Gottes herausstellt, impliziert damit zwar die wichtige Aussage: Gott will die sittlich gute Gesinnung, die sittlich richtige Tat. Auf dem Felde normativer Ethik ist dieser Hinweis aber nicht von Belang; hier sind ‚sittlich richtig‘ und ‚von Gott geboten‘ Synonyma, nur *was* sittlich richtig (von Gott geboten) ist, steht hier zur Debatte. Anders auf dem Gebiet der sogenannten *Metaethik*. Der Unterschied zwischen normativer Ethik und Metaethik kann an dieser Stelle nur kurz angedeutet werden (im 3. Kapitel wird er an einem konkreten Beispiel deutlicher ausgeführt[98]). Bei ethischer Reflexion geht es zunächst um die Bewertung von Handlungen als richtig oder falsch. Man kann aber hinter solche Urteile zurückfragen, etwa: Welchen logischen Status haben ethische Aussagen? Bringen sie ein bestimmtes Gefühl von Billigung oder Mißbilligung zum Ausdruck (Emotivismus)? Ist demnach die Aussage ‚Tötung ist unerlaubt‘ gleichbedeutend mit ‚Tötung – pfui!‘? Solches Rückfragen ist Aufgabe der Metaethik. Sie fragt beispielsweise nach dem Grund der axiologischen Differenz zwischen Gut und Böse. Der Mensch kann zunächst rein deskriptiv den Unterschied zwischen moralischem und nichtmoralischem Verhalten, zwischen einem Handeln gemäß und einem Handeln entgegen der Goldenen Regel erkennen. Die Metaethik fragt: Wie kommt er dazu, das eine als gut, das andere als schlecht (böse) zu bewerten? Ist ihm sittliche Güte als Wert vorgegeben, oder beruht die Bewertung eines Handelns gemäß der Goldenen Regel als sittlich gut auf einer Setzung des Menschen? Entscheidet der Mensch selber, was als sittliche Güte anzusehen und anzustreben ist (Dezisionismus), oder ist das Wesen sittlicher Güte ihm vorgegeben und seinem Erkennen zugänglich (Kognitivismus)? Bei dieser Fragestellung ist nun die Aussage, das sittlich Gute (bzw. Richtige) sei von Gott geboten, durchaus von Bedeutung, hier sind ‚sittlich gut (richtig)‘ und ‚von Gott geboten‘ keine Synonyma. Wo sittliche Güte nämlich als Forderung Gottes expliziert wird, erkennt der Mensch den Wert sittlicher Güte deutlich als ihm vorgegeben, ja er erkennt nicht nur diesen Wert (das scheint auch einem Atheisten prinzipiell möglich zu sein[99]), er erkennt außerdem den transzendenten Grund dafür, daß ihm sittliche Güte als Wert vorgegeben ist. Dadurch aber, daß er den transzendenten Grund sittlicher Güte erkennt, erfaßt er deutlicher den Wert sittlicher Güte; wenn er sich zum Bösen ent-

---

[97] Vgl. Anm. 4, oben S. 16.

[98] Siehe unten S. 138–157.

[99] Jedenfalls gibt es Atheisten (z. B. G. E. Moore), die einen Kognitivismus vertreten, für die also der sittliche Wert wie auch die nicht-sittlichen Werte vorgegeben sind. Ob das vom Standpunkt des Atheismus konsequent ist oder ob es sich hier um einen ‚theistischen Rest‘ handelt, ist eine andere Frage; vgl. dazu *B. Schüller*, Dezisionismus, Moralität, Glaube an Gott: Gregorianum 59 (1978) 465–510, bes. 504–508.

schließt, entscheidet er sich zugleich deutlich gegen Gott, seinen Schöpfer.
Auch von diesem paränetischen Motiv gilt also: es stellt dem Menschen den sittlichen Wert deutlicher vor Augen, es erschließt dem Menschen gleichsam die Tragweite der Entscheidung zwischen Gut und Böse.

Durch diese Überlegungen sollte angedeutet werden, daß Motive der Paränese nicht nur negativ abzusetzen sind von Argumenten normativer Ethik; es sollte der Eindruck vermieden werden, bei den Motiven biblischer Paränese handle es sich um mißlungene Versuche, normative Ethik zu treiben.

Die Bedeutung der paränetischen Motive scheint – zusammenfassend gesagt – in folgendem zu liegen:

1. Dadurch, daß sie den sittlichen Wert deutlicher vor Augen stellen, ermöglichen sie eine entschlossenere Hinkehr zum Guten, ein Wachsen im Guten, ein tieferes existentielles Engagement beim Tun des Guten, oder sie provozieren, wo der Mensch sich zum Bösen entscheidet, eine entschiedenere Abkehr vom Guten, damit auch von Gott.

2. Es zeigt sich ein Zusammenhang zwischen Paränese und Metaethik. Biblische Paränese läßt sich – wenn die oben gegebene paradigmatische Analyse einiger paränetischer Motive richtig ist – nur auf dem Hintergrund einer kognitivistischen metaethischen Theorie explizieren.

3. Insofern die Paränese die richtige Motivation des Verhaltens fordert, indem sie dem Menschen immer wieder in Erinnerung ruft, daß bloße Legalität (bloße sittliche Richtigkeit) des Handelns nicht ausreicht, zeigt sich auch ein Zusammenhang zwischen Paränese und Rechtfertigungslehre. In der Art, wie jemand Paränese übt, läßt er erkennen, welche Motivation des Handelns seiner Meinung nach dem Gerechtfertigten entspricht. Wo Theologen sich fragen, ob die Erwartung des Lohns oder die Furcht vor Strafe als Handlungsmotiv mit der Rechtfertigung aus dem Glauben allein vereinbar sei, artikulieren sie diesen Zusammenhang.

Die terminologische Unterscheidung zwischen paränetischen Motiven einerseits und Gründen (Argumenten) normativer Ethik andererseits legt sich auch nahe, wenn man sich kurz darauf besinnt, wie wir im Alltag das Wort ‚Motiv' verwenden. Als Ausgangspunkt diene folgendes Beispiel Senecas: „Es verweilt einer am Krankenlager seines Freundes. Sehr löblich! Aber er tut es um der Erbschaft willen, ist also ein Geier, der auf den Leichnam wartet."[100] Das Motiv dieses Mannes ist Habsucht; es geht ihm um das Erbe. Man stelle sich kurz den andern Fall vor: der Mann handelt aus wirklicher Zuneigung zu seinem Freund; sein Motiv wäre Mitleid. Aber würden wir so reden? Vermutlich würden wir es gar nicht für nötig halten, das

---

[100] *Seneca,* Ep 95,43 („Amico aliquis aegro adsidet: probamus! At hoc hereditatis causa facit: vultur est, cadaver exspectat.") Übersetzung nach der Ausgabe von O. Apelt, L. A. Seneca, Philosophische Schriften IV, Leipzig 1924.

ausdrücklich zu sagen, weil wir von einem Menschen, der Kranke besucht, Leidende tröstet, normalerweise annehmen, er handle aus Mitleid. Allgemeiner gesagt: von einem Menschen, der sittlich richtig handelt, nehmen wir auch zunächst an, er handle aus sittlicher Güte. Wo man nach den Motiven eines Handelnden fragt, weist man auf die hinter der sittlich richtigen Handlung oft gleichsam verborgene sittliche Schlechtigkeit (Bosheit) oder auch auf die hinter einer sittlich falschen Handlung verborgene sittliche Güte hin (im Fall des irrigen Gewissens, zum Beispiel eines Terroristen, dem es um eine bessere Gesellschaft zu tun ist). In diesem Sinn erklärt auch J. St. Mill, „daß das Motiv zwar sehr viel mit dem moralischen Wert des Handelnden, aber nichts mit der moralischen Richtigkeit der Handlung zu tun hat".[101] Auf diesen „moralischen Wert des Handelnden" zielt ja gerade die sittliche Botschaft des Neuen Testaments. Jesus erinnert daran, daß Gott ins Verborgene (Mt 6,4.6.18), ins Herz des Menschen sieht. Er macht am Beispiel von Beten, Fasten und Almosen deutlich, wie sittlich richtige Handlungen von einer schlechten Gesinnung (hier Werkgerechtigkeit) getragen sein können. Seneca weist im genannten Beispiel auf das Motiv des Handelnden hin, um seine Mißbilligung auszudrücken: der wohltätige ‚Geier' dient als abschreckendes Beispiel. Oft fragt man aber nicht nach dem Motiv des Täters, um ihn zu verurteilen, sondern um sein Handeln zu *erklären*. Auch in diesem Fall geht es eindeutig nicht um die Rechtfertigung einer Tat. Wer nach einem Motiv für einen geschehenen Mord sucht, will diese Tat nicht rechtfertigen, er will vielmehr wissen, was den Täter zu seiner Tat ‚bewegt' hat, beziehungsweise was für den Täter ein ‚Grund' war, einen andern Menschen zu töten. Unter einem ‚Grund' verstehen wir hier nicht einen *moralischen* Rechtfertigungsgrund, wir stellen nur fest oder vermuten, daß beispielsweise das Geld des Toten für den Täter ein (*egoistischer*) Grund war, diesen zu töten. Als ‚Motiv' bezeichnen wir normalerweise nicht das Gut, um das es dem Täter ging (im genannten Beispiel: das Geld), sondern die innere Disposition, die den Täter auf dieses Gut ausrichtet (Habsucht).[102]

Nach ‚Motiven' wird also, wo es um die Erklärung einer Tat geht, mit einer andern Absicht gefragt als bei der Auslegung biblischer Paränese, dennoch wird beidemale in ähnlicher Bedeutung von ‚Motiven' gesprochen:

1. In beiden Fällen geht es nicht um die Beurteilung einer Handlung als sittlich richtig oder sittlich falsch.

2. In beiden Fällen bezeichnet man als ‚Motiv' weniger das Gut, auf das der Handelnde sich ausrichtet, das sein Handeln final bestimmt, sondern eine innere Einstellung, eine Disposition zum Guten oder Bösen (Tugend oder

---

[101] *J. St. Mill,* Der Utilitarismus, Stuttgart 1976, 32.
[102] Vgl. zu diesem Gesichtspunkt der Erklärung einer Handlung aus ihren Motiven auch *K. Baier,* Der Standpunkt der Moral, Düsseldorf 1974, 136–161.

Laster), oder etwas, was die Entschiedenheit für das Gute bzw. Böse bestärkt beziehungsweise verunsichert.

3. Man verweist auf die Motive des Handelns, weil die Motivation aus dem Ablauf der Handlung allein nicht abzulesen ist. Wo ein Almosen gegeben wird, kann es aus Mitleid oder aus Selbstsucht geschehen, wo jemand ermordet wird, kann es aus Habsucht, Eifersucht oder aus Rache geschehen. Durch die angestellten Überlegungen über die Motive der biblischen Paränese bestätigt sich die eingangs dieses Abschnitts geäußerte Vermutung, in den ethischen Aussagen der Bibel hätten wir es vor allem mit Paränese zu tun.[103] Daß es auch Überlegungen normativer Ethik in der Bibel gibt (Röm 14; 1 Kor 7–10), wurde schon angedeutet;[104] sie sind allerdings die Ausnahme. Daß wir in den ethischen Aussagen des Paulus vorwiegend Paränese erkennen müssen, bestätigt mit andern Worten auch O. Merk, wenn er seine Untersuchungen über die „Motivierungen der paulinischen Ethik"[105] beschließt: „Alles Begründen ethischer Weisungen ist für den Apostel nichts anderes als die Entfaltung des rechtfertigenden und versöhnenden Handelns Gottes, ist die Bezeugung des Anspruches Gottes auf die ihm gehörende Welt und die Bekundung seiner Treue zu seiner Gemeinde, die von Ostern her lebt und auf ihren kommenden Herrn wartet." Was Merk hier als „Begründen ethischer Weisungen" bezeichnet, sind keine neuen Argumente für die sittliche Richtigkeit gewisser Handlungen, sondern die Zuordnung des Imperativs der sittlichen Forderung zum Indikativ des geschehenen Heiles. Dieser Indikativ ermutigt und befähigt zum neuen Gehorsam, zum Gehorsam nach dem Vorbild und in der Kraft dessen, der gehorsam war bis zum Tod am Kreuz (Phil 2,8). Die Vorordnung des Imperativs der Erlösungstat Christi vor den Imperativ der sittlichen Forderung ist gerade ein Kennzeichen christlicher Paränese. Wenn darin das spezifisch paulinische „Begründen ethischer Weisungen" besteht, dann liegt für Merk das Proprium der paulinischen Ethik in der Paränese; das gilt, auch wenn Merk keine ausdrückliche terminologische Distinktion zwischen Paränese und normativer Ethik vornimmt.

Aus der Motivation des sittlichen Handelns durch den Indikativ des gegenwärtigen Heiles läßt sich noch einmal deutlich der Zusammenhang zwischen Paränese und Rechtfertigungslehre ablesen. Ohne den Indikativ des Heiles, ohne daß Gott den Menschen zur Umkehr befähigt, ohne daß der Mensch in Christus „neue Schöpfung" (2 Kor 5,17) geworden ist, kann er sittliche Güte nicht realisieren, kann er nicht sein Heil wirken. Die Botschaft von der

---

[103] Vgl. S. 42.
[104] Vgl. S. 20 f.
[105] Das ist der Untertitel des Buches von O. *Merk,* Handeln aus Glauben, Marburg 1968; das Zitat findet sich dort S. 247 f. Vgl. zu diesem Thema auch L. *Nieder,* Die Motive der religiös-sittlichen Paränese in den paulinischen Gemeindebriefen, München 1956.

Gegenwart des Heiles ist zweifellos ein wesentlicher Zug der christlichen Botschaft, die Motivation sittlichen Handelns aus dieser Gegenwart des Heiles zweifellos ein Proprium christlicher Ethik.

1.7. Die Relevanz der bisherigen Überlegungen

Durch die bisherigen Überlegungen dürfte gezeigt sein, daß ein sachlicher Unterschied zwischen Paränese und normativer Ethik besteht. Daß die Beachtung dieses Unterschieds in der Moraltheologie und bei der Interpretation der sittlichen Botschaft der Bibel wichtig ist, ist vielleicht noch nicht hinreichend deutlich geworden. Die Beispiele, an denen die Unterscheidung demonstriert wurde, wirken sozusagen harmlos. Ob in Dtn 15,12–15 die Freilassung des Sklaven paränetisch eingeschärft oder normativ begründet wird, scheint so wichtig nicht zu sein. So könnte jemand – bildlich gesprochen – den Eindruck haben, hier würden lediglich Messer gewetzt, ohne daß es zum Schneiden komme.[106] An einigen Beispielen soll deshalb im folgenden gezeigt werden, von welcher Bedeutung die Unterscheidung zwischen Paränese und normativer Ethik sein kann, daß sie notwendig ist, um eine bestimmte Fragestellung genau zu erfassen, wie sie auch schwerwiegende Fehlinterpretationen biblischer Texte verhindern kann.

1.7.1. Die Notwendigkeit der Unterscheidung von Paränese und normativer Ethik bei der Frage nach dem Proprium einer christlichen Ethik

Die Art und Weise, wie die Bibel das sittliche Handeln des Menschen aus dem Heilshandeln Gottes motiviert, erweckt den Eindruck, als sei in diesen Motiven das Proprium einer christlichen Ethik zu suchen, nach dem heute vielfach gefragt wird. Wenn es sich aber bei diesen Motivierungen, wie wir im vorigen Abschnitt zu zeigen versuchten, um Paränese handeln sollte, wie ist dann diese Frage nach dem spezifisch Christlichen innerhalb der Moral genauer zu beantworten bzw. wonach fragt man eigentlich, wenn man nach dem Proprium einer christlichen Ethik sucht?

Wenn wir an Stellen wie Dtn 5,12–15 ethische Argumentation vorfänden, wenn sich aus dem Heilshandeln Gottes, aus dem In-Christus-Sein eigene Argumente ergäben, dann gäbe es eine spezifisch israelitische bzw. spezifisch christliche normative Ethik; wenn sich manche Weisungen auf andere Weise überhaupt nicht begründen ließen, gäbe es einzelne spezifisch christliche

---

106 Diese Metapher verdanke ich *F. Paulsen,* System der Ethik I, Stuttgart ⁶1903, X.

Normen.[107] Gibt es also ‚nur' eine spezifisch christliche (bzw. israelitische) Paränese? Hat die Botschaft des Alten und Neuen Testaments keine Bedeutung für die Erkenntnis des sittlich Richtigen?

Die letzte Frage muß differenzierter gestellt werden; sie läßt sich aufgliedern in die beiden Fragen:

(1) Welche ethischen Einsichten verdanken wir *faktisch* der Offenbarung des Alten und Neuen Testaments? und

(2) Welche sittlichen Einsichten sind uns ohne die biblische Offenbarung prinzipiell unzugänglich?[108]

Im ersten Fall würden wir die Frage nach dem Proprium einer christlichen Ethik in einem *genetisch-historischen* Sinn stellen. Diese Fragestellung ergibt sich dann, wenn man das Ethos der Bibel mit den außerchristlichen ethischen Anschauungen der damaligen Zeit vergleicht. Fast alle Abhandlungen über biblisches Ethos stellen die Frage nach dem Proprium (meist unreflektiert) in diesem Sinn; sie vergleichen ja die biblischen Aussagen nicht mit dem, was die menschliche Vernunft von sich aus erkennen *kann,* sondern mit dem, was sie bis zur Zeit des Neuen Testaments erkannt *hat.* Diese Fragestellung ist durchaus nicht bloß von historischem Interesse. *Wie* die Menschen faktisch zu einer sittlichen Einsicht gekommen sind, ist für *moralpädagogische* Bemühungen von nicht zu unterschätzender Bedeutung. Die Überlegungen und Anstöße zu kennen, die in Israel zur Überwindung des ethischen Partikularismus oder zur stärkeren Anerkennung des Rechts des einzelnen geführt haben, dürfte für heutige Bemühungen um Frieden und Versöhnung, um Achtung von Minderheiten, um die Respektierung der Menschenrechte nicht ganz unwichtig sein.[109] Oft ist es ja so, daß die sittlichen Pflichten, die an sich am leichtesten einsehbar sind, faktisch nur sehr schwer Anerkennung finden. Ein Beispiel dafür ist die Pflicht zur Feindesliebe. Daß der Mensch sittlich verpflichtet ist, auch seine Feinde zu lieben, kann theoretisch sehr leicht gezeigt werden; diese Forderung ist im Gebot der Nächstenliebe bereits enthalten.[110] Faktisch ist aber diese Einsicht sehr schwer zu gewinnen, und sie scheint tatsächlich erst durch die christliche Botschaft zum geistigen Allgemeingut geworden zu sein. ‚Wie entstehen sittliche Irrtümer?', ‚Wie sind sie überwunden worden?', ‚Wie kann man sie heute überwinden?', diese Fragen zeigen die Bedeutung der genetischen Fragestellung. Wenn ich nun frage, ob es sittliche Normen gibt, die *logisch* unabhängig vom Glauben überhaupt nicht erkannt werden können, frage ich nach dem

---

[107] Jemand könnte auf die religiösen Pflichten des Christen hinweisen, etwa auf die Pflicht zur Teilnahme am Gottesdienst. Aber auch ein Nicht-Christ kann einsehen, daß er solche Pflichten hätte, wenn er Glied der Kirche wäre.

[108] Vgl. *Schüller,* Proprium 335–343 und unten S. 136 f.

[109] Einige Anhaltspunkte zu diesen genetischen Fragen bietet für das Alte Testament *W. Eichrodt,* Theologie des Alten Testaments II/III, Stuttgart ⁵1964, 218–263.

[110] Vgl. *Schüller,* Begründung 29 f.

Proprium einer christlichen Ethik in einem *gnoseologischen* Sinn. Diese Frage muß nach den Darlegungen des vorigen Abschnitts offenbar verneint werden, da sich die scheinbar spezifisch christlichen Begründungen bei genauer Prüfung als paränetische Motive entpuppen. Könnten aber in solchen Motiven christlicher Paränese nicht vielleicht doch spezifisch christliche Argumente für die Beurteilung der sittlichen Richtigkeit von Handlungen enthalten sein? Läßt sich aus den Motiven christlicher Paränese nicht vielleicht doch ein christliches Proprium normativer Ethik ableiten?[111] Die Problematik einer solchen Hypothese soll an einem – vermutlich reichlich konstruiert wirkenden – Beispiel veranschaulicht werden.

Der Hebräerbrief weist (12,4–13) seine Adressaten darauf hin, daß die Bewährungsprobe ihres Glaubens noch bevorsteht, und mahnt sie, die kommenden Prüfungen willig als göttliches Erziehungsmittel anzusehen und sich ihnen freudig zu stellen. Jeder Mensch, der sich für das Gute entscheidet, weiß, daß er damit nicht den bequemsten Weg gewählt hat (vgl. die Fabel von Herakles am Scheideweg[112]). Wer aber als Glaubender die auf ihn zukommenden Widrigkeiten als Erziehungsmittel eines weise vorausschauenden Erziehers (Gottes) erkennt, wer im Glauben überzeugt ist, daß er nicht über seine Kraft hinaus versucht werden wird (1 Kor 10,13), der kann mit Vertrauen und Zuversicht den auf ihn zukommenden Bewährungsproben entgegensehen. Insofern ist der Verweis auf Gott als weisen Erzieher ein Stück gelungener Paränese. Man stelle sich nun vor, jemand würde aus diesem paränetischen Motiv normative Folgerungen ziehen. Zwar erscheine von einem modernen Standpunkt aus die Züchtigung des Sohnes durch den Vater als unvernünftig, in diesem Punkt sei die menschliche Einsicht aber offenbar begrenzt. Wenn nach dem Zeugnis der Bibel schon Gott seine Söhne züchtige, dann habe auch ein irdischer Vater die Pflicht, das Handeln Gottes nachzuahmen und seinerseits seine Söhne (im Zeitalter der Gleichberechtigung vielleicht auch die Töchter) zu züchtigen. Diese sittliche Norm könne der Mensch nicht aus eigener Kraft einsehen, er müsse sie auf das Zeugnis der Bibel hin annehmen und befolgen.

Vermutlich wird heute kaum jemand geneigt sein, einer solchen Argumentation zuzustimmen; sie ist aber nicht so absurd, daß sie nicht verdiente, analysiert und widerlegt zu werden. Wie kommt der Hebräerbrief (und vor ihm schon das Alte Testament[113]) dazu, Gott als Zuchtmeister hinzustellen?

---

[111] Was als Motiv einer Mahnung dient, kann schließlich auch in anderem Kontext ein Argument sein. So kann die Rücksicht auf andere ein Grund sein, eine an sich erlaubte Handlung zu unterlassen (vgl. 1 Kor 8), sie kann aber auch einfach zu einem sittlichen Lebenswandel motivieren (vgl. 1 Thess 4,11 f und *W. C. van Unnik,* Die Rücksicht auf die Reaktion der Nicht-Christen als Motiv in der altchristlichen Paränese, in: W. Eltester (Hrsg.), Judentum – Urchristentum – Kirche. Festschrift für J. Jeremias, Berlin 1960, 221–234).

[112] *Xenophon,* Memorabilien II 1,21–33.

[113] Vgl. Ijob 5,17 f; Ps 118,18; Jdt 8,25–27; 2 Makk 6,12–16 sowie den Exkurs „Das Leiden als Züchtigung Gottes" bei *O. Michel,* Der Brief an die Hebräer, Göttingen ⁶1966, 439 f.

Man war in Israel, ja überhaupt in der Antike und bis in unsere Zeit, der Meinung, körperliche Züchtigung gereiche zum Guten. Diese Züchtigung sollte keineswegs dem Vater die Möglichkeit geben, seiner Wut freien Lauf zu lassen (vgl. Spr 19,18), vielmehr galt es, die Züchtigung als Erziehungsmittel einzusetzen; denn (Spr 29,15): „Rute und Rüge verleihen Weisheit, ein zügelloser Knabe macht seiner Mutter Schande." Daß Erziehung mit Züchtigung zu tun hat, ist ein vertrauter Gedanke, so daß das Wort παιδεύω den Sinn von ‚züchtigen' (Lk 23,16.22) und παιδαγωγός den von ‚Zuchtmeister' (Gal 3,24) haben kann.[114] Diese zeitgenössische Anschauung betreffs der Züchtigung teilt auch der Hebräerbrief (12,11): „Jede Züchtigung scheint zwar für den Augenblick nicht Freude, sondern Schmerz zu bringen; später aber schenkt sie denen, die durch diese Schule gegangen sind, als Frucht den Frieden, die Gerechtigkeit." Mit Hilfe dieser zeitgenössischen normativen Anschauung, nach der Züchtigung ein erlaubtes bzw. gebotenes Erziehungsmittel ist, deutet der Hebräerbrief das Handeln Gottes, erklärt er (wie das Alte Testament), warum die Gläubigen Not und Bedrängnis ausstehen müssen. Der Hinweis, die Anschauung des Hebräerbriefs sei zeitbedingt, ist als Feststellung, nicht als Kritik gemeint. Man kann das Handeln Gottes, seine Güte und Fürsorge gar nicht anders erläutern als durch Beispiele menschlichen Verhaltens, die man als Verwirklichung sittlicher Güte ansieht. Nur der aber kann das Handeln Gottes, die Leiden Israels und der Christen im Sinne der Züchtigung durch einen weisen Erzieher interpretieren, der die vorausgesetzte pädagogische Anschauung teilt. Wo diese Voraussetzung nicht mehr geteilt wird, wo körperliche Züchtigung kein Mittel der Pädagogik mehr darstellt und somit nicht mehr als sittlich verantwortbare Handlung gilt, da kann man aus dem so interpretierten Handeln Gottes nicht normative Rückschlüsse auf die sittliche Pflicht des Menschen ziehen, wie es in dem konstruierten Argument geschehen ist. Ob körperliche Züchtigung als Erziehungsmittel sittlich geboten oder verboten ist, das zu prüfen ist Sache menschlicher Vernunft. Vom Handeln Gottes her läßt sich ein Urteil darüber weder bestätigen noch widerlegen, da die entsprechende Aussage über das Handeln Gottes immer schon das zu Beweisende voraussetzt, es sei denn, man vertritt einen theonomen Moralpositivismus.

Im Bereich normativer Ethik dürfte jeder Versuch, vom Handeln Gottes her zu argumentieren, den am obigen Beispiel gekennzeichneten Fehlschluß enthalten. Wer dennoch meint, ein christliches Proprium normativer Ethik aufzeigen zu können, müßte jedenfalls am konkreten Beispiel zeigen, daß seine These weder auf einem derartigen Fehlschluß beruht noch auf einen theonomen Moralpositivismus hinausläuft, den heute wohl kaum ein christlicher Theologe ernsthaft vertreten wird. Ob es eine Möglichkeit gibt, hier –

---

[114] Vgl. *G. Bertram*, παιδεύω κτλ., in: ThWNT V 596–624.

im Bilde gesprochen – zwischen Skylla und Charybdis unversehrt hindurch-
zusegeln, erscheint zweifelhaft.

Neben dem christlichen Beitrag zur Genese sittlicher Einsichten gibt es nun
zweifellos eine spezifisch christliche Paränese. Auf den ersten Blick mag das
nicht allzuviel bedeuten, ja, mancher wird diese These nicht gern annehmen.
Was könnten aber die Gründe für diese Reserve sein?

1. Im allgemeinen wird die Frage nach dem Proprium einer christlichen
Ethik unreflektiert auf die normative Ethik bezogen. Das ist einerseits
verständlich. Da der Christ heute normalerweise nicht mehr in einer völlig
vom Glauben geprägten Umwelt lebt, bedrängt ihn die Frage, was ihn denn
in seinem Handeln von einem Nichtchristen unterscheide. Wenn es spezifisch christliche Normen gäbe, ließe sich leicht die Nützlichkeit des Glaubens für das menschliche Zusammenleben aufzeigen. Wenn man die Forderungen nach Feindesliebe, Vergebung, Einsatz des eigenen Lebens nur vom
Standpunkt des Glaubens aus begründen könnte, würde die Rechtfertigung
und Verteidigung des Glaubens manchem leichter sein. Wo jemand von
diesem Anliegen bewegt ist, scheint die Auskunft, es gebe spezifisch christliche Paränese, für ihn nicht besonders hilfreich zu sein.

2. Weil die Paränese als gegenüber der normativen Ethik eigenständige
ethische Redeweise bis jetzt kaum deutlich in den Blick gekommen ist, ist
auch ihr Eigenwert den meisten nicht bewußt.[115] Für das sittliche Handeln
der Menschen dürfte aber die Paränese ungleich wichtiger sein als die normative Ethik. Im allgemeinen wissen wir im Alltag durchaus um das, was von
uns sittlich gefordert ist, brauchen also keine normativen Überlegungen
anzustellen. Die wenigen schwierigen Fragen (etwa im Bereich der Sexualmoral oder des Tötungsverbots) lassen uns oft vergessen, wie groß der
Bereich sittlicher Übereinstimmung tatsächlich ist. Nicht darin besteht
unsere Schwierigkeit, daß wir nicht *wissen,* was von uns gefordert ist, sondern daß wir nicht *wollen,* was wir als sittliche Pflicht erkennen. Dazu, zum
Handeln gemäß unserer sittlichen Erkenntnis, ermuntert uns die Paränese.
In dem in der Einleitung zitierten Konzilstext hieß es, die Moraltheologie

---

115 Eigenart und Funktion von Paränese werden kaum ausdrücklich wahrgenommen, gerade weil
Paränese so alltäglich ist, weil jeder Mensch sie erfährt und selbst übt. Da sie, wie gezeigt, Dinge
einschärft, die theoretisch geklärt sind, liegt die Position des Ariston nahe, nach der ethische
Mahnrede überflüssig ist. Wie sehr sich diese Position aufdrängt, zeigt folgender Vergleich:
H. Conzelmann äußert zu Eph 4,25–32 (Der Brief an die Epheser, in: J. Becker/H. Conzel-
mann/G. Friedrich, Die Briefe an die Galater, Epheser, Philipper, Kolosser, Thessalonicher und
Philemon, Göttingen 1976, 113): „Im Grunde handelt es sich um moralische Selbstverständlich-
keiten." *J. Ernst* greift diese Feststellung auf (Die Briefe an die Philipper, an die Kolosser, an die
Epheser, Regensburg 1974, 366): „H. Conzelmann . . . stellt zu Recht fest, daß es sich um
Selbstverständlichkeiten handelt, die der besonderen Erwähnung nicht bedürfen." Die
Meinung, ethische Selbstverständlichkeiten bedürften der Erwähnung nicht, drängt sich
zunächst auf. Conzelmann zieht diese Folgerung allerdings nicht, Ernst geht – vermutlich
unbewußt – in diesem Punkt über Conzelmann hinaus.

solle „die Erhabenheit der Berufung der Gläubigen und die Verpflichtung, in Liebe Frucht zu bringen, darlegen"; sie soll also, mit andern Worten, das neue Sein des Christen im Hinblick auf den Indikativ des in Christus gewonnenen Heiles und den Imperativ des christlichen Handelns auslegen. Die Zuordnung des Indikativs zum Imperativ ist aber ein Kennzeichen biblischer Paränese; diese biblische Paränese soll die Moraltheologie nach Meinung des Konzils also darlegen. In der Tat ist das eine Aufgabe der Moraltheologie (wenn auch nicht ihre einzige). Nicht nur daß sie Paränese von normativer Ethik unterscheidet, sondern auch daß sie den Eigenwert der Paränese stärker reflektiert, wird in Zukunft eine Aufgabe der Moraltheologie sein.

Das bisherige Ergebnis lautet: Es gibt ein Proprium christlicher Ethik in einem genetisch-historischen Sinn, und es gibt spezifisch christliche Paränese. Die Frage nach dem Proprium einer christlichen Ethik kann nun aber auch im Hinblick auf die Metaethik gestellt werden.[116] Im vorigen Abschnitt wurde schon dargelegt, daß biblische Paränese implizit einen metaethischen Kognitivismus voraussetzt. Zur Plausibilität des Kognitivismus ist aber nicht unbedingt der christliche Glaube erforderlich. Die Anschauung, daß Werte (sittlicher oder nicht-sittlicher Art) dem Menschen vorgegeben sind, legt zunächst einmal eine theistische Position nahe. Es ginge hier also um die Frage: Welche Bedeutung hat der Glaube an Gott für die Probleme der Metaethik? Nicht das Proprium einer christlichen, sondern einer theistischen Ethik[117] im Gegensatz zu einer rein innerweltlichen Ethik stände hier zur Debatte. Ob darüber hinaus die Art, wie christliche Paränese das sittliche Handeln motiviert, neue, nur dem christlich Glaubenden zugängliche Einsichten auf dem Felde der Metaethik zuläßt, ist eine schwierige Frage, die hier nur angedeutet werden kann. Auch die Rechtfertigungslehre, die Botschaft von der in Christus erworbenen Vergebung der Sünden könnte nach ihrem Zusammenhang mit der Metaethik befragt werden. Müßte man etwa von einem christlichen Standpunkt sagen, die moralischen Bemühungen des Menschen seien aussichtslos, wenn es nicht Vergebung der Sünden gäbe, wenn Christus nicht gestorben und auferstanden wäre? Paulus scheint dieser Meinung zu sein (vgl. 1 Kor 15,32).

Die subtilen Fragen des Zusammenhangs zwischen Theologie und Metaethik sollen hier nicht weiter erörtert werden. Sie wurden hier angedeutet, um nicht den Eindruck zu erwecken, es gebe nach unserer Meinung kein Proprium christlicher Ethik. Wohl aber – und darauf kam es an – läßt sich

---

[116] Die Unterscheidung von Paränese, normativer Ethik und Metaethik findet sich der Sache nach bereits deutlich bei *Epiktet*, Encheiridion 52. Dabei erklärt Epiktet das erste, die Paränese, für das Wichtigste.

[117] Diese Fragestellung ist vorherrschend bei *J. Gründel*, Zur Krise der Moral, in: J. Gründel/H. van Oyen, Ethik ohne Normen?, Freiburg 1970, 11–88, hier 70–87; vgl. dazu *Schüller*, Proprium 343.

mit Hilfe der Unterscheidung zwischen Paränese und normativer Ethik *negativ* feststellen, daß das Proprium christlicher Ethik nicht auf dem Felde der normativen Ethik zu suchen ist. So verhilft die genannte Unterscheidung zur Klärung und Eingrenzung einer wichtigen Fragestellung.

1.7.2. Einige Beispiele für die Verwechslung von Paränese und normativer Ethik

Im vorigen Abschnitt wurde gezeigt, wie die Unterscheidung von Paränese und normativer Ethik einen notwendigen Beitrag zur Klärung einer wichtigen Fragestellung leistet. Es soll nun noch gezeigt werden, daß man da, wo dieser sachliche Unterschied nicht präsent ist, biblische Texte leicht fehlinterpretiert.

1.7.2.1. *Erstes Beispiel: 1 Kor 6,12–20*

Wer Glied am Leibe Christi ist, wer mit Christus ein Pneuma ist, so sagt Paulus in 1 Kor 6,13–17, darf nicht mit einer Dirne ein Leib sein.

Nehmen wir für einen Augenblick an (dato, non concesso), Paulus wolle hier im Sinn normativer Ethik argumentieren. Wenn das ,Argument' des Paulus richtig wäre, müßte auch der *eheliche* Geschlechtsverkehr für einen Christen sittlich unerlaubt sein, dann müßte auch gelten: Wer Glied am Leibe Christi ist, darf seinen Leib nicht zum Glied einer *Frau* machen. Daß eine solche Konsequenz aus den Äußerungen des Paulus in 1 Kor 6 gezogen werden müsse, machen manche Exegeten Paulus zum Vorwurf; so etwa G. Delling, der den Gedankengang des Paulus folgendermaßen paraphrasiert: ,,Eigentlich ist der Leib eines Christen viel zu schade dazu, durch die Befriedigung einer ,Begierde' dem Herrn entzogen und einem andern Menschen unterjocht zu werden.''[118] Wenn das tatsächlich die Meinung des Paulus wäre, müßte man sie zurückweisen. Der Mann kann gar nicht im selben Sinn Glied Christi sein, wie er Glied einer Dirne sein kann. Die Wörter ,Leib' ($\sigma\tilde{\omega}\mu\alpha$) und ,Glied' ($\mu\epsilon\lambda o\varsigma$) haben in diesem Zusammenhang jeweils verschiedenen Sinn; das müßte im Fall ethischer Argumentation beachtet werden. $\Sigma\tilde{\omega}\mu\alpha$ bezeichnet teils den Leib, teils hat es den Sinn ,Ich', ,Person'.[119] Daß ,,der Leib nicht für die Unzucht'' (V. 13) da ist, gilt vom Leib, sofern er Sitz des sexuellen Lebens ist. Daß ,,der Leib für den Herrn'' da ist, bedeutet aber doch wohl: der *Christ*, die Person des Christen, ist für den Herrn da. Wäh-

---

118 G. *Delling,* Paulus' Stellung zu Frau und Ehe, Stuttgart 1931, 64; vgl. auch *K. Niederwimmer,* Askese und Mysterium, Göttingen 1975, 77 ff.

119 Vgl. *R. Bultmann,* Theologie des Neuen Testaments, Tübingen ⁵1965, 196. Austauschbar sind $\sigma\tilde{\omega}\mu\alpha$ und das Personalpronomen allerdings unter einem bestimmten Gesichtspunkt; vgl. dazu unten S. 82f.

rend der *Bauch* (χοιλία) vernichtet wird (V. 13), wird Gott – jetzt würde man erwarten – den *Leib* auferwecken; es heißt aber: „er wird durch seine Macht auch *uns* auferwecken". Statt σῶμα steht also das Personalpronomen. V. 15 fragt Paulus: „Wißt ihr nicht, daß eure Leiber Glieder Christi sind?" Sinngemäß heißt das doch: ‚Wißt ihr nicht, daß *ihr* Glieder Christi seid?' Wenn Paulus dann aber sagt, man könne doch die Glieder Christi nicht zu Gliedern einer Dirne machen, so klingt wieder die Bedeutung ‚Leib', ‚Körper' an, und ‚Glied' (μέλος) ist buchstäblich zu verstehen. Ebenso kann in V. 19f ‚euer Leib' durch ‚ihr' ausgetauscht werden, wie es ja auch faktisch geschieht: *‚euer Leib'* ist ein Tempel des Heiligen Geistes – ‚ihr' seid nicht euer Eigentum; man könnte auch formulieren: ‚ihr' seid ein Tempel des Heiligen Geistes.

Muß man also Paulus eine verdrehende Argumentation, logische Erschleichungen vorwerfen? Aus der Tatsache, daß der Christ Glied am Leibe Christi ist, folgt in gar keiner Weise, daß ein Christ nicht mit irgendeiner Frau ein Leib sein darf. Daß die Ehe sittlich erlaubt, die leibliche Vereinigung mit der Dirne aber sittlich verboten ist, *setzt* Paulus hier offenbar *voraus*. Er gewinnt diese Einsicht nicht aus der Betrachtung dessen, was es heißt, Glied am Leibe Christi zu sein. Wenn aber die sittliche Bewertung des geschlechtlichen Umgangs mit der Dirne schon feststeht, handelt es sich in diesen Worten des Paulus um Paränese.[120]

Warum begnügt Paulus sich dann nicht einfach mit der Mahnung „Hütet euch vor der Unzucht!" (V. 18a)? Will er etwa den Anschein ethischer Argumentation erwecken? Oder hält er selber seine Ausführungen für ethische Argumentation? Der Gedankengang des Paulus ist folgender: Gott hat Christus auferweckt, er wird auch euch auferwecken. Ihr seid aber jetzt schon mit dem auferweckten Christus vereint, seid Glieder an seinem Leibe. So vermeidet alles, was der Einheit mit Christus widerspricht, speziell die Unzucht, den Verkehr mit einer Dirne.

Diese Aussage erinnert an Röm 6; auch dort macht Paulus klar: Seit der Auferweckung Christi von den Toten ist die Sünde für die, die durch die Taufe mit ihm vereint sind, keine echte Möglichkeit mehr. Was in 1 Kor 6 über das Ablegen der Sünde gesagt ist, wird in 1 Kor 6,13b–17 auf das Vermeiden der Unzucht spezifiziert. Die Gegenüberstellung läßt das gut erkennen. Daß die Christen tot sind für die Sünde (Röm 6,11), heißt auf die Situation in Korinth bezogen: „der Leib ist nicht für die Unzucht da" (1 Kor 6,13). Daß die Aussage ‚der Leib ist für den Herrn da' soviel bedeutet wie *‚ihr* seid für den Herrn da', wurde schon bemerkt.

Auch der Vergleich von Röm 6,19 und 1 Kor 6,15 ist instruktiv. Die Christen haben ihre Glieder (sich selbst) durch die Taufe „in den Dienst der

---

[120] Lediglich V. 18bc könnte ein Versuch ethischer Argumentation sein; er soll hier außer Betracht bleiben.

Vergleich von Röm 6 und 1 Kor 6

Röm 6	1Kor 6
19 Wie ihr gestellt habt eure *Glieder* in den Dienst der *Unreinheit* und der *Gesetzlosigkeit*, so daß ihr gesetzlos wurdet, so stellt jetzt eure *Glieder* in den Dienst der *Gerechtigkeit*, so daß ihr heilig werdet.	15b Darf ich nun die Glieder Christi nehmen und zu *Gliedern* einer *Dirne* machen?
	15a Wißt ihr nicht, daß eure Leiber *Glieder Christi* sind?
4 Wie Christus von den Toten *auferweckt* wurde durch die Herrlichkeit des Vaters, so sollen auch wir in einem *neuen Leben* wandeln.	Gott hat den Herrn *auferweckt*; er wird auch uns *auferwecken* durch seine Macht.
11 *Ihr seid* tot für die *Sünde*, aber ihr lebt *für Gott* in Christus Jesus.	13 Der *Leib* ist nicht für die *Unzucht* da, sondern *für den Herrn*.

Versuch einer parallelen Formulierung von Röm 6,4 und 1Kor 6,14:

Wie Christus von den Toten *auferweckt* wurde durch die Herrlichkeit des Vaters, so wird er auch uns *auferwecken*; deshalb sollen auch wir in einem *neuen Leben* wandeln.	Gott hat den Herrn *auferweckt* durch seine Macht; so wird er auch uns *auferwecken*; deshalb sollen auch wir *Glied am Leibe Christi* bleiben.

Gerechtigkeit" (Röm 6,19) gestellt, vor der Taufe standen sie im Dienst der Unreinheit (hier als typisch heidnisches Laster eigens genannt) und der Gesetzlosigkeit, jetzt, wo sie Glieder Christi sind, sollen sie sich nicht zu Gliedern einer Dirne machen (1 Kor 6,15 b), also sich nicht von neuem „in den Dienst der Unreinheit" stellen.

Die Verse Röm 6,4 und 1 Kor 6,14 sind nicht ganz parallel gebaut; während für Paulus die Auferweckung des Gläubigen mit Christus in der Zukunft liegt (1 Kor 6,14; vgl. Röm 6,5.8), ist das neue Leben mit Christus, das Leben, das der Sünde gestorben ist, jetzt schon Wirklichkeit (Röm 6,4.11). Man kann aber ohne Schwierigkeiten beide Verse gut paulinisch so formulieren, daß sie parallel gebaut sind (wie in der Gegenüberstellung geschehen). Nach diesen Überlegungen kann die Paränese des Paulus in 1 Kor 6 in rechter Weise gewürdigt werden. Die Unsittlichkeit der Vereinigung mit der Dirne ist – wie gezeigt – vorausgesetzt. Auch daß man die Sünde zu meiden und das Gute zu erstreben hat, ist schon analytisch evident; dazu braucht es keiner Reflexion auf das Erlösungsgeschehen. Der Vergleich mit Röm 6 zeigt andererseits deutlich, daß es Paulus nicht um normative Ethik geht. Vielmehr macht er deutlich, daß sittliches Handeln zu den Implikationen des Christusgeschehens gehört. Die Paränese wird so christologisch und soteriologisch motiviert. Der Christ ist nicht nur wie jeder Mensch vor die Entscheidung zwischen Gut und Böse gestellt und zum Guten aufgefordert, in der Taufe ist die Entscheidung schon gefallen: Er ist der Sünde gestorben (Röm 6,2), er hat sich Christus angeschlossen, der ein für alle Mal der Sünde gestorben ist (Röm 6,10). (Zwar ist in 1 Kor 6 die Taufe nicht ausdrücklich erwähnt, aber doch vorausgesetzt; Glied am Leibe Christi ist schließlich nur der Getaufte.)

Damit ist aber auch einem möglichen Mißverständnis der neuen Seinsweise Jesu und des neuen Lebens der Getauften gewehrt. Weder steht Christus durch seine Auferstehung noch der Christ durch die Taufe gleichsam jenseits von Gut und Böse. Vielmehr ist Christus, und der Gläubige mit ihm, der *Sünde* gestorben. Die Freiheitsbotschaft des Paulus konnte offenbar leicht in dem Sinne mißverstanden werden, als stehe der Christ nicht mehr unter der sittlichen Forderung. Daß der Christ nicht mehr „unter dem Gesetz" (Röm 6,15) steht, wurde als Freibrief zur „Gesetzlosigkeit" (Röm 6,19) aufgefaßt. Die Parole der korinthischen Enthusiasten „Alles ist erlaubt" offenbart ein solches Mißverständnis.

Die auf den ersten Blick etwas verwirrenden Aussagen des Paulus in 1 Kor 6 enthalten also eine christologisch und soteriologisch motivierte Paränese, die zugleich eine Interpretation der Befreiungstat Christi und des neuen Seins der Gläubigen beinhaltet, eine Korrektur des enthusiastischen Mißverständnisses.

1.7.2.2. *Zweites Beispiel: Röm 13,1–7*

Jedermann soll, nach den Worten des Paulus in Röm 13, der staatlichen Gewalt untertan sein, da diese von Gott eingesetzt sei. Wer sich ihr widersetze, stelle sich gegen die Ordnung Gottes (13,1 f).

Fordert Paulus damit bedingungslosen Gehorsam gegenüber der staatlichen Gewalt? Ein heutiger Leser wird Paulus möglicherweise einer ‚unkritischen‘ Haltung gegenüber dem Staat bezichtigen und selber eine ‚kritischere‘ Haltung einnehmen wollen, vielleicht im Sinn von Apg 5,29: „Man muß Gott mehr gehorchen als den Menschen.“ Dieses Wort wird von Petrus ausgesprochen, als es darum geht, dem Verkündigungsauftrag entgegen dem Befehl des Hohen Rats treu zu bleiben. In diesem Fall geht es, genauer gesagt, nicht darum, Gott mehr zu gehorchen als den Menschen, vielmehr darum, Gott zu gehorchen und *nicht* den Menschen.[121] Diese Alternative, ob man Gott gehorchen soll oder den Menschen, stellt sich aber erst da, wo der Befehl einer irdischen Obrigkeit dem Willen Gottes zuwiderläuft. Wo dagegen der Befehl der irdischen Autorität mit dem Willen Gottes übereinstimmt, heißt es da, den Menschen zu gehorchen und nicht Gott? Nein, man kann Menschen nur gehorchen, *wenn und insofern* sie einem den Willen Gottes zur Kenntnis bringen; insofern gilt auch hier: man muß Gott gehorchen, nicht den Menschen. Gehorsam Menschen gegenüber kann es nur geben, insofern dieser Gehorsam eigentlich Gott gilt. Daß man immer Gott gehorcht, wird aber erst in dem Ausnahmefall deutlich, wo die Weisung der irdischen Autorität dem Willen Gottes widerspricht.

Paulus scheint nun in Röm 13 diesen Ausnahmefall gar nicht zu berücksichtigen. Er sagt von der irdischen Gewalt: „Sie steht im Dienst Gottes und verlangt, daß du das Gute tust“ (V. 4). Nur für diesen Fall kann die staatliche Gewalt Gehorsam fordern. Da sie im *Dienst* Gottes steht, bestimmt sie nicht selber, was gut und böse ist, es ist ihr vorgegeben. Daraus folgt zwingend, auch wenn Paulus das nicht eigens betont, daß, falls sie das Böse fordern sollte, die staatliche Gewalt keinen Gehorsam beanspruchen kann, da sie in diesem Fall aus dem Dienst Gottes heraustreten würde; die Voraussetzung, unter der sie Gehorsam fordern kann, wäre nicht gegeben. Paulus mahnt nun, der staatlichen Gewalt Gehorsam zu leisten, „nicht allein aus Furcht vor der Strafe, sondern vor allem um des Gewissens willen“ (V. 5), das heißt „im Wissen um die an euch gestellte verbindliche Forderung Gottes“.[122] Wenn und insofern die staatliche Gewalt das Gute fordert, muß man ihr aus *sittlichen* Gründen gehorchen, nicht aus egoistischen. „Mögen andere die

---

[121] Vgl. *Bauer*, Wörterbuch 967 f (s. v. μᾶλλον); *B. Schüller*, Gesetz und Freiheit, Düsseldorf 1966, 31 f Anm. 3, überhaupt dort die Seiten 31–41.

[122] *E. Käsemann*, Grundsätzliches zur Interpretation von Röm 13, in: ders., Exegetische Versuche und Besinnungen II, Göttingen ³1968, 204–222, hier 219.

Gewalt fürchten müssen, der Christ gehorcht ihr als derjenige, der sich mit ihrem Anspruch der göttlichen Forderung konfrontiert weiß und mit seinem Gehorsam Gottesdienst leistet."[123]

Zumindest in V. 5 – das ist schon deutlich geworden – geht es nicht um Fragen des sittlich richtigen Handelns, sondern um die rechte *Gesinnung;* wir haben also ein Stück Gesinnungsparänese vor uns. Daß es sich in diesem Abschnitt um Paränese handelt, wird auch aus anderen Beobachtungen deutlich. Am Schluß (V. 7) mahnt Paulus, das *Schuldige* zu geben, „Steuer, Zoll, Furcht oder Ehre". Hier werden keine schweren Gewissenskonflikte vorausgesetzt, hier wird schlicht zur Erfüllung der *unumstrittenen* – modern gesprochen – staatsbürgerlichen Pflichten aufgerufen. Die Auslegungen betonen, Paulus denke bei den staatlichen Gewalten an Institutionen auf der lokalen Ebene, solchen Machtträgern also, „mit denen der kleine Mann in Berührung kommen kann",[124] denen auch normalerweise Folge zu leisten ist. Das macht zusätzlich deutlich, daß Paulus „keine theoretischen Erwägungen anstellt, erst recht keine erschöpfenden Aussagen über das Verhältnis zu den Obrigkeiten gibt und deshalb etwa über mögliche Konflikte und die Grenzen der irdischen Autorität schweigt".[125] Die Fragen also, warum staatliche Gewalt notwendig ist, ob und wann es ein Recht bzw. die Pflicht zum Widerstand gibt, werden nicht gestellt, deshalb durch die Mahnung zum Gehorsam auch nicht präjudiziert. Aber auch für die Propagierung eines Untertanengeistes darf man sich nicht auf diese Worte des Paulus berufen.[126]

Über die Auslegungsgeschichte dieses Abschnitts äußert E. Käsemann: „Fast die gesamte Auslegungsgeschichte . . . leidet daran, daß sie das eigentliche Problem unserer Stelle nicht in der Mahnung als solcher, sondern in deren Begründung erblickt, also konkret in dem Motiv göttlicher Verordnung vorhandener Autorität."[127] Käsemann ist der Meinung, bevor man in die Einzelauslegung eintritt, solle man sich über den Skopus des Textes klar werden, daß es nämlich um Mahnung zum Gehorsam geht, nicht um die Begründung der staatlichen Autorität. Der Fehler der Auslegungsgeschichte von Röm 13 ist also darin zu sehen, daß sie in Röm 13,1–7 ein Stück normativer Ethik gesehen hat und unter dieser Voraussetzung den Text ausgelegt und befragt hat. Conditio sine qua non für ein richtiges Verständnis von Röm 13 ist – das stellt Käsemann der Sache nach heraus –, daß man den paränetischen Charakter dieses Abschnitts erkennt. Wenn man diesen paränetischen Charakter nicht erkenne, gerate man „in eine dem Textgefälle

---

[123] Ebd. 220.
[124] *E. Käsemann,* An die Römer, Tübingen ²1974, 339.
[125] Ebd. 338.
[126] Daß normative Überlegungen durch Röm 13,1–7 nicht überflüssig werden, betont auch *Käsemann,* a. a. O. (Anm. 122) 220.
[127] Ebd. 208.

nicht entsprechende Bahn".[128] Käsemann legt nahe, die „Begründung" der Mahnung durch den Hinweis auf die göttliche Verordnung jeder staatlichen Gewalt nicht so wichtig zu nehmen, gleichsam als quantité négligeable zu betrachten. Offenbar hat er den Eindruck, der Hinweis auf den Ursprung der staatlichen Gewalt von Gott her sei ein zusätzliches Argument für die Gehorsamsforderung. Aber hat die Tatsache der Einsetzung der staatlichen Gewalt durch Gott (13,1) irgendeinen argumentativen Wert? Wieso kommt Paulus denn zu der Auffassung, die staatliche Gewalt komme von Gott? Offenbar ist Paulus der Ansicht, es könne keine menschliche Gesellschaft ohne staatliche Autorität geben. Wer aber der Meinung wäre, in einer kommunistischen Gesellschaft der Zukunft brauche es keine staatliche Gewalt mehr, sie könne also in Zukunft abgeschafft werden, der müßte eine dennoch in einer solchen Gesellschaft bestehende staatliche Gewalt als nicht von Gott eingesetzt ablehnen. Mit andern Worten: in Röm 13,1 f setzt Paulus als gemeinsame Überzeugung voraus, für das menschliche Zusammenleben sei staatliche Gewalt notwendig.

Anders als in 1 Kor 6 tauchen in dieser Paränese keine christologischen und soteriologischen Motive auf. Das Gebot, der staatlichen Gewalt zu gehorchen, wird hier als Gebot des Schöpfers deklariert. Durch diesen Verweis auf den Willen des Schöpfers wird nicht bloß die Autorität des Staates hervorgehoben, sondern auch in Erinnerung gerufen, daß die Institution Staatsgewalt und der Gehorsam ihr gegenüber dem auch vom Schöpfer intendierten Wohl aller Menschen dient.

Möglicherweise richtet sich Paulus in Röm 13,1–7 wie in 1 Kor 6,12–20 gegen enthusiastische Mißdeutungen seiner Botschaft.[129] Wer von Christus befreit ist, so mögen diese Leute gemeint haben, sei keinem Menschen, sei den Ordnungen dieser Welt nicht mehr unterworfen. Sie stellen damit aber, wie die korinthischen Enthusiasten, nicht ein einzelnes Gebot in Frage, sondern die sittliche Verpflichtung des Christen überhaupt. Wie 1 Kor 6 enthält Röm 13,1–7 damit nicht nur eine Mahnung zu sittlichem Handeln, Paulus macht auch deutlich, daß die in Christus gewonnene Freiheit innerhalb der Ordnungen dieser Welt zu bewähren ist, daß sie nicht von den Pflichten der staatlichen Gemeinschaft entbindet.

Ein falsches Selbstverständnis des Christen (hier das enthusiastische Mißverständnis) kann also Auswirkungen auf dessen moralische Anschauungen haben, insofern ein solches falsches Selbstverständnis die Moralität überhaupt (hier insofern sie als Forderung begegnet) in Frage stellt. Umgekehrt wird der, der das Phänomen Moralität ernst nimmt, der die Stimme seines Gewissens nicht überhört, nicht der Illusion erliegen, er sei in Christus bereits so vollendet, daß er von keinen moralischen Forderungen mehr

---

[128] Ebd.
[129] Ebd. 216.

66

betroffen sei. Insofern bedingen sich ein richtiges Verständnis von Moralität und ein richtiges christliches Selbstverständnis, wie in der Paränese des Paulus in Röm 13,1–7 und 1 Kor 6, 12–20 deutlich wird.

1.7.2.3. Drittes Beispiel: Biblisch orientierte Moraltheologie

Wo die Moraltheologie versucht, von der Bibel her neue Impulse zu gewinnen, übernimmt sie oft die Sprache der Bibel; dabei redet man leicht, ohne daß man sich dessen ausdrücklich bewußt ist, im Genus der Paränese auch dort, wo man meint, Überlegungen normativer Ethik vorzutragen. So versucht V. Eid aus der Stellungnahme Jesu zur Ehescheidung eine ‚Perspektive‘ zu entwickeln, „die ohne abstrakt-gesetzlich zu sein, dennoch Verbindliches aussagt für die gerechte, von partnerschaftlicher Liebe bestimmte Eheauffassung".[130] Solch eine ‚Perspektive‘ formuliert Eid dann folgendermaßen: „Ehe ist als umfassende Partnerschaft so erfüllend zu gestalten und zu leben, daß eine Scheidung gar nicht in Frage kommen kann."[131] Dieser Aussage wird kaum jemand widersprechen; aber was ist damit zum Problem von Ehe und Ehescheidung gesagt? Daß eine Ehe partnerschaftlich gelebt werden sollte, und nicht etwa patriarchalisch, ist heute weitgehend unbestritten. Daß in einer Ehe, die als ‚umfassende Partnerschaft erfüllend gestaltet und gelebt wird‘, das Problem Scheidung gar nicht erst akut wird, ist ebenfalls offensichtlich. Eids These läuft auf die Feststellung hinaus: Wenn eine Ehe so geführt wird, wie sie geführt werden soll, braucht es keine Ehescheidung; eine willkürliche Ehescheidung ist deswegen sittlich unerlaubt. Dazu zwei Anmerkungen:
1. Die Paraphrase der Eidschen These wurde bewußt tautologisch formuliert. Es ist ein Kennzeichen jeder paränetischen Formulierung, daß sie sich auf eine solche Tautologie zurückführen läßt. So läßt sich das Verbot ‚Du sollst nicht morden‘ umformulieren in ‚Du sollst nicht auf sittlich verbotene Weise töten‘.
Solch ein Satz gibt keine neue Information, er besagt nur tautologisch, daß eine sittlich verbotene Tötung sittlich verboten ist. Da Paränese Bekanntes einschärfen, nicht aber neue Einsichten vermitteln soll, ist der tautologische Charakter paränetischer Sätze keineswegs negativ zu bewerten, er ist durch die Aufgabenstellung der Paränese vielmehr vorgegeben. Bei innerkirchlichen Meinungsverschiedenheiten sollte man sich allerdings davor hüten, in solcher Weise zu reden. Man sollte dann auch nicht allzu schnell die Sprache der Bibel sprechen. Man fällt dann oft unbemerkt in das Genus der Paränese, und aus der Diskussion wird eine wechselseitige Predigt.

---

[130] *V. Eid* in: P. Hoffmann/V. Eid, Jesus von Nazareth und eine christliche Moral, Freiburg 1975, 138.
[131] Ebd.; der Satz ist im Original hervorgehoben.

2. Eid fordert eine Ehe, in der eine Scheidung gar nicht erst in Frage kommt. Das Problem, das mit dem Stichwort ‚Unauflöslichkeit der Ehe' angesprochen ist, stellt sich aber erst da, wo die Ehe zerbrochen ist, wo die ‚Gemeinschaft von Tisch und Bett' nicht mehr aufrechterhalten werden kann. Daß es diesen Fall gibt, weiß auch Eid, bemerkt dazu aber lediglich, man könne Jesus nicht „die Naivität unterstellen, er habe im Ernst das faktische Scheitern einer Ehe verbieten wollen".[132] Möglicherweise will Eid damit andeuten, Jesu Wort richte sich nur gegen leichtfertige, unnötige Scheidungen; den Fall des definitiven Scheiterns einer Ehe habe Jesus bei dem Wort über die Ehescheidung gar nicht ansprechen wollen. Das ist durchaus möglich, soll auch durch diese Überlegungen keineswegs ausgeschlossen werden. Wer über Unauflöslichkeit der Ehe redet, müßte sich aber – das sollte am Beispiel der Eidschen Formulierung gezeigt werden – ausdrücklich Rechenschaft darüber ablegen, ob Jesu Wort paränetisch gemeint ist, ob es also nur eheliche Treue als sittliche Pflicht einschärft oder ob es zu einer Frage normativer Ethik Stellung nimmt, und wenn ja, zu welcher. Wenn man zu der Überzeugung gelangt, Jesus wolle nur gegen leichtfertige (egoistisch motivierte) Scheidungen zu Felde ziehen (Eid scheint dieser Meinung zu sein), muß man sich allerdings darüber im klaren sein, daß in diesem Fall das Wort Jesu zum Fall des definitiven Scheiterns einer Ehe gar nichts sagt; es ist dann kein Autoritätsargument für die traditionelle kirchliche Lehre und Praxis, es eignet sich aber auch nicht als prophetische Fanfare gegen diese Lehre und Praxis.

1.8. Zur Auslegung von 1 Kor 7

Im vorigen Abschnitt wurden Beispiele ausgeführter biblischer Paränese vorgestellt, die meist nicht als solche erkannt werden; wie wichtig es ist, sich über den paränetischen Charakter von Röm 13,1–7 und 1 Kor 6,12–17 und auch den häufig paränetischen Charakter theologischen Redens bewußt zu sein, sollte dargelegt werden.

In 1 Kor 7 haben wir es – das muß man von der Zielsetzung des Textes her, Fragen zu beantworten, zunächst vermuten – mit einem der wenigen normativ-ethischen Texte der Bibel zu tun. In der Auslegung wird zu prüfen sein, ob und wieweit Paulus hier tatsächlich Überlegungen normativer Ethik vorträgt oder ob in diesem Kapitel vielleicht beides zu finden ist, Antworten normativer Ethik sowie paränetische Elemente. Möglicherweise zeigt sich auch bei der Auslegung von 1 Kor 7 die Wichtigkeit der Unterscheidung zwischen diesen beiden Genera ethischer Rede.

---

[132] Ebd.

Aber – so wird man vielleicht einwenden – wird hier der Text des Paulus nicht vorschnell in ein modernes moraltheologisches Raster gezwängt? Sollte man den Text zunächst nicht interpretieren ohne die Voraussetzung der Unterscheidung zwischen Paränese und normativer Ethik? Zu der Frage, ob man an einen Bibeltext voraussetzungslos herangehen müsse, hat schon R. Bultmann herausgestellt, das sei nur in einem gewissen Sinn möglich.[133] Die Auslegung müsse voraussetzungslos sein bezüglich ihrer *Ergebnisse*, nicht aber bezüglich der *Arbeitsmethode*. Ohne Voraussetzungen bezüglich der Arbeitsmethode könne man keinen Text interpretieren. Was ist aber die Arbeitsmethode? Bultmann erklärt: „Man kann sagen, daß die Methode nichts als eine Art des Fragens ist, eine Weise des Fragenstellens. Das heißt: Einen gegebenen Text kann ich nicht verstehen, ohne daß ich ihm bestimmte Fragen stelle."[134]

Wer sich an die Auslegung der Bibel macht, sollte also Rechenschaft darüber ablegen, welche Fragen er stellt und ob er diese Fragen zu Recht stellt. Dabei kann es sich ergeben, daß die Fragen falsch gestellt sind. Wer etwa an Röm 13,1–7 die Frage nach dem Widerstandsrecht stellt, wer aus 1 Kor 6,12–20 eine christliche Sexualmoral zu erarbeiten sucht, dürfte die falschen Fragen stellen; er verstößt gegen die Forderung, „das Gespräch auf die Gegenstände und Fragen zu beschränken, die erkennbar diejenigen des interpretierten Autors waren".[135] Wer also an einen Paulustext Fragen normativer Ethik richtet, müßte sich mindestens implizit darüber im klaren sein, ob der betreffende Text zum Genus normativer Ethik zu zählen ist. Wer biblische Paränese darlegt, müßte diese Form ethischer Rede in ihrer Eigenart erkannt haben.[136] Für ihn selbst und seine Leser (Hörer) dürfte es aber hilfreich sein, Paränese in ihrer Eigenart auch terminologisch von normativer Ethik abzugrenzen; wo ein solcher Unterschied terminologisch noch nicht benannt ist, deutet das meist darauf hin, daß er noch nicht deutlich erfaßt ist. Allgemein gesprochen ergibt sich für den Interpreten die Forderung, „in einer vernünftig normierten Terminologie" zu reden, „die den Gegenständen *angemessen* ist".[137]

Wer also als Interpret ein Gespräch mit Paulus führen will, muß sich darüber klar sein, daß er in den Fragen, die er an den Text richtet, bereits eigene

---

[133] *R. Bultmann*, Jesus Christus und die Mythologie, in: ders., Glauben und Verstehen IV, Tübingen 1965, 141–189, hier 165 f.

[134] Ebd. 165.

[135] *W. Kamlah/P. Lorenzen*, Logische Propädeutik, Mannheim ²1973, 179.

[136] So beschränkt sich *H. Schlier* in seinen Auslegungen von Röm 12,1–2 konsequent auf die Explikation der paulinischen Paränese. Vgl. *H. Schlier*, Vom Wesen der apostolischen Ermahnung, in: ders., Die Zeit der Kirche, Freiburg ⁴1966, 74–89; *ders.*, Die Eigenart der christlichen Mahnung nach dem Apostel Paulus, in: ders., Besinnung auf das Neue Testament, Freiburg 1964, 340–357; *ders.*, Der Christ und die Welt, in: ders., Das Ende der Zeit, Freiburg ²1972, 234–249.

[137] *W. Kamlah/P. Lorenzen*, a. a. O. 179.

Voraussetzungen, sein Vorverständnis von dem Gegenstand, um den es geht, einbringt. Wo der Interpret sich dessen nicht bewußt ist und seine Voraussetzungen nicht deutlich nennt, läßt er diese leicht unbewußt in seine Auslegung miteinfließen. In der Exegese von 1 Kor 7 geschieht das häufig, worauf in der folgenden Auslegung an einigen Stellen hingewiesen wird. Solche kritischen Bemerkungen zu einzelnen Auslegungsversuchen sollen an Beispielen aufzeigen, wie notwendig die Reflexion der eigenen Voraussetzungen ist.

Dem Ziel der Untersuchung von Voraussetzungen, die bei der Auslegung von 1 Kor 7 oft unbewußt gemacht werden, dienen auch die weiteren Kapitel. So wird die als selbstverständlich geltende Annahme geprüft, eschatologische Naherwartung habe einen starken Einfluß auf die normativ-ethischen Überzeugungen des Menschen, hier speziell des Paulus. Vielfach wird gefragt, ob Paulus in 1 Kor 7 eine ‚asketische Position' vertrete; zur Beantwortung dieser Frage ist die terminologische Klärung des Wortes ‚Askese' notwendig (4. Kapitel). Bevor man die Frage beantworten kann, ob das Wort Jesu über die Ehescheidung für Paulus verbindlich ist, inwieweit die sittlichen Weisungen des Paulus für uns heute verbindlich sind, ist zu überlegen, inwiefern sittliche Weisungen überhaupt verbindlich sein können (5. Kapitel).

Selbstverständlich muß man immer bereit sein, die eigene (moraltheologische) Position von Paulus her in Frage stellen zu lassen. Wer meint, die terminologische Unterscheidung zwischen Paränese und normativer Ethik erweise sich von Paulus her als falsch oder unzulänglich, die Aussagen des Paulus ließen sich in keine dieser Kategorien einordnen, muß die gemachte Unterscheidung verwerfen bzw. modifizieren; er muß allerdings den Beweis dafür antreten.

Die im vorigen Abschnitt behandelten Beispiele dürften aber wenigstens gezeigt haben, wie sehr die Unterscheidung von Paränese und normativer Ethik den Ausleger vor voreiliger und ungerechtfertigter Kritik an Paulus bewahren kann. So stellt sich etwa der Vorwurf, Paulus verschweige in Röm 13,1–7 das Recht bzw. die Pflicht zum Widerstand gegen ungerechte Gewalt, als unangemessen heraus, wenn man erst den paränetischen Charakter dieser Perikope erkannt hat. Es ist zu prüfen, ob etwa der Vorwurf der Ehefeindschaft, der gegen Paulus bisweilen erhoben wird, vielleicht auf einem ähnlichen Fehler bei der Auslegung von 1 Kor 7 beruht.

Mancher neigt möglicherweise zu der Anschauung, derjenige Ausleger gehe am unvoreingenommensten an die sittlichen Weisungen des Paulus heran, der sich möglichst wenig in Ethik und Moraltheologie auskennt bzw. diese Kenntnisse bei der Auslegung paulinischer Texte gleichsam vergißt. Diese Arbeit will dagegen den Nutzen solcher Kenntnisse in Ethik und Moraltheologie für die Auslegung der sittlichen Botschaft der Bibel aufzeigen. Daß der

Moraltheologe von der Arbeit des Exegeten profitieren kann, dürfte heute kaum bestritten sein. Daß aber auch der Exeget von der Moraltheologie Hilfe erfahren kann, soll hier aufgewiesen werden.

2. Auslegung von 1 Kor 7

2.1. Vorfragen zur Auslegung von 1 Kor 7

Wie in V. 1 deutlich wird, bezieht sich Paulus in 1 Kor 7 auf einen Brief, den ihm die Korinther geschrieben haben. Worum es in diesem Brief der Korinther ging, läßt sich aus den in den folgenden Kapiteln des 1 Kor angesprochenen Themen wenigstens teilweise erkennen: um Ehe und Ehelosigkeit (7,1.25), um das Essen von Götzenopferfleisch (8,1), um die Geistesgaben (12,1), um die Kollekte für Jerusalem (16,1), um das Kommen des Apollos (16,12). Paulus bezieht sich an den angegebenen Stellen jeweils mit einem περί auf den Brief der Korinther.[1] Welche Fragen genau die Korinther aber gestellt haben, wissen wir nicht; der Brief der Korinther an Paulus ist uns nicht erhalten. Aus dieser Tatsache können sich Schwierigkeiten ergeben, da man für das richtige Verständnis der Antworten des Paulus die Fragen der Korinther rekonstruieren müßte. Eine solche Rekonstruktion aber bleibt prinzipiell hypothetisch. Läßt sich zwar der Wortlaut der Fragen nicht ermitteln, so muß doch nach dem geistigen Hintergrund der Probleme gefragt werden, die sich in Korinth ergaben.[2]

Als Anlaß für den 1 Kor ist nicht nur das Schreiben der Korinther zu betrachten, auf das Paulus ab 7,1 eingeht, sondern auch die Nachrichten aus Korinth, die Paulus in Ephesus zu Ohren gekommen waren (1,11; 5,1). Bevor Paulus die Fragen der Korinther beantwortet, geht er von sich aus in 1 Kor 5; 6 auf die in Korinth herrschenden sittlichen Mißstände ein, von denen er in Ephesus gehört hat. Mit Ausnahme von 6,1–11 (Prozessieren vor heidnischen Gerichten) geht es dabei um Fragen des Sexualverhaltens, Fragen, auf die Paulus offenbar auch schon in dem uns nicht erhaltenen ersten Schreiben nach Korinth eingegangen ist (vgl. 1 Kor 5,9).

Daß in Korinth gerade diese Probleme auftauchen, dürfte sich unter anderem aus der Situation der Hafenstadt Korinth erklären. Hier ergaben sich für die Christen angesichts der (nach 5,1–13; 6,12–20 auch in den eigenen

---

[1] Vgl. *Conzelmann* 139; vielleicht antwortet Paulus auch 1 Thess 4,13; 5,1 auf solche Fragen; vgl. dazu *C. F. Faw*, On the Writing of First Thessalonians: JBL 71 (1952) 217–225, hier 221.

[2] Vgl. dazu neben den Einleitungen und Kommentaren besonders *Hurd*, Origin 155–182.

Reihen grassierenden) sexuellen Ausschweifung[3] offenbar einige Probleme. Paulus verurteilt einerseits Entartungen unter den Christen (5,1–13; 6,12–20), macht aber gleichzeitig klar, die Distanzierung von den Lastern der heidnischen Umgebung bedeute nicht, die Christen müßten sich – modern gesprochen – in ein Ghetto zurückziehen (vgl. 5,9–13); die Warnungen vor der Unzucht, die Paulus in seinem früheren Brief ausgesprochen hatte (vgl. 5,9 f), waren wohl in diesem Sinn mißverstanden worden. Das Bemühen um Distanzierung von den (als typisch heidnisch geltenden) sexuellen Lastern mag zum Teil[4] die Tendenz zu sexueller Abstinenz erklären, die in 1 Kor 7 vorausgesetzt ist. Allerdings dürfen sowohl die sexuelle Ausschweifung als auch die Tendenz zu sexueller Abstinenz unter den Christen von Korinth nicht nur aus den Lebensbedingungen in der Hafenstadt Korinth erklärt werden. Sie hängen zusammen mit den Ausuferungen des *pneumatischen Enthusiasmus,* der die Entwicklung der Christengemeinde von Korinth kennzeichnet.

Die von Paulus aufgegriffene Parole πάντα (μοι) ἔξεστιν (6,12; 10,23) ist nicht einfach als Plädoyer für Unmoral zu verstehen; vielmehr glauben die korinthischen Enthusiasten, die diese Parole im Munde führen, aufgrund ihrer Geistbegabung gleichsam jenseits von Gut und Böse zu stehen. Für sie ist das ‚Fleisch‘, das heißt Vergänglichkeit und Tod, unwesentlich geworden und das ewige Leben Gegenwart (4,8). „Von daher ist auch die Leugnung der (leiblichen) Auferstehung zu verstehen (15,12 ff), die keine materialistische, sondern eine spiritualistische These ist; die Auferstehung ist im Pneuma bzw. in der Gnosis vorweggenommen (wie 2 Tim 2,18), vielleicht auch in der Taufe; denn der Brauch, sie stellvertretend für Verstorbene zu vollziehen (‚Vikariatstaufe‘ 15,21), setzt doch die Anschauung voraus, sie verleihe das Leben."[5] Paulus muß 10,1 ff (wie auch Röm 6,1 ff) die Meinung korrigieren, die Sakramente bedeuteten Freiheit von Sünde und Tod in dem Sinne, daß der Pneumatiker gar nicht mehr sündigen könne, daß etwa sexuelle Ausschweifung die neue Existenz des Pneumatikers gar nicht tangiere. Wie Röm 6 zeigt, konnte die Rechtfertigungslehre des Paulus offenbar leicht in diesem Sinne mißverstanden werden; aus der Freiheit vom Gesetz wurde die ‚Freiheit‘ zur Gesetzlosigkeit.[6] Solche libertinistische Einstellung muß nicht unbedingt auf einer positiven Einschätzung der Sexualität beruhen. Eher ist umgekehrt zu vermuten, daß die proklamierte sexuelle Freiheit demonstrative Bedeutung hat: selbst sexuelle Freizügigkeit kann die Vollkommenheit des Pneumatikers nicht mindern.

---

[3] Allerdings ist der lasterhafte Ruf Korinths von den Athenern wohl mit Bedacht gepflegt worden; vgl. *Conzelmann* 25.

[4] Allerdings nur zum Teil, wie *Schrage* (Frontstellung 219) mit Recht betont.

[5] *Ph. Vielhauer,* Geschichte der urchristlichen Literatur, Berlin 1975, 133; vgl. *Fascher* 54–59.

[6] Vgl. *G. Eichholz,* Die Theologie des Paulus im Umriß, Neukirchen-Vluyn ²1977, 203 f sowie das oben S. 60–63 zu 1 Kor 6,12–20 Gesagte.

Eine andere Gruppe in Korinth neigte offenbar zu der Ansicht, die neue Existenz des Christen schließe jede sexuelle Betätigung überhaupt aus; für den Christen sei es besser, „keine Frau zu berühren" (7,1).[7] Diese Tendenz zu sexueller Abstinenz könnte ebenfalls eine demonstrative Bedeutung haben. Die korinthischen Enthusiasten glaubten Auferstehung und Vollendung schon erlangt zu haben (1 Kor 4,8; 15); deshalb meinten wohl einige, dementsprechend „wie die Engel im Himmel" (Mt 22,30) leben zu müssen. Sowohl sexueller Libertinismus als auch sexuelle Abstinenz dürften sich also hier aus einer Depravierung von Leiblichkeit und Geschlechtlichkeit ergeben, die auch zu einer Leugnung der leiblichen Auferstehung führt.

In dieser Weise läßt sich mit einer gewissen Wahrscheinlichkeit der Hintergrund von 1 Kor 7 rekonstruieren. Bei der Einzelinterpretation wird darauf zu achten sein, ob sich auf diesem angenommenen Hintergrund eine plausible Interpretation ergibt. Vorsicht bleibt dennoch geboten, vor allem gegenüber plakativen Urteilen über den Standpunkt des Paulus (etwa ‚Ehefeindschaft‘, ‚Weltverneinung‘ etc.).[8] Schließlich muß man sich immer wieder bewußtmachen, daß uns von Paulus nur verhältnismäßig wenige schriftliche Aufzeichnungen überliefert sind, daß sich außerdem in den anderen Paulusbriefen (soweit ihre Authentizität nicht bestritten ist) keine vergleichbare Behandlung des Themas ‚Ehe und Ehelosigkeit‘ findet; allenfalls könnten 1 Kor 6,12–20 (die Verurteilung der Unzucht) und 1 Thess 4,3–5 berücksichtigt werden.

2.2. Aufbau und Gedankenfolge von 1 Kor 7

Vor dem Eintritt in die Einzelexegese soll zur Orientierung der Aufbau des Kapitels untersucht und aufgezeigt werden. Daß dabei einige Ergebnisse der Einzelexegese vorweggenommen werden, ist unvermeidlich; der Übersichtlichkeit wegen dürfte sich ein solcher Vorgriff empfehlen.

Zunächst einmal legt sich eine Zweiteilung des Kapitels nahe, die durch den

---

[7] Vgl. *Allo* 153 f; *Moffat* 73 f; *Wendland* 49; *Weiß* (169) meint, die Frage sei angesichts des nahen Endes aufgekommen. Diese zweite Richtung in Korinth wird meist als ‚asketisch‘ bezeichnet, wobei dieses Wort eine negative Bedeutung hat. Da wir hier aber nicht alle Formen der Enthaltsamkeit von vornherein als negativ abqualifizieren wollen und außerdem zum Thema ‚Askese‘ im 4. Kapitel noch einige Überlegungen anzustellen sind, soll diese Bezeichnung hier vermieden werden. Formen der Enthaltsamkeit, deren negative Bewertung feststeht, sollten deshalb lieber als ‚asketistisch‘ oder mit *Léon-Dufour* (Mariage 323) als ‚enkratitisch‘ bezeichnet werden.

[8] Schon *Weiß* (172) hat hier zur Vorsicht gemahnt, ebenso *Baltensweiler* (Ehe 165), *Doughty* (Heiligkeit 16). Dagegen geht *Niederwimmer* (Askese 83 Anm. 12) davon aus, daß auch die situationsbezogenen Aussagen des Apostels durchaus hinreichen, um ein klares Bild über seine Grundeinstellung zu gewinnen. Wie noch zu zeigen sein wird, ist dieses Bild nicht so klar, wie Niederwimmer meint.

zweimaligen Einsatz mit περί angedeutet wird (V. 1 und V. 25). Tatsächlich ist hier auch ein inhaltlicher Einschnitt festzustellen. Während es im ersten Teil um die Bewertung von Ehe und Sexualität (1–7) und um einzelne konkrete Probleme von Eheleuten (10–16) geht, spricht Paulus im zweiten Teil über den Wert der Ehelosigkeit. Einige Abschnitte scheinen sich allerdings in diese Zweiteilung nicht einzufügen. V. 8f sind bereits Unverheiratete und Witwen angesprochen, am Schluß nimmt Paulus noch einmal zur Frage der Dauer der ehelichen Bindung und zum Problem der Witwen Stellung (V. 39f). Die Verse 8f sind aber nur auf den ersten Blick ein Fremdkörper innerhalb des ersten Teils. Die Tendenz dieser Verse, wie sie am Schluß in V. 9b zum Ausdruck kommt, entspricht der Gesamttendenz des ersten Teils: Warnung vor den Gefahren eines Lebens in sexueller Enthaltsamkeit. Während die komparativische Formulierung in V. 9b (κρεῖττον...) in die genannte Richtung zielt, entspricht der Komparativ am Schluß (V. 40: μακαριώτερα...) der Tendenz des zweiten Teils: Empfehlung der Ehelosigkeit.

Die Verse 8f und 39f lassen sich verhältnismäßig leicht in den Duktus der beiden Hauptteile von 1 Kor 7 einordnen; die Abschnitte 17–24 und 29–31 erscheinen dagegen zunächst als Fremdkörper. Als solche werden sie auch in der Exegese empfunden. Man spricht von „Abschweifung"[9], „Digression"[10], μετάβασις εἰς ἄλλο γένος[11], „Generalisierung"[12]. Wieso Paulus in der ersten Abschweifung (V. 17–24) plötzlich auf Beschneidung und Sklaverei zu sprechen kommt, hat Bartchy meines Erachtens plausibel erklärt.[13] In der Korrespondenz des Paulus mit den Korinthern gibt es keinen Hinweis darauf, daß soziale Unruhe unter den christlichen Sklaven von Korinth der Anlaß für eine entsprechende Anfrage an Paulus gewesen wäre.[14] Auch die judenchristliche Problematik um Beschneidung und Nichtbeschnittensein scheint die Gemeinde nicht belastet zu haben. Zwar sieht sich Paulus genötigt (2 Kor 11,22), gegen seine Gegner auf seine jüdische Abstammung zu verweisen, dennoch kann man im Vergleich zum Galaterbrief von einem Fehlen der judenchristlichen Problematik in 1.2 Kor sprechen.[15] Der Zusammenhang der Themenbereiche Ehe, Beschneidung,

[9] *Bousset* 104.
[10] *Niederwimmer*, Askese 105; *Heinrici* 209; vgl. *Moffat* 90.
[11] *Weiß* nennt (191) zwei ältere Autoren, die wegen des anderen ‚Genus' den Abschnitt 17–24 für eine Interpolation halten.
[12] „A Theological Generalization with Examples" (*Bartchy*, Slavery 168).
[13] *Bartchy*, Slavery 162–165.
[14] *Bartchy*, Slavery (86f. 130f) zeigt auf, daß solche soziale Unruhe historisch unwahrscheinlich ist; anders *R. Gayer*, Die Stellung des Sklaven in den paulinischen Gemeinden und bei Paulus, Bern/Frankfurt 1976, 154–168, der enthusiastisch motivierte Emanzipationsbestrebungen bei den Sklaven der korinthischen Gemeinde vermutet.
[15] *Bartchy* (Slavery 163 Anm. 558) verweist darauf, daß die Mahnung zur Einheit am Tisch des Herrn in 1 Kor 11 keinen Gegensatz zwischen Juden- und Heidenchristen, wohl aber zwischen

Sklaverei in 1 Kor 7 ergibt sich durch einen Vergleich mit Gal 3,28 und 1 Kor 12,13. Auch in Gal 3,26–29 ist von der Berufung des Christen die Rede, von der in der Taufe grundgelegten neuen Existenz. Im Hinblick auf die gemeinsame Berufung zu Söhnen Gottes in Christus sind die Gegensätze Jude – Grieche, Sklave – Freier, Mann – Frau bedeutungslos (Gal 3,28). In 1 Kor 7,17–24 und 12,13 findet sich nun derselbe „thought pattern" (Bartchy) wie in Gal 3,28, es fehlt allerdings jeweils das Gegensatzpaar Mann – Frau, vermutlich deswegen, weil Paulus im Kontext jeweils zu diesem Problembereich Stellung nehmen muß. Während es der Galaterbrief thematisch mit dem ersten Gegensatzpaar (Jude – Grieche) zu tun hat, muß Paulus im 1. Korintherbrief einiges zum Problembereich Mann – Frau sagen (5,1–13; 6,12 – 7,40; 11,2–16; 14,34–36). Paulus nennt also in 1 Kor 12,13 nur die beiden ersten Gegensatzpaare von Gal 3,28, weil in diesen Bereichen in Korinth keine Probleme bestanden; zum Verhältnis Mann – Frau, speziell zur Rolle der Frau im Gottesdienst hat Paulus dagegen im Kontext von 1 Kor 12,13 einiges zu erklären (11,2–16; 14,34–36).[16] So dürften auch die Ausführungen über Beschneidung und Sklaverei in 1 Kor 7,17–24 nicht eine in Korinth akute Frage behandeln, sondern an eine bekannte und unumstrittene Wahrheit erinnern. Inwiefern die Ausführungen dieses Abschnitts einen Beitrag zu den im Kontext behandelten Fragen darstellen, wird bei der Einzelexegese zu prüfen sein.

Auch der Abschnitt V. 29–31 ist als eine Art Generalisierung zu betrachten. Paulus empfiehlt im zweiten Teil des Kapitels die Ehelosigkeit. Der Abschnitt V. 29–31 scheint aber nun die Bedeutung der Alternative Ehe – Ehelosigkeit gewissermaßen zu relativieren; denn „auch wer eine Frau hat", soll ja so sein, als habe er keine (V. 29). Die Verse 29–31 sollen offenbar gegenüber der Behandlung von Einzelproblemen eine generelle Aussage machen, die allerdings anders als in 7,17.20.24 nicht ausdrücklich formuliert wird. Bartchy ergänzt sie so: „A Christian is not to be determined by his worldly circumstances but by his relation to Christ."[17]

In den Paulusbriefen gibt es mehrere Beispiele dafür, daß Paulus die Behandlung eines Einzelproblems abschließt oder unterbricht durch eine allgemeine Belehrung. Ein Beispiel dafür wurde schon genannt[18]: Röm 15,1–13; dort wird in einer allgemeinen Mahnung eingeschärft, was Paulus vorher (Röm 14) an einem speziellen Problem zur Sprache gebracht hat: man soll auf seinen Bruder Rücksicht nehmen, nicht sich selbst zu Gefallen leben. In die

---

Arm und Reich erkennen läßt. Vgl. *Conzelmann* 150 Anm. 10; *Barrett* 168; anders *Weiß* 185; *Allo* 172. Man könnte sich schon eher vorstellen, daß Judenschristen in Korinth dazu neigten, die Beschneidung rückgängig zu machen.

[16] Vgl. *Bartchy*, Slavery 129–131; *P. Stuhlmacher,* Der Brief an Philemon, Zürich/Neukirchen-Vluyn 1975, 47 f.

[17] *Bartchy,* Slavery 169.

[18] Vgl. oben S. 23 f mit Anm. 21.

mit Röm 14 vergleichbare Behandlung der Frage des Essens von Götzenopferfleisch 1 Kor 8; 10,14 – 11,1 ist eingeschoben ein Hinweis auf das Vorbild, das Paulus selbst durch seine Rücksichtnahme auf andere gibt (1 Kor 9), und das Gegenbild Israels, das die Korinther vor zu großer Selbstsicherheit und vor einem falschen Sakramentalismus warnen soll. In dem Abschnitt über die Charismen (1 Kor 12; 14) ist eine Art Exkurs[19] über das Charisma aller Charismen, die Agape (1 Kor 13), eingefügt.[20]
Während im ersten Teil von 1 Kor 7 eine mehr grundsätzliche Erörterung über die sittliche Bewertung von Ehe und Geschlechtsgemeinschaft (V. 1–7) sich klar abhebt von der Besprechung spezieller Fragen (V. 8–16), ist die Zuordnung der einzelnen Unterabschnitte im zweiten Teil nicht so klar. Von V. 29–31 einmal abgesehen, kann man folgende Einheiten unterscheiden: in V. 25–28 empfiehlt Paulus die Ehelosigkeit wegen der anstehenden Not, in V. 32–35 äußert er, nur der Ehelose könne wahrhaftig dem Herrn zu Gefallen leben, der dritte Unterabschnitt (V. 36–38) stellt den Vorzug der Ehelosigkeit für eine bestimmte Personengruppe heraus (welche ist umstritten), der letzte Unterabschnitt (V. 39f) tut dasselbe in bezug auf die Witwen. Wie sich diese Unterabschnitte zueinander verhalten, ist in der Einzelexegese zu prüfen.
In beiden Teilen von 1 Kor 7 beantwortet Paulus jedenfalls Fragen des sittlichen Verhaltens betreffs Ehe und Ehelosigkeit, die in Korinth akut waren. Damit stellt er sich der Aufgabe normativer Ethik. Es ist deshalb zu vermuten, daß die meisten Ausführungen dieses Kapitels als Äußerungen normativer Ethik zu diagnostizieren sind. Damit ist nicht ausgeschlossen, daß sich in 1 Kor 7 auch paränetische Elemente finden. Schließlich mahnt der Seelsorger Paulus wiederholt zum Tun des sittlich Geforderten. In der Übersicht über 1 Kor 7 wurde betreffs der Abschnitte V. 17–24 und V. 29–31 festgestellt, daß sie nicht unmittelbar der Erörterung akuter Probleme dienen, sondern Bekanntes in Erinnerung rufen; letzteres haben wir als Anliegen der Paränese als eines von normativer Ethik verschiedenen Genus ethischer Rede erkannt. Wenn man betreffs V. 17–24 von einer μετάβασις εἰς ἄλλο γένος spricht, könnte es sich bei diesem anderen Genus also um Paränese handeln; bei der Auslegung von V. 17–24 und V. 29–31 wird diese Vermutung gegebenenfalls zu verifizieren sein.

---

[19] Wenn hier von einem ‚Exkurs' gesprochen wird, soll damit nur gesagt sein, daß etwa 1 Kor 13 den Gedankengang von 1 Kor 12; 14 unterbricht, nicht aber, die Ausführungen von 1 Kor 13 seien weniger wichtig oder seien für das im Kontext behandelte Thema sachlich belanglos.
[20] Vgl. *Bartchy*, Slavery 162.

2.3. Über Ehe und geschlechtliche Gemeinschaft (7,1–7)

Die Verse 1–7 heben sich als Stellungnahme zu der These von 1 b („Es ist gut für den Mann, keine Frau zu berühren") deutlich ab von dem mit V. 8 beginnenden Unterabschnitt, in dem Paulus zu den Problemen einzelner Gruppen Stellung nimmt. Innerhalb der Verse 1–7 gehören zusammen die Verse 3–5, die eine grundsätzliche Aussage über die Legitimität sowohl leiblicher Gemeinschaft als auch zeitweiliger Enthaltsamkeit in der Ehe enthalten. Die Verse dieses Unterabschnitts geben der Auslegung wenig Probleme auf, dafür bereiten die Verse 1 f und 6 f umso mehr Schwierigkeiten.

Zu V. 1 ergibt sich zunächst die Frage, ob Paulus in 1 b („Es ist gut für den Mann, keine Frau zu berühren") eine Formulierung der Korinther aufnimmt, wie er es 6,12, vielleicht auch 8,1, tut.[21] Im Fall eines Zitats würde man von Paulus, der ja im folgenden die Ehelosigkeit empfiehlt, zunächst ein grundsätzlich zustimmendes Wort erwarten (‚Ihr habt recht, aber. . .'), bevor er in V. 2 eine Einschränkung macht.[22] Wenn es sich in V. 1 b jedoch nicht um ein Zitat handeln sollte, würde im Gegensatz zu den anderen Stellen in 1 Kor, die auf Fragen der Korinther Bezug nehmen, eine Themenangabe durch Paulus fehlen (vgl. 8,1: περὶ δέ τῶν εἰδωλοθύτων; 12,1: περὶ τὲ τῶν πνευματικῶν). So ist doch wahrscheinlich, daß Paulus hier statt περὶ δὲ τοῦ γάμου oder περὶ δὲ τῆς ἐγκρατείας das Thema mithilfe einer korinthischen Formulierung aufnimmt.[23]

Aber ganz abgesehen von der Frage, wer der Autor dieser These ist – in welchem Sinne kann es ‚gut' sein, keine Frau zu berühren? Angenommen, V. 1 b wolle besagen, Enthaltsamkeit sei sittlich geboten (richtig), Geschlechtsverkehr sittlich verboten (falsch). In diesem Sinne könnte V. 1b wohl kaum eine These des Paulus sein; andernfalls würde V. 2 auf die absurde Aufforderung hinauslaufen: ‚Handelt sittlich falsch, damit ihr nicht (durch Unzucht) sündigt'. Aber auch als These der Korinther gäbe der Satz, in diesem Sinn verstanden, keinen Sinn. Warum sollte nämlich der die

---

21 Viele Exegeten halten den Satz für eine Formulierung des Paulus. Ob man das wie *Conzelmann* (139 Anm. 10) mit dem Vorkommen von καλόν in V. 8 und V. 26 begründen kann, scheint mir fraglich: die Formulierung eines Werturteils mit καλόν . . . dürfte Paulus und den Konrinthern zuzutrauen sein. (Conzelmann hält dagegen wohl 8,1 b für ein Zitat.) Für ein Zitat sprechen sich aus: *Heinrici* 183; *Merk*, Handeln 130; *Doughty*, Heiligkeit 17; *von Allmen*, Maris et femmes 11; *Chadwick*, ‚All Things to All Men' 265; *Menoud*, Mariage 27 Anm. 1; *Rex*, Problem 66 f; *Léon-Dufour*, Mariage 323 Anm. 7; *Schrage*, Frontstellung 215, und vor allem *Jeremias*, Gedankenführung 151; ihm schließt sich *Barrett* (154) an.

22 So *Bachmann* 253.

23 Zu καλόν ist also εἶναι zu ergänzen, nicht ἐστίν (vgl. *Schrage*, Frontstellung 215). *Fascher* (180) weist darauf hin, daß die Formulierung „. . . keine Frau zu *berühren*" der Sprechweise des Alten Testaments entspricht (vgl. Gen 20,6).

Unzucht vermeiden wollen (V. 2), für den *jedes* Berühren einer Frau sündhaft ist?

Man muß deshalb in jedem Fall V. 1 b als ein *Werturteil* (über den Wert sexueller Enthaltsamkeit) verstehen, nicht als Verpflichtungsurteil über das sittlich richtige bzw. falsche Verhalten.[24] Aus einem solchen Werturteil läßt sich noch nicht unmittelbar eine sittliche Pflicht ableiten. So beinhaltet der Satz „Aussätzige zu heilen ist eine gute Sache" noch nicht die Verpflichtung, sich der Heilung von Aussätzigen zu widmen. Als Werturteil gelesen, läßt sich V. 1 b in einem zweifachen Sinn verstehen, entweder: ‚Es ist gut, eine Frau nicht zu berühren, es ist schlecht, sie zu berühren' oder: ‚Es ist gut, eine Frau zu berühren, es ist besser, es nicht zu tun'. Die erste Anschauung könnte einer Anfrage aus Korinth zugrunde liegen, vorausgesetzt, daß man den leiblichen Umgang in der Ehe als ein gegenüber der Unzucht wesentlich geringeres Übel ansah. Die paulinische Aussage in V. 2 kann jedenfalls nur als Begründung der Ehe dienen, wenn auch die Fragesteller bei allen möglichen Vorbehalten gegenüber der sexuellen Vereinigung einen Unterschied machen zwischen ehelichem und außerehelichem Umgang. Für einen Marcion und die spätere Gnosis, die Ehe mit Unzucht gleichsetzen,[25] ergäbe die Aussage von V. 2 (Ehe um der Vermeidung der Unzucht willen) keinen Sinn. Ob man die Anschauung, Ehe sei gegenüber der Unzucht das kleinere Übel, auch bei Paulus vermuten kann, soll weiter unten eingehender überlegt werden. Der Text von 1 Kor 7 legt jedenfalls eine solche Auslegung (falls die These von V. 1 b auf Paulus zurückginge) nicht nahe. Paulus scheint der Meinung zu sein, Ehe sei gut, Ehelosigkeit aber besser (vgl. V. 38).[26] Denkbar wäre auch, daß die Fragesteller nicht nur die Ehelosigkeit als wünschenswert ansahen, sondern aus aktuellem Anlaß fragten, ob es nicht ratsam sein, unter den jetzigen Umständen „keine Frau zu berühren". Möglicherweise wollten sie sich absetzen vom Sexualverhalten ihrer heidnischen Umgebung oder ihrer libertinistisch eingestellten Mitchristen, die vielleicht den Glau-

---

[24] *Weiß* (170) äußert, hier sei nicht von ‚gut' und ‚böse' „im rein ethischen Sinne" die Rede. Damit meint er wohl – in unserer Terminologie gesprochen –, hier werde über den nichtsittlichen Wert sexueller Abstinenz, nicht über eine Verpflichtung des einzelnen Christen dazu eine Aussage gemacht. (Ein nicht-sittlicher Wert müßte nach dem im 1. Kapitel [Anm. 52] Gesagten zwar eigentlich als ἀγαθόν bezeichnet werden. Wie Röm 7,18f zeigt, unterscheidet Paulus nicht zwischen καλός und ἀγαθός, wie auch das Neue Testament überhaupt und die Septuaginta; vgl. dazu *Héring* 51; *Robertson/Plummer* 132; *Doughty*, Heiligkeit 22.) Über den Unterschied zwischen Verpflichtungs- und Werturteilen vgl. *W. K. Frankena*, Analytische Ethik, München 1972, 27 f.

[25] Vgl. *Schrage*, Frontstellung 220 f.

[26] So *Wendland* 49; *Baltensweiler*, Ehe 156; *Preisker*, Ethos 173 Anm. 1; *Conzelmann* 140; letzterer verweist wie *Weiß* (170) u. a. auf Röm 14,21. Diese Stelle ist aber gerade kein Beleg für eine komparativische Bedeutung von καλόν: Fleisch zu essen, wenn der Bruder daran Anstoß nimmt, ist nicht ‚weniger gut', sondern ‚schlecht'. Hier ist also ein konträres Gegenstück zu ergänzen. Man muß beachten, daß komparativische Formulierungen oft konträre Alternativen bezeichnen; vgl. etwa Apg 5,29; Lk 18,14; Ign Eph 15,1; 1 Cl 51,3 und *Schüller*, Begründung 118 f.

ben an Christus bei wohlwollenden Heiden in Mißkredit brachten. Paulus würde in diesem Fall gleich ein drastisches Gegenargument bringen: ‚Es könnte euch genau das geschehen, was ihr andern zum Vorwurf macht und wovon ihr euch absetzen wollt'.[27] Die Aussage von V. 2 wäre dann als ‚argumentum ad hominem' zu verstehen, als Argument also, mit dem Paulus nicht den eigentlichen Rechtfertigungsgrund für die Institution Ehe aufzeigt, sondern vielmehr die Anschauungen der Fragesteller von ihren eigenen Voraussetzungen her in Frage stellt.[28]

An wen richtet sich nun aber die Aussage von V. 2? Sollen Unverheiratete wegen der Gefahr der Unzucht heiraten[29] oder Verheiratete deswegen geschlechtliche Gemeinschaft haben[30]? Was γυναῖκα ἔχειν bedeutet, ist nicht eindeutig. Das Anliegen der Vermeidung von Unzucht gilt für beide Fälle; so ist es auch möglich, daß Paulus hier gar nicht genau differenziert.[31] Für diese letztere Vermutung spricht, daß in V. 1 allgemein ἀνθρώπῳ steht (nicht ἀνδρί = Ehemann) und die Worte ἀνθρώπῳ und γυναικός ohne Artikel stehen (erst in V. 3 steht ausdrücklich ὁ ἀνήρ).[32]

Die Verse 3–5 beziehen sich dagegen ausdrücklich auf die geschlechtliche Gemeinschaft von Eheleuten. Diese Gemeinschaft soll fortgeführt werden, nicht nur wegen der Gefahr der Unzucht, sondern weil dies die ‚Schuldigkeit' der Eheleute ist. Jeder der beiden Ehepartner hat das ‚Verfügungsrecht' über seinen Leib an den andern abgegeben.[33] In diesem Gedanken, in dem, was mit den Wörtern ὀφειλή und ἐξουσιάζειν angesprochen ist, dürfte die Einstellung des Paulus zur Ehe deutlicher zum Ausdruck kommen als in

---

[27] *Conzelmann* (141) sagt, geschlechtliche Askese sei nach Paulus kein ‚Heilsweg'. Dem ist zuzustimmen, insofern der Ehelose ebenso Versuchungen ausgesetzt ist wie der Verheiratete. Es geht aber hier nicht (wie das Wort ‚Heilsweg' nahelegen könnte) um die Frage, ob die Ehelosigkeit als verdienstliches gutes Werk anzusehen sei. Die Rechtfertigung einer *Handlung* (als sittlich richtig) muß unterschieden werden von der Rechtfertigung des *Menschen* aus seinen Werken; vgl. dazu *H.-J. Wilting*, Der Kompromiß als theologisches und als ethisches Problem, Düsseldorf 1975, 78–85.

[28] So auch *Barrett* 155f. Besonders *H. Chadwick* betont die Bereitschaft des Paulus, „seinem Gegner auf dessen eigenem Boden zu begegnen" (*H. Chadwick*, ‚Enkrateia', in: RAC VI 343–365, hier 349; vgl. *ders.*, ‚All Things to All Men' 264f).

[29] So *Bachmann* 254; *Weiß* 171; *Robertson/Plummer* 133; *Doughty*, Heiligkeit 25.

[30] So *Merk*, Handeln 101 wegen ἴδιον und ἑαυτοῦ; *Hurd*, Origin 165; ähnlich *Maurer*, Ehe und Unzucht 160.

[31] So *Conzelmann* 141; *Allo* 154f. Daß Paulus hier gegen die Promiskuität Stellung beziehe (so *Maurer*, Ehe und Unzucht 161, ähnlich *Schlatter* 213f), scheint mir ausgeschlossen, da dies Problem mit 6,12–20 abgehandelt ist.

[32] *Robertson/Plummer* verweisen (133) darauf und folgern, ἐχέτω meine ‚have', nicht ‚keep', ebenso *Doughty*, Heiligkeit 25; anders *Allo* 155: ‚garder' *und* ‚prendre' sei gemeint. In V. 2 ist bei den Akkusativobjekten natürlich der Artikel erforderlich, ebenso ἄνδρα (nicht ἄνθρωπον).

[33] *Weiß* (173 Anm. 2) meint, ἐξουσιάζει passe nur auf den Mann; deshalb seien V. 2b, der in einigen Handschriften fehlt, und V. 4b spätere Zusätze. Aber die vielen parallelen Formulierungen in 1 Kor 7 (bes. V. 10–14) zeigen, daß Paulus keine Männermoral vertritt; vgl. *Conzelmann* 141 Anm. 21.

V. 2; deshalb sei auf den Hintergrund dieser Formulierungen kurz eingegangen.

In dem Verweis auf die ‚Schuldigkeit‘ der beiden Ehepartner wird das alttestamentlich-jüdische Erbe des Paulus sichtbar. Im Judentum sieht man die Ehe als geboten, die leibliche Gemeinschaft als gegenseitige ‚Schuldigkeit‘ der Partner an.[34] Die Ehe wird auf den Willen Gottes zurückgeführt, sie ist Gabe und Angebot des Schöpfers, das nicht ohne triftigen Grund vom Menschen zurückgewiesen werden darf. In Gen 2 (einem Text, der wie in 1 Kor 6,12–20 auch hier im Hintergrund steht[35]) führt Gott selber wie ein Brautführer dem Mann die Frau zu, um ihn von seiner Einsamkeit zu befreien. Weil es „nicht gut ist, daß der Mensch allein bleibe“ (Gen 2,18), darf sich dieser der Gabe Gottes nicht einfach verschließen. Daß die eheliche Gemeinschaft dann auch in der leiblichen Vereinigung vollzogen werden muß, ist im Alten Testament und im Judentum weithin selbstverständlich gewesen. Wenn auch die Zuordnung von Mann und Frau „zu einem wesentlichen Teil ihren Sinn darin“[36] hat, Kinder zu zeugen (ein Gesichtspunkt, der in 1 Kor 7 nicht auftaucht), so ist doch an vielen Stellen des Alten Testaments zu erkennen, „daß der Sinn der Ehe durchaus nicht nur in der Geburt von Kindern gesehen wird“[37] (vgl. Gen 29,16–18; 1 Sam 1,8). Das Sexuelle wird im Alten Testament weder in den kultischen Bereich hineingezogen, wird also nicht zu einem heiligen Geschehen, gilt aber andererseits auch nicht als Bereich dämonischer Mächte. Es gibt also keine extremen Positionen in bezug auf die Einstellung zur Sexualität. Israel war vor Sexualfeindschaft gefeit, wenngleich es um die Gefährdungen des Menschen durch die Sexualität durchaus wußte (vgl. etwa Spr 5,2–5).[38]

Von diesen Voraussetzungen her ist die Mahnung zu erklären: „Entzieht euch einander nicht“. Diese Mahnung ergibt sich also – das ist wichtig – nicht etwa bloß aus der Unfähigkeit zur Enthaltsamkeit (V. 5),[39] sondern zunächst und vor allem aus der mit der Eheschließung eingegangenen Verpflichtung. Daß Paulus von dieser Verpflichtung her argumentiert, muß für die Beurteilung der paulinischen Stellungnahme zur Ehe berücksichtigt werden. Wenn Paulus die Ehepartner an ihre ‚Schuldigkeit‘ erinnert, daran,

---

34 Vgl. *Bill.* II 372f (zu Joh 2,1), III 367–371 (zu 1 Kor 7,1–3).

35 Den Zusammenhang zwischen 6,12–20 und 7,1–7 hat besonders *Maurer* (Ehe und Unzucht) herausgestellt, allerdings in mancher Hinsicht übertrieben (vgl. Anm. 31), ihm schließt sich Merk in vielen Punkten an (vgl. besonders *Merk*, Handeln 102f).

36 Vgl. *H. W. Wolff*, Anthropologie des Alten Testaments, München 1973, 259.

37 Ebd. 248.

38 Ebd. 253–258.

39 *Conzelmann* (142) versteht die Mahnung „entzieht euch einander nicht“ als „Verbot, die Enthaltung zum Gesetz zu machen“, das heißt, es gibt keine allgemeine Verpflichtung zur Enthaltsamkeit, weil nicht jedem diese Gabe gegeben ist. Diesen Gedanken äußert Paulus aber erst in V. 7; V. 3 argumentiert er von der ‚Schuldigkeit‘ der Ehepartner her. Über die Mehrdeutigkeit des Wortes ‚Gesetz‘ wird im 5. Kapitel noch zu reden sein.

daß jeder die ἐξουσία über seinen Leib an den andern abgetreten hat, dann verweist er zunächst einfach auf das Eheversprechen, das ja eine exklusive leibliche Gemeinschaft beinhaltet. Ein Versprechen kann aber grundsätzlich nur dann einen Menschen binden, wenn der Inhalt dieses Versprechens sittlich zu rechtfertigen ist. An ein Versprechen mit unsittlichem Inhalt ist niemand gebunden, im Gegenteil, er ist verpflichtet, dem Versprechen zuwiderzuhandeln. Die Behauptung, Paulus halte jede leibliche Gemeinschaft im Grunde für sündhaft, wäre deshalb absurd. Die Meinung, Paulus halte die leibliche Gemeinschaft im Grunde für ein (nicht-sittliches) Übel, das nur zur Vermeidung eines größeren Übels oder zur Erreichung eines bestimmten Gutes in Kauf genommen werde, ist äußerst unwahrscheinlich. Welches größere Übel sollte vermieden werden? Die Unzucht? Aber wieso ist sie das größere Übel, wenn sexuelle Gemeinschaft überhaupt von Übel ist? In der Kirche hat später beispielsweise Augustinus die als Übel angesehene sexuelle Lust von dem Ziel der Zeugung von Nachkommenschaft her gerechtfertigt; dieser Gesichtspunkt spielt aber in 1 Kor 7 und vermutlich auch in der Anfrage der Korinther keine Rolle (was sich aus der Naherwartung des Paulus erklären ließe[40]. Nach 1 Thess 4,4 ist es dem Christen aufgegeben, „mit seiner Frau in heiliger und ehrfürchtiger Weise zu verkehren"; diese Formulierung ist nicht gerade ein Ausdruck von Ehefeindschaft.[41]
Die Aussage (1 Kor 7,4) „Nicht die Frau verfügt über ihren Leib, sondern der Mann. Ebenso verfügt nicht der Mann über seinen Leib, sondern die Frau" hat im Kontext paulinischer Theologie vielleicht noch einen tieferen Sinn. Σῶμα bezeichnet nicht bloß den Menschen in seiner Körperlichkeit, es steht für den Menschen selbst; der Mensch *hat* nicht σῶμα, er *ist* σῶμα, allerdings unter einem bestimmten Gesichtspunkt, nämlich „sofern er über sich selbst verfügen und Objekt seines Tuns sein kann"[42], sofern er beispielsweise sich selbst „als lebendiges und heiliges Opfer" darbringen kann (Röm 12,1). Das Wort σῶμα ist deshalb in gewissem Sinne austauschbar mit dem Personalpronomen (vgl. etwa Röm 6,12 f). Man könnte von daher 1 Kor 7,4 einmal umformulieren: Die Frau gehört nicht sich selbst, sondern dem Mann. Ebenso gehört der Mann nicht sich selbst, sondern der Frau. Das klingt nicht unpaulinisch; in dieser Formulierung erschließt sich sogar noch deutlicher die Bedeutung, die σῶμα bei Paulus hat. Es bezeichnet nämlich nicht bloß den Menschen in seiner Individualität, sondern auch in seiner

---

[40] So *Robertson/Plummer* 132 f.

[41] Anders *Delling*, Stellung 66: „Wohl können Bruder und Schwester sich christlich-sittlich fördern, aber nicht durch die, sondern trotz der Geschlechtsverbindung." Diese Aussage dürfte von 1 Kor 7,3–5 her nicht zu halten sein. Zu der Arbeit von G. Delling vgl. die Besprechung von *W. G. Kümmel*: ThLZ 57 (1932) 250–251 sowie *A. Oepke*, Irrwege in der neueren Paulusforschung: ThLZ 77 (1952) 449–452.

[42] *R. Bultmann*, Theologie des Neuen Testaments, Tübingen ⁵1965, 197; vgl. dort überhaupt § 17 sowie auch *E. Schweizer*, in: ThWNT VII 1063 (s. v. σῶμα).

Offenheit zum Mitmenschen. An anderer Stelle (1 Kor 6,13) äußert Paulus, das σῶμα gehöre dem Kyrios; wenn es dem Kyrios gehört, gehört es nicht mehr der Sünde (Röm 6,6) bzw. dem Tode (Röm 7,24). Σῶμα bezeichnet also den Menschen in seinem Gegenüber zu Gott oder der Sünde oder zu seinen Mitmenschen. Insofern der Mensch σῶμα ist, kann er also nicht allein sich selbst gehören. Wenn er es dennoch versucht, ist sein σῶμα der Sünde und dem Tod unterworfen. Der Christ jedenfalls führt nicht mehr ein auf sich selbst bezogenes Leben; er gehört ja Christus (vgl. Röm 14,7 f; 1 Kor 6,13). Weil alle Christen einem andern gehören, weil sie alle Christus gehören und Christus Gott (1 Kor 3,23), dürfen sie sich nicht über den andern erheben, dem andern keinen Anstoß geben etwa durch Selbstgefälligkeit. Wer für Christus lebt, der sucht nicht seinen eigenen Nutzen, der lebt für den Nächsten nach dem Beispiel Jesu, der nicht für sich selbst gelebt hat (Röm 15,2 f). Wer so für den Nächsten lebt, der wacht nicht eifersüchtig über seine Rechte, der macht, wo es die Rücksicht auf den Bruder oder die Verkündigung des Evangeliums erfordert, von seiner ἐξουσία keinen Gebrauch, wie das Beispiel des Paulus zeigt (1 Kor 8,9; 9,1–18).[43]

In 1 Kor 7,4 könnte so, wenn man den Vers aus dem Zusammenhang löste, einfach die grundsätzliche christliche Haltung des Sich-nicht-selbst-Gehörens am Beispiel der Eheleute gekennzeichnet sein; der Vers wäre dann als rein paränetischer Satz zu lesen. Das ist er im Zusammenhang von 1 Kor 7,1–7 aber zweifellos nicht. Es geht ja hier um die ‚Schuldigkeit‘ der *Eheleute,* nicht einfach um die Schuldigkeit der Christen untereinander, und was die Eheleute einander schuldig sind, dessen sind sich die Korinther nicht ganz sicher. Schließlich ist die unter Christen überhaupt bestehende Gemeinschaft der σώματα zu unterscheiden von der ἐξουσία über das σῶμα des anderen, wie sie die Frau über den Mann hat und der Mann über die Frau. Wohl aber kommt das Verhältnis, das unter Christen durch die Zugehörigkeit zu Christus gegeben ist, unter Eheleuten in der Gemeinschaft der σώματα besonders deutlich zum Ausdruck. Indem sie einander die leibliche Gemeinschaft gewähren, zeigen sie, daß sie *sich selbst* einander nicht entziehen, daß jeder sich selbst, sein σῶμα, in den Dienst des andern gestellt hat.[44] Der Gedanke der gegenseitigen Unterordnung klingt also auch in unserm Abschnitt an. Paulus betont diesen Gesichtspunkt, weil das Bewußtsein von der in Christus geschenkten Freiheit leicht zum Egoismus pervertieren

---

[43] „Er weiß, daß das Pneuma, das die Charismen spendet, dasselbe Pneuma ist, das den Menschen seiner selbst enthebt, daß es das Pneuma Christi ist, das den Menschen seiner eigenen Verfügung entnommen hat und diesen nun ständig seiner Verfügung entnimmt, indem es ihn für Gott und den Nächsten bereitstellt" (*H. Schlier,* Über das Hauptanliegen des 1. Briefes an die Korinther, in: ders., Die Zeit der Kirche, Freiburg ⁴1966, 147–159, hier 156 f).

[44] Die Gemeinsamkeit von Mann und Frau ist auch eindrucksvoll ausgesprochen bei *Musonius* (ed. O. Hense, Leipzig 1905, 67–70), wenn er etwa betont, Mann und Frau hätten alles gemeinsam und nichts jeder für sich, nicht einmal den Leib.

konnte, nämlich dort, wo man im Namen der Freiheit die Rücksichtnahme auf den Bruder verweigerte. Diese Gefahr spricht Paulus in 1 Kor 8,1 an: als Gnosis behauptete Freiheit macht hochmütig. In Wahrheit ist die in Christus geschenkte Freiheit – so zeigt Paulus (1 Kor 8,1 ff; Gal 5,13) – Befreiung zum Liebesdienst. Das Hauptanliegen des ersten Korintherbriefes[45] könnte man in dem Satz zusammenfassen: „Die Erkenntnis macht hochmütig, die Liebe dagegen baut auf" (1 Kor 8,1 b). Das Verhalten der Eheleute zueinander ist ein Spezialfall dessen, was vom Christen überhaupt in seinem Verhältnis zu den Brüdern gefordert ist. Weil die christlichen Partner auch in der Ehe zu einem gegenseitigen Liebesdienst berufen sind, kann ihr Verhältnis nicht in einer einseitigen Unterordnung der Frau unter den Mann bestehen. (Erstaunlicherweise wird ja in V. 4 die ἐξουσία der Frau sogar zuerst genannt.) Vielmehr muß im Verhältnis der Ehegatten die gegenseitige Unterordnung, wie sie überhaupt unter Christen gefordert ist (Phil 2,3 f; vgl. Eph 5,21), gelebt werden. Insofern ‚verfügt' unter Christen nicht bloß der Mann über die Frau, sondern auch die Frau über den Mann.

Wenngleich die Ehe leibliche Gemeinschaft beinhaltet, so hält Paulus doch zeitweilige Enthaltsamkeit, „um sich dem Gebet zu widmen",[46] durchaus für sinnvoll, sofern dies im gegenseitigen Einverständnis der Gatten geschieht. Solche zeitweilige Enthaltsamkeit um eines höheren Zieles willen ist schon im Judentum bekannt, etwa zum Zwecke intensiven Torastudiums.[47] Diese von Paulus eingeräumte Möglichkeit sollte deshalb nicht als Beweis für eine sexualfeindliche Einstellung des Paulus herangezogen werden. Falls solche zeitweilige Enthaltsamkeit die Hinordnung des ganzen Lebens auf Gott und seinen Willen fördert und andererseits dem Zusammenleben der Eheleute nicht schadet (das zu beurteilen ist Sache der Erfahrung), ist solche Enthaltsamkeit zweifellos gerechtfertigt. Allein die Tatsache, daß jemand zeitweilige Enthaltsamkeit in der Ehe für sinnvoll hält, ist noch kein Indiz für Sexualfeindschaft.

Wichtig ist für Paulus allerdings, daß solche zeitweilige Enthaltsamkeit nur in gegenseitiger Übereinstimmung eingehalten wird. Selbst eine Enthaltsamkeit um des Gebetes willen rechtfertigt nach Paulus also nicht eine eigenmächtige Unterbrechung der leiblichen Gemeinschaft. Auch in diesem Fall gilt also: der andere ‚verfügt' über meinen Leib, ohne sein Einverständnis darf ich nicht Enthaltsamkeit üben, und sei es aus religiösen Gründen. Das ist die eine Einschränkung, die Paulus zu diesem Thema macht; die

---

[45] Vgl. den in Anm. 43 genannten Aufsatz von *H. Schlier* mit diesem Titel.
[46] So muß man σχολάσητε τῇ προσευχῇ übersetzen, nicht ‚um Zeit für das Gebet zu haben'; vgl. *Bauer*, Wörterbuch 1579 (s. v. σχολάζω); *Weiß* 174; anders *Bachmann* 256–258.
[47] Vgl. *Bill.* III 371 und Testamentum Naphtali 8,8: „So gibt es eine Zeit für ehelichen Umgang und eine Zeit, sich zu enthalten, um zu beten." (Zitiert nach P. Rießler, Altjüdisches Schrifttum außerhalb der Bibel, Darmstadt ²1966.) *Fascher* (181) bemerkt zu Recht, weder im Testamentum Naphtali noch bei Paulus sei ausgesprochen, ehelicher Umgang mache unrein.

andere betrifft die zeitliche Ausdehnung solcher Phasen der Enthaltsamkeit. Die Eheleute könnten ihre Fähigkeit zur Enthaltsamkeit[48] überschätzen und so in Versuchung geraten.[49] Diesen Gesichtspunkt führt Paulus im weiteren auch dem ehelosen Leben gegenüber an (V. 9): Der sexuelle Trieb kann stärker sein als die Bereitschaft zur Enthaltsamkeit. Enthaltsamkeit kann, selbst da, wo sie nur vorübergehend praktiziert wird, zuviel Anstrengung vom Menschen fordern, so daß die Überanstrengung zur Versuchung führt. In V. 6 erklärt Paulus, wie er seine Aussage verstanden wissen will. Aber gerade dieser Vers bereitet der Interpretation einige Schwierigkeiten:

1. Welche Aussage ist mit τοῦτο gemeint? Worauf bezieht sich V. 6?

2. Was bedeutet κατὰ συγγνώμην? Erklärt Paulus hier etwas für erlaubt, oder gesteht er unter Bedauern etwas zu, was er an sich nicht für wünschenswert hält?

Worauf könnte sich V. 6 überhaupt beziehen? Auf V. 5 bezogen würde Paulus sagen: die *Wiederaufnahme der leiblichen Gemeinschaft* ist erlaubt bzw. zugestanden, aber nicht sittlich geboten. Falls diese Wiederaufnahme nur zugestanden würde, hielte Paulus im Prinzip auch *in* der Ehe Enthaltsamkeit für wünschenswert.[50] Diese Auffassung widerspricht aber dem Gedankengang des Paulus in 7,1−7. Was in V. 5 zugestanden wird, ist eine Ausnahme von der Regel: „Entzieht euch einander nicht." Paulus *warnt* ja gerade vor der Gefahr der Unzucht, die mit einem übertriebenen Asketismus verbunden ist, und will deshalb ausdrücklich die Zeit der Enthaltsamkeit begrenzt wissen. Da er diese Gefahr offenbar ernst nimmt, ist nach Meinung des Paulus das erneute Zusammenkommen wohl durchaus geboten. Von den drei möglichen Interpretationen von V. 6 ist diese demnach die unwahrscheinlichste. Mit dieser Interpretation „würde die Intention des Paulus in ihr Gegenteil verkehrt und die These der Asketen nur bestätigt".[51] Auch die *zeitweilige Enthaltsamkeit* könnte ein Zugeständnis des Paulus sein.[52] Daß

---

48 Ἀκρασία muß hier verstanden werden als ‚Unfähigkeit, enthaltsam zu leben'. In dieser Unfähigkeit ist der Mensch Versuchungen ausgesetzt. Anders Mt 23,25; dort hat das Wort nicht diesen neutralen (nicht wertenden) Sinn, sondern meint negativ ‚zügellose Leidenschaft', also ein Laster. Wo aber jemand einem Laster schon verfallen ist, wird er nicht mehr versucht; er ist der Versuchung schon erlegen. Deshalb muß ἀκρασία hier neutrale Bedeutung haben, bezeichnet also eine (nicht-sittliche) Schwäche, die zu einer sittlichen Verfehlung führen *kann*. (So *Conzelmann* 142; *Lietzmann* 29; *Barrett* 157; *Weiß* 175 mit Verweis auf *Musonius* p. 66,20 [ed. Hense] und *Bauer*, Wörterbuch 65; gegen *Niederwimmer*, Askese 94 Anm. 59 f, der diese beiden Bedeutungen nicht unterscheidet.)

49 Der Hauptakzent liegt auf dem zweiten ἵνα-Satz; nur dieser hat eigentlich finalen Sinn; vgl. *Barrett* 157; *Lietzmann* 29 f; *Weiß* 174. Ἐπὶ τὸ αὐτό ist hier zurückhaltender Ausdruck für die geschlechtliche Vereinigung, vgl. *Weiß* 174 f.

50 So *Weiß* 175; *Robertson/Plummer* 135.

51 *Schrage*, Frontstellung 232.

52 So *Héring* 52; *Doughty*, Heiligkeit 33; *von Allmen*, Maris et femmes 44 (ähnlich *Lietzmann* 29); *Baltensweiler*, Ehe 162; *Rex*, Problem 66 und *H. Greeven*, Zu den Aussagen des NT über die Ehe: ZEE 1 (1957) 109−125, hier 118−121. Greeven meint, Paulus verstehe V. 3f als Gebot, er

Paulus sie nicht fordert, wird aber eigentlich schon durch die vorsichtige Formulierung in V. 5 (εἰ μήτι ἄν) hinreichend deutlich.[53] Andererseits würde ein solches Verständnis sich gut in die antienkratitische Tendenz dieses Abschnitts einfügen.

Man kann schließlich V. 6 auch auf V. 2 beziehen (und auf V. 4 f, sofern sie den Gedanken von V. 2 weiterführen): *Ehe und Geschlechtsverkehr* sind erlaubt, aber nicht unbedingt gefordert, Ehelosigkeit ist durch die Aussage von V. 2 nicht verboten. Die Aussage „Jeder soll seine Frau haben" wäre demnach nicht als unbedingte Forderung zu verstehen.[54] Tatsächlich ist ja wohl auch V. 2 im Sinne des Paulus in dieser Weise interpretationsbedürftig. Wäre V. 6 auf V. 2 zu beziehen, würde durch V. 6 die Aussage von V. 2−5 mit V. 1 in einen gewissen Einklang gebracht. W. Schrage[55] hat gegen diese Deutung eingewandt, daß man zur Ehe nicht verpflichtet sei, hätte Paulus nur gegenüber Juden herauszustellen brauchen, für die Ehe als sittliche Pflicht galt. In Korinth dagegen renne Paulus mit V. 6 (als Erläuterung von V. 2 verstanden) nur offene Türen ein. Den Korinthern gegenüber stelle Paulus vielmehr die befristete Enthaltsamkeit als Konzession hin. Könnte aber nicht Paulus, gerade wenn er in V. 1b eine korinthische These zitieren sollte, den Korinthern zugestehen: ‚Unter der Voraussetzung, daß Ehe und leibliche Gemeinschaft erlaubt sind, habt ihr recht, aber nur unter dieser Voraussetzung?‘ Immerhin scheint auch für Schrage die letztgenannte Deutungsmöglichkeit nur von der in 1 Kor 7 vorausgesetzten Diskussionssituation her ausgeschlossen, der Sache nach aber mit den von Paulus in diesem Kapitel geäußerten Anschauungen durchaus vereinbar zu sein. Die beiden letztgenannten Interpretationsmöglichkeiten kommen also prinzipiell in Frage, während die erstgenannte, nach der die Wiederaufnahme der leiblichen Gemeinschaft eine Konzession an die Eheleute darstellt, abzulehnen ist.

Zur Beantwortung der Frage, wie man κατὰ συγγνώμην zu verstehen habe, bedarf es einer ausführlicheren Überlegung in Form eines Exkurses.

Exkurs: συγγνώμη *und* ἐπιταγή *in 1 Kor 7 und die Problematik bloß erlaubter Handlungen*

Das Wort συγγνώμη hat die Grundbedeutung ‚Verzeihung‘, ‚Nachsicht‘. Gesteht Paulus in V. 6 also unter Bedauern etwas zu, was er an sich nicht für wünschenswert

---

beziehe sich dabei auf das Scheidungsverbot Jesu, verstehe dagegen V. 5 als Zugeständnis. Greeven gewinnt dies Verständnis von V. 25 her. V. 6 muß aber, wie noch zu zeigen sein wird, anders als V. 25 verstanden werden.

[53] Vgl. dazu *Weiß* 173 f. *Barrett* (157) sieht in dem Konzessionscharakter von V. 5 allerdings gerade umgekehrt den Beweis dafür, daß V. 6 auf die zeitweilige Enthaltsamkeit zu beziehen sei.

[54] So *Merk*, Handeln 103 f; *Lietzmann* 30; *Conzelmann* 142; *Allo* 159; *Fascher* 181; *Bachmann* 259; *Bousset* 102; *Moffat* 76 f; *Niederwimmer*, Askese 94 f; vgl. die Übersicht über die verschiedenen Positionen bei *Allo* 158 f.

[55] *Schrage*, Frontstellung 232 f.

hält? Verzeihung üben kann man doch nur bei Dingen, die an sich unerlaubt sind.[56]
V. 6 scheint also (falls man ihn auf V. 2 bezieht) doch von einer negativen Haltung
gegenüber der Ehe zu zeugen. Tatsächlich hat dieser Vers in der Geschichte der
Auslegung zu solchen Konsequenzen verleitet.[57]
Innerhalb von 1 Kor 7 bietet sich ein Vergleich von V. 6 mit V. 25 an: in V. 25 stellt
Paulus der ἐπιταγή des Herrn seine eigene γνώμη gegenüber. Sind γνώμη und
συγγνώμη, da sie beide Male einer ἐπιταγή gegenübergestellt sind, als Synonyme zu
betrachten?
Man hat folgende Erklärung versucht:[58] Paulus gebe in V. 25 einen Rat zur Jungfräulichkeit, in V. 6 dagegen keinen Rat zur Ehe; γνώμη drücke seinen Wunsch aus,
συγγνώμη eine Möglichkeit, die er aus Rücksichtnahme einräume. Mit anderen
Worten: das eine Wort bezeichnet das Geratene, das andere das bloß Erlaubte. In
diesem Sinn hat die katholische Tradition die Ehelosigkeit als das Bessere angesehen.
Um aber rigoristischen Konsequenzen (Eheverbot) zu entgehen, erklärte sie, sowohl
Ehe als auch Ehelosigkeit seien Wege zum Heil; die Ehelosigkeit sei zwar die bessere,
die Ehe aber dennoch ein guter Weg. Das Ziel, die christliche Vollkommenheit, sei
allen vorgegeben. Wo es aber bloß um die Mittel zu diesem Ziel gehe, dürfe sich der
Mensch mit dem weniger Guten begnügen.[59] Wird eine solche Auffassung durch
1 Kor 7,6 gestützt? Wenn ja, müßte man V. 6 folgendermaßen verstehen: Die Ehe ist
nicht empfohlen (geraten), sondern bloß erlaubt (zugestanden). Nun ist aber in V. 6
von einem ‚Rat‘ nicht die Rede, vielmehr wird die Ehe als ‚nicht geboten‘ bezeichnet
(die Beziehung von V. 6 auf V. 2 immer vorausgesetzt). Man nimmt damit folgenden
Zusammenhang zwischen gebotenen, geratenen und erlaubten Handlungen an: Wo
eine gute und eine schlechte Handlungsmöglichkeit gegeneinanderstehen (etwa Ehe
gegen Konkubinat), ist die eine sittlich geboten, die andere sittlich verboten. Wo man
aber vor der Wahl zwischen einer guten und einer besseren Handlungsmöglichkeit
steht, ist u. U. die bessere Alternative lediglich geraten, die gute, obzwar sie gegenüber der besseren weniger gut ist, dennoch erlaubt.[60] In diesem Sinn ist die Ehelosigkeit geraten, die Ehe erlaubt.
Gegen diese Interpretation erheben sich zunächst Bedenken vom Text des 7. Kapitels
her. Die referierte Interpretation von V. 6 in Gegenüberstellung zu V. 25 dürfte so
nicht haltbar sein. In V. 25 setzt Paulus seine γνώμη von der ἐπιταγή des Herrn ab.

---

56 So bemerkt der Thesaurus Graecae Linguae, ed. H. Stephanus, Graz 1954, VIII 942 f.: „Ideo
autem quidam Concessionem aut Permissionem interpretari maluerunt, quod Indulgentia
dicatur de iis, quae talia sunt ut reprehendi possint“; allerdings ist 1 Kor 7,6 die einzige Stelle, für
die der ‚Thesaurus‘ die Bedeutung ‚concessio‘ erwägt. Im Sinn von ‚Erlaubnis‘ interpretiert
Grosheide 158 („His *concession* ist not a reluctant admission, but a full approbation“); *Bauer,*
Wörterbuch 806 (s. v. κατά), anders *Bauer,* Wörterbuch 1530 (s. v. συγγνώμη): „das sage ich als
Zugeständnis (aus Entgegenkommen), nicht als Befehl“; ähnlich *Bousset* 102 f.

57 Interessantes Material dazu bietet die Arbeit von *H. Klomps,* Ehemoral und Jansenismus, Köln
1964. (Im Exkurs wird zunächst vorausgesetzt, daß V. 6 auf V. 2 zu beziehen ist.)

58 So *Bachmann* 259 f.

59 So formuliert etwa *A. Koch* (Lehrbuch der Moraltheologie, Freiburg ²1907, 108): „Die
sogenannten evangelischen Räte sind nicht die Vollkommenheit selbst, sondern nur sicherere
und wirksamere Mittel derselben (instrumenta perfectionis), indem durch sie das *in besonderer
Weise* hinweggeräumt wird, was der Liebe Gottes und des Nächsten hindernd im Weg tritt.“
Zur Kritik an dieser Lehre vgl. *B. Schüller,* Zu den ethischen Kategorien des Rates und des überschüssigen guten Werkes, in: H. Wolter (Hrsg.), Testimonium veritati, Frankfurt a. M. 1971,
197–209.

60 Damit soll im Sinne einer Nominaldefinition dargelegt werden, was man unter erlaubten und
geratenen Handlungen im Sinne der Tradition zu verstehen hat. Ob es in diesem Sinn erlaubte
und geratene Handlungen gibt, ist eine andere Frage; vgl. dazu *B. Schüller,* a. a. O.

Man beachte dabei, daß Paulus – wie Phlm 8 und 2 Kor 8,8 zeigen – sich prinzipiell durchaus für berechtigt hält, eine sittliche Weisung (ἐπιταγή) zu erteilen.[61] Während er aber an den beiden letztgenannten Stellen genau weiß, was sittliche Pflicht des Philemon bzw. der Korinther wäre, ist er sich 1 Kor 7,25 seiner Sache offenbar nicht ganz sicher; deswegen qualifiziert er seine Stellungnahme als γνώμη, als ‚Meinung‘, die aber als seine, des Paulus, Meinung durchaus Gewicht hat. In V. 25 bezieht sich γνώμη also auf den *Gewißheitsgrad* dessen, was Paulus einer bestimmten Personengruppe als Antwort auf deren Fragen gibt. Paulus hat möglicherweise noch keine Gewißheit darüber, welche Bedeutung die „anstehende Not" (V. 26) für das Problem der Jungfrauen hat. In V. 6 dagegen (wie überhaupt in 7,1–7) scheint sich Paulus seiner Sache durchaus sicher zu sein. In V. 6 qualifiziert er nicht den Gewißheitsgrad, sondern den *Verbindlichkeitsgrad* des vorher (V. 2) Gesagten, was durch die Präposition κατά gut zum Ausdruck kommt.[62]

Die Bedenken gegen das referierte Verständnis von V. 6 können durch eine allgemeinere Überlegung noch verstärkt werden. Es geht dabei um folgendes Problem: Eine *erlaubte* Handlung im Gegensatz zu einer *geratenen* (im Sinn der Kategorie des Evangelischen Rates) ist dieser gegenüber ex definitione die schlechtere Alternative. Weil die Option für die bessere Alternative offenbleiben muß, gibt es, wo solch eine Wahl besteht, kein Gebot mehr. Wie wäre es aber, wenn man die Kategorie des Evangelischen Rates einmal außer Betracht ließe und eine *erlaubte* Handlung in Gegensatz zu einer *gebotenen* Handlung setzte? Ist in diesem Fall die fragliche Handlung vielleicht in einem anderen Sinn ‚erlaubt‘? Ist eine erlaubte Handlung auch in diesem Fall die weniger gute Alternative?

Tatsächlich hat in den beiden Oppositionen ‚erlaubt – geraten‘ und ‚erlaubt – geboten‘ das Wort ‚erlaubt‘ jeweils einen unterschiedlichen Sinn. Nach einer teleologischen Normierungstheorie ist die Handlung sittlich geboten (richtig), die dem Wohl aller Betroffenen – bei unparteiischem Urteil – am besten dient.[63] Da aber eine der Güterabwägung häufig, wie etwa im Fall der Wahl zwischen Ehe und Ehelosigkeit, zu keinem eindeutigen Ergebnis kommt (Ehelosigkeit ist für Paulus in bestimmter Hinsicht das bessere, andererseits ist der Ehelose besonderen Gefährdungen ausgesetzt), gelten beide Alternativen als ‚erlaubt‘. Die Erlaubnis bedeutet also zunächst eine „negatio prohibitionis et praecepti"[64]. Eine Handlung als ‚erlaubt‘ zu bezeichnen, heißt dann nicht, sie einer andern gegenüber als minderwertig hinzustellen, sondern bedeutet: Es gibt Gesichtspunkte, die für diese Handlung sprechen, und andere, die dagegen sprechen; ein eindeutiges Urteil ist nicht möglich.

Heißt das nun, man könne bei erlaubten Handlungen völlig willkürlich entscheiden, sozusagen würfeln? Ist es gleichgültig, ob man von der Erlaubnis Gebrauch macht oder nicht? Sind nicht Personen, die zu einem ehelosen Leben ungeeignet sind, verpflichtet, nach Möglichkeit eine Ehe einzugehen? Gibt es nicht andererseits Menschen, die – etwa im Fall bestimmter psychischer Störungen – keine Ehe eingehen

---

[61] Anders bei *Ignatius;* er stellt heraus, er könne nicht wie ein Apostel befehlen (διατάσσειν) (vgl. Ign Eph 3,1; Tr 3,3; R 4,4 und *G. Delling,* διατάσσω, in: ThWNT VIII 34–36).

[62] Diesen Unterschied zwischen V. 6 und V. 25 betont auch *Lietzmann* (30). Den Unterschied zwischen συγγνώμη und γνώμη stellt *R. Bultmann* (in: ThWNT I 717, s. v. συγγνώμη) heraus; er wehrt sich gegen ein Verständnis von συγγνώμη als ‚persönliche Ansicht‘.

[63] Vgl. dazu *R. Ginters,* Die Ausdruckshandlung, Düsseldorf 1976, 11–18.

[64] So formuliert *F. Suarez* das Wesen der permissio iuris (im Unterschied zur permissio facti); vgl. dazu *H. Reiner,* ‚Erlaubt‘, in: HWP II 701 f. In anderem Zusammenhang kann mit ‚erlaubt‘ eine *institutionelle* Berechtigung gemeint sein. So ist dem bloß standesamtlich verheirateten Katholiken institutionell (aber damit noch nicht moralisch) ‚erlaubt‘, nach einer Scheidung eine kirchlich gültige Ehe einzugehen.

sollten? Um die Eigenart bloß erlaubter Handlungen in den Blick zu bekommen, empfiehlt es sich, zwischen *aktuellen* und *präsumtiven* Pflichten zu unterscheiden. In der Regel ist beispielsweise jeder verpflichtet, ein gegebenes Versprechen zu halten, man kann *präsumieren,* daß ein gegebenes Versprechen zu halten ist. Konkret kann aber ein Arzt verpflichtet sein, einem Schwerverletzten zu helfen, anstatt einen versprochenen Besuch zu machen. Hier unterscheidet sich die aktuelle Pflicht zu helfen von der präsumtiven Pflicht, Versprechen zu halten. Diese präsumtiven Pflichten nennt W. D. Ross ‚prima-facie-Pflichten‘[65]. Es scheint nun, daß wir eine Handlung dann als erlaubt bezeichnen, wenn wir in der betreffenden Angelegenheit keine prima-facie-Pflicht formulieren können; andererseits ist ein formuliertes sittliches Gebot in den meisten Fällen eine prima-facie-Pflicht. Paulus formuliert in 1 Kor 7 keine prima-facie-Pflicht (kein Gebot), ehelos zu bleiben, weil diese Lebensweise zwar einiges für sich hat, aber existentiell zu schwierig ist, als daß man sie in der Regel vorschreiben könnte.

Könnte man aber nicht von einer prima-facie-Pflicht zu heiraten sprechen? Faktisch ist die Entscheidung für die Ehe doch für die meisten Menschen die richtige Entscheidung; dennoch sind wir heute nicht gewohnt, von einer Pflicht zur Ehe zu sprechen. Offenbar sprechen wir von Pflichten nur da, wo in uns selbst eine entgegengesetzte Neigung besteht,[66] wo wir uns beim Tun des als richtig Erkannten überwinden müssen; das ist aber bei der Heirat in der Regel nicht der Fall. Anders im Fall des Eigentums: es besteht eine prima-facie-Pflicht, das Eigentum des andern nicht anzutasten, auf der andern Seite die Versuchung, es doch zu tun; insofern ist die Achtung des fremden Eigentums ‚geboten‘. Zum Essen dagegen braucht man den Menschen nicht zu verpflichten, da ihn ein naturgegebenes Verlangen dazu treibt. Insofern der Bürger der Wohlstandsgesellschaft eher zuviel ißt, könnte man fast eher von einer prima-facie-Pflicht zu fasten sprechen. Von einer prima-facie-Pflicht zur Ehe könnte man höchstens reden, insofern der Mensch geneigt ist, eine Geschlechtsgemeinschaft ohne eheliche Bindung zu praktizieren. Wenn Paulus die Ehe also als erlaubt bezeichnet, tut er es vermutlich einmal, weil man den Menschen dazu nicht ausdrücklich verpflichten muß, zum zweiten, weil er die Option für die Ehelosigkeit offenhalten möchte.

Man könnte nun einwenden, diese Überlegungen träfen die Situation des Paulus nicht, da man im Judentum von einer ‚Pflicht‘ zur Ehe gesprochen habe. Der Unterschied zwischen Paulus und dem Judentum liegt dann nicht darin, daß Paulus die Ehe geringer bewertet, sondern darin, daß erst im Neuen Testament der Wert der freiwilligen Ehelosigkeit bewußt wird, der mit dem Wert der Ehe in Konkurrenz tritt. Der Pflichtcharakter der Ehe scheint im Judentum in der Zeugung von Nachkommenschaft begründet zu sein (nicht nur in der Konkurrenzlosigkeit der Ehe als Lebensform). In einer Zeit größerer Kindersterblichkeit hatte der Ehemann (den man ja als den eigentlichen Träger des neuen Lebens ansah) hier eine besondere Verantwortung für den Bestand und das Wohlergehen seines Volkes. Zahlreiche Nachkommenschaft lag zwar durchweg auch im Interesse des einzelnen. Von einer ‚Pflicht‘ zur Weckung neuen Lebens wird man aber wohl im Hinblick auf die Verantwortung für das Volk oder auch die Menschheit gesprochen haben; in dieser Hinsicht galt: „Wer sich nicht mit der Fortpflanzung befaßt, ist wie einer, der Blut vergießt."[67] Man spricht also von einer Pflicht auch da, wo zwar keine widerstrebende Neigung vorhanden, eine bestimmte Handlung aber im Interesse anderer gefordert ist. Da der Aspekt der

---

[65] Vgl. *W. D. Ross,* The Right and the Good, Oxford 1930 (Reprinted 1973), 16–47.
[66] Vgl. dazu *G. E. Moore,* Principia Ethica, Stuttgart 1970, § 101.
[67] *Bill.* II 373.

Weckung neuen Lebens in 1 Kor 7 nicht bedacht wird, ist es nur konsequent, wenn Paulus nicht von einer Pflicht zur Ehe spricht. Nach diesen Überlegungen dürfte klar sein, daß eine erlaubte Handlung im Gegensatz zu einer gebotenen Handlung nicht der letzteren gegenüber von geringerem Wert ist; wer eine Handlung als erlaubt bezeichnet, weist vielmehr auf eine konkurrierende Handlungsmöglichkeit hin. Von den beiden Handlungen ist dabei nicht die eine schlechthin besser als die andere (dann wäre erstere geboten), sondern nur in einer bestimmten Hinsicht. So ist die Ehelosigkeit für Paulus nicht schlechthin die bessere Möglichkeit, sondern unter einem bestimmten Gesichtspunkt, der noch herauszuarbeiten sein wird. Es gibt Gründe, die für ein eheloses Leben sprechen, es gibt Gründe für die Ehe. Welche Entscheidung der einzelne Christ fällt, ist damit nicht gleichgültig. Während man nämlich bei gebotenen Handlungen zwischen aktuellen und prima-facie-Pflichten unterscheiden kann, scheint eine Erlaubnis immer nur prima facie zu gelten, aktuell kann für den einzelnen das prima facie Erlaubte geboten oder verboten sein (es sei denn in dem hypothetischen Fall der Wahl zwischen zwei Handlungen, deren Folgen in jeder Hinsicht gleichwertig wären).

Kann nun das Wort συγγνώμη in diesem eben dargelegten Sinn interpretiert werden? Es scheint in diesem Sinn nicht belegt zu sein. Diese Tatsache dürfte aber nicht allzu schwer wiegen. Schließlich unterscheidet man auch im Deutschen oft nicht genau zwischen dem Verzeihen der Schuld und dem Sich-zufrieden-geben mit dem weniger Guten, wo das Bessere nicht erreichbar ist, oder dem Nicht-Erreichen eines gesteckten Zieles. So ,entschuldigt‘ man sich, wenn man jemandem Unrecht getan hat, aber auch, wenn man einen vereinbarten Termin nicht wahrnehmen kann. Der als Beispiel genannte Arzt, der einen Besuch nicht machen kann, weil er einem Verletzten zu Hilfe eilen muß, ,entschuldigt‘ sich ebenfalls; er bittet damit aber nicht um Verzeihung, sondern *rechtfertigt* sein Fernbleiben. Ignatius von Antiochien bittet die Christen von Rom um ,Nachsicht‘ (συγγνώμην μοι ἔχετε Ign R 5,3), sie sollen nicht betreiben, was *sie* wünschen (das Martyrium des Ignatius verhindern), sondern geschehen lassen, was *er* wünscht (das Martyrium). Die römischen Christen sollen also die für sie weniger wünschenswerte Möglichkeit zulassen, insofern ,Nachsicht‘ haben. Denselben Wunsch äußert Ignatius dann (Ign R 6,3) mit den Worten: „Gestattet mir (ἐπιτρέψατέ μοι), ein Nachahmer des Leidens meines Gottes zu sein.“ Hier werden also ,Nachsicht haben‘ (συγγνώμην ἔχειν) und ,Erlauben‘ (ἐπιτρέπειν) synonym gebraucht. Auch das Wort ,Nachsicht‘, ein Äquivalent zu συγγνώμη, ist mehrdeutig. Man kann ,Nachsicht‘ üben mit den verschuldeten Fehlern anderer, man übt auch ,Nachsicht‘, wenn ein Mensch nicht das leisten kann, was andere von ihm oder er von sich selbst erwarten. So können die Eltern ,Nachsicht‘ üben, wenn ihr Kind nicht den Beruf ergreift, den sie selber für wünschenswert erachten. Mehrdeutig in dieser Weise ist auch das griechische συγχωρέω. Liddel-Scott geben als Bedeutung u. a. an: to concede, to allow, to forgive. Solche Mehrdeutigkeit darf deshalb auch für das Wort συγγνώμη vermutet werden.[68] Es besteht damit keine prinzipielle Schwierigkeit, συγγνώμη im dargelegten Sinn als ,Erlaubnis‘ zu interpretieren.

Von wesentlicher Bedeutung für die Interpretation von V. 6 ist aber auch das Verständnis von V. 7. Paulus möchte, alle Menschen wären so wie er. Aber warum erachtet Paulus sein eheloses Leben für so wichtig? In 1 Kor 9 zählt Paulus einiges auf, worauf er um der Verkündigung des Evangeliums

---

[68] Συγχωρέω hat im Neugriechischen nur noch die Bedeutung ,verzeihen‘; vgl. das Neugriechisch-Deutsche Wörterbuch von *A. Tsoukanas*, Athen o. J.

willen verzichtet hat; dazu gehört auch die Ehe (1 Kor 9,5). Im Hinblick auf die Verkündigung des Evangeliums scheint für Paulus die Ehelosigkeit die ideale Lebensform zu sein. Aber – so fährt Paulus fort – nicht jeder hat dieses Charisma. Nicht jeder kann ehelos leben, nicht jeder – auch das könnte mitgemeint sein – kann hauptberuflicher Verkündiger des Evangeliums sein.[69] Bezeichnet Paulus auch die Ehe als Charisma? Die meisten Exegeten lehnen eine solche Deutung ab.[70] Man muß die Formulierung „der eine so, der andere so" nicht unbedingt verstehen im Sinne von ,der eine hat das Charisma der Ehelosigkeit, der andere das der Ehe'; Paulus will wohl eher sagen: ,der eine hat das Charisma der Ehelosigkeit, der andere irgendein anderes'.[71] Wie ist aber nun die logische Beziehung zwischen V. 6 und V. 7? Gibt V. 7 eine Begründung von V. 6 oder eine Einschränkung? Δέ hat nach Verneinungen oft den Sinn ,vielmehr', bestätigt also eine voraufgehende Verneinung: ,ich sage das nicht als Gebot, ich möchte vielmehr *(nämlich)*, alle Menschen wären wie ich'. In diesem Fall könnte mit τοῦτο nur die Ehe gemeint sein: ,die Ehe ist nicht geboten, ich möchte ja, alle Menschen lebten ehelos wie ich'.[72] Die andere Leseart θέλω γάρ beruht auf einem solchen Verständnis. Anstatt V. 7 als eine *Bestätigung* des οὐ κατ' ἐπιταγήν zu lesen, kann man ihn auch als *Einschränkung* des κατὰ συγγνώμην verste-

---

[69] Da Paulus in V. 7 a einen unerfüllbaren Wunsch ausspricht, müßte eigentlich ἤθελον stehen. *Barrett* (158) folgert daraus, Paulus wünsche etwas Erfüllbares, nämlich daß alle Menschen im Gehorsam gegen Gott leben. Der eine müsse als Eheloser, der andere als Ehemann beziehungsweise Ehefrau gehorsam sein. *Bachmann* bemerkt dieselbe Schwierigkeit; nach ihm (260 f) sollen alle die „Widerstandsfähigkeit gegen sinnliche Reizungen" besitzen, damit sie nicht *wegen der Unzucht* zu heiraten brauchen. Beide Autoren haben dann allerdings Schwierigkeiten mit der Interpretation von V. 8. Zwar ist das Präsens θέλω ein Argument für Barretts Auffassung; der Kontext legt aber eine solche Deutung nahe. Daß die anfragenden Korinther den Willen Gottes tun wollen, setzt Paulus hier doch wohl voraus. Eine paränetische Zwischenbemerkung scheint hier jedenfalls nicht vorzuliegen.

[70] Vgl. dazu den Überblick bei *Allo* 160. Im positiven Sinn hat sich zu der Frage ausführlich geäußert *W. Michaelis*, Ehe und Charisma bei Paulus: ZSTh 5 (1928) 426–452.

[71] So *Héring* 52; *Niederwimmer*, Askese 95 f; *Baltensweiler*, Ehe 164; *Conzelmann* 143. Zur Ehelosigkeit als Charisma schreibt *Doughty* (Heiligkeit 33): „Die Freiheit zur Ehelosigkeit ist an sich ein χάρισμα; sie ist also gerade nicht selbstverständlich; sie ist vor allem nicht als ein Ideal des sittlichen Strebens anzusehen". Man darf nicht nach der Ehelosigkeit streben, weil sie eine Gabe ist; so kann man öfter lesen (vgl. etwa *H.-J. Vogels*, Pflichtzölibat, München 1978, 21–35). Hat also nur der das Charisma der Ehelosigkeit, der es gar nicht übers Herz bringt, zu heiraten? Für Paulus ist die Liebe das größte aller Charismen. Obwohl auch die Agape Charisma ist, fordert Paulus doch die korinthischen Christen auf (1 Kor 12,31), sich um dieses Charisma zu bemühen. Wer meint, eine Gabe Gottes dürfe nicht Gegenstand menschlichen Bemühens sein, dürfte eine falsche Vorstellung betreffs des Zusammenwirkens von Gott und Mensch haben. Das Wirken Gottes macht das Wirken des Menschen nicht überflüssig, sondern ermöglicht beziehungsweise ermächtigt es erst. Die Arbeit von Doughty ist übrigens die extreme Gegenposition zu den Werken von Delling und Niederwimmer; während diese bei Paulus eine extrem ehefeindliche Haltung zu erkennen meinen, glaubt Doughty, in 1 Kor 7 starke Vorbehalte des Paulus gegen die Ehelosigkeit entdecken zu können.

[72] Vgl. *Baltensweiler*, Ehe 162 Anm. 27; allerdings deutet Baltensweiler V. 6 auf die zeitweilige Enthaltsamkeit.

hen: ,das ist zwar erlaubt, ich möchte *freilich*. . .'.[73] Auch in diesem Fall könnte mit τοῦτο die Ehe gemeint sein: ,Ehe ist erlaubt, ich möchte freilich, alle Menschen lebten ehelos'.

Baltensweiler und Schrage meinen nun, das adversative δέ bestätige, „daß mit der Konzession an die Eheleute nicht die Ehe- und Geschlechtsgemeinschaft, sondern der Verzicht auf sie gemeint ist".[74] Allerdings muß man bei solcher Interpretation den Gedankengang des Paulus etwas ergänzen, wie es Baltensweiler tut: „Paulus redet von der Ehe (V. 1 ff) in massiver Art und sagt darauf als Zugeständnis (V. 6), dass eine gewisse Enthaltsamkeit auf kurze Zeit erlaubt sei (V. 5); also ist das Normale die körperlich, regelmässig vollzogene Ehegemeinschaft. Freilich (δέ) würde Paulus es auch unter Umständen begrüssen, wenn alle ehelos leben würden wie er."[75] Die Problematik dieser Interpretation liegt darin, daß Baltensweiler vor dem adversativ verstandenen δέ in V. 7 einen von Paulus nicht ausgesprochenen Gedanken ergänzen muß: das ,Normale' sei die regelmäßig vollzogene Ehegemeinschaft. Ein unmittelbarer Anschluß von V. 7 an V. 6 scheint gedanklich nur dann möglich, wenn man V. 6 auf die Ehe bezieht. Weil diese Erklärungsmöglichkeit ohne die Ergänzung eines logisch notwendigen Zwischengliedes auskommt, ist sie meines Erachtens vorzuziehen (wenn auch die Notwendigkeit solcher logisch notwendiger Ergänzungen bei Paulus an anderer Stelle durchaus gegeben ist). Die Frage der Interpretation des δέ (begründend oder einschränkend) macht dagegen keinen sachlichen Unterschied aus, weil man das δέ jeweils auf ein anderes Glied der Opposition κατὰ συγγνώμην, οὐ κατ᾽ ἐπιταγήν beziehen muß. Insofern ist es wohl ein Mißverständnis, wenn man die Lesart θέλω γάρ als Ausdruck einer ehefeindlichen Interpretation versteht.[76]

Zusammenfassend läßt sich zu 1 Kor 7,1–7 feststellen:

1. Paulus greift eine ethische Frage der Korinther auf und beantwortet sie; es handelt sich hier um ethische Argumentation.[77] Auf die Frage ,Was sollen wir tun? Sollen wir auf geschlechtlichen Umgang verzichten?' zeigt Paulus: die Ehe ist erlaubt, geschlechtlicher Umgang darf in der Ehe nicht einfach verweigert werden, zeitweilige Enthaltsamkeit in der Ehe ist unter bestimmten Bedingungen allerdings zu rechtfertigen. Aus der Argumentation des

---

[73] Diese adversative Bedeutung von δέ nach Verneinungen, wie sie sich etwa Röm 11,18 zeigt, wird wenig zur Kenntnis genommen. So liest man bei *Bauer* (Wörterbuch 340) nur, δέ bedeute nach Negationen ,vielmehr'; ähnlich *Rehkopf,* Grammatik § 447, 1 a. Im klassischen Griechisch steht bei der Einschränkung einer vorausgehenden Verneinung eher ein καίτοι oder ἀλλά; *J. D. Denniston* (The Greek Particles, Oxford ²1959, 167) schreibt: „In prose δέ very rarely bears the stronger force normally conveyed by καίτοι or ἀλλά." καίτοι (und μέντοι) kommen in den unzweifelhaft echten Paulusbriefen aber nicht vor.

[74] *Schrage,* Frontstellung 233.

[75] *Baltensweiler,* Ehe 162 Anm. 27.

[76] Ebd.

[77] Vgl. Anm. 79.

Paulus ergibt sich: Prinzipiell ist keine von diesen Handlungsweisen verboten. Eine generelle (prima facie) positive Verpflichtung besteht nur bezüglich der Gewährung leiblicher Gemeinschaft unter Eheleuten; diese Verpflichtung ergibt sich aus dem Inhalt des Eheversprechens. Daß das Eheversprechen bindet, sein Inhalt sittlich zu rechtfertigen ist, setzt Paulus dabei im wesentlichen voraus; die Aussage von V. 2 dürfte nur *ein* Rechtfertigungsgrund für die Institution Ehe sein.

2. Zu einer sexual- und ehefeindlichen Interpretation von 1 Kor 7,1–7 ist man mindestens nicht gezwungen. Wenn die Argumentation des Paulus in V. 2 für heutige Ohren einseitig klingt, so erklärt sich diese Einseitigkeit zur Genüge aus der vorauszusetzenden Diskussionssituation. Wo man meint, Paulus eine sexual- und ehefeindliche Einstellung vorwerfen zu müssen, sollte man die Voraussetzungen dieses Urteils kritisch prüfen.[78]

3. In 1 Kor 7,1–7 legt Paulus die Grundlage für die weiteren Erörterungen, insofern im folgenden die sittliche Legitimität der Ehe vorausgesetzt ist. Man kann allerdings nicht (wie manche Ausleger[79]) sagen, die Grundsätze von 1 Kor 7,1–7 würden nun auf Einzelfälle *angewandt*. Um Einzelfragen zu lösen, müssen neue Gesichtspunkte ins Gespräch gebracht werden. So läßt sich die Mischehenfrage (7,12–16) nicht einfach durch ‚Anwendung‘ der Gedanken von 7,1–7 lösen.

2.4. Anweisungen für die Unverheirateten und Witwen sowie für die „übrigen" (7,8–16)

Der Abschnitt 7,8–16 gliedert sich deutlich in drei Teile, die an drei verschiedene Gruppen adressiert sind:
1. an die Unverheirateten und Witwen (8–9),
2. an die Verheirateten (19–11),
3. an die „übrigen" (12–16).
Wer mit τοῖς λοιποῖς (V. 12) gemeint ist, ergibt sich aus dem Zusammenhang: Christen, die mit einem heidnischen Partner verheiratet waren. Das Problem dieser Leute ist innerhalb dieses Abschnitts offenbar das schwierigste, da Paulus dieser Frage den meisten Raum widmet.
Bei der Weisung für die erste Gruppe ist zunächst nicht ganz klar, wer genau die Adressaten sind. Sind mit „Unverheiratete und Witwen" zwei Gruppen genannt? Sind alle Ehelosen hier angesprochen oder nur ein Teil von ihnen?

---

[78] Das gilt etwa für *Niederwimmer*s Behauptung, die Einheit der Eheleute sei nach 1 Kor 7,3–5 keine des freien Willens, „sondern eine naturhaft mythologische" (Askese 92), die Geschlechtsgemeinschaft widerstreite „der heiligen Handlung des Gebetes" (Askese 93). Was die Einheit der σώματα bei Paulus bedeutet, dürfte hier von Niederwimmer gründlich mißverstanden sein.
[79] *Conzelmann* 144; *Weiß* 176.

Da in V. 25–28 eine Weisung betreffs der jungen Mädchen (παρθένοι) ergeht, dürften diese jungen Mädchen in V. 8 noch nicht angesprochen sein.[80] Es dürfte sich also um ältere Unverheiratete handeln. Dafür spricht auch, daß Paulus 7,34 die „unverheiratete Frau" von der „Jungfrau" unterscheidet. Die ἄγαμοι könnten also ältere Christen sein, die von ihren (heidnisch gebliebenen?) Ehepartnern verlassen wurden,[81] oder Witwen und Witwer. Aber warum werden dann die Witwen eigens erwähnt? Dafür werden zwei verschiedene Erklärungen genannt. Entweder werden die χῆραι aus der Gruppe der ἄγαμοι gesondert hervorgehoben,[82] oder das Wort ἄγαμος bezeichnet hier nur die unverheirateten Männer.[83] Da Paulus das Wort ἄγαμος in V. 34 aber auch auf Frauen anwendet, ist die erstgenannte Erklärung wohl vorzuziehen.

Die Weisung des Paulus an diese Gruppe bleibt in ihrem ersten Teil (V. 8) ohne Begründung. Warum es gut ist, „wenn sie so bleiben wie ich", warum Paulus die Ehelosigkeit für gut hält, kommt erst im zweiten Teil des Kapitels zur Sprache.

Viele Ausleger sind hier allerdings anderer Meinung; sie vermuten in dem häufiger wiederkehrenden Gedanken des „Bleibens" (μένειν V. 8.11 a.20.24) eine Art Begründung, das sogenannte ‚Status-quo-Prinzip'[84]. Ob Paulus aber hier tatsächlich argumentiert, wegen der Nähe des Endes müsse alles beim alten bleiben, soll später diskutiert werden.

Der zweite Teil der Weisung an die Unverheirateten und Witwen (V. 9) enthält auch eine Begründung. Offenbar liegt auf dieser zweiten Aussage das Gewicht. Es bestätigt sich die schon im einleitenden Überblick über die Struktur des Kapitels geäußerte Feststellung, daß der erste Teil von 1 Kor 7, soweit er das Thema ‚Ehelosigkeit' zur Sprache bringt, auf die mit dieser Lebensform verbundenen Gefährdungen hinweist, aber noch nicht die Wertschätzung der Ehelosigkeit begründet, die im zweiten Teil zum Ausdruck kommt. V. 8 weist darauf hin, daß unter einem bestimmten Gesichtspunkt die Ehe den Vorzug verdient; dieser Gesichtspunkt (Heiraten ist besser als „Brennen") ist ein Argument normativer Ethik: Ehelosigkeit mag gut sein; wenn aber der Mensch in einem ehelosen Leben sich weitgehend im Kampf gegen seine sexuelle Leidenschaft aufreibt, ist es besser zu heiraten. Ist damit die Ehe für Paulus nur als ‚remedium concupiscentiae' von Wert?

---

[80] Vgl. *Robertson/Plummer* 138.

[81] Vgl. *Menoud,* Mariage 23 Anm. 1.

[82] Auch Mk 16,7 dient das καί dazu, aus einer Gruppe jemanden hervorzuheben (Petrus aus den Jüngern); vgl. *Allo* 162. Von Geschiedenen dürfte an dieser Stelle noch nicht die Rede sein (gegen *Baltensweiler,* Ehe 186).

[83] Vgl. *Menoud* (Mariage 23 Anm. 1): für die unverheiratete Frau sei eher χῆρα oder ἄνανδρος gebräuchlich; so auch *Liddell/Scott,* 5 (s. v. ἄγαμος) und *Fascher* 183.

[84] Diese Bezeichnung dürfte auf *A. Schweitzer* zurückgehen (Die Mystik des Apostels Paulus, Tübingen 1930, 190 ff).

Man beachte, daß Paulus den Unverheirateten lediglich sagt: Wenn ihr euch nicht enthalten könnt, dann heiratet. Kann Paulus hier überhaupt anders argumentieren? Angenommen, die hier Angesprochenen seien mit Paulus der Meinung, Ehelosigkeit sei an sich das Bessere. In diesem Fall würde die Feststellung, die Ehe sei ebenfalls von Wert, überhaupt nichts zur Frage der Unverheirateten beitragen. Daß die Ehe grundsätzlich eine Lebensform für den Christen ist, hat Paulus in 7,1–7 schon geklärt. Für die Beantwortung der in V. 8 f behandelten Frage ist entscheidend der Gesichtspunkt, ob der Fragesteller ein Leben in Enthaltsamkeit überhaupt durchstehen kann. Falls nicht – so macht Paulus klar – sollte er sich lieber für die Ehe entscheiden.[85] Paulus treibt in 1 Kor 7 normative Ethik, aber nicht so, wie ein Moraltheologe von Beruf. Ein Moraltheologe muß ein Problem möglichst mit allen relevanten Gesichtspunkten zur Sprache bringen. Paulus dagegen stellt normativ-ethische Überlegungen nur an, insofern sie *pastoral* gefordert sind; er bringt nur die Gesichtspunkte, die für die Beantwortung der gestellten Frage relevant, nicht die, die überhaupt wichtig sind.

In 7,10–16 greift Paulus dann Probleme von Eheleuten auf; wie V. 12 deutlich macht, geht es zunächst in V. 10 f um beiderseits christliche Ehepaare.

Paulus gibt eine Weisung für den Fall der Scheidung, nennt aber nicht die vorausgesetzten Scheidungsgründe. Da in der Parenthese (V. 11) von Versöhnung die Rede ist, wird man – wenigstens hauptsächlich – an zerrüttete Ehen zu denken haben. Einige Autoren[86] interpretieren diese Verse allerdings von V. 8 f her: es handle sich um christliche Eheleute, die sich zur Enthaltsamkeit befähigt bzw. wegen des neuen Seins in Christus verpflichtet glaubten und deshalb ihre Ehe gelöst hätten. Diese Interpretation ist aus folgenden Gründen unhaltbar:

1. Wenn es um eine Trennung aus religiösen Gründen ginge (um ein enthaltsames Leben zu führen), wäre die Weisung, die getrennte Frau solle unverheiratet bleiben (V. 11), völlig überflüssig.

---

[85] Der Komparativ κρεῖττον ist hier im konträren Sinn zu verstehen (vgl. Anm. 26). *Heinrici* (192) betont richtig: Heiraten sei ‚besser‘ „nicht insofern es unter zwei Übeln das kleinere ist . . ., sondern insofern das Heiraten sündlos (V. 28.36), die Brunst sündlich ist (Matth 5,28)“. Zur Frage der Wertung der Ehe vgl. auch *Baltensweiler*, Ehe 164–167, zur ‚philogamen‘ Interpretation bei den Vätern vgl. *J. M. Ford*, St. Paul, The Philogamist (I Cor VII in early patristic Exegesis): NTS 11 (1964–65) 326–348. Man sollte bedenken, daß ein Theologe heute in einer anderen Lage ist als Paulus. Während man sich heute sehr hütet, auch nur den Verdacht von Sexualfeindschaft aufkommen zu lassen, haben in der Geschichte der Kirche und auch zur Zeit des Paulus meist gerade die extremen ‚Asketen‘ den Eindruck besonderen religiösen Ernstes, besonderer ‚Radikalität‘, wie man heute sagen würde, erweckt. In der Auseinandersetzung mit der enkratitischen Richtung muß Paulus deshalb vielleicht vorsichtiger vorgehen als gegen die Libertinisten (das betont auch *Chadwick*, ‚All Things to All Men‘ 264 f).

[86] So *Weiß* 178 f; Barrett 161 f; Moffat 78 f; *Niederwimmer*, Askese 98; *Doughty*, Heiligkeit 40.

2. Paulus könnte schlecht eine ‚Versöhnung' fordern, wenn die Ehepartner einvernehmlich zu genanntem Zweck auseinandergegangen wären.[87]

3. Für den angenommenen Fall könnte Paulus sich eigentlich nicht auf Jesus berufen. In Mk 10,11 f parr geht es um Scheidung und Wiederheirat; letztere wäre hier von vornherein ausgeschlossen. Hier läge auch kein Fall von Herzenshärte vor.

4. Wenn Jesus seinen Jüngern zumutet, um seinetwillen Haus und Familie zu verlassen, kann eine Auflösung der ehelichen Gemeinschaft, falls sie um eines enthaltsamen Lebens willen an sich wünschenswert wäre, nicht gegen seinen Willen sein.[88]

Die Weisung in der Parenthese gilt explizit nur für die Frau; da Paulus aber im ganzen Kapitel für Männer und Frauen die gleichen Anordnungen trifft, dürfte sie auch für den Mann gelten.[89]

Schwieriger zu beantworten ist die Frage, ob sich die Parenthese auf einen schon eingetretenen Fall bezieht,[90] oder eine Regelung für die Zukunft enthält.[91] Vom Kontext her ist es eher unwahrscheinlich, daß Paulus, falls noch gar kein Fall von Scheidung vorliegt, eine Regelung für den Fall des Zuwiderhandelns trifft. Die Frage ist aber nicht so besonders wichtig. Das Urteil nämlich, das Paulus betreffs bereits geschehener Trennungen fällt, müßte auch für zukünftige gelten. Schließlich kann er eine Zerrüttung von Ehen für die Zukunft nicht ausschließen.[92] Falls er über zukünftige Fälle

---

[87] Es sei denn, das Verbum καταλλάσσεϑαι würde in diesem Fall als terminus technicus für die Wiederaufnahme der Gemeinschaft von Tisch und Bett gebraucht; das dürfte aber schwer zu beweisen sein. Man müßte schon nachweisen, daß von ‚Versöhnung' gesprochen wird, wo Eheleute, die im Einvernehmen (ohne vorherigen Streit) auseinandergegangen sind, die eheliche Gemeinschaft wieder aufnehmen.

Daß die Parenthese zu der enkratitischen Deutung von V. 10f nicht paßt, sehen auch *Weiß* (178f) und *Doughty* (Heiligkeit 43f); sie halten sie deshalb für eine Interpolation. Doughty erklärt überhaupt grundsätzlich alles ‚Kasuistische' in 1 Kor 7 für interpoliert; er kann es sich offenbar nicht vorstellen, daß ein Mann wie Paulus sich so in die Niederungen normativer Ethik begibt.

[88] *Niederwimmer* (Askese 99) meint: „Es ist zu beachten, daß das *dictum domini* allein genügt, um jede weitere Diskussion abzuschneiden". Solche Äußerungen kann man häufig lesen. Ist es aber richtig, daß da, wo eine sittliche Weisung Jesu vorliegt, das weitere Nachdenken überflüssig beziehungsweise unerlaubt sei? Man muß doch zumindest überlegen, ob das Wort Jesu den vorliegenden Fall überhaupt betrifft. Diese Frage muß im letzten Kapitel dieser Arbeit noch weiter reflektiert werden, siehe unten S. 205–207.

[89] *Weiß* (178) und *Schlatter* (221) meinen, die Frau werde in V. 10 zuerst genannt, weil auf seiten der Frauen die größeren Bedenken gegen Ehe und Geschlechtsverkehr bestanden hätten; *Greeven* (a. a. O. [oben S. 85, Anm. 52] 118) dagegen, die Korinther hätten das Wort nur als an Männer gerichtet gekannt; deshalb formulierte Paulus es betont für die Frauen. Der Unterschied zwischen dem χωρισϑῆναι der Frau und dem ἀφιέναι des Mannes ist unbedeutend, wie die Verse 13 und 15 zeigen; dort sind die Verben umgekehrt verwendet.

[90] So *Conzelmann* 144; *Heinrici* 194; *Lietzmann* 31; *Allo* 163; *Fascher* 185; *Baltensweiler,* Ehe 190; *Bachmann* 264f; anders *Robertson/Plummer* 140.

[91] Vgl. 1 Kor 4,7 mit 2 Tim 2,5; 2 Makk 10,4. In 2 Tim 2,5 steht allerdings Konj. Praesens; so dürfte der Aorist in V. 11 eher für eine Deutung auf eine schon geschehene Trennung sprechen.

[92] Leider dürfte die Meinung von *Weiß* (178) falsch sein, unter Christen komme eine Scheidung aufgrund eines Zerwürfnisses kaum vor. *Niederwimmer* (Askese 99f) meint, es handle sich um

anders urteilen zu müssen glaubte, würde er es vermutlich vorsorglich bemerken (es sei denn, die Naherwartung des Endes würde ihn solcher Sorgen entledigen).

Wenn es doch zur Scheidung kommt, soll die Frau ehelos bleiben.[93] Warum aber soll die Frau ehelos bleiben, falls die Gemeinschaft nicht wiederherge-stellt werden kann? Könnte nicht auch hier V. 9 gelten: „Es ist besser zu heiraten, als sich in Begierde zu verzehren"? Leider gibt Paulus für das Verbot der Wiederheirat keine ausdrückliche Begründung. Man kann die Begründung nur aus dem Kontext zu erschließen versuchen. Soll die Frau ehelos bleiben, weil das ehelose Leben sowieso das bessere ist,[94] oder soll sie einfach den ‚status quo' bewahren. Immerhin ordnet Paulus doch an, wenn möglich die eheliche Gemeinschaft wiederherzustellen. Die aus der einstwei-len zerbrochenen Ehe herrührenden Verpflichtungen scheinen also für Paulus ein gegenüber dem Wert ehelosen Lebens vordringlicher Gesichts-punkt zu sein. Dieser Gesichtspunkt erklärt vielleicht auch die Anordnung, die geschiedene Frau solle nicht wiederheiraten. Durch den Verzicht auf Wiederheirat soll vermutlich der Weg zur Versöhnung mit dem Ehepartner offengehalten werden.[95]

In 7,12–16 spricht Paulus nun die „übrigen" (V. 12) Eheleute an, das heißt die Christen, die einen nicht-christlichen Ehepartner haben.

Da Paulus solche Mischehen sonst nicht empfiehlt (vgl. V. 39; 2 Kor 6,14 ff[96]), muß man vermuten, daß der christliche Partner erst nach der Eheschließung zum christlichen Glauben konvertiert ist.[97] Andernfalls wären auch die Bedenken gegen die Aufrechterhaltung einer solchen Ehe, auf die Paulus hier antwortet, nicht recht verständlich; über diese Bedenken hätte der Christ sich dann vor der Ehe klar werden müssen.

Es geht in V. 12–16 um zwei Fragen:

1. Soll ein Christ die Ehe mit einem heidnischen Partner fortsetzen oder soll er die Scheidung betreiben?

eine Scheidung, die vor der Taufe stattgefunden hat. Nach der Meinung Jesu könne es an sich nur die Aussöhnung geben. „Aber für Paulus bedeutet offenbar der Eintritt in die kirchliche Gemeinschaft einen solchen Bruch mit der Vergangenheit, daß es ihm als Möglichkeit christli-cher Existenz erscheint, wenn die Geschiedene nach der Taufe geschieden bleibt" (ebd. 100). Kann die Taufe wirklich von sittlichen Pflichten, die anderweitig bestünden, dispensieren? Ist die Taufe ein solcher Bruch, daß man etwa Schulden aus seinem früheren Leben nicht zu bezahlen brauchte?

93 Diese Regelung stimmt überein mit Lk 16,18; vgl. *Baltensweiler*, Ehe 190. Daß Paulus in dieser Parenthese selber spricht, diese also nicht zum Herrenwort gehört, ist, soweit ich sehe, unbestrit-ten.

94 Nach *Barrett* (163) ist der von Paulus gebotene Verzicht auf Wiederheirat auch von der Tatsache her zu erklären, „that Paul ist dealing (perhaps not exclusively) with marriages that are threatened by an ascetic view of sexual relations".

95 Eine solche Begründung findet sich im Hirten des Hermas (mandatum IV 1,6–11).

96 Der Abschnitt 2 Kor 6,14–7,1 steht allerdings unter Interpolationsverdacht; vgl. etwa *Ph. Viel-hauer*, Geschichte der urchristlichen Literatur, Berlin 1975, 153.

97 Hierüber besteht, soweit ich sehe, allgemeine Übereinstimmung.

2. Wie soll sich der Christ verhalten, wenn der heidnische Partner die Scheidung will?

Die Antwort des Paulus auf die erste Frage ist klar: der Christ, ob Mann oder Frau, soll die Scheidung nicht betreiben (V. 12 f).[98] Die Begründung für diese Antwort in V. 14 bereitet allerdings den Auslegern Schwierigkeiten.[99] Diese Schwierigkeiten liegen einmal in der (auf den ersten Blick) dinglichen Auffassung von Heiligkeit, die man sonst bei Paulus nicht findet, zum andern in seinem Hinweis auf die Heiligkeit der Kinder. Welche Kinder sind gemeint? Inwiefern sind sie heilig? Wieso folgt aus der Heiligkeit der Kinder die Heiligkeit des ungläubigen Partners?

Allein von der Betrachtung des Wortlauts her wird die Beweisführung des Paulus nicht klar. Man kann aber versuchen, sie annähernd zu rekonstruieren, dadurch daß man bestimmte vom Wortlaut her mögliche Interpretationen von der gegebenen Situation und vom Kontext paulinischer Theologie her auszuschließen versucht. Dieser Weg soll hier in einzelnen Schritten gegangen werden.

1. Paulus mahnt die Witwen (V. 39), nur „im Herrn" zu heiraten, mahnt (2 Kor 6,14), „sich nicht mit Ungläubigen unter das gleiche Joch zu beugen". Demnach muß die Argumentation des Paulus in V. 12–14 so interpretiert werden, daß sie nur auf den hier angesprochenen Fall zutrifft, also auf Ehen, in denen ein Partner *nach* der Eheschließung konvertiert ist und der andere dem gläubig gewordenen Partner keine Schwierigkeiten macht.

2. Schon von daher ist ein dingliches Verständnis der Heiligkeit hier eigentlich ausgeschlossen. Wenn sich die Heiligkeit des Gläubigen in jedem Fall gegen die Unheiligkeit des Ungläubigen durchsetzen sollte, müßte Paulus solche Mischehen eigentlich empfehlen. Der ungläubige Partner ist jedoch für Paulus zwar geheiligt, aber nicht ‚gerettet' (V. 16).

3. Es könnte sein, daß Paulus hier an Formulierungen der Korinther anknüpft, dabei aber in seiner Antwort von Heiligkeit und Unreinheit in einem andern Sinn redet als die Korinther. Er würde dann implizit die Fragestellung der Korinther korrigieren.[100] Wenn Paulus ernsthaft die Frage diskutieren würde, ob durch die heidnischen Partner eine rituelle Verunreinigung zu befürchten sei, müßte man eine Antwort im Stil von Apg 10,28 erwarten: kein Mensch ist unrein (vgl. auch Röm 14,14.20; Mk 7,15.23).[101]

---

98 Für *Bachmann* (266) ist unklar, ob der Imperativ besagt ‚du *brauchst* dich nicht zu trennen' oder ‚du *darfst* dich nicht trennen'. Nur das letztere kann gemeint sein; im folgenden gibt Paulus nämlich die einzigen Trennungsgrund an, der die Mischehe (qua Mischehe) betrifft. Nach Möglichkeit soll auch die Mischehe aufrechterhalten werden.

99 Einen guten Überblick über die verschiedenen Deutungsversuche geben *Blinzler* (Auslegung 31–40) und *Delling* (Nun aber sind sie heilig 84–87) sowie (über ältere Auslegungsversuche) *Allo* (167 f).

100 So auch *Weiß* 180 f; *Wendland* 52.

101 So *Blinzler*, Auslegung 36.

4. Um die Antwort des Paulus zu verstehen, muß man untersuchen, welchen Sinn das Wortpaar ‚heilig‘ – ‚unrein‘ bei Paulus hat. Im Begriff der Heiligkeit sind bei Paulus zwei verschiedene Aspekte enthalten.[102] Einerseits bezeichnet ‚Heiligkeit‘ eine Qualität, die dem Menschen von Gott in der Taufe *gegeben* wird; so etwa 1 Kor 6,11: „Aber ihr seid reingewaschen, seid geheiligt, seid gerecht gesprochen worden im Namen unseres Herrn Jesus Christus und im Geist unseres Gottes." Andererseits muß sich der Mensch selbst um seine ‚Heiligung‘ *bemühen*; als Beispiel sei Röm 6,19 b (vgl. auch Röm 6,22; 1 Thess 4,3.7) angeführt: „Wie ihr eure Glieder in den Dienst der Unreinheit und der Gesetzlosigkeit gestellt habt, so daß ihr gesetzlos wurdet, so stellt jetzt eure Glieder in den Dienst der Gerechtigkeit, so daß ihr heilig werdet" (εἰς ἁγιασμόν). Paulus redet also von ‚Heiligkeit‘ indikativisch und imperativisch, im passiven und im aktiven Sinn. ‚Heiligkeit‘ ist einerseits bereits gegenwärtige Gabe, ‚Heiligung‘ geschieht andererseits, indem der Mensch im konkreten Gehorsam gegen Gott die Antwort auf die ihm geschenkte Rechtfertigung gibt. Dabei darf man nicht etwa die geschenkte Heiligkeit als Gabe Gottes von der sittlichen ‚Heiligung‘ als Werk des Menschen unterscheiden. Auch die sittliche Bewährung im Gehorsam gegen Gott ist, so sehr sie das Bemühen des Menschen erfordert, doch noch einmal von Gott ermächtigt. In welchem Sinne der Christ nach Paulus heilig ist bzw. seine Heiligung noch geschieht, ist damit angedeutet. In welchem Sinne kann aber der Ungetaufte als ‚geheiligt‘ bezeichnet werden? Wird die dem christlichen Partner in der Taufe geschenkte Heiligkeit gleichsam auf den ungläubigen übertragen?[103] Aber dann müßte Paulus ja (wie schon unter 2 bemerkt) die Mischehe eigentlich empfehlen.

5. Auch von den Kindern stellt Paulus fest, sie seien ‚heilig‘ (V. 14 c), negativ, sie seien nicht ‚unrein‘. Vielleicht läßt sich aus der Opposition ‚heilig‘ – ‚unrein‘ erklären, in welchem Sinn Paulus hier von ‚Heiligkeit‘ redet. Was könnte also die Feststellung bedeuten, die Kinder seien nicht unrein? Welche Kinder sind gemeint? Mit Blinzler[104] sollen dazu folgende Feststellungen getroffen werden: a) Mit „eure Kinder" bezieht sich Paulus nicht auf die Kinder der Gesamtgemeinde; hier werden nur in der 2. Person die betroffenen (in einer Mischehe lebenden) Christen angesprochen. b) Τέκνα sind nicht unbedingt Kleinkinder (wie παιδία); hier sind einfach Kinder gemeint, die noch in äußerer Gemeinschaft mit ihren Eltern leben. c) Da es sich bei den ‚Kindern‘ also auch um Jugendliche handeln kann,

---

[102] Vgl. *R. Bultmann*, Theologie des Neuen Testaments, Tübingen ⁵1965, 339 f; *K. Kertelge*, „Rechtfertigung" bei Paulus, Münster 1967, 275–282.

[103] So *Robertson/Plummer* 141 f; *Baltensweiler*, Ehe 194.

[104] *Blinzler*, Auslegung 26–29; vgl. die Belege dort. Zu Blinzler vgl. auch die Stellungnahme von *G. Delling*, Zur Exegese von 1 Kor 7,14, in: ders., Studien zum Neuen Testament und zum hellenistischen Judentum, Göttingen 1970, 281–287; ders., Lexikalisches zu τέκνον, ebd. 270–280.

müssen auch eventuell getaufte Kinder eingeschlossen sein. Falls man diesen Feststellungen zustimmt, kann hier nicht von der ‚Unreinheit' des Ungetauften die Rede sein, da die genannten Kinder zum Teil getauft sind. Die Kinder könnten höchstens sozusagen durch Ansteckung unrein sein, das heißt, die ‚Unreinheit' des ungetauften Elternteils hätte sich auf sie übertragen. Aber auch das ist unmöglich; denn ein ungetauftes Kind hätte diese ‚Unreinheit' schon, insofern es ungetauft wäre, nicht erst durch Übertragung.[105]

6. Aber in welchem Sinn redet Paulus überhaupt von Unreinheit? Paulus nennt niemals den Ungetauften als solchen ‚unrein'; „denn der Mensch, der der Rechtfertigung durch Christus bedarf, ist der ἁμαρτωλός, er steht unter der ἁμαρτία, er ist nicht primär der ἀκάθαρτος, wie auch ἀκαθαρσία nicht die ἁμαρτία schlechthin, sondern, analog spätjüdischem Sprachgebrauch, die sexuelle Spielart der ἁμαρτία bezeichnet . . . Seiner sonstigen Terminologie nach kennt Paulus kein umfassendes objektives Unheilig- oder Unreinsein, wohl aber ein objektives Sündersein".[106] ‚Unreinheit' bezeichnet also offenbar eine auf dem Fehlverhalten (vor allem im sexuellen Bereich) des Menschen beruhende Qualität, nicht etwas, was ihm unabhängig von seinem Verhalten anhaftet, sondern etwas, worin sein objektives Sündersein sichtbar wird. Aufschlußreich ist in diesem Zusammenhang 2 Kor 6,17 (Zitat aus Jes 52,11). Während die Aufforderung „Rührt nicht Unreines an" im Kontext bei Jesaja die Absonderung von allem Heidnischen, insofern es rituell unrein ist, fordert, zielt die Mahnung von 2 Kor 6,14–7,1 auf Abkehr von Götzendienst (2 Kor 6,16) und jeder „Befleckung an Fleisch und Geist" (2 Kor 7,1). ‚Unreinheit' bezeichnet bei Paulus „den unsittlichen Zustand des vorchristlichen Lebens"[107] (vgl. Röm 6,19; 1 Thess 4,7). Wie 1 Thess 4,7 zeigt, sind ἀκαθαρσία und ἁγιασμός Gegenbegriffe. „Der Gegensatz zu ἁγιασμός ist die ἀκαθαρσία . . ., nur daß die ἀκαθαρσία ein sittlicher Zustand ist, an den die Berufung unmöglich anknüpfen kann (οὐ . . . ἐπὶ ἀκαθαρσίᾳ), während der ἁγιασμός die sittliche Form ist, in der sie sich auswirkt."[108] Auch vom paulinischen Sprachgebrauch her ist damit auszuschließen, daß Paulus in bezug auf die Kinder von der ‚Unreinheit' des Ungetauften qua Ungetauften redet. Entsprechend darf man dann aber auch die ‚Heiligkeit' der Kinder und das ‚Geheiligtsein' des ungetauften Partners nicht aufgrund einer Übertragung der dem gläubigen Partner in der Taufe verliehenen Heiligkeit erklären.

---

105 Allgemein abgelehnt wird inzwischen eine Interpretation von der jüdischen Proselytentaufe her. Die Kinder von Proselyten wurden nicht getauft (vgl. Bill. III 373). Dann wäre hier von Kindern getaufter Eltern die Rede, die wegen der ‚Heiligkeit' ihrer Eltern nicht mehr getauft zu werden brauchten. Aber die Proselytentaufe ist nirgends ein Vorbild für die christliche Taufe, wohl dagegen die Beschneidung.

106 *Braun*, Randglossen 193.

107 Vgl. *F. Hauck*, ἀκάθαρτος, in: ThWNT III 430–432, hier 432.

108 *O. Procksch*, ἁγιασμός, in: ThWNT I 114f, hier 115.

7. Der ungläubige Partner scheint also ‚geheiligt' zu sein in dem Sinn, daß er nicht ‚unrein' ist, daß sich sein Status als Ungetaufter nicht in typisch heidnischem Fehlverhalten dokumentiert. Will Paulus also sagen, der ungläubige Partner habe sich jeweils durch die Gemeinschaft mit dem Gläubigen moralisch gebessert? In diesem Fall hätte das Vorbild des gläubigen Partners ansteckend gewirkt.[109] Eine solche Interpretation erscheint einigermaßen gewagt.

8. Dennoch: aus den Worten des Paulus spricht ein gewisser Optimismus. Worauf gründet er sich? Vermutlich doch auf die Tatsache, daß bei den betreffenden Eheleuten die Konversion eines der beiden Partner möglich war, ohne daß das eheliche Zusammenleben gefährdet war. (In V. 15 f spricht Paulus ja dann von den Fällen, in denen das nicht möglich war.) Die ‚Heiligkeit' des ungläubigen Partners würde dann auf einer rein faktischen Feststellung beruhen, sie bestände rein negativ darin, daß von ihm kein schädlicher Einfluß auf den gläubigen Partner ausgeht.[110] Die Aussage „der ungläubige Mann ist durch die Frau geheiligt" wäre dann im Grunde nicht eine Aussage über den Ungläubigen, sondern über den Gläubigen: ‚die gläubige Frau ist durch den ungläubigen Mann nicht gefährdet'. Wird mit einer solchen Interpretation dem Text nicht Gewalt angetan? Hätten die Korinther die Aussagen des Paulus wohl so verstehen können? Muß man nicht doch davon ausgehen, daß Paulus wirklich eine Aussage über den *heidnischen* Partner macht, anstatt über das Ungefährdetsein des christlichen?

9. Zur Lösung des Problems kann hier weiterhelfen ein Blick auf einen Text des Neuen Testaments, in dem ein ähnlicher Optimismus zum Ausdruck kommt wie in V. 14, nämlich 1 Tim 4,1–5; dort heißt es in V. 4 f: „Denn alles, was Gott geschaffen hat, ist gut, und nichts ist verwerflich, wenn es mit Dank genossen wird; es wird geheiligt durch Gottes Wort und Gebet." Zwar geht es nicht um dasselbe Problem wie in 1 Kor 7,12–14. 1 Tim polemisiert gegen enkratitische Häretiker, die eine Verunreinigung durch bestimmte Speisen und durch die Ehe befürchten. Ihre Ablehnung der Ehe dürfte sich aus prinzipieller Sexualfeindschaft erklären, aus einem gnostischen Dualismus, der diese Welt nicht als Schöpfung Gottes, sondern als Werk eines bösen Demiurgen ansieht.[111] Dagegen erklärt 1 Tim: Die irdischen Dinge (hier Speisen und Sexualität) sind nicht unrein, da sie ja von

---

[109] Diese Möglichkeit ist 1 Petr 3,1 erwähnt.

[110] So interpretiert auch *Delling* (Nun aber sind sie heilig 89): „In der Beziehung auf das christliche Familienmitglied ist das unchristliche, noch unter der Gewalt der Sünde stehende, noch nicht neugeschaffene in der Weise rein, daß jenes ohne Schaden mit ihm zusammenleben kann." Auch *J. Chrysostomus* (In Epist. I ad Cor. Homil. XIX, PG 61, 155) scheint in dieser Art interpretiert zu haben. Paulus sage nicht – so Chrysostomus –, der Ungläubige sei heilig, sondern „geheiligt in der Frau". Das sage er nicht, um den ungläubigen Mann als heilig zu erweisen, sondern um der Frau die Furcht zu nehmen und jenen zur Suche nach der Wahrheit anzuregen.

[111] Vgl. dazu *N. Brox*, Die Pastoralbriefe, Regensburg 1969, 37 f. Auf 1 Tim 4,1–5 verweisen *Bachmann* (269 Anm. 1) und *Grosheide* (164), werten diese Stelle aber nicht weiter aus.

Gott geschaffen sind; sie machen den Menschen auch nicht unrein, solange sie dem Willen des Schöpfers gemäß gebraucht werden. Dadurch daß der Mensch entsprechend dem Willen Gottes mit den Dingen umgeht, sind sie geheiligt. Diese Antwort entspricht auch der Anschauung des Paulus (vgl. Röm 14,14.20.23). Das Problem, das 1 Tim betreffs Speisen und Ehe behandelt, stellt sich bei den Korinthern nur im Fall religionsverschiedener Ehen, die Frage nämlich, ob innerhalb einer solchen Ehe der christliche Partner eine Art Verunreinigung durch den nicht-christlichen zu befürchten habe. Paulus erklärt den Korinthern zu dieser Frage: Wo in einer religionsverschiedenen Ehe der christliche Partner seinem Glauben treu bleiben und nach dem Willen Gottes leben kann, wo die Gemeinschaft mit dem ungläubigen Ehepartner im Sinne Gottes gelebt wird, da ist auch der ungläubige Partner geheiligt. Mit der Aussage „Der ungläubige Mann ist durch die Frau geheiligt" bezieht sich Paulus also in der Tat auf dessen Verhalten, auf dessen sittliche Lebensführung. Allerdings kann er dieses Verhalten nicht unmittelbar beurteilen; er schließt vielmehr von der Tatsache, daß der gläubige Partner seinem Glauben gemäß leben kann, auf das ‚Geheiligtsein' des ungläubigen. Insofern macht Paulus wirklich eine Aussage über den nicht getauften Partner.

10. Läßt sich aber der Verweis des Paulus auf die Kinder (V. 14 cd) mit der vorgetragenen Interpretation vereinbaren? Man würde als Begründung doch eher einen Hinweis des Paulus darauf erwarten, daß der gläubige Partner keinen Schaden genommen hat. Vielleicht soll aber durch den Verweis auf die Kinder gar nicht die ‚Heiligkeit' des ungläubigen Partners begründet werden. Es wurde bereits (Punkt 3) die Vermutung geäußert, Paulus knüpfe hier in der Formulierung an die Fragestellung der Korinther an. Die Korinther befürchten offenbar eine Art rituelle Verunreinigung durch den ungläubigen Ehepartner. Paulus würde dann entgegnen: Wenn ihr wirklich solche Verunreinigungen befürchten müßtet, dann müßtet ihr euch nicht nur von eurem Ehepartner, sondern auch von euren Kindern trennen. An die Trennung von den Kindern dachte aber offenbar niemand[112]. Diese Art von Argumentation ist in der normativen Ethik oft sehr hilfreich. Man widerlegt eine sittliche Anschauung nicht direkt, sucht nicht sofort einen Fehler in der Argumentation, sondern zeigt Konsequenzen auf, die sich aus der zur Diskussion stehenden Anschauung ergeben. Es kann dann sein, daß in einem bestimmten Bereich diese Konsequenzen völlig unplausibel sind (wie hier im Fall der Kinder); das ist dann ein deutlicher Hinweis dafür, daß die zur Diskussion stehende Anschauung falsch sein muß. Warum sie falsch ist, wo der Fehler liegt, ist aber damit noch nicht

---

112 Mit ἐπεὶ ἄρα wird hier eine irreale Folgerung gezogen (‚wenn es so wäre, dann. . .'); vgl. dazu *Blinzler*, Auslegung 26 Anm. 13 u. 40 f; *Conzelmann* 144 Anm. 8; *Bachmann* 269; *Weiß* 181 f; *Rehkopf*, Grammatik § 456,3; außerdem 1 Kor 5,10; Röm 3,6.

aufgezeigt. Man darf deshalb in der Auslegung von V. 14 nicht versuchen, V. 14b (die Heiligkeit des ungläubigen Partners) von V. 14cd (der Heiligkeit der Kinder) her zu erklären. In V. 14cd führt Paulus nämlich die Anschauung der Korinther ad absurdum, während er in V. 14b seine eigene Anschauung ausspricht. Das bedeutet auch: in V. 14cd steht die ‚Heiligkeit‘ nach dem Verständnis der Korinther zur Diskussion, in V. 14b zeigt sich, was Paulus an dieser Stelle selbst unter ‚Heiligkeit‘ versteht.

Die hier gegebene Interpretation von V. 12–14 läßt sich zweifellos nicht mit letzter Sicherheit als richtig erweisen. Die Antwort des Paulus würde, so verstanden, gut zu der Frage der Korinther betreffs bestehender Mischehen passen, diese Antwort würde den theologischen Anschauungen des Paulus entsprechen. Falls die gegebene Interpretation richtig ist, liegt der entscheidende Fehler der anderen Auslegungen in der Voraussetzung, Paulus rede innerhalb von V. 14 jeweils im selben Sinne von Heiligkeit. Die Möglichkeit, daß von ‚Heiligkeit‘ in V. 14 in zwei verschiedenen Bedeutungen die Rede ist, müßte in jedem Fall beachtet werden.[113]

Nicht in allen Mischehen ist das weitere Zusammenleben des gläubigen Partners mit dem ungläubigen möglich; diesen Fall behandelt Paulus in V. 15f.

In V. 12–14 war die Weisung klar, die Begründung unklar. Hier ist schon die Weisung des Paulus nicht ganz eindeutig. Falls der Ungläubige die Trennung will, soll der Christ es geschehen lassen. Aber gestattet Paulus auch die Wiederheirat? Die kirchliche Tradition (sogenanntes Privilegium Paulinum) hat Paulus so verstanden. Aber dieses Verständnis ist nicht gesichert; da Paulus in V. 11 eine Wiederheirat ausdrücklich ausschließt, müßte er hier, falls er eine Wiederheirat für erlaubt hielte, das eigentlich ausdrücklich erwähnen.[114] Noch mehr Schwierigkeiten bereitet die Begründung des Paulus, falls es sich überhaupt um eine Begründung handelt. Paulus könnte in V. 15c nämlich auch eine Einschränkung[115] machen: „allerdings (freilich) hat euch Gott zum Frieden gerufen.“[116] Das hieße: ‚Nach Möglichkeit sollt

---

113 Daß das der springende Punkt ist, bestätigt das folgende Zitat von *Braun* (Randglossen 194): „wirklich ‚geheiligt‘ wird der Mensch durch sein Einbezogenwerden in das Christusgeschehen, durch den Glauben; von daher ist ihm nichts unrein, wie umgekehrt außerhalb des Glaubens alles Sünde ist (Röm 14,23). Das ist der eigentliche Paulus.“ Braun vermag aber den „eigentlichen Paulus“ in V. 14 nicht recht zu entdecken. „Nicht mehr einsichtig ist uns jedoch die psychologische Möglichkeit bei Paulus, diese spätjüdischen ‚Reste‘ mit dem neuen Gedankengut gleichzeitig nebeneinander zu vertreten.“ Diese Möglichkeit ist mit der obigen Erklärung gegeben.

114 So auch *R. Schnackenburg,* Die Ehe nach dem Neuen Testament, in: G. Krems/R. Mumm (Hrsg.), Theologie der Ehe, Göttingen/Regensburg 1969, 9–36, hier 33; vgl. auch *Robertson/Plummer* 143.

115 Daß nach einem verneinten Satz mit δέ sowohl eine Einschränkung als auch eine Begründung angefügt werden kann, wurde schon bei der Besprechung von V. 6 erörtert; siehe oben S. 91f mit Anm. 73.

116 Ἐν ist hier wie εἰς gebraucht; vgl. Eph 4,4; Kol 3,15 und *Lietzmann* 31; *Jeremias,* Mischehe 259; *Rehkopf,* Grammatik § 218.

ihr euch versöhnen und die Trennung verhindern‘[117]. Falls Paulus in V. 15 c
eine Begründung gibt, müßte man verstehen: „Der Bruder oder die Schwester ist in solchen Fällen[118] nicht wie ein Sklave gebunden; zu einem Leben in
Frieden hat Gott euch (nämlich) gerufen.“ In diesem Fall würde man aber
eher erwarten: ‚zu einem Leben in *Freiheit* (als Gegensatz zu δεδούλωται) hat
Gott euch gerufen‘[119]. Von welchem ‚Frieden‘ ist überhaupt die Rede, vom
Seelenfrieden des christlichen Partners, vom Frieden zwischen den Eheleuten oder vom Frieden mit Gott? Den Frieden mit Gott hat der Christ durch
die in Christus geschenkte Rechtfertigung (vgl. Röm 5,1), und er bewahrt
diesen Frieden dadurch, daß er nach Gottes Willen lebt. Die Mahnung, den
Frieden mit Gott nicht aufs Spiel zu setzen, wäre eine rein paränetische
Zwischenbemerkung; V. 15 c hätte also keine argumentative Bedeutung; es
ist ja gerade die Frage, *was* der Wille Gottes ist.

Die Frage: ‚Begründung oder Einschränkung?‘ stellt sich auch für V. 16.
Entweder spricht Paulus hier einen Zweifel aus („Woher weißt du denn,
Frau, ob du den Mann retten kannst?“) und begründet damit die Erlaubnis
der Trennung, oder er äußert Zuversicht („Woher weißt du denn, Frau, ob
du [nicht vielleicht doch] deinen Mann retten kannst?“) und schränkt die
Freigabe der Trennung ein. Für die letztere Bedeutung spricht das von
J. Jeremias vorgebrachte und von Chr. Burchard erweiterte Material,[120] für
die erstere scheint der Kontext zu sprechen. Man ist jedenfalls zunächst
geneigt zu interpretieren: ‚Widersetz dich der Scheidung nicht; denn wer
weiß, ob du deinen Ehepartner retten kannst.‘[121] Angenommen, der Wunsch
nach der Bekehrung[122] des Ehepartners sei ein Grund für die in Mischehen
lebenden Christen gewesen, diese möglichst zu erhalten. Kann man Paulus
zutrauen, daß er gegen diesen Wunsch Pessimismus verbreitet, zumal er sich
doch V. 12–14 so optimistisch geäußert hat? Daß die Ehe „keine missionarische Institution“[123] sei, wird man mit Rücksicht auf 1 Petr 3,1–6 nicht so
schnell behaupten dürfen. Kann man also die Möglichkeit der Bekehrung

---

[117] So *Merk* 108 f; *Robertson/Plummer* 143.

[118] Ἐν τοῖς τοιούτοις wird meistens so interpretiert. Möglich wäre aber auch ‚von solchen
Menschen‘; vgl. zu diesem Gebrauch von ἐν 1 Kor 6,2 und *Rehkopf,* Grammatik § 219,1.

[119] So *Doughty,* Heiligkeit 54.

[120] *J. Jeremias,* Die missionarische Aufgabe in der Mischehe, in: W. Eltester (Hrsg.), Neutestament-
liche Studien für Rudolf Bultmann, Berlin 1954, 255–260; *Chr. Burchard,* Εἰ nach einem
Ausdruck des Wissens oder Nichtwissens: ZNW 52 (1961) 73–82; vgl. (zustimmend) *Rex,*
Problem 78. Solange diejenigen, die die Deutung von Jeremias und Burchard bestreiten, keine
Beispiele bringen, in denen das ‚wer weiß‘ eindeutig den Zweifel ausdrückt, sollte man diese
Deutung jedenfalls nicht einfach ausschließen, auch wenn *Weiß* (183) meint, diese Deutung
spräche „aller Natürlichkeit Hohn“.

[121] So lesen denn auch *Conzelmann* 149; *Grosheide* 167; *Bachmann* 272f; *Heinrici* 201; *Héring* 54;
Lietzmann 31 f; *Robertson/Plummer* 144; *Weiß* 183; *Wendland* 53; *Schlatter* 226; *Niederwimmer,*
Askese 104 f.

[122] Das ist hier mit σώζειν gemeint (Missionsterminologie).

[123] So *Grosheide* 167: „Marriage is no missionary institution“; ähnlich *Craig/Short* 80.

des heidnischen Ehepartners so leichthin beiseiteschieben? „Die Aussicht auf diese Möglichkeit ist viel zu vage, um ihretwegen das hohe Gut der εἰρήνη auf das Spiel zu setzen." So interpretiert Niederwimmer[124] V. 15 f. Würde aber auch die Aussicht auf Bekehrung des heidnischen Ehepartners, auch wenn sie noch so gering wäre, nicht alle Mühe rechtfertigen? Klingt das, was Niederwimmer sagt, nicht etwas egoistisch, als ob der Christ sagen solle: ‚Hauptsache, ich habe meine Ruhe'? Der ‚Friede' meine hier, so Niederwimmer, „die ‚weltüberlegene' Indifferenz des Christen"[125]. Diese Indifferenz müßte sich aber doch auch *in* der Ehe bewähren können.[126] Die ‚Indifferenz' zeigt sich nicht bloß in der Flucht vor einer schwierigen Lage, sondern da, wo es sein muß, im *Aushalten* dieser Lage. Warum aber Paulus das Aushalten hier nicht fordert, das ist die Frage.

Die bisherigen Überlegungen sollten die Aporien der Auslegung von V. 15 f deutlich machen. Wie bei V. 12–14 ergibt sich auch hier von der Betrachtung des Wortlauts her allein keine Lösung. Wir müssen deshalb auch hier versuchen, die Situation, in die hinein Paulus spricht, genauer zu kennzeichnen, soweit uns das möglich ist.

Der ungläubige Partner will die Trennung; könnte der gläubige sie verhindern? Nach allem, was wir wissen, hatte er dazu keine rechtliche Möglichkeit. Er hätte den Partner bitten oder in Meinungsverschiedenheiten ihm nachgeben können. Vielleicht hat der ungläubige Partner ihn vor die Wahl gestellt: „,entweder du gibst deine Ehe mit mir auf, oder du machst Konzessionen an meine Religion und Moral'"[127]. Der gläubige Partner stünde also vor der Alternative, die Ehe zu erhalten oder den Glauben zu verleugnen beziehungsweise in einzelnen Fragen gegen sein Gewissen zu handeln. Würde der Christ hier nachgeben, hätte er in der Tat seine christliche Freiheit, den Frieden mit Gott aufs Spiel gesetzt. Falls tatsächlich diese Situation vorauszusetzen wäre, könnte Paulus mit Recht von einer drohenden ‚Knechtung' des Gläubigen sprechen. In V. 39 heißt es, eine Frau sei zu Lebzeiten ihres Mannes an ihre Ehe „gebunden" (δέδεται), hier aber formuliert Paulus, der Bruder sei nicht „geknechtet" (δεδούλωται).[128] Möglicherweise haben einige Christen gemeint, sie könnten durch zeitweilige Konzessionen ihren Partner zum Glauben führen. Vielleicht hat auch mancher christliche Partner

124 *Niederwimmer,* Askese 105.
125 Ebd. 104 Anm. 120.
126 Vgl. etwa *Epiktet,* Diss IV 5,23 f (Der Weise hat Frieden mit allen Menschen, ganz gleich wie sie sich zu ihm verhalten).
127 So formuliert *Delling* (Stellung 83); vgl. die Schilderung der möglichen Schwierigkeiten des Gläubigen ebd. 81–83.
128 Abwegig ist die Ansicht, es sei das Herrenwort, „an das der Christ in solchen Fällen nicht wie ein Sklave gebunden ist" (*W. Foerster,* in: ThWNT II 415, s. v. εἰρήνη). Es geht nicht darum, ob der Christ an das Herrenwort gebunden ist, sondern darum, ob das Herrenwort diesen Fall überhaupt betrifft. Falls es eine Äußerung Jesu zum Problem der Mischehen gäbe, wäre der Christ zweifellos daran gebunden.

seine missionarischen Pflichten bloß zum Vorwand genommen, um die (möglicherweise schmerzhafte) Konsequenz der Trennung zu vermeiden. In einem solchen Fall würde die negative Deutung von V. 16 plausibel.

Bisher haben wir angenommen, von den Korinthern selbst sei der missionarische Gesichtspunkt in der Frage der Mischehen vorgebracht worden. Es ist natürlich auch möglich, daß die Korinther diesen Gesichtspunkt gar nicht beachtet haben. Paulus würde in diesem Fall grundsätzlich Ja sagen zur Trennung vom heidnischen Ehepartner, würde aber vor voreiligen Trennungen warnen mit dem Hinweis, der ungläubige Partner könne sich vielleicht bekehren. Für die Interpretation von V. 16 müßten wir also eigentlich wissen, ob die Korinther selbst den missionarischen Gesichtspunkt zur Geltung gebracht haben und in welchem Sinne, ob man in Korinth zu schnell oder zu wenig bereit war, die Trennung geschehen zu lassen. Auf diese Fragen ergibt sich leider keine eindeutige, nicht einmal eine wahrscheinliche Antwort. Insofern ist die Interpretation von V. 15 f schwieriger als von V. 12–14, da man dort die Fragestellung der Korinther mit einer gewissen Wahrscheinlichkeit rekonstruieren kann. Manche Autoren sehen in V. 15 eine Parenthese und beziehen V. 16 auf V. 12–14. In diesem Fall würde die positive Bedeutung von V. 16 gut passen.[129] Das ist aber wohl eine zu elegante Lösung; nichts deutet darauf hin, daß Paulus sich in V. 16 auf den in V. 12–14 verhandelten Fall zurückbezieht.

Am Schluß der Auslegung von 7,8–16 sollen noch einige zusammenfassende Feststellungen getroffen werden:

1. In 7,8–16 antwortet Paulus auf Fragen; wie in 7,1–7 handelt es sich um ethische Argumentation. In V. 8 f trifft er eine Vorzugswahl nach verschiedenen Gesichtspunkten: Ehelosigkeit ist an sich das Bessere, aber auch die Lebensform, die schwerer zu verwirklichen ist; deshalb muß die Ehe unter Umständen vorgezogen werden, weil eine geordnete Befriedigung des Geschlechtstriebs ein fundamentaler Gesichtspunkt ist.[130]

2. Für das Verbot der *Ehescheidung* (V. 10 f) erinnert Paulus an ein Herrenwort. Paulus begnügt sich hier mit einem Autoritätsargument. Seine eigene Ergänzung (die Parenthese in V. 11 a) begründet er leider nicht. Für das Fehlen der Begründung sind zwei Erklärungen denkbar: Entweder setzt Paulus die Begründung als bekannt voraus (so könnte der Grund, den Weg zur Versöhnung, das heißt zur Wiederaufnahme der Gemeinschaft, offenzuhalten, in dem καταλλαγήτω schon implizit ausgesprochen sein), oder Paulus fällt hier in einem Zweifelsfall eine Entscheidung kraft seiner apostolischen Autorität.

3. Betreffs der *Mischehen* kann sich Paulus nicht auf ein Herrenwort berufen,

---

[129] So etwa *Moffat* 84 f.
[130] Vgl. dazu den Abschnitt „Zuerst das Leben, dann die Philosophie" bei *Schüller, Begründung* 92–101.

da dies Problem erst in der Situation der nachösterlichen Gemeinden auftaucht. Für den Fall, daß der heidnische Partner keine Schwierigkeiten macht, gilt faktisch auch das Scheidungsverbot Jesu, aber Paulus hält offenbar eine eigene Begründung für erforderlich, da die Korinther Gesichtspunkte für eine Trennung geltend gemacht haben. Er führt den Korinthern (negativ) die absurden Konsequenzen ihrer Bedenken vor Augen und zeigt ihnen (positiv) auf, daß von dem heidnischen Partner an sich (bloß insofern er ungetauft ist) keine Gefährdung ausgeht.

4. Wo aber eine solche Gefährdung besteht, soll der christliche Partner die Scheidung geschehen lassen (V. 15 f). Ein Argument dafür liegt offenbar darin, daß der Christ andernfalls „geknechtet" wäre. Die Aussicht auf Bekehrung des heidnischen Partners kann – ganz gleich wie man V. 16 versteht – jedenfalls nicht das einzige Argument sein. Entscheidend dürfte sein, ob die Ehe als Lebensgemeinschaft ohne sittliche Gefährdung des christlichen Partners möglich ist. Wenn nicht, dann kann sie auch nicht wegen der möglichen Bekehrung des Partners aufrechterhalten werden, wenn ja, dann muß sie auch ohne diese Aussicht aufrechterhalten werden; insofern ist sie tatsächlich keine (primär) missionarische Institution.

5. Interessant ist zu beobachten, mit welchen Verben Paulus seine Äußerungen benennt. Seine Anweisungen über das sittlich geforderte Verhalten leitet er in diesem Abschnitt (7,6.8.12) mit λέγω ein. „In dem energischen λέγω δέ ... hören wir den seiner Autorität sich bewußten Apostel, der Lehraussprüche tut, denen er bindende Kraft beimißt".[131] Bei der Anführung des Herrenwortes (V. 10) gebraucht er dagegen παραγγέλλω, ein Verb, mit dem die Verbindlichkeit des Herrenwortes herausgestellt wird. Nach Bjerkelund ist dies Verb in der Umwelt des Neuen Testaments „ein sehr scharfer Begriff, der nur äußerst selten in der Briefliteratur Anwendung findet, in den Edikten aber gebraucht werden kann . . ., aber eigentlich in die Militärsprache gehört".[132] Das „urbane"[133], höflichere Wort παρακαλῶ behält Paulus dagegen (vermutlich unreflektiert) paränetischen Äußerungen vor.

2.5. Das Bleiben in der Berufung (7,17–24)

Der Hauptgedanke des Abschnitts 17–24 klingt wie ein Refrain dreimal (V. 17.20.24) an: Jeder soll so bleiben, wie Gott ihn berufen hat.[134] In der dreimaligen Variation der Grundaussage zeigt sich eine offenbar beabsich-

---

131 *Weiß* 176.

132 *Bjerkelund*, Parakalô 138; vgl. auch *Robertson/Plummer* 139 f; *Bachmann* 263; O. *Schmitz*, παραγγέλλω, παραγγελία in: ThWNT V 759–762 sowie den Gebrauch des Verbs in 2 Thess 3,4.6.12; 1 Thess 4,11, wo Paulus im Namen Jesu gebietet.

133 *Bjerkelund*, Parakalô 144.

134 Damit ist vorausgesetzt, daß die Verse 17.20.24 jeweils dieselbe Aussage machen (vgl. *Bartchy*, Slavery 134).

tigte sprachliche Gestaltung,[135] die diesen Abschnitt (wie auch V. 29–31) aus dem Kontext heraushebt. Zwischen V. 17 und V. 20, V. 20 und V. 24 ist die Aufforderung, jeder solle in seiner Berufung bleiben, jeweils an einem Paradigma illustriert, zunächst am Gegensatz Beschneidung – Unbeschnittensein (V. 18f), dann am Gegensatz Sklave – Freier (V. 21–23).

Das Stichwort ‚Bleiben‘ läßt im Neuen Testament an die johanneischen Schriften denken, wo in indikativischen und imperativischen Aussagen vom Bleiben in Christus (Joh 15, 4–7; 1 Joh 3,6.24; 2,27 f), vom Bleiben in seiner Liebe (Joh 15,9 f) die Rede ist. Die Mahnung zum ‚Bleiben‘ ist hier die Aufforderung zur Treue im Glauben, zum Festhalten am Bekenntnis zu Christus, aber auch zum sittlichen Bemühen, zum ‚Fruchtbringen‘ (Joh 15,2.4).[136] Insofern diese Mahnung motiviert ist durch die bereits geschenkte Gemeinschaft mit Christus, erscheint der Gedanke des Bleibens auch in indikativischer Form (vgl. Joh 6,56). Paulus mahnt 1 Kor 7,20 zum Bleiben in der κλῆσις. Mahnt er damit zur Treue gegenüber der göttlichen Berufung, also wie der vierte Evangelist zur Treue im Glauben und zu einem entsprechenden Lebenswandel? Normalerweise erinnert Paulus mit den Worten καλέω (1 Kor 1,9; 7,18.21 f; 1 Thess 2,12; 4,7) und κλῆσις (Röm 11,29) an die Berufung zum Glauben und zu einem entsprechenden Lebenswandel (vgl. 1 Thess 2,12; 4,7). An dieser Stelle aber hat man häufig ein Verständnis von κλῆσις im Sinne des deutschen Wortes ‚Beruf‘ vermutet.[137] Soviel ist jedenfalls deutlich, daß in dem, was Paulus hier fordert, die konkreten Umstände der Berufung eine Rolle spielen. Aber in welchem Sinne? Sind die Umstände der Berufung als von Gott zugedachter ‚Stand‘ zu interpretieren? In diesem Sinn überschreibt Schlatter[138] den Abschnitt 7,17–24:

135 Vgl. *Trummer*, Freiheit 348 f.

136 Vgl. dazu R. *Schnackenburg*, Das Johannesevangelium III, Freiburg 1975, 112; *ders.*, Die Johannesbriefe, Freiburg ⁵1975, 109 f.

137 Ob in der westlichen Lesart zu Apg 15,2 (die Heiden sollen so bleiben, wie sie gläubig geworden sind) ein solches Verständnis sichtbar wird, ist schwer zu beurteilen; vgl. auch *Weiß* 187. Vom ‚Stand‘ der Berufung spricht auch *Lietzmann* 32 (dagegen *Kümmel* in den Nachträgen 177). Zur Kritik an diesem Verständnis vgl. K. L. *Schmidt*, in: ThWNT III 492 f Anm. 1 (s. v. κλῆσις). Obwohl Paulus hier keine Theologie des weltlichen Standes bietet, ist V. 20 auf reformatorischer Seite so verstanden worden; er dient als Beleg für die Theologie des weltlichen ‚Berufes‘. In diesem Wort ‚Beruf‘ kommt „jenes Zentraldogma aller protestantischen Denominationen zum Ausdruck, welches die katholische Unterscheidung der christlichen Sittlichkeitsgebote in ‚praecepta‘ und ‚consilia‘ verwirft und als das einzige Mittel, Gott wohlgefällig zu leben, nicht eine Überbietung der innerweltlichen Sittlichkeit durch mönchische Askese, sondern ausschließlich die Erfüllung der innerweltlichen Pflichten kennt, wie sie sich aus der Lebensstellung des Einzelnen ergeben, die dadurch eben sein ‚Beruf‘ wird." (M. *Weber*, Die protestantische Ethik I, Hamburg ⁴1975, 67; vgl. überhaupt S. 76 f und Anm. 55). Die heutige Bedeutung des Wortes ‚Beruf‘ ist so wesentlich durch Luthers Übersetzung und Interpretation von 1 Kor 7,20 zu erklären (vgl. T. *Rendtorff*, ‚Beruf‘, in: HWP I 833–835). *Neuhäuslers* Aufsatz (Ruf Gottes) dürfte aus dem Bemühen zu erklären sein, auch im katholischen Bereich den Beruf (und damit den Laien) aufzuwerten (vgl. Ruf Gottes 50 f. 59 f).

138 *Schlatter* 226; *Craig/Short* finden hier Prädestinationsgedanken (81): man solle sich gegen das Unglück nicht auflehnen. „God is in a sense responsible, because no matter how evil the

„Der alles verordnende göttliche Ruf". Andere sprechen von einem ‚Status-quo-Prinzip'[139]. Soll also dem Status, in dem jemand berufen worden ist (Jude, Heide, Freier, Sklave), eine besondere sittlich relevante oder gar heilsentscheidende Bedeutung zuerkannt werden? Was Paulus meint, könnte aus einem Vergleich mit 1 Kor 1,26 ff deutlich werden. „Seht doch auf eure Berufung, Brüder! Da sind nicht viele Weise im irdischen Sinn, nicht viele Mächtige, nicht viele Vornehme, sondern das Törichte in der Welt hat Gott erwählt, um die Weisen zuschanden zu machen . . . damit kein Mensch sich rühmt vor Gott." Paulus ruft hier den Korinthern die Umstände ihrer Berufung in Erinnerung, um ihr falsches Selbstbewußtsein zu erschüttern. Die Korinther bilden sich etwas ein auf ihre Gnosis und meinen, sie seien damit auch vor Gott etwas. Paulus erinnert sie: „Was hast du, was nicht empfangen wäre? Wenn du es aber empfangen hast, was rühmst du dich, als hättest du es nicht empfangen?" (1 Kor 4,7). Die Korinther wollten ihren sozialen Status offenbar nicht deshalb verbessern, um damit vor ihren Mitmenschen etwas zu gelten. Sie wollten vermutlich nicht als gebildet gelten nach den Vorstellungen ihrer Umwelt (κατὰ σάρκα), wohl aber Weise κατὰ πνεῦμα sein. Paulus greift aber in den Kapiteln 1–4 gerade dies Selbstverständnis der Korinther als Pneumatiker an. Wegen ihrer pneumatischen Gaben rühmen sie sich *vor Gott*, meinen, vor Gott aus eigener Kraft etwas zu sein.[140]

Durch den Hinweis auf die Umstände ihrer Berufung erinnert nun Paulus die Korinther daran, daß sie nicht nur vor den Menschen nichts gelten, sondern auch vor Gott. Die Umstände der Berufung machen deutlich, daß alles auf diese Berufung (also auf die Tat Gottes) selbst ankommt, daß der Ruf Gottes, die durch ihn geschenkte Freiheit und Rechtfertigung die eigentliche Gabe ist.[141] Sie sind von Natur aus nicht weise, mächtig und vornehm (1,26),

---

situation may appear, he at least permits it." *Neuhäusler* (Ruf Gottes 48) will 7,17 erklären mit 1 Cl 37,3: Jeder in seinem τάγμα. Aber in 1 Cl geht es um die Gemeindeordnung, ein Gedanke, der in 1 Kor 7 keine Rolle spielt.

[139] Aus der Tatsache, daß den Abschnitten V. 8–16 und V. 17–24 das Stichwort ‚Bleiben' gemeinsam ist (V. 8.11.20.24) folgert *Weiß* (183): „Das Verhalten zur Ehe, das er empfiehlt, ist eben ein Spezialfall jener allgemeinen Grundsätze, nach denen er in allen Gemeinden anordnet." Inwiefern mit dieser Äußerung etwas Richtiges ausgesagt ist, wird weiter unten (S. 110 f) dargelegt werden. Negativ muß aber festgestellt werden: Für die Frage nach der Gültigkeit geschlossener Ehen ist keineswegs der Gedanke des ‚Bleibens' entscheidend. Entscheidend dürfte für Paulus der Gedanke der eingegangenen *Bindung* (vgl. V. 39) sein. Zur Lösung des Problems einer gefährdeten Mischehe trägt der Gedanke des Bleibens nichts ein. Man kann also nicht sagen, Paulus beurteile die Probleme von Ehe und Ehelosigkeit einerseits und Sklaverei und Beschneidung andererseits nach dem gleichen Prinzip.

[140] Vgl. *U. Wilckens,* Weisheit und Torheit, Tübingen 1959, 42.

[141] *Bartchy* (Slavery 141) formuliert: „Thus Paul not only sought to clarify God's gracious calling of the Corinthians by reproaching them on the basis of their social background; he also resisted any claim made by these Christians that they had *become* ‚wise' or ‚powerful' or ‚wellborn' in a religious sense as a result of God's call."

Insofern Paulus auch dem Christen jeden Anspruch vor Gott bestreitet, ist die Rechtfertigungs-

sie sind auch als Christen nicht aus eigener Kraft ‚pneumatisch' weise. Wie vor Gott weder irdischer Reichtum, vornehme Abstammung noch pneumatisch-enthusiastische Fähigkeiten etwas bedeuten, da sie keinerlei Anspruch des Menschen begründen, so gilt auch: „Die Beschneidung ist nichts, und die Vorhaut ist nichts, sondern das Halten der Gebote Gottes" (1 Kor 7,19; vgl. Gal 6,15). Wer als Heidenchrist sich beschneiden lassen wollte, tut so, als wäre er damit vor Gott mehr; auch hier läge eine falsche καύχησις vor. Wer sich beschneiden läßt, fällt aus der Gnade heraus (Gal 5,5 ff), weil er versucht, aus eigener Kraft die Rechtfertigung zu erlangen. Ebenso würde ein Judenchrist, der seine Vorhaut wiederherstellen ließe, einen unsinnigen Versuch unternehmen, aus eigener Kraft mehr zu sein, sei es vor Gott, sei es vor den Menschen.

Was die Berufung durch Gott bedeutet, daß diese Berufung nicht von bestimmten irdischen Voraussetzungen abhängig ist, illustriert Paulus immer wieder an denselben Beispielen.[142]

Gal 3,28: „Da ist nicht mehr Jude und Grieche, nicht Sklave und Freier, nicht Mann und Frau; denn ihr alle seid ‚einer' in Christus Jesus."

1 Kor 12,13: „In dem einen Geist wurden wir durch die Taufe alle zu einem Leib, Juden und Griechen, Sklaven und Freie; und wir wurden alle mit dem einen Geist getränkt."

Während orientalische Männer sich dankbar rühmten, kein Ungläubiger bzw. Ungebildeter, kein Weib, kein Unfreier zu sein,[143] ist das alles für den Christen kein Anlaß zum Rühmen bzw. zu Minderwertigkeitsgefühlen. Man könnte einwenden, im Galaterbrief gehe es um die Überwindung des Gesetzes durch den Glauben, also um Fragen der Rechtfertigungslehre, in 1 Kor 7 dagegen um Fragen des sittlichen Verhaltens, das heißt, um normative Ethik; insofern seien die genannten Stellen nicht zu vergleichen. Aber auch im Galaterbrief geht es um die konkrete Frage, ob Heidenchristen sich beschneiden lassen sollen oder nicht. Sobald man – so Paulus (Gal 5,1–4) – die Beschneidung für Heidenchristen zur religiösen Pflicht erklärt, richtet man die Gerechtigkeit aus dem Gesetz, aus den Werken wieder auf, macht man die Beschneidung zu einer Voraussetzung für das Heil, die sie aber seit Christus nicht mehr ist. In diesem Sinn erklären Gal und 1 Kor übereinstimmend: Beschneidung und Unbeschnittensein sind ‚nichts' (οὐδέν), haben keine Bedeutung, es kommt nur auf das Halten der Gebote an (1 Kor 7,1; Röm 2,25), auf den Glauben, der in der Liebe wirksam ist (Gal 5,6). Die

---

lehre, die an sich eher Thema des Röm und Gal ist, auch in den Korintherbriefen durchaus vertreten; vgl. dazu *W. Thüsing*, Rechtfertigungsgedanke und Christologie in den Korintherbriefen, in: J. Gnilka (Hrsg.), Neues Testament und Kirche, Freiburg 1974, 301–324; *U. Wilckens*, a. a. O. 222.

[142] *Bartchy* (Slavery 165) spricht – wie schon bemerkt (S. 76) – von ‚thought patterns'. Die Übersetzungen der Paulustexte sind hier jeweils von mir.

[143] Vgl. *A. Oepke*, in: ThWNT I 776 f (s. v. γυνή).

Antwort auf die Frage, ob der Status, in dem jemand berufen worden ist, heilsbedeutsam sei, kann also nur lauten: Nein. Paulus will gerade das Gegenteil herausstellen: Auf den Stand kommt es gerade *nicht* an,[144] wie in V. 19 deutlich zu lesen ist. „Keine Veränderung meines Status, die ich herbeiführe, kann mein Heil befördern."[145] Dieses Verständnis von 7,17–24 ist nun durch die Einzelauslegung zu erhärten.

V. 17 berührt sich scheinbar mit V. 7; der Sinn ist dennoch verschieden. In V. 7 sagt Paulus: Ehelosigkeit ist nicht jedem gegeben; zu dem aber, was ihm nicht gegeben ist – so muß man ergänzen –, kann auch niemand verpflichtet werden (ultra posse nemo tenetur). In V. 17 geht es darum, den Status, in dem man lebt, nicht zu verändern; nicht der Status, in dem man geboren ist, ist dabei gemeint, sondern die Verhältnisse, in denen man zum Christsein berufen wurde.

Oft wird V. 17 als Fortsetzung von V. 15f gelesen: Wenn der ungläubige Partner die Scheidung will, soll man es geschehen lassen; „im übrigen soll jeder so leben, wie der Herr es ihm zugemessen, wie Gottes Ruf ihn getroffen hat".[146] (Man versteht dabei die beiden ὡς-Sätze synonym.) Gegen dies Verständnis hat G. Harder Stellung bezogen.[147] Wenn man – so Harder – beide ὡς-Sätze synonym versteht, kann man unter μερίζειν nur die Zuteilung einer Lebenslage verstehen; dazu paßt aber ‚der Herr' (Christus) als Subjekt nicht.[148] Aus diesem Grund hat auch der Koine-Text die Subjekte vertauscht: ‚Gott' verteilt die Lebenslagen, ‚der Herr' beruft. ‚Der Herr' würde als Subjekt passen, wenn es um die Zuteilung von Gnadengaben ginge,[149] ein Gesichtspunkt, der aber den des Bleibens im jeweiligen Stand aufheben würde. Man muß also nach Harder interpretieren: ‚Außer daß der Herr etwas anderes zugeteilt hat, soll jeder so leben, wie ihn die Berufung getroffen hat.' Mit εἰ μή ist dann nicht das vorher Gesagte eingeschränkt (nach Harder könnte es nur einen negierten Vordersatz einschränken[150]), vielmehr ist der zugehörige Nachsatz fortgefallen. Diese Erklärung von V. 17a gibt einen guten Sinn.[151] Wenn sie richtig ist, wenn sich V. 17a also

---

144 Vgl. *Niederwimmer*, Askese 105. *Neuhäusler* (Ruf Gottes 51) formuliert: „Der Treue Gottes zu seinen gegebenen Verheißungen und zu seinen Auserwählten entspricht auf Seiten des Gerufenen das *Bleiben* in diesem Ruf." In dieser Interpretation hätte die Veränderung des Status nicht bloß keine positive Bedeutung, sie wäre negativ eine Absage an die Treue Gottes. Das klingt sehr merkwürdig, ist aber aus seinem Anliegen heraus verständlich, den weltlichen Beruf aufzuwerten (vgl. Anm. 137).

145 *Conzelmann* 151; vgl. *Wiederkehr*, Berufung 128–136.

146 Dies Verständnis teilt also auch die zitierte Einheitsübersetzung; ebenso *Allo* 171; *Barrett* 167 f; *Bachmann* 273; *Conzelmann* 151.

147 *Harder*, Miszelle.

148 So auch *Weiß* 184.

149 So auch *E. Käsemann*, Amt und Gemeinde im Neuen Testament, in: ders., Exegetische Versuche und Besinnungen I, Göttingen 1964, 109–134, hier 114; vgl. *Harder*, Miszelle 370.

150 *Harder*, Miszelle 369; auch *Weiß* (183 f) bemerkt, daß der Vordersatz fehle.

151 Auch wenn Harder nicht viel Gefolgschaft gefunden hat (nur *Merk*, Handeln 109 f; *Rex*,

gar nicht auf das vorher von Paulus Ausgeführte beziehen sollte, spräche V. 17a gegen die Meinung, Paulus urteile in 7,8–16 und 7,17–24 nach demselben Kriterium, dem ‚Status-quo-Prinzip‘. Paulus kennzeichnet die Ausführungen des Abschnitts 17–24 als Weisung für alle Gemeinden (V. 17b). Sie scheinen also nicht durch Anfragen aus Korinth veranlaßt zu sein; es handelt sich vielmehr um eine Weisung, die er überall einschärft, weil sie die christliche Berufung tangiert.

Die Mahnung von V. 17a wird nun zunächst auf das Thema ‚Beschneidung – Vorhaut‘ angewandt; beide sind ‚nichts‘. Bezeichnet er damit die Beschneidung als Adiaphoron im stoischen Sinne? Dann müßte aber auch gelten: Ehe und Ehelosigkeit sind ‚nichts‘. Es ist bemerkenswert, daß Paulus diese Aussage über die Ehe und die bürgerliche Freiheit so nicht macht.[152] Ein Heidenchrist, der sich beschneiden ließe, würde den Eindruck erwecken, die Beschneidung sei ‚etwas‘, das heißt, sie sei heilsnotwendig. Umgekehrt würde ein Judenchrist, der sich seine Vorhaut wiederherstellen ließe, so tun, als sei die leibliche Zugehörigkeit zum jüdischen Volk jetzt, in Christus, ein Unwert, etwas Negatives.[153] Die bürgerliche Freiheit dagegen – so sollte man meinen – ist doch für den Christen an sich ein Wert, die Sklaverei dagegen von Übel. Während die Beschneidung ihre Bedeutung für die Zugehörigkeit zum Volke Gottes und damit für das Heil verloren hat, kann es doch eigentlich nicht gleichgültig sein, ob ein Christ Sklave oder Freier ist. Oder behauptet Paulus tatsächlich, wie einige Ausleger behaupten, in der Kirche sei die bürgerliche Freiheit kein Wert,[154] da ja in Christus die ‚Umwertung aller Werte‘[155] erfolgt sei?

Bei der Interpretation des zweiten Paradigmas, an dem Paulus seine Mahnung zum Bleiben in der Berufung erläutert, liegt die crux interpretum in V. 21. Während der erste Satz (V. 21a) in seiner Aussage klar ist (‚auch wenn du Sklave bist, mach dir nichts draus, in Christus giltst du genausoviel wie ein Freier‘), ist der zweite Satz (V. 21b) schwierig. Das Hauptproblem[156] liegt in der Unvollständigkeit des zweiten Satzes. Was ist zu χρῆσαι zu ergänzen, δουλείᾳ oder ἐλευθερίᾳ?[157] Was soll der Sklave ergreifen, wenn

---

Problem 79f), möchten wir ihm zustimmen, da seine Erklärung dem Inhalt am besten gerecht zu werden scheint. Wieso bei dieser Interpretation das „individuelle Moment im Glaubensverständnis des Paulus" mißverstanden sein soll (so *Conzelmann* 150 Anm. 4), ist nicht einsichtig.

[152] Vgl. *Menoud, Mariage* 33.

[153] Weil diese Darlegung über Beschneidung -Vorhaut paradigmatisch ist, braucht man nicht anzunehmen, es habe in Korinth solche Juden gegeben, die sich ihre Vorhaut wiederherstellen ließen (gegen *Allo* 171; anders *Conzelmann* 151 Anm. 10).

[154] *Conzelmann* 153.

[155] *Baltensweiler,* Ehe 151.

[156] In diesem Vers ist fast jedes Wort problematisch; vgl. dazu *Bartchy,* Slavery 8f; *Trummer, Freiheit* 355f.

[157] Für die Ergänzung von δουλείᾳ sprechen sich aus: *Héring* 55; *Fascher* 193f; *Allo* 173f; *Wendland* 53f; *Bachmann* 278; *Barrett* 170; *Weiß* 187f; *Lietzmann* 32f; *Conzelmann* 152f; *H. Schlier,* in:

er kann, die Freiheit oder die Sklaverei? Die Beantwortung dieser Frage entscheidet auch über das Verständnis der andern Wörter ἀλλά, εἰ καί, μᾶλλον, γάϱ (V. 22). Es ist also entweder zu interpretieren: ‚Auch wenn du frei werden kannst, lebe lieber als Sklave weiter!‘ Oder: ‚Wenn du allerdings frei werden kannst, dann ergreife lieber (vielmehr, auf jeden Fall) die Gelegenheit der Freiheit!‘ Ob es sich dabei um einen Rat oder eine strikte Anweisung handelt, hängt vom Verständnis des Wortes μᾶλλον ab.[158] Die eigentliche Frage ist aber die nach dem hinter χϱῆσαι zu ergänzenden Wort. Der Gedankengang dieses Abschnitts (Stichwort ‚Bleiben‘) erfordert an sich als Ergänzung δουλείᾳ: auch wenn der Sklave frei werden kann, soll er bei seinem Sklavendasein bleiben. Er würde auf diese Weise bezeugen, daß es allein auf die in Christus geschenkte Freiheit ankommt. Gegen diese Lösung werden u. a. sprachliche Einwände geltend gemacht: durch ἀλλ᾽ εἰ καί werde ein Gegensatz eingeleitet, hier also eine Ausnahme von der Forderung des ‚Bleibens‘. Der Impt. Aorist bezeichne außerdem eine punktuelle Handlung, also das Ergreifen der Freiheit.[159] Diese Einwände sind nicht ohne Gewicht. Andererseits scheint aber Paulus in den Versen 17–24 den Gedanken des Bleibens grundsätzlich und pointiert auszuführen, so daß gerade hier keine Ausnahmeregelung zu erwarten ist. Außerdem muß man sich hüten, von unserer modernen Sensibilität gegenüber ungerechten Strukturen her die exegetischen Probleme von 1 Kor 7,21 lösen zu wollen.[160]

S. Scott Bartchy hat gezeigt, daß die Sklaverei im römischen Reich nicht so unmenschlich war, wie das etwa für amerikanische Negersklaven gegolten haben mag. Es habe nicht eine revolutionäre Stimmung unter den Sklaven gegeben, selbst die vorhergehenden Sklavenaufstände (Spartakus) hätten nicht die Abschaffung der Sklaverei überhaupt zum Ziel gehabt, sondern nur

---

ThWNT II 498 (s. v. ἐλεύθεϱος κτλ.). *Robertson/Plummer* (148) wollen ἐλευθεϱίᾳ ergänzen: „Slavery is not intolerable for a Christian, but an opportunity for emancipation need to be refused.“ In diesem Fall wäre V. 21 cd als eine Parenthese anzusehen (so auch *Moffat* 87). *Robertson/Plummer* verweisen dazu auf die Parenthese in V. 11. Für diese Deutung spricht sich auch aus *M. E. Thrall*, Greek Particles in the New Testament, Leiden 1967, 78–82.

[158] Vgl. *Bartchy*, Slavery 8.

[159] Vgl. *M. E. Thrall*, a. a. O; *Trummer*, Freiheit 355–357; *Bartchy* 177 f.

[160] Dieser Versuchung scheint *Trummer* nicht ganz entgangen zu sein, wenn er schreibt (Freiheit 366): „Die Auslegung von 1 Kor 7,21 steht vor der Wahl, Paulus zum Verbleiben in der Sklaverei raten zu lassen, diesen Rat aber zugleich als Ausdruck eines noch zu geringen Problembewußtseins oder als Konsequenz seiner – letztlich enttäuschten – eschatologischen Erwartungen einzuschätzen und seine Auskunft als für spätere Fragestellungen inkompetent zu bezeichnen, oder sie versteht die Stelle als Empfehlung, Freiheit immer dort zu ergreifen, wo ihre Verwirklichung nicht den Prinzipien christlichen Handelns widerspricht.“ Der Rat zum Verbleiben in der Sklaverei muß nicht von vornherein als Ausdruck zu geringen sozialen Problembewußtseins erscheinen. Wenn der Verbleib in der Sklaverei ein zeichenhafter Verzicht sein soll, der auf den überragenden Wert der in Christus geschenkten Freiheit hinweist, muß die bürgerliche Freiheit als Wert erkannt sein. Der Rat zum Verbleiben in der Sklaverei setzt ebensowenig von vornherein eine Geringschätzung der bürgerlichen Freiheit voraus wie der Rat zur Ehelosigkeit eine Geringschätzung der Ehe.

eine Besserung der sozialen Situation der Sklaven. Diese Situation habe sich um die Jahrhundertwende gebessert, als die Sklaven nicht mehr durch Kriege (aus den Kriegsgefangenen) rekrutiert wurden, und auch den Seeräubern, die ja Menschen in die Sklaverei verkauften, weitgehend das Handwerk gelegt war. Wer zur Zeit des Paulus Sklave war, war es normalerweise durch Abstammung und lebte unter Umständen schon lange mit der Familie seines Herrn zusammen, eine Entwicklung, die sich auf das Verhältnis zwischen Herren und Sklaven im allgemeinen positiv auswirkte. Außerdem unterschied sich – nach Bartchy – die Lage des Sklaven und des Freigelassenen wesentlich nur dadurch, daß der Freigelassene rechtlich eigenständig, geschäftsfähig war; im übrigen gab es zwischen dem Status des Sklaven und dem des Freigelassenen fließende Übergänge. Der Freigelassene war oft noch seinem früheren Herrn gegenüber (etwa finanziell) verpflichtet, der Sklave besaß oft mehr soziale Sicherheit als der Freie, weswegen manche Sklaven die Freiheit gar nicht wollten.[161] Die Zumutung, Sklave zu bleiben, wäre also, falls Paulus sie ausspräche, gar nicht so groß, wie man zunächst annehmen möchte. Bartchy betont aber, daß gleichwohl der Wunsch, frei zu werden, bei den meisten Sklaven vorhanden war, weil man nur als Freier rechtlich sein eigener Herr war. Dieser Wunsch nach Freiheit hatte außerdem durchaus begründete Aussicht auf Erfolg. Wichtig ist nun, daß nach Bartchy der Sklave normalerweise gar nicht die Möglichkeit hatte, zwischen Freilassung und Sklaverei zu wählen, die Freilassung vielmehr vom Herrn verfügt wurde. Die Möglichkeit der Wahl hätte nur bestanden, wenn ein dritter dem Sklaven den Loskauf angeboten hätte. Dieser dritte hätte auch eine Gruppe, etwa die christliche Gemeinde, sein können. Einen solchen Fall hat Ignatius (Ign Pol 4,3)[162] vor Augen: „Sklaven und Sklavinnen behandle nicht hochmütig! Doch sollen auch sie sich nicht aufblähen, sondern zum Ruhme Gottes noch mehr Sklaven sein, damit sie eine bessere Freiheit von Gott erlangen. Sie sollen nicht ersehnen, auf Gemeindekosten frei zu werden, damit sie nicht als Sklaven der Begierde erfunden werden." In diesem Sinn hätten also die Sklaven auf die Freilassung verzichten können, indem sie nicht den Loskauf durch einen dritten betrieben. Bartchy ergänzt aus diesen Gründen (weil der Sklave normalerweise vor keiner Wahl stand), zu χρῆσαι weder ἐλευθερίᾳ noch δουλείᾳ, sondern τῇ κλήσει. Er deutet: „Du warst Sklave, als du berufen wurdest? Sei darüber nicht bekümmert. Aber wenn du tatsächlich freigelassen würdest, lebe auch als Freigelassener deiner Berufung gemäß".[163] Falls V. 21 so zu verstehen wäre, würde er die

---

161 Beispiele bei *Bartchy,* Slavery 107 f.
162 Übersetzungen der Ignatiusbriefe nach *J. A. Fischer* (Hrsg.), Die Apostolischen Väter, Darmstadt 1966.
163 *Bartchy,* Slavery 183 („Were you a slave when you were called? Don't worry about it. But if, indeed, you become manumitted, by all means (as a freedman) live according to (God's calling).")

Gültigkeit der Mahnung von V. 17.20.24 auch für den Fall der Freilassung unterstreichen. Paulus würde sich erinnern, daß einige der von ihm angesprochenen Sklaven, denen die Mahnung gilt μή σοι μελέτω, bereits freigelassen sein könnten; an diese erginge dann die spezielle Mahnung μᾶλλον χρῆσαι.[164]

Noch einen anderen Lösungsvorschlag, der sich aber inhaltlich mit Bartchys Verständnis deckt, bietet P. Stuhlmacher.[165] In hellenistisch-jüdischen und profangriechischen Texten sei ein objektloser Sprachgebrauch von χρῆσθαι belegt, der, wie 2 Kor 13,10 zeige, auch Paulus geläufig sei. Man brauche in 1 Kor 7,21 also gar kein Wort zu ergänzen, sondern müsse einfach verstehen: „Du bist als Sklave berufen? Laß dich das nicht anfechten! Falls du aber doch freikommen kannst, mache um so mehr daraus" oder: „. . . nimm diese Gelegenheit erst recht (im Dienste Christi) wahr".[166]

Wie V. 21 auch zu interpretieren ist, Bartchy dürfte Recht haben mit seiner Ansicht, es gehe Paulus in diesem Abschnitt weniger darum, konkrete Verhaltensregeln aufzustellen, er wolle vielmehr seine Theologie der Berufung illustrieren.[167] Paulus will also wohl nicht Fragen des richtigen Verhaltens in Einzelfällen behandeln, sondern mahnt, in jedem ‚Stand' als Christ seiner Berufung gemäß zu leben.

Daß es um diese Berufung geht, wird in V. 22 noch einmal deutlich ausgesprochen. In Christus ist der Unterschied, der vor dem weltlichen Gesetz zwischen Sklaven und Freigelassenen besteht, aufgehoben: „Denn wer im Herrn als Sklave berufen wurde, ist Freigelassener des Herrn. Ebenso ist einer, der als Freier berufen wurde, Sklave Christi." Als Christ ist jeder Gläubige ein Freigelassener Jesu Christi, insofern Christus Sklaven und Freie aus der Knechtschaft der Sünde freigekauft hat. Sklaven und Freie sind damit aber auch in ein neues Gehorsamsverhältnis eingetreten. Insofern sind sie Sklaven; Freigelassene sind sie im Verhältnis zu ihrem früheren Sklavenstand, in dem sie der Sünde unterworfen waren.[168]

Daß das Wort χράομαι so verwendet werden kann, zeigt Bartchy (Slavery 156) an Beispielen aus Josephus. Wie Bartchy interpretiert auch *Grosheide* (170).

[164] Vgl. *Bartchy*, Slavery 158.

[165] *P. Stuhlmacher*, Der Brief an Philemon, Zürich/Neukirchen-Vluyn 1975, 44–48. Stuhlmacher betont selbst (48 Anm. 113), daß sein Verständnis sich inhaltlich mit dem Bartchys deckt.

[166] Ebd. 45.

[167] Vgl. *Bartchy*, Slavery 75; *Trummer*, Freiheit 364: „Der Tenor der Sklavenparänese heißt μή σοι μελέτω und nicht μένειν. Die Absicht zu trösten bestimmt die Argumentation: Für die Berufung durch Gott bedeuten soziale Kategorien keine Schranken. Gottes Ruf trifft auch den Sklaven. Deswegen braucht sich der Sklave hinsichtlich seiner Berufung keinen Kummer zu machen (7,21 ab)."

[168] In welchem Sinn genau der Sklave Freigelassener des Herrn ist, ist umstritten. *Conzelmann* (153) urteilt: „ἀπελεύθερος ist er nicht im Verhältnis zum Herrn, sondern zu seinem einstigen Sklavenstand." *Bartchy* (Slavery 180) verweist dagegen auf die παραμονή – Kontrakte, die den freigelassenen Sklaven an seinen früheren Patron banden; in dieser Weise charakterisiere Paulus das Verhältnis zwischen Christus und dem Sklaven. Die Pointe von V. 23 a („Für Lösegeld seid

Wodurch wird aber der in Christus befreite Sklave wieder Sklave von Menschen (V. 23)? Dadurch, daß er nach der bürgerlichen Freiheit strebt? Oder ist gemeint, daß ein Freier sich nicht freiwillig in die Sklaverei verkaufen soll?[169] Bartchy interpretiert wohl richtig: „Sklaven von Menschen werden, hieße, den sozialen oder religiösen Status für entscheidender zu halten als die Berufung durch Gott in Christus."[170] Diese Interpretation wird bestätigt durch V. 24: Es kommt darauf an, was der Mensch ,vor Gott' ist. Der Christ soll nicht meinen, durch Veränderung seines irdischen Status *vor Gott* etwas Besseres werden zu können. Die Mahnung, nicht von neuem Sklaven von Menschen zu werden, würde aber auch auf das erste Paradigma passen: der Heidenchrist, der sich beschneiden ließe, würde ebenfalls von neuem zum Sklaven werden (vgl. Gal 4,9; 5,1).[171] Inwiefern kann der Christ, der durch Christus die Freiheit erlangt hat, auch als ,Sklave' Christi bezeichnet werden? Der Glaubende ist Sklave (Knecht) Christi (beziehungsweise Gottes), insofern er ganz von seinem Herrn abhängig ist, der ihn losgekauft hat, ohne den er – nach Joh 15,5 – nichts tun kann. Der Glaubende ist aber auch Sklave, insofern er von jetzt an ganz im Dienst für seinen Herrn leben soll.[172] Der Vergleich mit dem Sklaven kennzeichnet das neue Sein nicht in jeder Beziehung. Der Christ soll nicht etwa die Sache seines Herrn wie eine ihm fremde Sache verfolgen, nicht in knechtischer Gesinnung, sondern als Sohn und Erbe (Gal 4,7; Röm 8,15–17), der wie Christus aus ganzem Herzen dem Vater gehorsam ist.

Wie ist nun die Beziehung zwischen dem Abschnitt V. 17–24 und dem Abschnitt V. 8–16? Paulus verdeutlicht – darauf wurde schon hingewiesen[173] – seine Theologie der Berufung Gal 3,28 an den drei Gegensätzen Jude – Grieche, Sklave – Freier, Mann – Frau. Während die im Galaterbrief angesprochene Problematik mit dem Gegensatz Jude – Grieche zu tun hat, taucht im 1. Korintherbrief der Bereich Mann – Frau als Problem auf (5,1–13; 6,12–7,40; 11,2–16; 14,34–36). So gehören auch die in 1 Kor 7 verhandelten Fragen zum Problembereich Mann – Frau, während die Themen Beschneidung und Sklaverei in 7,17–24 wohl eher zur Illustration des

---

ihr freigekauft worden") ist aber doch wohl: ,Ihr gehört einem neuen Herrn.' Es wäre merkwürdig, wenn Paulus sich das Verhältnis zwischen Christus und dem Christen in Analogie zu dem Verhältnis eines Freigelassenen zu seinem *alten* Herrn dächte. So wird man der Deutung Conzelmanns wohl den Vorzug geben müssen. Man sollte auch nicht fragen, wer das Lösegeld bekommen habe (vgl. *Conzelmann* 136 zu 6,20, wo dieselbe Aussage gemacht wird: „Für Lösegeld seid ihr freigekauft worden"; vgl. auch *Conzelmann* 154).

[169] Vgl. dazu *Bartchy,* Slavery 46f.

[170] *Bartchy,* Slavery 182 („To become slaves of men would be to regard social or religious status as more decisive than the calling from God in Christ.").

[171] Vgl. *Trummer,* Freiheit 349.352.

[172] Vgl. C. *Spicq,* Le vocabulaire de l'esclavage dans le Nouveau Testament: Revue Biblique 85 (1978) 201–226, hier 210f.

[173] Siehe oben S. 76, 110.

zum Thema ‚Ehe und Ehelosigkeit' Gesagten herangezogen werden. Inwiefern kann aber das, was Paulus über die Bedeutung der christlichen Berufung sagt, etwas beitragen zum Thema ‚Ehe oder Ehelosigkeit'? Das läßt sich wohl nur von den Wurzeln dieser Fragestellung im korinthischen Enthusiasmus her erklären.

Bartchy[174] verweist in Anlehnung an Q. Quesnel[175] auf einige Sprüche der Logienquelle, die in der Formulierung bei Lukas eine im Vergleich zu Matthäus kritischere Tendenz gegenüber der Ehe offenbaren. Interessant ist vor allem Lk 20,34–36:

„Die Kinder dieses Äons heiraten und werden verheiratet.
Die aber gewürdigt worden sind,
an jenem Äon und an der Auferstehung von den Toten teilzuhaben,
heiraten nicht und werden nicht verheiratet.
Sie können dann auch nicht mehr sterben,
weil sie den Engeln gleich sind und Söhne Gottes,
da sie ja Söhne der Auferstehung sind."[176]

Mt 22,30 heißt es dagegen schlicht:

„Denn bei der Auferstehung werden sie nicht mehr heiraten,
sondern wie die Engel im Himmel sein."

Bei Mt ist also nicht der Gegensatz zwischen den Kindern dieses und jenes Äons pointiert herausgestellt wie bei Lk. Bekanntlich fühlten sich die korinthischen Enthusiasten bereits als ‚Söhne der Auferstehung', sie glaubten, bereits vollendet zu sein. Indem man ehelos lebte, den Engeln gleich, schien man die geschehene Vollendung auch sichtbar demonstrieren zu können. Falls die korinthischen Enthusiasten ein Herrenwort in der Art von Lk 20, 34–36 kannten und sich darauf beriefen, wäre auch verständlich, warum Paulus (V. 25) ausdrücklich betont, er kenne kein Herrenwort zu diesem Thema. Auch die Aussage der Verse 2 und 9 (Ehe zum Zweck der Vermeidung von Unzucht beziehungsweise der Stillung allzu starken sexuellen Verlangens) würde auf diesem Hintergrund plausibel. Paulus würde zwar grundsätzlich die Ehelosigkeit bejahen und empfehlen, die Korinther aber deutlich darauf hinweisen, daß sie noch keine Engel sind, insofern sie nämlich das geschlechtliche Verlangen noch in sich spüren und so vor Versuchungen auf diesem Gebiet auf der Hut sein müssen.[177] So wird verständlich, warum Paulus in bezug auf Ehe und Ehelosigkeit zum ‚Bleiben' mahnt. Niemand soll meinen, allein durch den Status der Ehelosigkeit oder etwa

---

[174] Vgl. *Bartchy*, Slavery 131f. 144.

[175] *Q. Quesnel*, „Made themselves Eunuchs for the Kingdom of Heaven (Matt. 19:12)": CBQ 30 (1968) 335–358, hier sind wichtig 340–346.

[176] Eigene Übersetzung.

[177] Vgl. *Bartchy*, Slavery 147–152; *E. Käsemann*, Zum Thema der urchristlichen Apokalyptik, in: ders., Exegetische Versuche und Besinnungen II, Göttingen ³1968, 105–131, hier 119–131.

durch enthaltsames Leben in der Ehe oder das Verlassen des Ehepartners gelte er vor Gott mehr. Wie das Zungenreden noch kein Zeichen höherer Vollkommenheit ist, sondern alles auf die Liebe ankommt (13,8–10), so kommt es auch nicht auf den Status der Ehelosigkeit an, nicht auf jüdische Abstammung und bürgerliche Freiheit, sondern auf das „Halten der Gebote" (7,19); vor Gott zählt nur die Liebe, das Halten der Gebote. In dieser Stellungnahme macht sich bemerkbar, daß Paulus im Gegensatz zu den korinthischen Enthusiasten keine rein präsentische Eschatologie vertritt, wie es auch Röm 6 deutlich wird. Die Gläubigen sind zwar in der Taufe mit Christus gestorben, die Auferstehung mit ihm aber steht noch aus (anders Kol 2,12), sie sind noch nicht vollendet. Die Wirklichkeit des neuen Lebens zeigt sich für Paulus im neuen Gehorsam, zu dem die Christen durch Christus ermächtigt sind (Röm 6,7.12f.17f).[178] So kann das neue Leben, das Christus den Seinen erworben hat, nicht durch Änderungen des irdischen Status dokumentiert werden, sondern nur durch den neuen Gehorsam.

2.6 Die Jungfrauen (7,25–28)

In 7,25–28 beantwortet Paulus wieder Fragen aus Korinth, wie der Neueinsatz mit περί (V. 25) zeigt.[179]

Wie in V. 8 geht es um Unverheiratete, hier aber um unverheiratete Mädchen.[180] Was Paulus sagt, gilt aber, wie V. 27 zeigt, ebenso für die jungen unverheirateten Männer.[181] In V. 8f sind also offenbar die Unverheirateten der älteren Generation angesprochen, hier die der jüngeren Generation. Während Paulus in V. 8.10.12 diejenigen, deren Problem er behandelt, anredet, spricht er hier in der 3. Person. Nur der junge Mann wird in V. 27f in der 2. Person angesprochen, vom jungen Mädchen ist in V. 28b wieder in der 3. Person die Rede. Das mag vielleicht daraus zu erklären sein, daß die Initiative zur Heirat vom jungen Mann ausging.[182] Wegen der „anstehenden

---

178 Vgl. *E. Käsemann,* a. a. O.

179 Vgl. die Auslegung zu 7,1, oben S. 78.

180 *Weiß* (193f) und *Delling* (Stellung 86–91) vermuten, hier sei von geistlichen Verlöbnissen die Rede. Diese Frage wird bei der Auslegung von 7,36–38 zu untersuchen sein; siehe unten S. 131f.

181 Das zeigt der Kontext; vgl. *Allo* 177, anders *Robertson/Plummer* 151. Wie weit die Bedeutung ‚junger Mann' an sich im Wort παρθένος schon mitenthalten ist, ist hier nicht wichtig. Auf Offb 14,40 sollte man sich mit einer solchen Beahuptung nicht berufen, da es sich dort um einen übertragenen Sprachgebrauch handelt. In V. 28 ist unter παρθένος nur das Mädchen verstanden; also wird man es auch in V. 25 so zu verstehen haben (vgl. *Kümmel* in den Ergänzungen zu *Lietzmann* 178). Was Paulus sagt, gilt dann aber *implizit* auch für die jungen Männer (in V. 26 ist das durch das Wort ἀνθρώπῳ angedeutet, das – anders als in V. 1 – Mann und Frau einschließt).

182 So *Barrett* 176. H. *Rex* schließt aus der Tatsache, daß hier nur die jungen Männer angeredet werden, hier werde das Problem ausschließlich vom Standpunkt der Männer aus betrachtet, nämlich die Frage, ob die jungen Männer, die das Charisma der Ehelosigkeit nicht haben, ein

Not" (V. 26)[183] hält Paulus es für gut, unverheiratet zu bleiben.[184] Dieser Gesichtspunkt wird nur hier (nicht V. 8 f) zur Geltung gebracht. Hat er für die jüngeren Leute eine besondere Bedeutung? Auch hier ist eine genaue Rekonstruktion des paulinischen Arguments schwierig. Man kann zwei Möglichkeiten der Interpretation unterscheiden.

Die eine ist deutlich bei Niederwimmer ausgesprochen:

„Es entsteht der Eindruck, daß Paulus mit diesem Argument seine bisherigen Urteile noch von einer andern Seite unterstützen will: um den Vorzug der Ehelosigkeit aufzuzeigen, nimmt er jetzt die apokalyptische Erwartung der Gemeinde, die apokalyptische Weltangst zu Hilfe. Er appelliert an die natürliche Leidensscheu des Menschen. Er will ihnen (!) jetzt auf eine unmit-

junges Mädchen (bzw. in V. 37 ihre Verlobte), das das Charisma hat und ein Gelübde der Jungfräulichkeit auf sich genommen hat, heiraten dürfen. Die Antwort des Paulus laute: Wenn der junge Mann ὑπέρακμος (V. 36) sei, sei die Ehe für ihn keine Sünde (vgl. *Rex,* Problem 83–86). Es hänge demnach „allein von der Willenskraft dieser Männer ab, ob die Jungfrauen ihren Gelübden gemäß leben dürfen oder nicht" (ebd. 86). Wieso aber mutet Paulus der Jungfrau zu, ihr Gelübde zu brechen? „Die Antwort auf diese Frage liegt in dem Hinweis auf des Apostels grundsätzliche Einstellung zum Charisma. Wir haben gesehen, daß Paulus das indikativische Charisma dem in der Agape zusammengefaßten Imperativ unterordnet und daß er an den Charismatikern die Neigung kritisiert, sich ihrer Geistesgaben ohne Hinblick auf den ‚Bruder' erfreuen zu wollen. Diese Neigung widerspricht der wirklichen Intention des Geistes, der die Gemeinschaft will. Er will also nicht, daß das Charisma die menschlichen Beziehungen innerhalb der Gemeinde tyrannisiert. Paulus erwartet daher auch von den Jungfrauen, daß sie ihr Charisma so ‚wählen', daß sie den andern (in diesem Fall: den nicht-charismatischen Verlobten) mit einschließen. Sie können sich also nicht einfach ihrem Charisma ‚hingeben' und sich in ihm ‚ausleben' " (*Rex,* Problem 87).
Abgesehen von der Frage, wieweit sich ein Eheloser an seinem Charisma ‚erfreut', bestehen gegenüber dieser Interpretation noch andere Bedenken. Daß ein Charisma in den Dienst an den Brüdern einbezogen werden muß, dürfte selbstverständlich sein. Daß aber von einer Jungfrau gerade dieser Dienst gefordert ist, dürfte nicht selbstverständlich sein. Es wäre andernfalls nicht einzusehen, warum nicht auch eine Ehefrau ihr Eheversprechen brechen sollte wie die Jungfrau ihr Gelübde, warum Eheleute sich ihrer Ehe „ohne Hinblick auf den ‚Bruder' erfreuen" dürften. Rex übersieht, daß das Liebesgebot zwar ein notwendiges, aber nicht hinreichendes Kriterium zur Bestimmung der sittlichen Richtigkeit einer Handlung ist (vgl. *Schüller,* Begründung 56–71).
[183] Ἀνάγκη und θλῖψις sind apokalyptische Termini, wobei θλῖψις der im Neuen Testament häufigere Terminus ist. Neben diesen beiden Wörtern wird bei Paulus noch viermal στενοχωρία gebraucht.
[184] Τὸ οὕτως εἶναι muß das Ledigsein meinen, nicht einfach den gegenwärtigen Stand (*Bachmann* 281; *Lietzmann* 33; *Allo* 177). *Robertson/Plummer* (150.152) wollen dagegen V. 26 sachlich mit V. 24 verbinden; so auch *Baltensweiler* (Ehe 170): „Paulus ist der Meinung, dass, weil die Zeit kurz ist, weil das Ende nahe bevorsteht, der Status quo möglichst aufrechterhalten werden soll" (ebenso *Heinrici* 213; *Moffat* 91). Dann müßte aber die anstehende Not auch ein Grund sein, die Ehe aufrecht zu erhalten; die anstehende Not spricht aber nach V. 27 gerade gegen die Ehe, wenn sie auch nicht zur Auflösung einer bestehenden Ehe berechtigt.
Sprachlich ist V. 26 ein Anakoluth. *Lietzmann* löst ihn folgendermaßen auf (33, ebenso *Bachmann* 280 f):
νομίζω τοῦτο καλὸν ὑπάρχειν ὅτι ὁ ἄνθρωπος οὕτως ἐστίν und
νομίζω ὅτι καλὸν ἀνθρώπῳ τὸ οὕτως εἶναι.
Daß τοῦτο καλὸν ὑπάρχειν und καλὸν ἀνθρώπῳ τὸ οὕτως εἶναι Zitate aus dem Munde der Korinther sind, die von Paulus in V. 27 richtig eingeordnet werden (so *Jeremias,* Gedankenführung 273; *Barrett* 174), ist möglich, aber nicht sicher zu beweisen.

telbar einleuchtende Weise zeigen, was er die ganze Zeit über zu zeigen bemüht war. Er will ihnen Trübsal ersparen".[185] Paulus würde nach dieser Interpretation einen apokalyptischen Topos aufnehmen; man vergleiche s Bar 10,13:

„Brautleute! Betretet nicht das Brautgemach!
Jungfrauen! Laßt eurer Kränze Schmuck!
Ihr Weiber, betet nicht um Kindersegen!"[186]

Der Hinweis auf die kommende Not wäre in diesem Fall nur ein „sekundäres Motiv"[187]. Paulus würde einfach ein apokalyptisches Motiv übernehmen, vielleicht ohne sich genauere Gedanken zu machen, inwiefern denn die eheliche Bindung eine zusätzliche Belastung in den Wehen der Endzeit ist. Die andere Interpretation geht davon aus, daß Paulus auf eine gegenwärtige[188] Not anspielt. In diesem Fall könnte Paulus an bestimmte Erfahrungen anknüpfen, die die Korinther selbst gemacht haben, Erfahrungen, die möglicherweise besonders die jungen Leute betreffen. Man könnte gegen Paulus einwenden, die eheliche Gemeinschaft könne doch auch eine Hilfe in der Drangsal sein. An diesem möglichen Einwand sieht man schon, daß auch hier das Argument des Paulus wenigstens für den heutigen Leser nicht ganz klar ist. Man müßte wissen, von welcher Not Paulus redet, um zu wissen, wieso in dieser Not die Ehelosigkeit hilfreicher ist.

Daß bestehende Ehen nicht aufgelöst werden sollen, hat Paulus schon in V. 12 gesagt. Vermutlich wiederholt er es hier, um in V. 27 eine sprachlich prägnante doppelgliedrige Aussage zu haben.[189] Gleichzeitig stellt er damit klar, daß die anstehende Not kein Grund ist, bestehende Ehen zu lösen. V. 28 zeigt aber, daß das Schwergewicht der Aussage auf V. 27 b (dem Rat zur Ehelosigkeit) liegt.[190] Λέλυσαι meint nicht den Zustand der Scheidung oder Trennung durch den Tod (setzt also nicht ‚Lösung' einer bestehenden Ehe voraus), sondern allgemein „Freisein von ehelichen Bindungen".[191] Hier wird noch einmal deutlich, daß Paulus mit dem status quo nicht argumentiert; er sagt nicht: ‚du bist als Unverheirateter Christ geworden, also

---

[185] *Niederwimmer*, Askese 109.
[186] Übersetzung nach *P. Rießler*, Altjüdisches Schrifttum außerhalb der Bibel, Darmstadt ²1966.
[187] *Niederwimmer*, Askese 109 Anm. 144.
[188] Röm 8,38; 1 Kor 3,22 steht ἐνεστώς im Gegensatz zu μέλλων, auch Gal 1,4 ist es deutlich präsentisch gemeint; vgl. dazu *A. Oepke*, in: ThWNT II 540 (s. v. ἐνίστημι); *W. Grundmann*, in: ThWNT I 350 Anm. 7 (s. v. ἀναγκάζω κτλ.); anders *Bauer*, Wörterbuch 528; *Niederwimmer*, Askese 108 f Anm. 142.
Ob man bei präsentischem Verständnis die Drangsal als eschatologische (so *Barrett* 175) oder einfach als Drangsal dieser Welt (so *Allo* 179) interpretiert, ist nicht so wichtig.
[189] Solche Aussagen sind wirkungsvoll und eingängig; vgl. das Zitat aus *Teles* bei *Conzelmann* 157 Anm. 16 und *Rehkopf*, Grammatik § 494.
[190] Vgl. *Bachmann* 281.
[191] Vgl. *Robertson/Plummer* 153.

bleibe unverheiratet', auch nicht: ‚wegen der anstehenden Not ist es gut, den status quo (sei es Ehe, sei es Ehelosigkeit) zu bewahren'.[192] Befremdlich klingt in V. 28 die Aussage: „Wenn du doch heiratest, sündigst du nicht." Paulus sagt damit aber nur, daß der Gesichtspunkt der Drangsal nicht eindeutig die Ehelosigkeit erfordert. Die Drangsal ist nur *ein* für die Beurteilung relevanter Faktor. Das Verbum ἁμαρτάνω bezeichnet hier, wie in V. 36, nur die sittliche Falschheit der Handlung, nicht die Entscheidung zum Bösen. Paulus sagt also sinngemäß: ‚Wenn du doch heiratest, handelst du nicht sittlich falsch.'

Auch in V. 25–28, so läßt sich zusammenfassend feststellen, behandelt Paulus Fragen der Gemeinde; wir haben also hier normative Überlegungen vor uns. Bei der Interpretation von V. 6 wurde bereits herausgestellt, daß Paulus sich seiner Sache nicht ganz sicher ist. Er teilt nur seine ‚Meinung' mit, nicht nur, weil er kein Herrenwort anführen kann, sondern auch, weil er sich seiner Sache nicht ganz sicher ist. Andererseits machen die Ausführungen des Paulus in V. 32–40 den Eindruck, daß für Paulus die prinzipielle Vorzugswürdigkeit der Ehelosigkeit feststeht. Man muß deshalb vermuten, daß die Korinther nicht ganz allgemein nach der Vorzugswürdigkeit von Ehe oder Ehelosigkeit gefragt haben, nicht so, daß ihre Frage mit einer Antwort im Stil von V. 8 f erledigt gewesen wäre. Die Korinther haben offenbar konkretere Gesichtspunkte genannt, konkrete Schwierigkeiten, über deren Beurteilung sich Paulus nicht ganz sicher ist. Ob dieses konkrete Problem das der geistlichen Verlöbnisse sein könnte, wird bei der Auslegung von 7,36–38 zu überlegen sein.

2.7 Der eschatologische Vorbehalt (7,29–31)

Die Verse 29–31 weisen ähnlich wie die Ausführungen des Abschnitts V. 17–24 eine besondere sprachliche Gestaltung auf durch eine Reihung von ὡς-μή-Formulierungen, die durch je ein kurze Sentenz eingeleitet und abgeschlossen werden („Die Zeit ist kurz" und „die Gestalt dieser Welt vergeht"). Die Einleitung von V. 29 („Denn ich sage euch") gibt dem Abschnitt den Charakter einer feierlichen Erklärung.[193] Mit τοῦτο bezieht sich Paulus also nicht auf die vorausgehenden Ausführungen, sondern auf die folgenden, auf den ἵνα-Satz, der hier einen Imperativ vertritt.[194] „„Die noch zur Verfügung stehende Zeit ist zusammengedrängt', also kurz".[195] Ob

---

[192] Vgl. Anm. 184.

[193] Vgl. *Allo* 199; *Bousset* (106; ähnlich *Niederwimmer, Askese* 109) stellt fest, hier liege eine „zweite Abschweifung" vor.

[194] Vgl. *Rehkopf,* Grammatik § 387,3 a.

[195] So übersetzt *K. H. Rengstorf,* in: ThWNT VII 597 (s. v. συστέλλω).

hinter diesem Satz die apokalyptische Vorstellung steht, Gott habe die Zeit entgegen seinem ursprünglichen Plan noch einmal verkürzt (vgl. Mk 13,20), ist unsicher, es sei denn, Paulus zitiere hier eine apokalyptische Sentenz und leite sie (wie 1 Kor 15,50) mit τοῦτο δέ φημι ein.[196] Nicht ganz einig sind sich die Ausleger über das Verständnis von τὸ λοιπόν. Einige verstehen es im zeitlichen Sinne („für die Zukunft"),[197] andere als Überleitungsfloskel („im übrigen").[198] Im ersten Fall hätte Paulus die an sich in den ἵνα-Satz gehörende Floskel („daß in Zukunft . . .") davorgesetzt; daß Paulus öfter wichtige Wörter vor einen ἵνα-Satz setzt,[199] spricht für diese Lösung.

Zu den ὡς-μή-Formulierungen gibt es tatsächlich eine apokalyptische Parallele in 6 Esra 16,42–46:

(42) „Qui vendit, quasi qui fugiet;

et qui emit, quasi qui perditurus;

(43) qui mercatur, quasi qui fructum non capiat;

et qui aedificat, quasi non habitaturus;

(44) qui seminat, quasi non messem facturus;

et qui putat, quasi non vindemiaturus;

(45) qui nubunt, sic quasi filios non facturi;

et qui non nubunt, sic quasi vidui."[200]

Formal berühren sich die beiden Stellen durch das gemeinsame ὡς μή (beziehungsweise quasi non), inhaltlich im Grundgedanken sowie in den Beispielen des Kaufens und Heiratens. Es zeigen sich aber auch Unterschiede zwischen den beiden Reihen. Ein formaler Unterschied besteht im Tempus: Paulus redet im Praesens, während in den quasi-Sätzen von 6 Esra das Futur steht. Außerdem wirken die paulinischen Formulierungen sprachlich prägnanter dadurch, daß (außer im vierten Glied) das im partizipial formulierten Subjekt erscheinende Verb jeweils im ὡς-μή-Satz wieder verneint wird, während in 6 Esra im qui-Satz und im quasi-Satz jeweils verschiedene Verben verwendet werden. Besteht neben den formalen Unterschieden aber auch ein sachlicher Unterschied zwischen Paulus und 6 Esra? 6 Esra macht mit dem Hinweis auf die kommende Bedrängnis (16,38) deutlich, daß die Menschen das Ziel ihrer Handlungen (ernten, Kinder zeugen) nicht erreichen beziehungsweise das Erreichte verlieren werden. Auch Paulus hat bereits in V. 28 auf die kommende Bedrängnis, in V. 29 auf die Kürze der noch zur Verfügung stehenden Zeit hingewiesen. Man ist zunächst geneigt,

---

[196] Vgl. *K. H. Rengstorf*, a. a. O.; *Schrage*, Stellung 138; *Weiß* 197.

[197] *Bauer*, Wörterbuch 948 (s. v. λοιπός); vgl. *Bachmann* 283.

[198] So *Rehkopf*, Grammatik § 160, 2; auch *Bauer* (Wörterbuch 949) gibt eine solche Bedeutung an, unsere Stelle aber übersetzt er (948) „für die Zukunft".

[199] Vgl. Röm 7,13; 2 Kor 2,4; Gal 2,10 und *Robertson/Plummer* 155.

[200] Der Text ist zitiert nach dem Appendix der Vulgata-Ausgabe von *R. Weber*, Stuttgart ²1975. Ob 6 Esra jüdischer oder christlicher Herkunft ist, ist umstritten. *Schrage* (Stellung 139 f) plädiert mit guten Gründen für jüdische Herkunft.

auch V. 31 b („die Gestalt dieser Welt vergeht") in diesem Sinn als Hinweis
auf das baldige Ende und die ihm vorausgehende Bedrängnis zu verstehen.[201] Ob er tatsächlich so zu verstehen ist, ist nun zu untersuchen; zu
diesem Zweck ist in Kürze die theologische Position des Paulus mit der der
Apokalyptik zu vergleichen.

Nach 4 Esra 7,50 hat Gott nicht eine Welt erschaffen, sondern zwei, den
gegenwärtigen Äon und den kommenden. Der gegenwärtige Äon steht für
die Apokalyptik unter einem negativen Vorzeichen, und zwar aus einem
zweifachen Grund. Einmal ist die gegenwärtige Welt (besonders für Israel)
voller Leid und Wehe, das als Auswirkung der Sünde Adams angesehen
wird. Die Tat Adams prägt durch ihre Auswirkungen das Leben derer, die in
diesem Äon leben. In anderer Weise erscheint dieser Äon negativ im Vergleich mit dem kommenden (gleichsam sub specie aeternitatis).[202] Die
Geschichte dieses Äons erscheint damit als bloßes Interim zwischen Urzeit
und Endzeit. Dennoch ist der Unterschied zwischen den beiden Äonen in der
Apokalyptik nicht extrem. Es gibt ein Bindeglied zwischen diesem und dem
kommenden Äon: das Gesetz. Wer die Tora befolgt, hat Anteil am kommenden Äon.[203] Das apokalyptische Zwei-Äonen-Schema ist Paulus nicht fremd,
wird bei ihm aber von der Christologie her korrigiert. Da für ihn Kreuz und
Auferweckung Jesu das eschatologische Ereignis sind, ist für Paulus
der neue Äon nicht rein zukünftig, vertritt er keine rein futurtische Eschatologie. Interessant ist hier zunächst die paulinische Terminologie. Häufig werden synonym verwendet ὁ αἰὼν οὗτος, ὁ κόσμος, ὁ
κόσμος οὗτος (vgl. 1 Kor 1,20; 3,19). Das Wort κόσμος dient andererseits nicht als Bezeichnung der kommenden Welt, ebensowenig spricht
Paulus vom kommenden Äon (Eph 2,7 bleibt hier außer Betracht), wohl
aber von einer ‚neuen Schöpfung' (2 Kor 5,17; Gal 6,15).[204] Mit der ‚neuen
Schöpfung' ist aber nun nicht die kommende (zukünftige) Vollendung
gemeint, sondern vielmehr die neue eschatologische Existenz des Christen,
der durch die Tat Christi „aus dem gegenwärtigen bösen Äon" (Gal 1,4)
befreit ist. „Das Alte ist vergangen" (τὰ ἀρχαῖα παρῆλθεν) heißt es
2 Kor 5,17; ‚vergangen' ist es aber offenbar nicht primär in einem zeitlichen
Sinne. Das ‚Alte' ist schließlich als Gefahr immer noch virulent, eine Gefahr,

---

[201] So offenbar *Weiß* 199 f.

[202] Vgl. dazu *W. Harnisch*, Verhängnis und Verheißung der Geschichte, Göttingen 1969, 136. Man
muß allerdings beachten, daß die Sprache nicht immer deutlich unterscheidet zwischen gut –
schlecht und gut – weniger gut. Die ‚negative' Wertung des gegenwärtigen Äons wäre von
daher noch genauer zu untersuchen. Man muß deshalb auch bei vergleichenden Aussagen (etwa
der Behauptung, bei Paulus werde die Welt positiver gewertet als in der Apokalyptik) vorsichtig
sein.

[203] *W. Harnisch* (a. a. O. 178) formuliert: „Dieser Äon steht zwar im Zeichen des Heilsentzuges,
aber seine relative Bedeutung liegt darin, daß er den Gerechten Gelegenheit gibt, sich im Kampf
mit dem Bösen zu bewähren und sich dadurch für den künftigen Äon zu qualifizieren."

[204] Vgl. *L. Goppelt*, Theologie des Neuen Testaments, Göttingen ³1976, 374.

auf die etwa die Lasterkataloge hinweisen. Das ‚Alte' (in 2 Kor 5,17 alles, worauf sich ein Urteil κατὰ σάρκα gründen könnte) hat aber in Christus seine Macht verloren, es gilt nichts mehr. So dürfte auch der Satz „die Gestalt dieser Welt vergeht" (1 Kor 7,31) nicht rein zeitlich im Sinn der Naherwartung zu verstehen sein. Der eigentliche Sinn dieses Satzes könnte sich von Röm 12,2 her ergeben, wo Paulus mahnt, sich nicht dem σχῆμα dieser Welt gleichzumachen. Das Grund-‚Schema' dieser Welt aber ist jenes Selbstverständnis des Menschen, das durch Christus überwunden wurde, die Selbstsucht, die aus der Absage an Gott resultiert, die Selbsterbauung, der Juden und gnostische Enthusiasten verfallen, die Gesetzlosigkeit und Ausschweifung.[205] Diese Grundtendenzen der Welt sind durch Christus erledigt; sein Kreuzestod, sein Gehorsam bis zum Tod am Kreuz (Phil 2,8) ist die radikale Absage an das ‚Schema' dieser Welt, an Selbstsucht und Selbsterbauung. Wo ein Mensch sich diese Gesinnung Jesu zu eigen macht, in seinem Geist ‚wandelt' (vgl. Gal 5,16), da ist er frei vom ‚Schema' dieser Welt, vom selbstsüchtigen Versuch, sich die eigene Gerechtigkeit aus dem Gesetz zu verschaffen (vgl. Gal 5,18). Insofern der Christ durch Christus befähigt ist, den Grundtendenzen dieser Welt zu widerstehen, ist er bereits ‚neue Schöpfung'. Die Welt ist also nicht nur zeitlich gesehen, nicht nur in ihrem Äußeren, sondern von ihrem Wesen her ‚am Ende'. Σχῆμα (im Neuen Testament nur hier und Phil 2,7) bezeichnet hier „nicht das Äußere der Welt im Gegensatz zu einem etwa unvergänglichen Inneren"[206], sondern die Substanz, das Wesen, sofern es in Erscheinung tritt.[207]

Ob man V. 31 b im Sinn der Naherwartung interpretiert oder nicht,[208] ist vielleicht gar nicht so wichtig. Das Entscheidende an der Naherwartung scheint jedenfalls nicht ihr zeitlicher Aspekt zu sein, sondern die Überzeugung, daß die ‚Welt' von ihrer Substanz her ‚am Ende' ist. Daß diese Überzeugung auch ohne zeitliche Naherwartung lebendig sein kann, zeigt sehr schön 1 Joh 2,17: „Die Welt vergeht und ihre Begierde; wer aber den Willen Gottes tut, bleibt in Ewigkeit." Nicht nur, daß die Welt vergeht, ist hier wichtig, sondern auch, daß etwas ‚bleibt'. Bleibendes kann der Mensch nur wirken, indem er den Willen Gottes tut (1 Joh 2,17; vgl. Mt 7,24—27), indem er (wie man entsprechend 1 Joh 2,15 formulieren könnte) Gott liebt und nicht die Welt. Auch für Paulus ist das, was niemals aufhört (1 Kor 13,8), die Liebe beziehungsweise, wie er es im folgenden Abschnitt (V. 32) nennt, das

---

[205] Vgl. *H. Schlier*, Grundzüge einer paulinischen Theologie, Freiburg 1978, 70—77.
[206] *Bachmann* 282.
[207] So *E. Käsemann*, in: Exegetische Versuche und Besinnungen I, Göttingen 1964, 75; *ders.*, An die Römer, Tübingen ²1974, 314; *J. Schneider*, in: ThWNT VII 957 (s. v. σχῆμα κτλ.); *Robertson/Plummer* 156 („For transitory is the fashion of this world"); *R. Bultmann*, Theologie des Neuen Testaments, Tübingen ⁵1965, 194.
[208] Gegen eine Interpretation im Sinne der Naherwartung vor allem *Allo* (180) und *Hierzenberger* (Weltbewertung 60—65).

Dem-Herrn-zu-Gefallen-Leben; nur darauf kommt es unbedingt an. In den Formulierungen des Paulus kommt dieser Gedanke noch besser zum Ausdruck als in 6 Esra. Während 6 Esra mehr auf die Unsicherheit des Handlungserfolges verweist, betont Paulus stärker – in unserer Terminologie gesprochen – die Indifferenz gegenüber den nicht-sittlichen Werten überhaupt. Was die einzelnen Mahnungen besagen, wird am besten am vierten Glied deutlich. Nicht die Handlungsweise selbst (Kaufen) wird abgelehnt, sondern ihr definitiver Charakter (Besitzen),[209] wie er in dem Kompositum καταχρώμενοι,[210] das im fünften Glied verwendet wird, gut zum Ausdruck kommt: „Wer sich die Welt zunutze macht, [soll sich so verhalten,] als nutze er sie nicht."[211] Diese Indifferenz gilt auch gegenüber den Übeln dieser Welt. Paulus mahnt 1 Thess 4,13, nicht zu trauern, „wie die andern, die keine Hoffnung haben". Die Christen sollen in ihrer Trauer das Übel des Todes nicht größer machen, als es ist. Auch von den andern Übeln, die dem Menschen widerfahren, gilt, man soll über sie weinen, „als weinte man nicht" (1 Kor 7,30). Damit ist nicht etwa Gefühllosigkeit gefordert; der Christ soll sich ja freuen mit den Fröhlichen und weinen mit den Weinenden (Röm 12,15). Nicht Freude und Trauer an sich sind abzulehnen. Es geht um die Dinge, die zu Freude und Trauer Anlaß geben; sie haben nur bedingten Wert beziehungsweise Unwert.

Die Mahnungen des Paulus berühren sich der Sache nach zweifellos mit stoischen Gedankengängen. (Damit soll nicht behauptet sein, Paulus sei von der Stoa abhängig.) So ist das Kapitel 24 im III. Buch von Epiktets Diatriben, das vielfach zum Vergleich mit diesen Versen herangezogen wird, überschrieben: „Daß wir nicht leidenschaftlich an den Dingen hängen sollen, die nicht in unserer Macht stehen" (Περὶ τοῦ μὴ δεῖν προσπάσχειν τοῖς οὐκ ἐφ᾽ ἡμῖν).[212] Die Dinge dieser Welt, was wir besitzen, was uns zu

---

[209] So *Merk, Handeln* 119; vgl. auch *Baltensweiler, Ehe* 171 f.

[210] Diese Lesart ist gegenüber παραχρώμενοι vorzuziehen. *Héring* (58) zitiert: χρᾶσθαι bedeute hier nicht ‚utendum', sondern ‚fruendum'.

[211] Übersetzung nach *U. Wilckens,* Das Neue Testament, Hamburg/Köln/Zürich ²1971.

[212] *Braun* (Indifferenz 159) gibt die Wendung nicht ganz glücklich wieder, wenn er übersetzt, es gehe nach Epiktet darum, „sich nicht zu *engagieren* in den Dingen, die nicht in unserer Macht stehen" (Hervorhebung von mir). Braun betont m. E. zu Recht die Gemeinsamkeiten zwischen Epiktet und Paulus. Nur sind die Worte ‚Sich Engagieren' und ‚Engagement' zur Zeit so hochmoralische Wertungswörter, daß man mit der Aussage, der Christ solle sich in den Dingen der Welt ‚nicht engagieren', nur Protest hervorrufen kann. Entsprechend interpretiert *Schrage* (Stellung 149) das ‚Sich-nicht-Engagieren': „das, was man in der Welt tut und treibt, in kühler Distanz und nur mit halbem Herzen betreiben". Daß die Stoa nicht gegen jedes politische ‚Engagement' war, zeigt sehr schön *Senecas* Auseinandersetzung mit Athenodoros (De tranquillitate animi III–IV).
Auch bei der Frage, ob bei Paulus die stoische Ataraxie oder Apathie durchscheine, muß man sich darüber im klaren sein, was die Stoiker damit meinen. Es geht dabei keineswegs um „Empfindungslosigkeit gegenüber den Weltgütern", wie *Schrage* (Stellung 132) meint. Es ist zu bedenken, daß die Stoa unter πάθος „nur noch die irgendeine Störung der Stimmung enthaltenden Gemütsbewegungen verstand, die positiv gestimmten Gemütsbewegungen dagegen, wie

Freude oder Trauer Anlaß gibt, Freundschaft und Zuneigung unserer Mitmenschen – das alles ist οὐκ ἐφ' ἡμῖν; entsprechend sollen wir damit umgehen. Beispiel einer solchen von Epiktet geforderten Haltung ist Sokrates, der zwar Frauen und Kinder gehabt hat, aber so, als wären sie nicht sein eigen (ὡς ἀλλότρια), dem über alles galt der Gehorsam gegen das Gesetz.[213] Welcher Zusammenhang besteht nun zwischen 1 Kor 7,29–31 und dem Kontext von 1 Kor 7? Das καί vor οἱ ἔχοντες (V. 29) dürfte den richtigen Hinweis geben:[214] Nicht nur für die Jungfrauen, ‚auch' für die Verheirateten gilt der eschatologische Vorbehalt, gilt, daß Ehe, Besitz etc. nicht das ‚Bleibende' sind, auf sie kommt es nur bedingt an. Was ‚bleibt', worauf es unbedingt ankommt, wird in diesem Abschnitt nicht ausdrücklich genannt; es ist hier vorausgesetzt. Gerade die Erfahrung der ‚bleibenden' Gemeinschaft mit Christus, die Botschaft von Christi Tod und Auferstehung machen dem Gläubigen bewußt, daß „die Gestalt dieser Welt vergeht". Paulus weist in diesem Abschnitt also in einer paränetischen Zwischenbemerkung auf die grundlegende Wahrheit hin, die bei allen Erörterungen über das richtige christliche Handeln als Voraussetzung gegeben sein muß.

2.8. Verheiratete und Unverheiratete (7,32–35)

Paulus kehrt nun zum Thema ‚Ehe und Ehelosigkeit' zurück. War in V. 25–28 die Bewahrung in der Bedrängnis der Grund für die Empfehlung der Ehelosigkeit, ist es hier die Freiheit von der Sorge. Aber was für eine Sorglosigkeit ist in V. 32 a gemeint?

Paulus fordert sicher nicht, der Christ solle sich gar nicht um seine irdische Existenz kümmern; schließlich hat Paulus selber seinen Lebensunterhalt verdient und mahnt andere, dasselbe zu tun (1 Thess 2,9; 4,11; vgl. 2 Thess 3,10). „Aber es wird dem Menschen zu verstehen gegeben, daß er nicht glauben soll, sich durch sein μεριμνᾶν sein Leben sichern zu kön-

---

namentlich die Freude (χαρά), unter dem neugebildeten Begriff der εὐπάθειαι zusammenfaßte" (H. Reiner, ‚Apathie', in: HWP I 430). Apathie ist bei den Stoikern „nicht nur ein Fehlen der von ihnen als πάθη bezeichneten Gemütsbewegungen, sondern darüberhinaus etwas Positives, nämlich eine Haltung (ἕξις), deren Wesen als Gelassenheit zu kennzeichnen ist" (ebd. 450 f). Auch die häufig zu lesende Behauptung, die Stoa bzw. Epiktet lehne das Mitleid ab (so auch Braun, Indifferenz 166), dürfte falsch sein. Die Stoa macht vielmehr von dem Wort ἔλεος einen anderen Gebrauch. Es heißt im profanen Griechisch soviel wie ‚Jammer', bezeichnet also einen Affekt, nicht eine Tugend; ἔλεος ist erst in der Septuaginta als Übersetzung von ḥsd zu einem Tugendwort geworden. (Vgl. dazu ausführlich W. Schadewaldt, Furcht und Mitleid? Zur Deutung des aristotelischen Tragödiensatzes: Hermes 83 (1955) 129–171; R. Bultmann, ἔλεος κτλ., in: ThWNT II 474–483.) Bei Epiktet gibt es sehr wohl positive Aussagen über das Mitleid (vgl. Diss I 11: Περὶ φιλοστοργίας).

213 Vgl. Epiktet, Diss IV 1,159.154.
214 So Bachmann 283.

nen".[215] Das wird auch in der Predigt Jesu deutlich (vgl. Mt 6,25–34; Lk 12,22–31). „Was das sachgemäße Sorgen zu einem törichten macht, ist eben die Angst und der in der Verblendung dieser Angst entstehende Wahn, durch die Lebens*mittel,* um die man sich sorgt, das Leben selbst *sichern* zu können."[216] Worum man sich über Gebühr Sorgen macht, dem verfällt man, das bestimmt die Existenz.[217] Schon die frühe Gemeinde hat die Erfahrung gemacht, daß „die Sorgen der Welt, die Gier nach Reichtum" (Mk 4,19 parr) das Wort der Verkündigung „ersticken". Daß der Christ nicht von dieser falschen Sorge bestimmt sein darf, leuchtet ein. Wieso verfallen aber gerade die Eheleute dieser falschen Sorge? Urteilt Paulus in V. 32–34 aus seiner seelsorgerlichen Erfahrung?[218]

Aber Paulus mahnt doch die Korinther, füreinander zu sorgen (1 Kor 12,25), und nach des Paulus eigener Auskunft hat das Ehepaar Aquila und Prisca für ihn nicht nur gesorgt, sondern das Leben aufs Spiel gesetzt (Röm 16,3 f; vgl. auch Apg 18,26). Die Mutter des Rufus (die allerdings möglicherweise inzwischen verwitwet ist), ist Paulus zur Mutter geworden (Röm 16,13).[219] Röm 16 nennt noch mehr Personen, die sich um die Sache des Glaubens abgemüht haben; andererseits fällt Paulus Phil 2,20 f das harte Urteil, von seinen jetzigen Gefährten suche allein Timotheus die Sache Jesu Christi und nicht seinen eigenen Vorteil.[220] Wenn wir auch von diesen Gefährten nicht wissen, ob sie unverheiratet waren oder nicht, so kann man doch vermuten, daß auch damals die echte Sorge um die Sache des Herrn mit der Ehelosigkeit[221] allein noch nicht gegeben war. Die Vermutung, Paulus treffe hier eine empirische Feststellung, erscheint damit von den Paulusbriefen her problematisch.

Die Schwierigkeit der Verse 32–34 liegt in der Ambivalenz der Wörter ‚sich sorgen‘ und ‚gefallen‘. Mit dem Objekt der Sorge ändert sich zugleich deren Charakter.[222] Die Sorge um die Sache des Herrn, um das Reich Gottes ist geradezu der Inbegriff dessen, was dem Christen aufgegeben ist. Aber die Forderung, sich nur um die Sache des Herrn zu sorgen, bedeutet doch nicht, „daß daneben überhaupt kein anderer Inhalt des Seelenlebens mehr irgendwie Platz hat".[223] Die Sorge um die Sache des Herrn schließt also nicht aus,

---

[215] *R. Bultmann,* in: ThWNT IV 595 f (s. v. μεριμνάω κτλ.); *Héring* (59) dürfte nicht Recht haben, wenn er meint, μεριμνάω habe hier nicht den pejorativen Sinn wie in der Bergpredigt.

[216] *R. Bultmann,* a. a. O. 596.

[217] Vgl. ebd.

[218] So *Heinrici* 219.

[219] Darauf verweist *K. H. Schelke,* Theologie des Neuen Testaments III. Das Ethos, Düsseldorf 1970, 257 f.

[220] Vgl. auch *J. Gnilka,* Der Philipperbrief, Freiburg 1968, 158 f.

[221] ‚Ehelosigkeit‘ meint hier natürlich auch die Ehelosigkeit von Witwen und anderen Unverheirateten.

[222] Vgl. *Bachmann* 284.

[223] So mit Recht *Bachmann* 286.

daß man sich um seinen Lebensunterhalt kümmert, wie das Beispiel des Paulus selbst zeigt; man darf sich um seinen Lebensunterhalt nur nicht *so* sorgen, wie man sich um die Sache des Herrn sorgen muß. Möglicherweise ist Paulus sich der Ambivalenz des Wortes μεριμνάω bewußt. Er schreibt nämlich nicht, wie man erwarten würde: ‚Der Unverheiratete sorgt sich um die Sache des Herrn, wie er dem Herrn gefalle. Der Verheiratete sorgt sich um die Sache der *Frau,* wie er der Frau gefalle.' Vielmehr heißt es im zweiten Satz (V. 33): „Der Verheiratete sorgt sich um die Dinge der *Welt,* wie er der Frau gefalle."[224] Dadurch daß, anders als der Parallelismus es erfordern würde, die Welt als Objekt der Sorge genannt wird, ist diese Sorge qualifiziert. Man könnte also formulieren: die Sorge des Verheirateten um die Dinge der Frau ist Sorge um die Dinge der Welt.[225] Aber wie ist das zu verstehen? Ist die Sorge des Verheirateten um seine Frau notwendig weltliche Sorge? Ist sie in Gefahr, weltliche Sorge zu werden? Darin liegt das Interpretationsproblem dieses Abschnitts.

Ambivalent wie μεριμνάω ist auch das Verbum ἀρέσκω. Bedeutet es ursprünglich im *rechtlichen* Sinn ‚zufriedenstellen', also ‚die berechtigten Ansprüche eines andern erfüllen', so bekommt es dann auch einen *ästhetischen* Sinn (im Neuen Testament vor allem Mk 6,22 parr); daraus entsteht die negative Bedeutung im Sinne von ‚Gefallsucht'.[226] Das Wort kann also positiven und negativen Sinn haben. So kann es ein ἀνθρώποις ἀρέσκειν geben, das dem Willen Gottes zuwider ist (vgl. Gal 1,10), und ein πᾶσιν ἀρέσκειν, das nicht seinen eigenen Nutzen sucht (vgl. 1 Kor 10,33), das also dem Willen Gottes entspricht. Die falsche Gefallsucht sucht nämlich ihren eigenen Nutzen, indem sie sich bei einem andern (von dem sie sich einen Vorteil erwartet) eine gute Nummer verschafft.[227] Es gibt aber auch ein

---

[224] Darauf verweist *Niederwimmer,* Askese 113.

[225] Solche Sätze sind deswegen so mißverständlich, weil sie scheinbar ein Tatsachenurteil, tatsächlich aber ein Werturteil enthalten; ‚Welt' ist nämlich hier ein negatives Wertungswort. *Niederwimmer* (Askese 112 Anm. 158) bemerkt an sich richtig: „während wir heute die ‚Sorge für die Welt' durchaus als Form christlicher Existenz empfinden, schließen sich für Paulus Kosmos und Kyrios aus." Er übersieht aber, daß es sich hier zunächst nicht um einen Unterschied in der *Sache* handelt, sondern um einen unterschiedlichen Gebrauch des *Wortes* ‚Welt'. Die ‚Sorge für die Welt' ist für uns heute eine dem Willen Gottes gemäße Sorge, für Paulus eine dem Willen der (bösen) Welt selbst gemäße, also dem Willen Gottes widersprechende Sorge. Vgl. auch *R. Bultmann,* Theologie des Neuen Testaments, Tübingen ⁵1965, 254–260.

[226] Vgl. *W. Foerster,* ἀρέσκω κτλ., in: ThWNT I 455–457, hier 455. *Héring* (59) kennzeichnet die Bedeutung des Wortes in der Septuaginta so: „trouver l'approbation de quelqu'un en lui donnant satisfaction".

[227] Vgl. auch Ign Tr 2,3 mit Ign R 2,1; auch *B. Schüller,* Gesetz und Freiheit, Düsseldorf 1966, 30. Eigenartig ist 2 Cl 13,1: καὶ μὴ γινώμεθα ἀνθρωπάρεσκοι μηδὲ θέλωμεν μόνον ἑαυτοῖς ἀρέσκειν, ἀλλὰ καὶ τοῖς ἔξω ἀνθρώποις ἐπὶ τῇ δικαιοσύνῃ. Das Wort ἀνθρωπάρεσκος (und ἀνθρωπαρέσκειν in Ign R 2,1) ist offenbar immer negativ gebraucht. „Es drückt also ein Verhalten aus, bei dem nicht Gottes Wort, sondern das Urteil der Menschen letztes Prinzip des Handelns ist und man sich dem Wohlgefallen der Mitmenschen ohne weiteres konformiert." (*W. C. van Unnik,* Die Rücksicht auf die Reaktion der Nicht-Christen als Motiv in der altchristlichen Paränese, in: W. Eltester (Hrsg.), Judentum – Urchri-

richtiges Dem-andern-zu-Gefallen-Leben, „um Gutes zu tun und die Gemeinde aufzubauen" (Röm 15,2), dadurch daß man dem andern keinen
Anstoß gibt, im Gegensatz zum rücksichtslosen ,Sich-selbst-zu-Gefallen-
Leben' (vgl. Röm 15,1.3), dessen Gegensatz nicht das ,Sich-selbst-Verab-
scheuen', sondern das ,Sich-selbst-Verleugnen' ist. Die Gefahr der Eheleute
läge dann in einer falschen Konformität mit dem Willen des Partners, in
einem ,weltlichen' Dem-Partner-zu-Gefallen-Leben. Die pythagoreische
Philosophin Theano soll auf die Frage, was sich für eine Frau gezieme,
geantwortet haben: „dem eigenen Mann zu Gefallen leben".[228] Paulus macht
diese Aussage von beiden Ehepartnern; aber vielleicht mußte damals besonders die Frau ihrem Mann so sehr zu Gefallen sein, daß sie das eine Notwendige dabei vergessen konnte.

Wieso ist aber nun die unverheiratete Frau „heilig"? Von Heiligkeit ist hier
in einem andern Sinn die Rede als in V. 14, wo es um Verheiratete ging. Der
Sinn wird deutlich, wenn man V. 33 und V. 34a gegenübergestellt:[229]

Der Verheiratete	Die unverheiratete Frau . . .
sorgt sich um die Dinge der Welt,	sorgen sich um die Sache des Herrn
wie er der Frau gefalle.	
So ist er *geteilt*.	um *heilig* zu sein an Leib und Seele.

,Heilig' ist also hier wohl der Gegensatz zu ,geteilt'. Die ,Heiligkeit' der
Jungfrau beinhaltet, daß sie mit ganzem Herzen dem Herrn dienen kann.[230]
In V. 35 gibt Paulus selber eine Art Kommentar zu den Ausführungen von
V. 32–34. Es ist zu prüfen, ob von diesem Vers her die Aussageabsicht des
Paulus klarer wird. Paulus betont zunächst (V. 35a), er sage das zum Nutzen
der Korinther, nicht um ihnen eine Fessel anzulegen, das heißt, er legt ihnen
keine ungebührliche Last auf, er denkt nur an ihr Wohl.[231] Daß er das eigens
betonen muß, ist im Kontext von 1 Kor 7 merkwürdig. Am Anfang des
Kapitels hat er sich doch gegen einseitig enkratitische Bestrebungen gewandt.[232] Es scheint also auch Gruppen in Korinth gegeben zu haben, denen

stentum – Kirche, Berlin 1960, 221–234, hier 222, vgl. bes. 221–224; aus van Unnik auch das
obige Zitat aus 2 Cl.) Als Gegensatz zu ἀνθρωπάρεσκοι würde man im obigen Zitat aus 2 Cl die
Aussage erwarten, man müsse ,Gott gefallen' (wie 1 Thess 2,4 und Ign R 2,1). Aber es gibt auch,
wie 2 Cl 13,1 deutlich macht, ein richtiges ,Den-Menschen-draußen-zu-Gefallen-Leben'; die
Christen sollen also, das ist damit gesagt, den Heiden keinen sittlichen Anstoß und damit keinen
Anstoß zur Gotteslästerung geben.

[228] Tò τῷ ἰδίῳ ἀρέσκειν ἀνδρί (Stob Ecl IV 23,55, zitiert nach *Weiß* 204 Anm. 2)

[229] Bei dieser Deutung ist der Text von Nestle vorausgesetzt; dafür sprechen sich aus: *Héring* 59;
Moffat 94; *Allo* 180–182; *Weiß* 202f; *Bachmann* 284–286; bei den drei letzten findet man eine
ausführliche Begründung.
In der zweiten Zeile vermißt man allerdings „wie sie dem Herrn gefalle" (wie V. 32b); aber das
spricht wohl nicht entscheidend gegen die angenommene Struktur.

[230] Daß auch an die körperliche Unversehrtheit der Jungfrau gedacht ist (so *Niederwimmer*, Askese
114f), ist nicht auszuschließen; der Text gibt aber auch ohne diese Annahme einen Sinn.

[231] Vgl. *Lietzmann* 35; *Bachmann* 287.

[232] Vgl. V. 2 und V. 9.

gegenüber Paulus den Wert der Ehelosigkeit herausstellen muß. Die verbreitete Ansicht, 1 Kor 6 richte sich gegen die Libertinisten, 1 Kor 7 gegen die ‚Asketen‘, wäre dann vielleicht doch zu modifizieren. Paulus könnte ab V. 25 Christen ansprechen, die eher zur Ehe entschlossen sind, sei es, daß sie prinzipielle Bedenken gegen die Ehelosigkeit haben, sei es, daß sie für sich selbst das existentielle Wagnis dieser Lebensform scheuen. Diese Scheu könnte bei den Jüngeren gegeben sein. V. 35 b sagt nun noch einmal positiv, warum Paulus die Ehelosigkeit empfiehlt: die Christen sollen gute (ehrenhafte) ‚Beisitzer‘ des Herrn sein und sich durch nichts ablenken lassen.[233] Da die Ehe für Paulus an sich nicht unehrenhaft (ἀσχήμων) ist, wird man interpretieren dürfen: „das εὐπάρεδρον ist wirklich das positive Ideal, um dessentwillen Paulus die Ehelosigkeit empfiehlt; aber das εὐσχημον ist die Grenze, die er dabei eingehalten wissen will".[234]

Wichtig ist der Gedanke, daß man sich vom Dienst nicht ablenken lassen soll. Dieser Gedanke (mit dem Wort ἀπερίσπαστος) taucht in zwei Texten auf, die uns bei der Interpretation der paulinischen Gedanken weiterhelfen können: in Epiktets Diatriben und in der lukanischen Erzählung von Maria und Martha (Lk 10,38–42, bes. V. 10).

Epiktet (Diss III 22,67–82) empfiehlt für den Kyniker die Ehelosigkeit aus zwei Gründen:

1. Der Kyniker lebt nicht für sich, er ist vielmehr ein Bote des Zeus (III 22,23). Wenn er in einer Stadt von weisen Männern wohnen würde, brauchte er niemanden zu belehren; dann würde ihn nichts davon abhalten, zu heiraten und Kinder zu haben. Da die Situation aber nicht so ist, würde er durch private Pflichten (καθήκουσιν ἰδιωτικοῖς) nur von seinem Botenauftrag abgelenkt; dieser Auftrag verlangt seine ganze Aufmerksamkeit. Wie der Soldat in der Schlachtreihe darf er nicht abgelenkt werden (μὴ ποτ᾽ ἀπερίσπαστον εἶναι δεῖ).[235]

2. Gegenüber dem Einwand, Krates sei verheiratet, äußert Epiktet, die Frau des Krates sei schließlich selbst ein zweiter Krates. Die normalen Ehen (κοινοὶ γάμοι) seien dagegen ein Hindernis für den Kyniker. Daß Frau und Mann sich in gleicher Weise dem kynischen Ideal verpflichtet fühlen, ist für Epiktet ein seltener Glücksfall.

Die Aussage von Lk 10,38–42 ähnelt dem ersten Gedanken Epiktets. Die Pflichten des Alltags halten allerdings hier nicht von einem philosophischen Verkündigungsauftrag ab, sondern von dem einen Notwendigen, dem

---

233 Die Konstruktion in dem ἀλλά -Satz ist hart; die Neutra sind dem Neutrum σύμφορον nachgebildet. Das Wort εὐπάρεδρος ist sonst vor Paulus nicht belegt (*Conzelmann* 159 Anm. 34). Der Sinn ist: ἵνα καλοὶ πάρεδροι τοῦ κυρίου ἀπερισπάστως γένησθε (so *Lietzmann* 35).
234 *Weiß* 205.
235 Vgl. aber die gegensätzliche Meinung des *Musonius* (p. 70–76, ed. Hense).

Hören auf das Wort Jesu. Könnte Paulus die Ehelosigkeit hier ähnlich begründen? Die erste Begründung käme nur für Paulus selbst als hauptberuflichen Verkündiger des Evangeliums in Frage. Die zweite Begründung Epiktets könnte ein Anhaltspunkt für die Interpretation der Aussagen des Paulus sein. Man müßte dann etwa so interpretieren: Die Eheleute sind meist nicht in gleicher Weise in der christlichen Vollkommmenheit fortgeschritten. Wenn aber in einer Ehe nur ein Partner sich aus ganzem Herzen um die Sache des Herrn sorgt, wird er durch den andern Partner immer wieder zu ,weltlichem' Sorgen verleitet. Am plausibelsten dürfte aber eine Interpretation im Anschluß an die Erzählung von Maria und Martha sein. Die Pflichten des Alltags in der Ehe würden dann (unabhängig von irgendeinem Verkündigungsauftrag) leicht den Menschen von dem einen Notwendigen abhalten. Wie das genauer zu verstehen ist, muß in Kapitel 4 überlegt werden.

Abschließend sei noch die Frage nach dem Genus der Aussagen von V. 32–34 gestellt. Das Vokabular – und darin dürfte die Schwierigkeit dieses Abschnitts liegen – ist im Grunde aus dem Wortschatz der Paränese genommen. Aussagen wie: ,es kommt darauf an, Gott zu gefallen und nicht den Menschen, sich um die Sache des Herrn zu sorgen und nicht um die Dinge der Welt' sind typisch paränetische Formulierungen; sie umschreiben die sittliche Grundentscheidung des Christen.[236] Von V. 35 her muß man aber doch wohl annehmen, daß Paulus hier den Vorzug der Ehelosigkeit klarzulegen sich genötigt sieht. Wir haben es also doch wohl mit einem Stück – allerdings sehr mißverständlicher – Argumentation zu tun.

2.9. Verlobte (7,36–38)

Das Verständnis der Verse 36–38 ist äußerst umstritten. Traditionell hat man sie auf den Fall des Vaters gedeutet, der vor der Frage steht, ob er seine Tochter verheiraten solle oder nicht.[237] Bei diesem Verständnis wäre ein Problem einfach zu lösen, nämlich das Verhältnis von 7,25–28 zu 7,36–38. In 7,25–28 würden dann die Verlobten beziehungsweise einfach heiratswillige junge Leute angesprochen, in 7,36–38 die Väter.[238] Da diese Deutung aber aus anderen Gründen[239] wenig wahrscheinlich ist, wird man sie wohl verwerfen müssen.

---

[236] Auch die sprachliche Formung des Abschnitts, die sich auch noch in der Paronomasie με-ριμνᾷ – μεμέρισται (vgl. *Bachmann* 286; *Moffat* 95; *Weiß* 202) zeigt, läßt zunächst eher an die Gattung Paränese denken.

[237] So *Bachmann* 287–291; *Heinrici* 220; *Grosheide* 182; *Allo* 185f; *Robertson/Plummer* 158–160; *Oepke,* Irrwege 449–452.

[238] Vgl. *Hurd,* Origin 176, der diese Interpretationsmöglichkeit referiert, selbst aber verwirft (177–180).

[239] Vgl. *Héring* 60f; *Kümmel,* Verlobung 279–286.

Nach andern Autoren ist hier das Problem der geistlichen Verlöbnisse angesprochen, des sogenannten Syneisaktentums.[240] Nach manchen Autoren behandelt Paulus bereits ab V. 25 dies Problem, allerdings sind die Verse 36–38 die „Hochburg"[241] der Syneisaktenhypothese. Auch diese Hypothese würde ein Problem gut lösen. Wir hatten schon vermutet,[242] es müsse ab V. 25 um ein konkretes Problem gehen. In diesem Fall ginge es nicht nur um die Entscheidung zu Ehe oder Ehelosigkeit, sondern auch darum, ob der Entschluß zu einem gemeinsamen enthaltsamen Leben rückgängig gemacht werden darf. Aber auch gegen diese Hypothese sprechen gewichtige Gründe.[243]

Die alles in allem überzeugendste Lösung dürfte Kümmels Vorschlag [244] sein, 7,36–38 auf Verlobte zu beziehen. Paulus deutet dann dem Bräutigam an, daß es besser ist, nicht zu heiraten. Da aber für Paulus nach jüdischem Brauch die Verlobung bindend ist, das Versprechen nicht gelöst werden kann, ist die Alternative zur Heirat das Bestehenlassen des Verlobungszustandes. Dieser Lösung müssen beide zustimmen; das Einverständnis der Braut scheint stillschweigend vorausgesetzt zu sein. Die Argumentation des Paulus in dieser Frage bringt, ganz gleich wie man interpretiert, gegenüber V. 8 f jedenfalls keinen neuen Gesichtspunkt, wendet das dort Gesagte nur auf einen besonderen Fall an.

2.10. Witwen (7,39 f)

Nach Weiß[245] geht es in diesen beiden Versen darum, die Frauen, die in erträglichen Mischehen leben, noch einmal zum Festhalten an dieser Bindung zu ermahnen. Im Fall einer zweiten Ehe sollten sie allerdings einen christlichen Partner heiraten. Bei einer solchen Deutung würde Paulus nur bereits Gesagtes bekräftigen; es läge also Paränese vor.

Vermutlich will Paulus aber doch eine Frage behandeln, die noch offengeblieben ist. Paulus hatte die Witwen in V. 8 kurz erwähnt. Daß die Frau zu Lebzeiten des Mannes gebunden ist, ist V. 10 zwar vorausgesetzt, aber doch

---

240 So Craig/Short 87, Héring 61; Lietzmann 36 f (anders Kümmel im Nachtrag 179); Delling, Stellung 86 ff. 91; Moffat 97; Hurd 179 f; von Allmen, Maris et femmes 14; Niederwimmer, Askese 116–120. Merkwürdig ist Niederwimmers These (Askese 118 f), in V. 36–38 gehe es anders als in V. 9 um Personen, die das ,charisma continentiae' besäßen. Wenn diese nicht enthaltsam leben könnten, sollten sie heiraten. Das wären Personen, die das charisma continentiae einerseits haben und andererseits nicht haben.

241 Oepke, Irrwege 451; nach Weiß (194 f) ist schon ab V. 25 von geistlichen Verlöbnissen die Rede.

242 S. 121.

243 Vgl. Oepke, Irrwege 449–452; Kümmel, Verlobung, 286–289.

244 Vgl. Kümmel, Verlobung 289–295; ihm folgen Baltensweiler, Ehe 184 f; Barrett 182–184; Wendland 57 f; Merk, Handeln 121; Conzelmann 160 f; Léon-Dufour, Mariage 321.

245 Weiß 210.

nicht deutlich gesagt.[246] Um Mißverständnissen vorzubeugen, stellt es Paulus hier vermutlich noch einmal heraus. Auch daß es nach dem Tod des einen Partners dem anderen freisteht, wieder zu heiraten, hat Paulus noch nicht ausdrücklich gesagt. Ob es in Korinth bereits Zweifel an der Erlaubtheit der zweiten Ehe gegeben hat, wissen wir nicht. Die Einschränkung „nur geschehe es im Herrn" scheint dagegen eher ein paränetisches Element zu sein; daß ein bereits Getaufter keinen Ungetauften heiraten soll, bedarf keiner weiteren Begründung. Ein Mischehenproblem ergab sich nur da, wo in einer Ehe von zwei Nichtchristen einer der beiden Partner sich taufen ließ. Vielleicht hält Paulus auch eine Mischehe im Fall der Frau für besonders problematisch wegen der Gefahr für ihren Glauben. Wieso die Ehelosigkeit die „seligere" Alternative ist, muß in Kap. 4 überlegt werden.

Merkwürdig ist, daß Paulus sich hier auf sein Pneuma beruft. V. 40 bestärkt unsere schon geäußerte Vermutung,[247] Paulus rede hier zu Personen, die der Ehelosigkeit nicht vorbehaltlos zustimmen. Diese Vermutung könnte aber auch dahingehend modifiziert werden, daß die Fragesteller selbst zwar mit Paulus die Ehelosigkeit bevorzugen (V. 26 b: καλὸν ἀνϑϱώπῳ τὸ οὕτως εἶναι könnte dann auch ein Zitat sein), aber wegen einer anderen Gruppe in Korinth anfragen, die sich zur Ehe verpflichtet glaubten.[248] Auch für den zweiten Teil des Kapitels zeigt sich also die Schwierigkeit, die Anfrage aus Korinth beziehungsweise die konkreten Probleme genau zu rekonstruieren. Während die Verse 32−35 allgemeinere Überlegungen über die Vorzugswürdigkeit der Ehelosigkeit enthalten, sind in den Abschnitten V. 25−28 und V. 36−40 die Probleme bestimmter Personen angesprochen. Ob es sich hier um geistliche Ehen handelt oder um Verlobte, ob die Abschnitte V. 25−28 und V. 36−38 dasselbe Problem behandeln oder in V. 25−28 die unverheirateten jungen Leute allgemein, in V. 36−38 speziell Verlobte (oder Syneisakten) angesprochen sind, läßt sich nicht mit Sicherheit beurteilen. Allerdings scheint die Kenntnis der vorauszusetzenden Situation im zweiten Teil des Kapitels nicht so wichtig zu sein wie für die Interpretation von 7,12−16; dort ließ sich die Argumentation des Paulus überhaupt nur explizieren mit Hilfe einer hypothetischen Rekonstruktion denkbarer Fragestellungen. Die Argumentation des Paulus in 7,36−38 entfaltet dagegen nur, was in 7,8 f schon in Kürze ausgesagt war. Das einzige

---

[246] Vgl. auch Röm 7,2.

[247] Vgl. S. 129 f.

[248] Vgl. *Hurd*, Origin 180 f; *Jeremias*, Gedankenführung 273. Wie das in κἀγώ enthaltene καί zu verstehen ist, muß offenbleiben. Paulus könnte sich gegen solche wenden, die ihm den Geist absprechen. Ob er in diesem Fall auf ein Amtscharisma anspielt oder auf den allen Christen gegebenen Geist, wäre noch einmal eine andere Frage. Das καί könnte aber auch epexegetisch zu verstehen sein (vgl. *Rehkopf*, Grammatik § 442,6): „... nach meiner Meinung; ich glaube *schließlich* den Geist Gottes zu haben'; vielleicht hat das καί aber auch gar keine besondere Bedeutung wie in 1 Kor 7,8 (vgl. *Bauer*, Wörterbuch 763, s. v. κἀγώ).

Argument, zu dessen Verständnis man vielleicht den genauen Hintergrund kennen müßte, ist der Hinweis auf die ἀνάγκη (V. 26). So muß die Interpretation von 7,25–40 die Argumentation des Paulus am Text zu explizieren versuchen und das Gewicht der einzelnen Argumente prüfen.

3. Eschatologische Naherwartung und normative Ethik

Während in der jüdischen Tradition die Ehe selbstverständlich als Stiftung Gottes bejaht wird, ist ihr freiwillige Ehelosigkeit – von einigen Ausnahmen abgesehen[1] – fremd. Wie kommt nun der Jude Paulus dazu, die Ehelosigkeit zu empfehlen? Zur Erklärung der Stellungnahme des Paulus wird vielfach auf dessen eschatologische Naherwartung verwiesen; so etwa bei H. Greeven: „Die ... Zurückhaltung des Paulus gegenüber der Ehe ist nicht asketisch, sondern durch das bedingt, was er selbst als Begründung gibt (1 Kor 7,29–31): Die Welt ist im Vergehen."[2] Was ist in einer solchen Aussage unter ‚bedingen' zu verstehen? Soll es besagen, unter der Bedingung einer baldigen Parusie erweise sich die Zurückhaltung des Paulus gegenüber der Ehe als sachlich richtig und berechtigt? Oder soll es soviel heißen wie, unter der Bedingung einer baldigen Parusie werde es psychologisch verständlich, daß Paulus der Ehe gegenüber Zurückhaltung an den Tag lege? Im ersten Fall geht es um die Frage, unter welcher Bedingung eine ethische Weisung oder Empfehlung für richtig oder falsch, angebracht oder unangebracht, berechtigt oder unberechtigt zu halten sei. Im zweiten Fall nimmt man *nicht* Stellung dazu, ob eine Weisung oder Empfehlung vom Standpunkt der Moral aus als berechtigt zu beurteilen ist. Man ist an einer psychologischen Erklärung interessiert für die Tatsache, daß jemand in einer bestimmten Situation eine bestimmte Empfehlung gibt. Das eine Mal befaßt man sich mit der *Legitimität* einer Äußerung, das andere Mal mit ihrer *Psychogenese*. Auf den Unterschied zwischen Fragen der Geltung und Fragen der Genese wurde schon im Zusammenhang der das Proprium einer christlichen Ethik betreffenden Fragestellung hingewiesen,[3] dieser Unterschied sei hier noch etwas deutlicher vor Augen geführt.

---

[1] Solche Ausnahmen scheint es bei den Essenern gegeben zu haben; vgl. dazu *Schrage,* Frontstellung 225.

[2] *H. Greeven,* Zu den Aussagen des NT über die Ehe: ZEE 1 (1957) 109–125, hier 119. Vgl. *Baltensweiler,* Ehe 167–170; *M. Dibelius,* Das soziale Motiv im Neuen Testament, in: ders., Botschaft und Geschichte I, Tübingen 1953, 178–203, hier 198f; dagegen *Allo* 170.176.

[3] Siehe oben S. 55.

3.1. Fragen der Genese im Unterschied zu Fragen normativer Ethik

M. Luther wurde als Student auf seinem Weg nach Erfurt von einem heftigen Gewitter überrascht. In seiner Angst machte er das Gelöbnis: „Hilf, St. Anna, ich will ein Mönch werden!"[4] Psychologisch zu erklären, wie der jugendliche Luther dazu kam, in dieser Situation ein Gelöbnis solchen Inhalts zu machen, ist etwas anderes als die Frage, ob Luther vom Standpunkt der Moral aus gut daran getan hat, das Gelöbnis zu machen, ob ein unter solchen Umständen gemachtes Gelübde einen Menschen sittlich bindet oder nicht.[5]

Wer sich als Theologe mit der Stellungnahme des Paulus zu Ehelosigkeit und Ehe befaßt, wird es nicht vermeiden können, sich auch zur *Berechtigung* dieser Stellungnahme zu äußern. Bildet er sich das Urteil, Paulus habe der Ehe gegenüber Reserven, die sich unter *keiner* Voraussetzung als richtig erweisen ließen, so wird er durch einen Verweis auf die Naherwartung des Paulus nur psychologisch erklären wollen, wie dieser zu einer Fehleinschätzung der Ehe gekommen sei. Ganz anders nimmt sich die Sache aus, wenn jemand annimmt, man könne die Anschauungen des Paulus nicht akzeptieren, aber nur deswegen nicht, weil die Bedingung, unter der sie richtig wären, nämlich die baldige Parusie, nicht gegeben sei. Der Betreffende würde damit zu verstehen geben, daß zwischen Parusie und richtiger Wertschätzung der Ehe ein Bedingungsverhältnis bestehe, das Paulus durchaus zutreffend bestimme. Mithin täusche Paulus sich nicht in der quaestio iuris, sondern in einer quaestio facti. Es ist klar, nur die quaestio iuris, also nur die Frage, ob die Naherwartung sich zu einer bestimmten Beurteilung der Ehe tatsächlich als legitimierender Grund verhalte, gehört zur Aufgabenstellung normativer Ethik.

Nicht immer läßt sich eindeutig entscheiden, in welcher der beiden genannten Intentionen ein Exeget an die Naherwartung des Paulus erinnert. Die Intention einer eher psychogenetischen Erklärung spricht aus den Worten Lietzmanns: „In seiner ausschließlich von der in Christus wurzelnden Lebensaufgabe erfüllten und die nahe Parusie erwartenden Seele hat der Gedanke an irdische Liebe keinen Raum: so ist es erklärlich, daß die Frage, ob er durch sie nicht auch innerlichen Gewinn haben könne, ihm gar nicht auftaucht."[6] Lietzmann meint also, einem Paulus sei überhaupt nicht der Gedanke gekommen, die Ehe könne für den Menschen einen „innerlichen

---

[4] Vgl. *J. Lortz*, Die Reformation in Deutschland I, Freiburg 1939, 155.
[5] Vgl. dazu auch *B. Schüller*, Die Bedeutung der Erfahrung für die Rechtfertigung sittlicher Verhaltensregeln, in: K. Demmer/B. Schüller (Hrsg.), Christlich glauben und handeln, Düsseldorf 1977, 261–286, hier 267–277.
[6] *Lietzmann* 29.

136

Gewinn" bereithalten. Und es liegt nahe, daraus zu folgern: ein Mensch kann zu einer Frage, die sich ihm in ihrer eigentlichen Bedeutung gar nicht stellt, auch nicht eine wirklich durchdachte Antwort geben. Also würden wir Paulus mißverstehen, wenn wir annähmen, er wolle sich für seine Äußerungen über die Ehe in vollem Ernst verbürgen. Was ist nun der Grund dafür, daß sich ihm der Gedanke an einen „innerlichen Gewinn" der Ehe nicht einstellte? Ein psychologischer Grund, wie nicht anders zu erwarten. Paulus war in seiner Aufmerksamkeit völlig beansprucht von seiner apostolischen Lebensaufgabe und von der Erwartung der Parusie. Nichts läßt darauf schließen, daß Lietzmann der Meinung ist, die unmittelbar bevorstehende Parusie vorausgesetzt, höre die Ehe tatsächlich auf, ein „innerlicher Gewinn" für den Menschen zu sein. Sind andere Exegeten dieser Meinung? Möglicherweise H. Greeven, nach seiner zitierten Äußerung zu urteilen.[7] Es scheint jedoch angezeigt, an dieser Stelle die Frage auszuweiten. Vermutlich vertritt kaum jemand die Meinung, die baldige Parusie nötige den Menschen nur, über Ehe und Ehelosigkeit anders zu denken, nicht aber über andere Lebensbereiche. In der Tat, eine Ethik, von der man annimmt, sie artikuliere ihre Weisungen und Mahnungen mit innerer Folgerichtigkeit aus der Naherwartung, trägt bereits einen wohlbekannten Namen; sie heißt ‚Interimsethik'.

Der Name ‚Interimsethik' steht bei Exegeten in erster Linie für eine bestimmte Auslegung der Bergpredigt, die regelmäßig J. Weiß und A. Schweitzer zugeschrieben wird. Was unter ‚Interimsethik' zu verstehen sei, erläutert man dabei wie J. Jeremias; er schreibt über die Bergpredigt: „Sie enthält . . . Ausnahmegesetze, wie sie für Krisenzeiten gelten. Sie ist gewissermaßen ein Notstandsgesetz in der letzten, entscheidenden Phase eines totalen Krieges."[8] So kennzeichnet Jeremias das ‚interimsethische' Verständnis der Bergpredigt, das er selber freilich (wie die meisten heutigen Exegeten) ablehnt. Die sittlichen Weisungen Jesu – so liest man an anderer Stelle – seien inhaltlich bestimmt durch die Erwartung des nahen Untergangs der Welt und des Anbruchs des Gottesreiches: „Weil diese Erwartung des Weltendes sich als Irrtum erwiesen hat, darum könne auch die Bergpredigt keine allgemeingültige Sittenlehre für Menschen bilden, die in der Welt leben müssen."[9]

Nicht ganz so einheitlich beschreibt man das inhaltlich Besondere einer ‚Interimsethik'. Es heißt, sie fordere „außerordentliche Leistungen"[10], ihre Weisungen seien nur durchführbar, „solange man überzeugt ist, daß *das*

---

[7] Siehe oben S. 135.

[8] *J. Jeremias*, Die Bergpredigt, Stuttgart 1959, 13 f.

[9] So kennzeichnet *J. Schmid* (Das Evangelium nach Matthäus, Regensburg 5 1965, 155) die interimsethische Position; ähnlich *E. Peterson* (‚Bergpredigt' I. Biblisch, in: RGG2 I 907–910, hier 910) und *R. Schnackenburg* (‚Interimsethik', in: LThK2 V 727 f).

[10] *J. Schniewind*, Das Evangelium nach Matthäus, Göttingen 101962, 73.

Ende der Welt in allernächster Zeit anbreche";[11] sie setzten voraus, daß die Menschen sich „von aller Kultur losgerissen"[12] fühlten oder daß an „staatlichen Aufbau und Veränderung der Gesellschaft"[13] nicht mehr zu denken sei; es handle sich um „eine Ethik, die den einzelnen losreißt von seinen natürlichen Verbänden, die ihm heroische Opfer zumutet und deren Forderungen nur den Einzelnen, nur die Vorbereitung für das Reich, das kommt, im Auge haben und alle anderen Interessen, alle sonstigen Güter, alle anderen Menschen ausschalten".[14]

Solch ein Begriff von Interimsethik könnte auch zur Interpretation von 1 Kor 7 herangezogen werden. Auch Paulus mutet, wenn er zur Ehelosigkeit rät und (vielleicht) den Sklaven empfiehlt, Sklaven zu bleiben, dem einzelnen „heroische Opfer" zu, auch er reißt in gewisser Weise den Menschen „von seinen natürlichen Verbänden" los, wenn er empfiehlt, nur dem Herrn zu gefallen und nicht dem Ehepartner. Darin ließe sich eine eher negative Distanz zu den Dingen dieser Welt erblicken, bedingt durch die Erwartung der bevorstehenden Parusie. Kann man wirklich mit guten Gründen behaupten, 1 Kor 7 repräsentiere ein Stück Interimsethik im erläuterten Sinn? Obwohl diese Frage in sich völlig ausreichend bestimmt und für normative Ethik von Interesse ist, sei ihre Erörterung noch etwas hinausgeschoben. Da der Begriff der Interimsethik vor allem auf A. Schweitzer und J. Weiß zurückgeführt wird, dürfte es von Interesse sein, sich zunächst bei diesen Autoren selbst umzusehen, um zu erfahren, wie sie diesen Begriff entwickeln.

3.2. Interimsethik bei A. Schweitzer und J. Weiß

3.2.1. Zwei verschiedene Begriffe von Interimsethik

J. Weiß beschreibt die sittliche Botschaft Jesu in einer Art, daß auf sie der Ausdruck ‚Interimsethik' so zutrifft, wie ihn die angeführten Exegeten verwenden. Als Beleg diene folgendes Zitat: „Wie im Kriege Ausnahmegesetze in Kraft treten, die sich so im Frieden nicht durchführen lassen, so trägt auch dieser Teil der ethischen Verkündigung Jesu einen besonderen Charakter. Er fordert Gewaltiges, zum Teil Übermenschliches, er fordert Dinge, die unter gewöhnlichen Verhältnissen einfach unmöglich wären."[15] In den Nachfolgesprüchen, in seinen Worten gegen den Reichtum[16] stellt Jesus

---

[11] *E. Schweizer,* Das Evangelium nach Matthäus, Göttingen 1973, 125.

[12] *J. Schmid,* a. a. O. (Anm. 9) 155.

[13] *E. Schweizer,* a. a. O. (Anm. 11) 125.

[14] *H. Windisch,* Der Sinn der Bergpredigt, Leipzig ²1937, 6.

[15] *J. Weiß,* Die Predigt Jesu vom Reiche Gottes, Göttingen ²1900, 139.

[16] Von diesen Worten Jesu ist im obigen Zitat („dieser Teil der ethischen Verkündigung Jesu") die Rede.

nach Meinung von Weiß eine Art sittliches Notstandsgesetz auf, außergewöhnliche Forderungen für eine außergewöhnliche Situation. Das gilt nach Weiß aber nicht für die ganze Ethik Jesu. Dessen „antipharisäische Ethik" beispielsweise gehöre nicht zu seiner eschatologischen Predigt.[17] Nur beiläufig sei erwähnt, daß Weiß den Terminus ‚Interimsethik' allem Anschein nach nicht kennt oder wenigstens nicht verwendet. Offenbar hat erst A. Schweitzer diesen eingängigen Terminus geprägt.[18] Allerdings, Schweitzer definiert ihn auf eine Weise, die überrascht; er erklärt nämlich, „daß der . . . Ausdruck ‚Interimsethik' nur besagt, daß die sittlichen Forderungen Jesu allesamt auf die innere Bereitung auf die Zugehörigkeit zum kommenden Reich abzielen und im letzten Grunde die Rechtfertigung beim Gericht bezwecken. Damit ist festgestellt, daß es eine Ethik des Reiches Gottes für Jesus nicht gibt."[19]

‚Interimsethik' fungiert bei Schweitzer also als Gegenbegriff zu einer ‚Ethik des Reiches Gottes'. Bei dieser Unterscheidung von zweierlei Ethik geht es offenbar um das Problem des Zusammenhangs zwischen dem sittlichen Handeln des Menschen und dem Reich Gottes. Mit ‚Interimsethik' wäre eine mögliche Sicht dieses Zusammenhangs gekennzeichnet, mit ‚Ethik des Reiches Gottes' eine andere. Als ‚interimsethisch' bezeichnet Schweitzer hier also nicht bestimmte Einzelforderungen Jesu, vielmehr kennzeichnet er damit die sittlichen Forderungen Jesu überhaupt (abgesehen von ihrem Inhalt), insofern das Handeln gemäß diesen Forderungen den Menschen vorbereitet auf das kommende Gottesreich beziehungsweise das kommende Gericht. Der hier zur Diskussion stehende Zusammenhang gehört allerdings nicht in den Problembereich der normativen Ethik; diese befaßt sich nur mit der Beurteilung einzelner moralischer Forderungen als berechtigt oder unberechtigt. Wo es dagegen um Moralität als ganze geht, etwa um die logische Eigenart sittlicher Urteile, um den Zusammenhang von Moral und Religion oder, wie hier, um den Zusammenhang von sittlichem Handeln und Reich Gottes, wird eine *metaethische* Frage[20] gestellt, deren Erörterung – wie zu zeigen sein wird – keinen Einfluß hat auf die Beurteilung einzelner Handlungen, also auf das Gebiet der normativen Ethik. Daß Schweitzer sich mit

---

[17] Vgl. *J. Weiß,* a. a. O. 137. In der zweiten Auflage seiner Schrift, die gegenüber der ersten von 1892 neu bearbeitet ist, hat Weiß diese andere Seite – gleichsam zur Beruhigung der durch die 1. Auflage erhitzten Gemüter – stärker herausgestellt (vgl. das Vorwort von *F. Hahn* zur von diesem herausgegebenen 3. Auflage, Göttingen ³1964, VII – X). Dieses Bemühen um Beschwichtigung zeigt sich bei Weiß besonders in folgenden Worten (a. a. O. [Anm. 15] 145): „Wäre er [sc. Jesus] nicht durch den Ruf am Jordan in die messianische Bewegung hineingerissen worden, so wäre er möglicher Weise, seiner innersten gesunden lichten Natur entsprechend, der Begründer einer, wenn auch sehr ernsten, so doch weltfreudigen ‚evangelischen' Ethik geworden."

[18] So auch *F. Holmström,* Das eschatologische Denken der Gegenwart, Gütersloh 1936, 70 f.

[19] *A. Schweitzer,* Die Geschichte der Leben-Jesu-Forschung, München 1966, 587 f.

[20] Vgl. die Ausführungen im 1. Kapitel zum Thema ‚Metaethik' S. 50 f., 59 f.

dem Terminus ‚Interimsethik‘ auf ein metaethisches Problem bezieht, davon nimmt man heute kaum Notiz.[21] Vermutlich ist vielen Theologen die betreffende metaethische Problematik nicht vertraut. In der Tat, ob sich aus der Nähe des Gottesreiches bzw. des Gerichtes bestimmte inhaltliche sittliche Forderungen ergeben, diese Frage scheint einer Überlegung wert. Daß hingegen das sittliche Verhalten eines Glaubenden auf das Reich Gottes hingeordnet ist, erscheint selbstverständlich, wenn ‚Reich Gottes‘ jene Vollendung meint, auf die alles sittliche Bemühen des Menschen zielt, die der Mensch aber aus eigenen Kräften nicht erreichen kann. Es wären somit folgende zwei Fragen zu klären:

1. Was genau will Schweitzer mit dem Terminus ‚Interimsethik‘ herausstellen beziehungsweise was ist eine ‚Ethik des Reiches Gottes‘, von der er die ‚Interimsethik‘ Jesu absetzt?

2. Ergeben sich aus einer metaethisch verstandenen ‚Interimsethik‘ einzelne ‚interimsethische‘ Forderungen im normativ-ethischen Sinn? Sieht vielleicht Schweitzer einen solchen Zusammenhang, wenn ja, behauptet er einen solchen Zusammenhang zu Recht?

Schweitzers Feststellung, es gebe bei Jesus keine ‚Ethik des Reiches Gottes‘, richtet sich gegen die Auslegung der sittlichen Botschaft Jesu, wie sie von der um die Jahrhundertwende herrschenden liberalen Theologie (A. von Harnack, A. Ritschl, H. J. Holtzmann) vertreten wurde.

Bei A. Ritschl liest man: „Reich Gottes sind die an Christus Glaubenden, sofern sie, ohne die Unterschiede des Geschlechtes, Standes, Volkes an einander zu beachten, gegenseitig aus Liebe handeln, und so die in allen möglichen Abstufungen bis zur Grenze der menschlichen Gattung sich ausbreitende Gemeinschaft der sittlichen Gesinnung und der sittlichen Güter hervorbringen."[22] Für Ritschl ist also das Reich Gottes etwas bereits Gegenwärtiges; es ist da präsent, wo Menschen sittlich handeln.[23] Demgegenüber insistiert Schweitzer darauf, im Munde Jesu meine ‚Reich Gottes‘ etwas noch Ausstehendes, auf das man sich durch sittliches Handeln vorbereiten könne. In der Kontroverse zwischen Schweitzer und Ritschl geht es also ursprünglich nicht um das Verständnis einzelner sittlicher Weisungen Jesu, sondern um die Frage, was Jesus meint, wenn er vom ‚Reich Gottes‘

---

[21] Möglicherweise ist das, was R. H. Hiers (Jesus and Ethics, Philadelphia 1968, 135) über seine angelsächsischen Kollegen sagt, auch für Deutschland nicht ganz unzutreffend: „Most of them have neglected to read Schweitzer carefully (if at all) and suppose him to have understood that Jesus' teaching/preaching was derived solely from his exspectation that the Kingdom was near, or that he concluded that Jesus was ‚deluded‘ or a ‚fanatic‘ and that his message can no longer have any meaning for men of later generations."

[22] A. Ritschl, Die christliche Lehre von der Rechtfertigung und Versöhnung III, Bonn ²1883, 266.

[23] Vgl. ebd. 265: „Die christliche Vorstellung von dem Reiche Gottes . . . bezeichnet die extensiv und intensiv umfangreichste Vereinigung der Menschheit durch das gegenseitige sittliche Handeln ihrer Glieder, welches über alle natürlichen und particularen Bestimmungsgründe hinausgreift."

spricht. Schweitzer und die liberale Theologie verstehen beide gleichermaßen unter dem ‚Reich Gottes‘, wie Jesus es verkündet, ein Endgültiges und Letztes, den „Endzweck"[24] des sittlichen Handelns. Allerdings sind sie unterschiedlicher Auffassung darüber, ob dieser Endzweck nach der Auffassung Jesu bereits hic et nunc durch das sittliche Handeln der Menschen (wenigstens anfanghaft) realisiert wird, oder ob der Mensch die Realisierung dieses Endzwecks nur von seiten Gottes erhoffen kann. Die liberale Theologie sieht im ‚Reich Gottes‘ die Gemeinschaft der aus sittlicher Verantwortung denkenden und handelnden Menschen, eine Gemeinschaft, die sich also schon in dieser irdischen Zeit da verwirklicht, wo die Botschaft Jesu befolgt, wo Moralität realisiert, allgemeine Menschenliebe praktiziert wird.[25]

Schweitzer spricht nun den liberalen Theologen das Recht ab, sich mit dieser Anschauung auf Jesus zu berufen. Jesus erblicke in einem Leben, gelebt aus Liebe zu Gott und dem Nächsten, nur etwas Vorläufiges und in diesem Sinn Vor-Letztes. Das Reich Gottes als das Endgültige und Letzte sei nicht Ergebnis der sittlichen Bemühungen des Menschen, sondern allein Tat und Werk Gottes. Die These, Jesu ‚Ethik‘ sei ‚Interimsethik‘, besagt demnach, Jesus verstehe das sittliche Dasein des Menschen in dieser Zeit als ein ‚Interim‘, als etwas Vorläufiges. Dies Interim stehe allerdings nicht beziehungslos zum Reiche Gottes als Letztem; die Erfüllung der sittlichen Forderung sei vielmehr Einlaßbedingung für das Reich Gottes.[26] Schweitzer betont also die – seiner Meinung nach – in der sittlichen Botschaft Jesu vorausgesetzte Diskontinuität zwischen dem sittlichen Handeln der Menschen und der Aufrichtung des Reiches Gottes durch Gott selbst. Er formuliert, das Reich Gottes, wie Jesus es verkünde, sei keine ‚sittliche‘, sondern eine ‚übersittliche‘ Größe.[27] Kurzum, bei Schweitzer steht ‚Interimsethik‘ für eine be-

---

[24] Vgl. ebd. 474: „Das Reich Gottes ist als der überweltliche Endzweck Gottes in der Welt eben allen den Motiven übergeordnet, welche irgendwie zur Naturwelt gerechnet werden können."

[25] Vgl. ebd. 474f: „Denn der Grundsatz der allgemeinen Menschenliebe als das zugleich objective und subjective Gesetz des Gottesreiches richtet sich danach, daß die Menschen als geistige Wesen einander gleich und von gleichem Werte sind."
Wer mit der Ethik Kants vertraut ist, wird in den Zitaten in Anm. 23–25 unschwer kantische Gedanken wiedererkennen. Im Rahmen dieser Arbeit können diese Verbindungen von Ritschl zu Kant aber nicht eigens aufgewiesen werden.

[26] A. *Schweitzer* verweist in seiner Schrift „Das Messianitäts- und Leidensgeheimnis" von 1901 (hier zitiert nach ders., Gesammelte Werke, hrsg. von R. Grabs, V, München o. J., 229) darauf, Jesus verkünde dem Pharisäer, der dem Gebot der Liebe als dem Grundgesetz der neuen Sittlichkeit zustimme, er sei nicht *fern* vom Reich Gottes (Mk 12,34), nicht etwa, er gehöre bereits dem Gottesreiche an.

[27] A. *Schweitzer,* a. a. O. (Anm. 26) 223; a. a. O. (Anm. 19) 628. Mit der Bezeichnung ‚übersittlich‘ will Schweitzer nicht sagen, das Reich Gottes habe mit der Moralität des Menschen nichts zu tun; vielmehr stellt Schweitzer heraus, derjenige, der am Reich Gottes teilhabe, sei bereits vollkommen, das Gute sei in ihm bereits verwirklicht. ‚Übersittlich‘ meint also nicht ‚jenseits von Gut und Böse‘, sondern ‚jenseits von Versuchung und Sünde‘. Eine ‚Ethik des Reiches Gottes‘ setzt nach Schweitzer (a. a. O. [Anm. 19] 588) „einen übernatürlichen Weltzustand voraus, in dem die Menschen ihre irdische Leiblichkeit verloren haben, als Verklärte jenseits von Versuchung und Sünde stehen und in allem gut und vollkommen sind wie die Engel". Wo jemand vollkom-

stimmte *metaethische* Deutung von Moralität im ganzen: durch sein Dasein unter der sittlichen Forderung ist der Mensch ‚homo viator‘, also noch unterwegs zu seiner endgültigen Bestimmung, dem Reich Gottes. Im Unterschied dazu, so hatte sich gezeigt, verstehen spätere Exegeten unter ‚Interimsethik‘ meist einen Inbegriff von sittlichen Forderungen, deren Inhalt bestimmt wird durch die Erwartung der kurz bevorstehenden eschatologischen Katastrophe.

Allerdings ist zu beachten: Schweitzer selbst vertritt keine Interimsethik in dem von ihm gemeinten Sinn. Er insistiert lediglich darauf, daß die sittliche Botschaft *Jesu* so zu verstehen sei. Für ihn selbst steht fest, daß Jesus „eine übernatürlich sich realisierende Endvollendung erwartet, während wir sie nur als Resultat der sittlichen Arbeit begreifen können".[28] Daß der Christ des 19. beziehungsweise 20. Jahrhunderts die Endvollendung als „Resultat der sittlichen Arbeit" begreifen muß, darin stimmt Schweitzer mit den liberalen Theologen überein. Letztere haben sich gegen Schweitzers Deutung der Botschaft Jesu gewehrt, weil sie in der apokalyptischen Erwartung des Reiches Gottes durch göttliche Intervention eine Gefährdung jeder Ethik sahen; das sittliche Bemühen des Menschen schien bei einer solchen Erwartung überflüssig zu werden. Um den sittlichen Charakter der Botschaft Jesu zu retten, versuchten sie, das apokalyptische Element in seiner Predigt möglichst einzuschränken.[29]

men ist wie ein Engel, ist die sittliche Forderung in seiner Person verwirklicht; das Böse ist für ihn keine Möglichkeit mehr, weil er definitiv und totaliter zum Guten entschieden ist. Dieser Sachverhalt ist bei Schweitzer allerdings nicht immer klar ausgesprochen. In seiner Schrift „Das Messianitäts- und Leidensgeheimnis" (a. a. O. 231 f) sagt er tatsächlich, das Reich Gottes liege „jenseits der ethischen Grenze von Gut und Böse" (a. a. O. 232); er erläutert aber dann, das Reich Gottes werde ja herbeigeführt durch eine kosmische Katastrophe, „durch welche das Böse total überwunden wird" (ebd.). Durch diese Katastrophe bleibt also nur das Gute übrig, das Böse ist keine Möglichkeit mehr; man kann aber schlecht, wie Schweitzer es ausdrückt (ebd.), sagen: „Damit werden die sittlichen Maßstäbe aufgehoben." Schweitzer redet von Güte, von Moralität offenbar nur da, wo sie dem Menschen im Modus der Forderung begegnet. Gegen eine solche Sprachregelung ist an sich nichts einzuwenden, solange man sich darüber im klaren ist, daß ein Maßstab, eine Forderung, die erfüllt ist, dadurch nicht ihre Gültigkeit verliert. Ein solches Mißverständnis liegt nahe, wenn Schweitzer sagt, die sittlichen Maßstäbe seien im Reich Gottes „aufgehoben" (es sei denn, man versteht das Wort im hegelschen Sinn).

Bei *J. Weiß* dürfte das ursprüngliche Anliegen übrigens mit dem Schweitzers identisch sein; auch Weiß sagt in der 1. Auflage seiner Schrift „Die Predigt Jesu vom Reiche Gottes" (a. a. O. [Anm. 17] 228 f), „daß die ‚Gerechtigkeit des Reiches Gottes‘ nicht die sittliche Vollkommenheit bedeutet, welche die Reichsgenossen *in dem Reiche Gottes* besitzen oder leisten, sondern die δικαιοσύνη, welche die *Bedingung für den Eintritt in* das Reich Gottes ist (Matth 5,20)". Zu Unterschieden zwischen Schweitzer und Weiß vgl. *F. Holmström*, a. a. O. (Anm. 18) 76–78.

[28] *A. Schweitzer*, a. a. O. (Anm. 19) 627. Zur Kontroverse zwischen Schweitzer/Weiß und den liberalen Theologen vgl. auch *F. Holmström*, a. a. O. 61–103; *N. H. Söe*, Christliche Ethik, München 1949, 61–68; *R. Schäfer*, Das Reich Gottes bei Albrecht Ritschl und Johannes Weiß: ZThK 61 (1964) 68–88; *H. Beintker*, Eschatologie und Ethik: ZSTh 23 (1954) 416–445.

[29] Vgl. *A. Schweitzer*, a. a. O. (Anm. 19) 589; *H. Beintker*, a. a. O. 419. Man wollte offenbar die Konsequenz vermeiden, Jesu ‚Ethik‘ sei eudämonistisch. Tatsächlich schreibt Schweitzer (a. a. O. 588): „Seine Individualethik wird mit der Verneinung der Eschatologie nicht hinfällig,

Was Schweitzer mit ‚Interimsethik‘ ursprünglich meint, ist somit geklärt (Frage 1 also beantwortet). Es ist nun zu prüfen, ob Schweitzer nicht doch auch der Meinung ist, wer das sittliche Gutsein des Menschen als ein Unterwegs auf eine noch ausstehende Vollendung (Erlösung) auffasse, präjudiziere dadurch auch den Inhalt der sittlichen Forderung (Frage 2).[30] Tatsächlich erklärt Schweitzer: „Inwiefern in der ‚Interimsethik‘ Gedanken enthalten sind, die ewige Bedeutung haben und in Geltung bleiben, wenn von den eschatologischen Voraussetzungen abgesehen wird, ist eine Frage für sich.“[31] Schweitzer fragt *nicht*, ob eine Interimsethik Gedanken enthalte, die keine ewige Bedeutung haben, sondern, ob eine Interimsethik Gedanken enthalte, die ewige Bedeutung haben. Offenbar hält er es eher für unwahrscheinlich, daß eine Interimsethik Gedanken von ewiger Bedeutung enthält, Gedanken also, die in Geltung bleiben auch dann, wenn ihre eschatologischen Voraussetzungen nicht mehr gegeben sind. Sind die betreffenden „Gedanken“ als Gedanken normativer Ethik zu verstehen? Ist hier die metaethisch verstandene Interimsethik schon irgendwie transformiert in eine Interimsethik im normativen Sinne? In der folgenden Äußerung scheint diese Transformation vollzogen zu sein: Die ‚Ethik‘ Jesu „ist ihrem Wesen nach individualistisch und weltverneinend und sieht von allen in den irdischen Verhältnissen gegebenen Größen und Zwecken ab, um die absolute innere Vollendung des Einzelnen zu fordern. Der Versuch, unsere Ethik als Ganzes aus der von Jesus verkündeten abzuleiten, ist sinnlos und verkehrt.“[32] Den Übergang von einer Interimsethik im metaethischen Sinn zu einer Interimsethik im Sinn normativer Ethik, wie ihn Schweitzer hier vollzieht, wird man so rekonstruieren dürfen:

a) Wer alles vom noch ausstehenden eschatologischen Reich Gottes erwartet, wird alle seine sittlichen Kräfte darauf konzentrieren, jene Bedingung zu erfüllen, unter der allein er Einlaß findet in dieses Reich; diese Bedingung ist absolute innere Vollendung. Insofern diese Vollendung jeder nur in sich und an sich selbst hervorbringen kann, nimmt die sittliche Forderung in dieser Ausrichtung einen ausgesprochen individualistischen Zug an: Jeder rette seine eigene Seele.

b) Wer alles vom kommenden Reich erwartet, kann für die Welt und ihre Verhältnisse kein ernsthaftes Interesse mehr aufbringen. Insofern nimmt

---

sondern verliert dadurch nur den Lohngedanken und die eudämonistische Bedingtheit.“ Ob Schweitzer damit aber wirklich behaupten will, im Munde Jesu sei die sittliche Forderung als bloß hypothetischer Imperativ zu verstehen, ist nicht sicher. Eudämonistisch in diesem Sinne wäre die ‚Ethik‘ Jesu nur, wenn der himmlische Lohn (bzw. die Vermeidung der ewigen Strafe) der Rechtfertigungsgrund für moralisches Verhalten wäre, wenn also sittliches Gutsein nur ein *Mittel* zur Erlangung der Glückseligkeit wäre (vgl. dazu *I. Kant,* Kritik der praktischen Vernunft A 231 f, der den christlichen Lehre gerade nicht den Vorwurf des Eudämonismus macht).

[30] Siehe oben S. 140.
[31] *A. Schweitzer,* a. a. O. (Anm. 19) 588.
[32] Ebd.

sich Weltverneinung wie die Kehrseite einer gesammelten eschatologischen Erwartung aus.

Sollte diese Rekonstruktion Schweitzers Gedankengang richtig wiedergeben, so hätten wir eine Interimsethik im normativen Sinn vor uns, die so zu kennzeichnen wäre: der Inbegriff sittlicher Forderungen, die inhaltlich bestimmt sind durch die Erwartung einer eschatologischen Vollendung. Für eine in dieser Weise verstandene normative Interimsethik wäre es an sich gleichgültig, ob die eschatologische Vollendung als kurz bevorstehend oder in einer ferneren Zukunft eintretend gedacht wird. Die Interimsethik normativer Art, wie sie sonst in der Exegese begriffen wird, wäre als Variante dazu zu betrachten; sie wäre geprägt von der *nahen* Erwartung des Endes bzw. der Vollendung.

Eine auf die innere Vollendung des einzelnen ausgerichtete Interimsethik expliziert Schweitzer auch unter der Überschrift: „Die neue Sittlichkeit als Buße".[33] *Buße* – so erklärt Schweitzer – sei innerhalb der sittlich-religiösen Verkündigung Jesu nicht nur nach rückwärts gerichtet (auf eine vorhergehende Schuld), sondern sei „auch eine sittliche Erneuerung im Hinblick auf eine bevorstehende allgemeine sittliche Vollendung". Jesus predige „Buße auf das Reich Gottes hin"[34]; als solche sei die Ethik der Bergpredigt Interims-

---

[33] *A. Schweitzer,* a. a. O. (Anm. 26) 227–230.

[34] Ebd. 229. – Bei der Erklärung dessen, was Schweitzer unter ‚Interimsethik‘ versteht, verweist man bisweilen auf die hier zitierte Schrift „Das Messianitäts- und Leidensgeheimnis" von 1901. So äußert *G. Bornkamm* (Jesus von Nazareth, Stuttgart [7]1965, 204) mit Verweis auf diese Schrift, Schweitzer und Weiß hätten versucht, „die Bergpredigt als das Gesetz des Ausnahmezustandes zu verstehen für eine Welt, die schon im Feuerschein des unter kosmischen Katastrophen hereinbrechenden Weltendes und des in Bälde anbrechenden Gottesreiches liegt". Nach dieser Auffassung habe die ‚Interimsethik‘ Jesu ihren ursprünglichen Sinn mit der Tatsache verloren, „daß das von Jesus und seinen Jüngern erwartete Weltende nicht gekommen ist". Aus der genannten Schrift Schweitzers liest Bornkamm also den heutigen Begriff einer normativen Interimsethik heraus. Gegen Bornkamm ist aber festzuhalten, daß Schweitzer auch in der genannten Schrift nicht in diesem Sinn von ‚Interimsethik‘ redet. Das sei kurz nachgewiesen.
1. Schweitzer expliziert in dem Abschnitt „Die Predigt vom Reich Gottes" (a. a. O. 227–234), auf den Bornkamm sich bezieht (er bezieht sich auf die Ausgabe der genannten Schrift von 1901 = [3]1956, S. 18 ff; der genannte Abschnitt findet sich dort S. 18–23), zunächst „Die neue Sittlichkeit als Buße,, (a. a. O. 227–230), und zwar in dem oben dargelegten Sinn. Schweitzer vergleicht (ebd. 227) die „Buße in Erwartung des Reichs" mit der „sittlichen Erneuerung im Hinblick auf den Tag des Herrn", wie sie Jes 1,16 f gefordert ist:
> „Wascht euch, reinigt euch!
> Laßt ab von eurem üblen Treiben!
> Hört auf, vor meinen Augen Böses zu tun!
> Lernt, Gutes zu tun!
> Sorgt für das Recht!
> Helft den Unterdrückten!
> Verschafft den Waisen Recht,
> tretet ein für die Witwen!"
Sind das Forderungen, vor die sich der Mensch nur angesichts des nahen Endes gestellt weiß? Wohl kaum. Das behauptet auch Schweitzer nicht. Er stellt lediglich heraus, bei den Propheten wie in den synoptischen Evangelien sei die Buße nach *vorwärts* orientiert. In diesem Sinn

ethik. Es komme Jesus auf die *innere* Erneuerung des Menschen an, nicht auf das Wirken des Menschen in der Welt.

Soweit der Versuch, Schweitzers Begriff von ‚Interimsethik' zu eruieren. Im folgenden geht es um die Auseinandersetzung mit der oben gekennzeichneten Anschauung, genauer gesagt, um die Frage, ob eine metaethische Interimsethik eine als „individualistisch und weltverneinend" zu kennzeichnende normative Ethik erfordert. Das ist meines Erachtens die These Schweitzers. Sollte jemand der Meinung sein, Schweitzers Anschauungen seien hier unrichtig wiedergegeben, mag er die folgenden Darlegungen unter einem rein systematischen Gesichtspunkt zur Kenntnis nehmen. Der Name ‚Schweitzer' steht jetzt für die zu erörternde These, deren Richtigkeit zu prüfen ist. Wer also Schweitzer anders interpretiert, könnte dennoch den folgenden Darlegungen zustimmen; für ihn wären diese Darlegungen allerdings keine Kritik an Schweitzer, sondern an einer These, die hier aus den Schriften Schweitzers herausgelesen wurde, einer These allerdings, deren Erörterung sich meines Erachtens lohnt, weil dadurch der Unterschied zwischen Metaethik und normativer Ethik im Problembereich Eschatologie und Ethik deutlich wird.

formuliert er (ebd. 229, im Original kursiv): „Als Buße auf das Reich Gottes hin ist auch die Ethik der Bergpredigt Interimsethik."

2. Schweitzer ist nicht der Ansicht, die ‚Interimsethik' Jesu habe ihren ursprünglichen Sinn mit dem Ausbleiben des Weltendes verloren. Daß die ‚Ethik' Jesu nicht mehr aktuell ist, hat für ihn einen andern Grund. Zum Problem „Die Ethik Jesu und die moderne Ethik" (ebd. 230–234) erklärt er, die moderne Ethik sei ‚unbedingt': „Die Ethik ist hier Selbstzweck, sofern die sittliche Vollendung der Menschheit sich mit der Vollendung des Reiches Gottes deckt" (ebd. 230). Die Ethik Jesu hingegen sei „ ‚bedingt' in dem Sinn, daß sie in unlösbarem Zusammenhang mit der Erwartung eines übernatürlich eintretenden Zustandes der Vollendung steht" (ebd. 231). Schweitzer hält also die Interimsethik Jesu für nicht mehr aktuell, weil a) für ihn (wie für die Liberalen) das Endziel des Menschen in der sittlichen Vollendung gegeben ist, b) für ihn (wenigstens nach dem in den früheren Auflagen der „Geschichte der Leben-Jesu-Forschung" Gesagten – vgl. dazu *F. Holmström*, a. a. O. 83 f) der Tod Jesu irgendwie das Ende aller Eschatologie zu sein scheint.

Bei der Unterscheidung zwischen der ‚bedingten' Ethik Jesu und der ‚unbedingten' modernen Ethik verweist Schweitzer auf Kant (a. a. O. 230); man ist deshalb zunächst geneigt, anzunehmen, Schweitzer interpretiere die sittliche Forderung im Munde Jesu als bloß hypothetischen Imperativ (vgl. Anm. 29). Schweitzer äußert aber auch (a. a. O. 232), durch ihre Bedingtheit werde der Wert der Ethik Jesu nicht herabgesetzt (wohl dagegen, insofern sie bloße Individualethik sei [a. a. O.]). Wenn ‚bedingt' soviel hieße wie ‚hypothetisch', wäre das widersprüchlich, da bei einer hypothetischen Interpretation der sittlichen Forderung sittliche Güte nur von ‚bedingtem' Wert ist (etwa als bloßes *Mittel* zur Erlangung der Glückseligkeit). Man muß Moralität als ‚Bedingung' hier wohl so interpretieren, wie *F. Holmström* (a. a. O. 69) es für J. Weiß erläutert: das Wort ‚Bedingung' sei „hier nicht als eine notwendige moralische Leistung gedacht, sondern vielmehr als eine psychologische Bereitschaftsstellung, als ‚intensive Bereitschaft für das Reich Gottes'".

Schweitzer sagt also nicht: ‚Weil das Ende nicht mehr nahe ist, gelten keine außergewöhnlichen sittlichen Forderungen', sondern etwa: ‚Weil es keine eschatologische Erwartung mehr gibt, kann Moralität nicht mehr als Buße in Erwartung des Reichs begriffen werden'.

3.2.2. Eschatologische Erwartung und Buße

Mit dem Wort ‚Buße' kennzeichnet Schweitzer ein bestimmtes Verhalten, das man als Rückzug auf die Innerlichkeit kennzeichnen könnte. Eine Auseinandersetzung über die These, aus einer metaethischen Interimsethik folge ein solches Verhalten beziehungsweise in der sittlichen Botschaft Jesu sei ein solcher Zusammenhang erkennbar, wird bei der Frage ansetzen müssen, ob die Forderung nach Umkehr und Buße im Sinne Jesu auf ein bestimmtes sittlich richtiges Verhalten zielt oder nur allgemein auf sittliche Güte. Im letzteren Fall enthielte der Bußruf Jesu nicht eine bestimmte Art interimsethischer Forderungen im normativen Sinn, dieser Bußruf wäre eine bestimmte Art von Paränese.

Auf welche Weise gelangt der Mensch zur inneren Vollendung? Dadurch, daß er sich nur mit sich selbst, mit seinem eigenen Innenleben beschäftigt? Sittlich vollendet ist der Mensch, in dem die sittliche Güte total verwirklicht ist. Sittliche Güte wird aber im Menschen dadurch realisiert, daß sein ganzes Leben, auch sein Handeln, von dieser Gesinnung bestimmt wird. Schweitzers Darlegung der Interimsethik Jesu erweckt den Eindruck, als sei die innere Vollendung *eine* Aufgabe des Menschen, sein Handeln in der Welt eine andere, als ob diese beiden Aufgaben in Konkurrenz miteinander treten könnten. Diese Voraussetzung dürfte falsch sein und auch für die sittliche Botschaft Jesu nicht zutreffen. Zwar ist die „innere Vollendung" indispensable Aufgabe jedes einzelnen Menschen. Da aber die vom einzelnen zu realisierende sittliche Güte in der unparteiischen Ausrichtung auf das Wohl aller besteht, schließt sie notwendig die Bereitschaft ein, für das Wohl der Mitmenschen zu sorgen, also in der Welt zu wirken. Die Ausrichtung des Lebens auf die eschatologische Vollendung macht dem Menschen seine sittliche Verantwortung bewußt; sie erinnert ihn daran, daß er allein durch Realisierung sittlicher Güte, das heißt auch durch Taten der Liebe und Barmherzigkeit, Anteil am kommenden Reich hat. Die Ausrichtung auf die Vollendung ruft also den Menschen zwar wohl in die sittliche Verantwortung, aber nicht in die Vereinzelung, nicht in eine rein private Sorge um sein Seelenheil. Jesu Forderung der Buße, wie Schweitzer sie versteht, muß demnach als Aufruf zur Realisierung sittlicher Güte, das heißt als Paränese, verstanden werden. Aus einer metaethisch verstandenen Interimsethik ergibt sich also eine bestimmte Art von Paränese; dadurch, daß Schweitzer diese Paränese mit normativer Ethik verwechselt, schließt er fälschlicherweise von einer metaethischen auf eine normative Interimsethik.

Schweitzer unterscheidet von der nach vorn (auf die Vollendung) ausgerichteten Buße eine nach rückwärts (auf eine vorhergehende Schuld) gerichtete. Man könnte dabei an das sprichwörtliche Buße-Tun „in Sack und Asche" (Mt 11,21) denken. Der Vollständigkeit halber sei noch untersucht, ob auch ein Aufruf zu solcher Buße als Paränese zu verstehen ist. Wo solche Buße gefordert wird, sind doch unter Umständen bestimmte Bußübungen, also konkrete Taten, gefordert. Geht es in diesem Fall also um normative Ethik? Wo man „in Sack und Asche" Buße tut, sind Sack und Asche Zeichen der Trauer, Trauer nicht zunächst über die böse Welt, sondern über die eigenen Sünden. Die Bestürzung über die eigene Sünde und der Wille zur Besserung können ihren Ausdruck finden in Zeichen der Trauer bzw. im Verzicht auf bestimmte Güter des Lebens (Nahrung, Schlaf, bequemes Nachtlager etc.).[35] In solchen Ausdrucksformen der Buße kann auch eine affektive Stellungnahme zu den Sünden anderer, gegenüber dem Bösen überhaupt erfolgen. So weist Johannes der Täufer durch sein asketisches Leben wohl nicht nur auf seinen eigenen sittlichen Ernst hin, seine Lebensweise ist auch ein zeichenhafter Protest gegen moralische Sorglosigkeit, gegen Überheblichkeit und Wohlleben; er unterstreicht damit den Ernst seiner Bußpredigt. Der Ruf zur Buße in diesem Sinne ist die Aufforderung, sich vom Bösen zum Guten zu bekehren, von der Selbstsucht zur Selbstlosigkeit, vom Hochmut zum Gehorsam Gott gegenüber. Dieser Ruf zielt also zunächst auf innere Umkehr, ist demnach als Paränese zu verstehen. Erst wo man fragt, *welche* Handlungen vom Bekehrten sittlich gefordert seien, welche Ausdrucksformen der Buße sittlich erlaubt bzw. zu verwerfen sind, welche Maßnahmen der Selbsterziehung sinnvoll sind, begibt man sich auf das Feld der normativen Ethik.

Wie man also den Ruf zu Buße und Umkehr auch versteht, er ist als paränetische Rede zu identifizieren. Der Ruf zur Umkehr angesichts der Nähe des Reiches Gottes kennzeichnet die Paränese Jesu und (wenigstens nach Mt 3,2) auch die Paränese des Täufers. Die Nähe des Reiches gibt diesem Ruf zunächst nur eine besondere Dringlichkeit;[36] ob sich aus der Nähe des Reiches bzw. des Gerichtes auch besondere sittliche Forderungen ergeben, wie in dem heute gängigen Begriff von ,Interimsethik' insinuiert wird, ist noch zu fragen.

Schweitzer hatte sich von der ,Ethik' Jesu abgesetzt, da sie „individualistisch und weltverneinend" sei. Der Vorwurf des Individualismus, die Meinung also, der Bußruf Jesu reduziere das sittliche Verhalten auf die rein private Sorge um das Seelenheil, dürfte durch die obigen Ausführungen widerlegt sein. Auf den Vorwurf der Weltverneinung ist im folgenden noch einzugehen.

---

[35] Über die Eigenart von Ausdruckshandlungen ist im folgenden Kapitel noch einiges zu sagen (unter 4.3.3., siehe unten S. 187–191).
[36] So formuliert auch *Hurd* (Origin 180): „Eschatological excitement adds urgency but not direction in ethical matters."

3.2.3. Eschatologische Naherwartung und Weltverneinung

Bevor hier der Vorwurf der Weltverneinung gesondert diskutiert wird, ist ein prinzipielles Bedenken zu klären: Könnten bei Schweizer die beiden Qualifikationen ‚individualistisch' und ‚weltverneinend' nicht gleichsinnig gemeint sein? Bedeutet nicht die rein private Sorge um das Seelenheil soviel wie Abkehr von der Welt? Ist mit ‚Weltverneinung' nicht die Kehrseite einer bloß innerlich gesuchten Vollendung gemeint? Vermutlich ist Schweitzer tatsächlich so zu verstehen. Unsere Auseinandersetzung mit Schweitzer ist aber auch in diesem Abschnitt von einem primär systematischen Interesse geleitet. Wir fragen deshalb (angeregt durch Schweitzer): Was kann überhaupt mit ‚Weltverneinung' gemeint sein? Kann man die ‚Ethik' Jesu in irgendeinem Sinn als ‚weltverneinend' bezeichnen?

Eine ähnliche Fragestellung ergibt sich, wenn man folgende Äußerung Schweitzers über Paulus betrachtet: „Weil die Ethik Pauli auf die Erwartung des Endes der natürlichen Welt eingestellt ist, sollte sie asketisch sein. Sie ist es auch, aber bei weitem nicht in dem Maße, als zu erwarten wäre. Grundsätzlich zwar steht Paulus auf dem Standpunkt, daß man sich von allem Irdischen frei machen solle, um bestens auf das Kommende bereitet zu sein. . . . Das Wesentliche ist ihm aber die geistige Losgelöstheit von dem Irdischen, nicht die äußerliche."[37] ‚Askese', ‚Sich-Freimachen vom Irdischen', das könnten Umschreibungen für ‚Weltverneinung' sein. Schweitzer verweist dabei auf 1 Kor 7. Bei Paulus wundert er sich über solche Spuren von Weltverneinung nicht, da dieser ja das Ende, die bevorstehende Not (1 Kor 7,26) erwartet. An dieser Stelle scheint bei Schweitzer tatsächlich in nuce eine normative Interimsethik im heute gängigen Sinn formuliert zu sein: Da das Ende nahe ist, haben die irdischen Dinge keinen Wert mehr; man muß sich deshalb von ihnen frei machen.

Vor der Erörterung dieser These soll aber gefragt werden, was unter ‚Weltverneinung' überhaupt verstanden werden könnte. Falls es mehrere Begriffe von ‚Weltverneinung' gibt, müßte der Zusammenhang von Naherwartung und ‚Weltverneinung' diesen verschiedenen Begriffen entsprechend differenziert werden.

---

[37] *A. Schweitzer*, Die Mystik des Apostels Paulus, Tübingen ²1954, 303. Man beachte aber, daß nach Schweitzer die paulinische ‚Weltverneinung' nicht so aussieht, wie man aufgrund seiner Naherwartung vermuten würde; Schweitzer schreibt (ebd. 322): „Obwohl er in der Erwartung des Weltendes lebt, in der alles Irdische seine Bedeutung und sein Recht verliert, wird er durch sie nicht zum asketischen Eiferer. An die Stelle des äußeren Abtuns der Dinge der Welt läßt er die innere Freiheit von ihnen treten." Schweitzer erklärt diese Haltung des Paulus zum einen aus dessen Nüchternheit (ebd. 303), zum andern aus dessen ‚Christusmystik'. Paulus erfasse (ebd. 323) „Ethik als Leben im Geiste Christi und schafft damit die für alle kommenden Zeiten geltende christliche Ethik." Der ‚Ethik' des Paulus bescheinigt Schweitzer also im Prinzip überzeitliche Gültigkeit, die er der ‚Ethik' Jesu abspricht.

Man könnte zunächst auf 1 Kor 7,32 ff verweisen, wo Paulus ausdrücklich formuliert, man solle sich um die Sache des Herrn sorgen und nicht um die Dinge der Welt. Wie häufig im Neuen Testament wird hier das Wort ‚Welt‘ negativ gebraucht und meint dann die Welt, sofern sie sich gegen Gott stellt, die Welt, sofern sie vom Bösen beherrscht ist. In diesem Sinne ist vom Christen gefordert, sich nicht der Welt anzugleichen (Röm 12,2), sich nicht um die Dinge der Welt zu sorgen (1 Kor 7,33 f), die Welt nicht zu lieben (1 Joh 2,15). ‚Weltverneinung‘ in diesem Sinn wäre zu verstehen als Verneinung des Bösen, des Widergöttlichen, damit als Bejahung des Guten, dessen, was Gott gemäß ist. ‚Weltverneinung‘ wäre dann einfach eine Umschreibung von Moralität, nicht eine bestimmte Einstellung zu irdischen Dingen. Wenn im Neuen Testament gesagt wird, es gehe um Gott, nicht um die Welt, es gehe um den Himmel, nicht um die Erde, ist also genau zu prüfen, was gemeint ist. Ein Beispiel aus den Deuteropaulinen sei erläutert, nämlich Kol 3,1f: „Ihr seid mit Christus auferweckt; darum strebt nach dem, was im Himmel ist, wo Christus zur Rechten Gottes sitzt. Richtet euren Sinn auf das Himmlische und nicht auf das Irdische.“ Was ist denn hier das ‚Irdische‘? „Die Hurerei, die Schamlosigkeit, die Leidenschaft, die bösen Begierden, und die Habsucht, die ein Götzendienst ist“ (Kol 3,5). Die geforderte Abkehr vom Irdischen beinhaltet also nicht die Vernachlässigung dieser Welt, Verachtung ihrer Güter, Gleichgültigkeit gegenüber eigenen und fremden Leiden; Abkehr vom ‚Irdischen‘ bedeutet vielmehr Abkehr vom Bösen. ‚Irdisch‘ und ‚Himmlisch‘ sind hier moralische Wertungswörter, die für ‚Gut‘ und ‚Böse‘ stehen. Die Forderung nach Abkehr vom ‚Irdischen‘ (wie auch die nach dem Schätzesammeln im Himmel) zielt also einfach auf moralisches Verhalten, auf sittliche Güte, sie enthält keine inhaltliche Bestimmung sittlich richtigen Handelns. Dies Mißverständnis ergäbe sich nur dann, wenn man etwa das Wort ‚irdisch‘ rein deskriptiv (nicht wertend) versteht. Übersetzt man wörtlich: „Erstrebt, was droben ist, nicht was auf Erden ist“, liegt dieses Mißverständnis allerdings nahe, da τὰ ἐπὶ τῆς γῆς grammatisch eine Umstandsbestimmung des Ortes ist. Es geht aber nicht darum, die Dinge ‚auf der Erde‘ zu mißachten, sondern das Verhalten, das der Erde, der (bösen) Welt *gemäß* ist,[38] aufzugeben. Nur wenn die Mahnung des Kolosserbriefs sich auf das ‚irdische‘ Leben im deskriptiven Sinne bezöge, wäre sie eine Beschreibung sittlich richtigen Verhaltens; tatsächlich fordert sie nur allgemein sittliche Güte. Wo also die Worte ‚Welt‘, ‚Erde‘ beziehungsweise die entsprechenden Adjektive negativ gemeint sind im Sinn des Widergöttlichen, des Unsittlichen, kann mit ‚Weltverneinung‘ nur *moralisches* Verhalten gemeint sein. In diesem Sinne wäre jedes wahrhaft christliche Handeln ‚weltverneinend‘.

---

[38] Das gibt man im Deutschen wohl besser mit dem Adjektiv ‚irdisch‘ wieder, da man Adjektive eher als Wertungswörter erkennt denn Umstandsbestimmungen.

In diesem Sinn dürfte Schweitzer das Wort ‚Weltverneinung' nicht verstehen; andernfalls würde er behaupten, nur ein Mensch, der das Reich Gottes beziehungsweise das nahe Ende erwarte, wisse sich zu moralischem Verhalten aufgefordert. Eine ‚weltverneinende' Ethik lehnt Schweitzer für sich und seine Zeit ab. Da er aber nicht moralisches Verhalten ablehnt, muß das Wort ‚Weltverneinung' bei ihm eine andere Bedeutung haben. Was ‚Weltverneinung' im Horizont eschatologischer Naherwartung bedeuten mag, könnte man, ein Bild Schweitzers aufgreifend, vielleicht so darstellen: Wenn man in einem alten, zum Abbruch bestimmten Haus lebt und bald in ein neues umziehen kann, ist es sinnlos, an dem alten Haus noch Reparaturarbeiten durchzuführen oder es gar neu instand zu setzen.[39] Das klingt zunächst sehr plausibel. Man könnte sogar auf Bibelworte verweisen, die auf den ersten Blick einen ähnlichen Gedankengang enthalten, etwa Jesu Wort vom Schätzesammeln (Mt 6,19–21). Nach diesem Wort soll man Schätze sammeln, die niemand zerstören kann, Schätze im Himmel. Da irdische Schätze durch Motten, Würmer und Diebe gefährdet sind, sind alle Bemühungen um das irdische Leben – das scheint die Aussage Jesu zu sein – Fehlinvestitionen. Also soll man sich um den Himmel bemühen, nicht um diese Welt. Aber *wie* sammelt man sich denn Schätze im Himmel? Gilt etwa die Regel: je weniger Schätze auf Erden jemand hat, desto mehr hat er im Himmel? Je größere Verzichte er auf Erden leistet, desto größer ist sein Schatz im Himmel? Schätze im Himmel sammelt man doch dadurch, daß man auf Erden dem Willen Gottes gemäß lebt, daß man Gott von ganzem Herzen liebt und nach seinem Willen handelt. „Wo dein Schatz ist, da ist auch dein Herz", lautet die Begründung des Wortes Jesu (Mt 6,21). Schätze im Himmel sammelt man also dadurch, daß man sein *Herz* im Himmel hat und es nicht an die Güter dieser Welt hängt, daß man nur Gott aus *ganzem* Herzen liebt, und nicht die irdischen ‚Schätze'.

‚Weltverneinung' im Sinne von Mt 6,19–21 würde also bedeuten: man darf sein Herz nicht an die Güter dieser Welt hängen, man darf diese Güter nicht zu seinem Gott machen. Bei einem solchen Begriff von ‚Weltverneinung' ist ‚Welt' nicht negativ verstanden, sondern meint einfach die irdischen Dinge.

---

[39] Vgl. *A. Schweitzer*, a. a. O. (Anm. 37) 191 f. Schweitzer begründet an dieser Stelle die schon im 2. Kapitel erwähnte „Theorie des status quo" (ebd. 191), allerdings zunächst nicht aus der Naherwartung, wie man aus dem oben erwähnten Bild eigentlich schließen möchte, sondern aus der „Mystik des Seins in Christo" (ebd.). Diese Begründung ist nicht leicht nachzuvollziehen. Wieso der Christ durch „Änderungen an seiner natürlichen Seinsweise" die Tatsache mißachtet, „daß seine Wesenheit hinfort durch das Sein in Christo" bestimmt ist (ebd. 192), ist unklar. Die Theorie des status quo wird dann (ebd.) am Beispiel der paulinischen Haltung zur Sklaverei expliziert. Schweitzer erklärt sie aus der ‚Mystik' des Paulus, fügt aber hinzu, der Sklave brauche „für die kurzen Augenblicke, die er noch in der natürlichen Welt zubringt", wegen seines Sklavendaseins nicht besorgt zu sein. Schweitzer scheint also die status-quo-Theorie doch zum Teil aus der Naherwartung des Paulus zu erklären. Vgl. die ganz andere Sicht der Frage der ‚Weltverneinung' bei *Preisker, Ethos* 110 f. 116 f.

Es geht dabei um die Frage, wie sich die Wertschätzung irdischer Güter mit der Liebe zu Gott, mit der Ausrichtung auf sein Reich verträgt. Die Liebe zu Gott, dem Schöpfer, aus ganzem Herzen fordert nicht, daß man seine Schöpfung überhaupt nicht zu lieben habe; sie fordert nur, daß man zu den Gütern dieser Welt nicht die Liebe hat, die nur Gott gebührt, daß man diese Güter nicht zu seinem Gott macht. Was das bedeutet, wird besonders da deutlich, wo einem Menschen Reichtum, Ehre und Freunde genommen werden. Wenn er diese Dinge als seinen einzigen ‚Schatz‘ betrachtet, müßte er verzweifeln. Wenn nicht, kann und muß er sich sagen: das Entscheidende, Gott und die Gemeinschaft mit ihm, kann mir nicht genommen werden, ich kann diese Gemeinschaft höchstens selber aufs Spiel setzen. Wo einem Menschen Wohlstand, Gesundheit und Freunde genommen werden, ist das ein Verlust, ein Verlust aber, der verschmerzt werden kann; der Verlust der Gemeinschaft mit Gott aber kann nicht verschmerzt werden. Die Gemeinschaft mit Gott bewahren fordert, daß ich auch da, wo es mir gut geht, mich der irdischen Güter so erfreue, daß ich auf ihren Verlust jederzeit vorbereitet bin. Diese Haltung fordert Jesus, wenn er mahnt: „Sammelt euch Schätze im Himmel" (Mt 6,20).

Schweitzers Vergleich vom alten und neuen Haus aufnehmend, könnte man formulieren: Ich darf mich meines alten Hauses freuen, ich darf das Beste daraus machen. Ich muß allerdings jederzeit zum Umzug bereit sein. Wenn von anderer Seite, ohne daß ich es verhindern kann, das alte Haus Schaden leidet, das heißt, wenn ich in Bedrängnis lebe und keinen Ausweg mehr sehe, dann kann ich mich trösten: „Wenn unser irdisches Zelt abgebrochen wird, dann haben wir eine Wohnung von Gott, ein nicht von Händen errichtetes ewiges Haus im Himmel" (2 Kor 5,1). In diesem Sinn müssen auch die Aussagen der jüdischen Apokalyptik verstanden werden. Bei der Interpretation ist deren Sitz im Leben zu beachten. Gegenüber bedrängten und verfolgten Juden kennzeichnet die Apokalyptik diesen Äon als notwendiges Durchgangsstadium (vgl. Esra 7,6–14).[40] Für Menschen, die in Bedrängnis leben, stellt sich nicht die Frage, ob sie nach den Gütern dieser Welt, nach Besserung ihres Zustandes streben sollen. Wenn man selber keinen Ausweg mehr aus der Drangsal sieht, kann man nur noch fragen, ‚Wie lange noch?‘ Weiß[41] erinnert zu recht an die Worte aus Luthers Choral „Ein feste Burg": „Nehmen sie uns den Leib, Gut, Ehr, Kind und Weib, – lass fahren dahin, sie habens kein Gewinn. Das Reich muß uns doch bleiben." Diese Verse Luthers charakterisieren treffend, was unter ‚Weltverneinung‘ im zweiten,

---

[40] Vgl. dazu *J. Schreiner*, Die apokalyptische Bewegung, in: J. Maier/J. Schreiner (Hrsg.), Literatur und Religion des Frühjudentums, Würzburg/Gütersloh 1973, 214–253. Nach Schreiner (235 f) gibt es in der Apokalyptik zwei Akzente, einerseits die Schau des Himmels, die Beschäftigung mit wunderbaren Dingen des Jenseits in ruhigen Zeiten, andererseits die ungeduldige Erwartung in Zeiten akuter Bedrängnis.

[41] *J. Weiß*, a. a. O. (Anm. 17) 48 (zitiert nach der 3. Auflage 234 f).

soeben dargelegten Sinn zu verstehen ist: nicht die Verachtung irdischer Güter, sondern die rechte Einstellung zu ihnen. Man darf sein Herz nicht so an irdische Güter hängen, daß man im Fall des Verlustes verzagen müßte. Dem, der alles verliert, wird es dennoch im kommenden Reich an nichts fehlen; es gibt deshalb niemals einen Grund zur Verzweiflung.

Diese Haltung, diese Art von ,Weltverneinung', muß an sich jeden Menschen auszeichnen, der das Wesen von Moralität begriffen hat. Tatsächlich ist uns ja diese Haltung bei den Stoikern bereits begegnet. Indem sie die irdischen Güter und Übel als ,Adiaphora' bezeichnen, kennzeichnen sie diese als Dinge von bedingtem Wert beziehungsweise Unwert. Unbedingt darf es dem Menschen nur auf die Tugend, die Moralität ankommen; der Verlust von Gütern, das Erleiden von Übeln tangiert die Moralität nicht. Einen wichtigen Unterschied gibt es allerdings zwischen dem Neuen Testament und Luther einerseits und den Stoikern andererseits: die Stoiker äußern keine deutliche Hoffnung auf das „Reich", auf das Leben nach dem Tode beziehungsweise die Vollendung der Welt.

Verstehen nun Schweitzer oder Weiß ,Weltverneinung' in diesem Sinn? Vermutlich nicht, da sie – wie schon gesagt – mit ,Weltverneinung' eine Haltung bezeichnen, die sie ablehnen. Man sollte nicht vermuten, daß sie die Haltung, die in den oben zitierten Versen Luthers zum Ausdruck kommt, ablehnen. Umso mehr ist man erstaunt, bei Weiß zu lesen, man könne Luthers Worte heute nur „mit einigen Einschränkungen und Abschwächungen singen"[42], wie man etwa auch Jesu Aufforderung zum Verzicht auf Ehe, auf Hab und Gut so nicht mehr gelten lassen könne. Diese Forderungen müsse man „aus dem eschatologischen und dualistischen Standpunkt Jesu heraus" verstehen.[43] Dagegen ist zunächst einzuwenden, daß Weiß zu Unrecht Luthers Verse und die Verzichtsforderungen Jesu gleichsetzt. Die Worte aus Luthers Choral sprechen von der Möglichkeit, daß dem Christen die irdischen Güter *genommen* werden, Jesus aber fordert zum *freiwilligen* Verzicht auf. Offenbar hat das, was Weiß (und auch Schweitzer) mit ,Weltverneinung' meinen, mit solchem freiwilligen Verzicht zu tun. Weiß scheint die Verzichtsforderungen Jesu folgendermaßen zu interpretieren:

1. Die ,Weltverneinung', wie Jesus sie fordert, ist *dualistisch* zu verstehen, das heißt, die Ausrichtung auf das Reich Gottes fordert eine Geringschätzung der Güter dieser Welt. Diesen Gütern wird nicht einmal mehr bedingter Wert zuerkannt. Weiß schreibt: „Dass das Geld etwa ein Mittel zu sittlichen Zwecken, das Fundament einer sittlichen Lebensarbeit, das Werkzeug guten heilsamen Wirkens im Dienste der Menschheit Gottes sein könne, das kommt hier gar nicht in Betracht."[44]

---

[42] Ebd. 49 (235 f.).
[43] Ebd. 45 (231).
[44] Ebd.

2. Die *Nähe des Ende* fordert solche Geringschätzung der irdischen Güter. Jesu Forderungen sind von dem Standpunkt aus zu verstehen, „dass die Dinge dieser Welt, wie hoch und göttlich sie an sich sein mögen, jetzt wo die Welt reif ist zum Untergang, allen Wert verloren haben."[45] In dieser Interpretation der Verzichtsforderungen Jesu dürfte deutlich werden, was Weiß unter ‚Weltverneinung' versteht: eine Geringschätzung der Güter dieser Welt. Indem er die Verzichtsforderungen Jesu aus dessen Naherwartung erklärt, stellt er (falls diese These nicht bloß genetisch ist, das heißt, falls er Jesus von seinen Voraussetzungen her recht gibt) eine These normativer Ethik auf, nach der im Fall der Naherwartung die irdischen Güter ihren Wert verlieren und der Mensch auf sie verzichten soll. Weiß formuliert also unter dem Stichwort ‚Weltverneinung' eine Art normativer Interimsethik im heute üblichen Sinn. Diese These ist nun zu erörtern. Zunächst soll gezeigt werden, daß im ‚dualistischen' Verständnis der Forderungen Jesu das Verhältnis zwischen gegenwärtigem und kommendem Äon, zwischen irdischer Tat und himmlischem Reich mißverstanden ist.

Die Forderungen Jesu, das Reich Gottes zu suchen und sich nicht um Nahrung und Kleidung zu sorgen, himmlische und nicht irdische Schätze zu sammeln, erwecken leicht den Eindruck, als sei der Mensch vor die Wahl gestellt zwischen irdischen und himmlischen Gütern, als lägen diese Güter gleichsam auf einer Ebene, als seien die himmlischen Güter dem Menschen in gleicher Weise zugänglich wie die irdischen. Ähnlich legt Schweitzers Bild vom Umzug in das neue Haus nahe, der Mensch stehe wie zwischen der Pflege und Herrichtung eines alten oder neuen Hauses so auch vor der Alternative, sich um die Erde oder um den Himmel zu bemühen, sich um sein irdisches Wohl zu kümmern oder um sein ewiges Heil. Wie der Mensch durch Sparsamkeit, das heißt, durch Verzicht auf manche Freuden des Lebens, für ein unbeschwertes Alter sorgen könne, so könne er auch durch Verzicht auf irdische Güter für den Himmel vorsorgen. Der Mensch muß, wo er moralisch handelt, die Folgen seines Handelns bedenken; also muß er auch – so könnte man folgern – irdische und himmlische Folgen gegeneinander abwägen. Auf die Frage etwa, ob ein Christ auch um den Preis seines Lebens seinen Glauben bekennen dürfe (Martyrium), würde man dann antworten, der Verlust des Lebens werde durch die ewige Seligkeit mehr als aufgewogen; also sei das Martyrium sittlich gerechtfertigt.

Allerdings könnte auf diese Weise auch der, der Christen ihres Glaubens wegen zum Tode verurteilt, seine Handlungsweise rechtfertigen. Ein Nero könnte von sich sagen, er sei ein Wohltäter der Christen, da er viele Christen in den vorzeitigen Genuß der ewigen Seligkeit habe kommen lassen. Ein solcher Rechtfertigungsversuch wäre nicht nur falsch, wir würden ihn als

---

[45] Ebd. 48 (234).

zynisch empfinden.[46] Das Beispiel zeigt deshalb besonders deutlich, daß die Rechtfertigung bestimmter Handlungsweisen mit dem Ausblick auf die ewige Seligkeit auf einem Fehlschluß beruht; diesem Fehlschluß dürften auch Schweitzer und Weiß erlegen sein. Der Fehler[47] liegt in der Annahme, der Mensch könne in seinem Handeln gleichsam *direkt* auf sein ewiges Heil, auf das Reich Gottes zielen. Der Mensch ist in seinem sittlichen Handeln aber unmittelbar nur für sein irdisches Leben verantwortlich. Das ewige Leben, der Anteil am Reiche Gottes ist (auch nach den Worten Jesu) der *Lohn,* der dem Menschen *gebührt,* falls er dem Willen Gottes gemäß gehandelt hat. Nur wenn der Mensch der sittlichen Forderung Genüge getan, wenn er gut und richtig gehandelt hat, hat er Aussicht auf den himmlischen Lohn. Daß eine bestimmte Handlungsweise ewigen Lohn verdient, *setzt* das Bemühen, den Willen Gottes zu tun, also sittlich richtig zu handeln, bereits *voraus;* folglich muß die sittliche Richtigkeit einer Handlung unabhängig von dem erwarteten himmlischen Lohn bestimmt werden. So läßt sich etwa das Martyrium nur rechtfertigen von dem hohen Wert des Glaubens (beziehungsweise der sittlichen Überzeugung) her, für dessen Bezeugung der Verlust des Lebens in Kauf zu nehmen ist. Schweitzers Bild vom alten und neuen Haus ist deshalb folgendermaßen zu erläutern: Der Mensch lebt im alten Haus und muß aus diesem Leben das Beste machen. Er kann nicht selber den Umzug in das neue Haus betreiben. Ob er in das neue Haus einzieht, hängt von seinem Verhalten im alten Haus ab. Die bloße Aussicht auf das neue Haus, auf die „Schätze im Himmel" präjudiziert in gar keiner Weise die Frage, wie man sich im einzelnen gegenüber den irdischen Gütern zu verhalten habe; das herauszufinden ist Aufgabe der normativen Ethik. Jesu Forderung, das Reich Gottes zu ‚suchen', muß deshalb verstanden werden als Mahnung, entschlossen die sittliche Forderung zu erfüllen und damit die *Voraussetzungen* zu schaffen für die Anteilhabe am kommenden Reich. Entsprechend müssen die Verzichtsforderungen Jesu interpretiert werden. Der bloße Verzicht auf den Reichtum, auf die Ehe bedeutet noch kein Suchen des Reiches Gottes. Vielmehr weist Jesus darauf hin, daß großer Besitz den Menschen oft verdirbt, ihn hartherzig macht, seine moralische Gesinnung untergräbt, damit sein ewiges Heil gefährdet. Alles aber, was den Menschen hindert, den Willen Gottes zu tun, alles, was ihn zum Bösen verleitet, alles, was so seine Anteilhabe am kommenden Reich gefährdet, soll er von sich werfen (vgl. Mt 5,29).

Der so charakterisierte Zusammenhang zwischen Moralität und Reich Gottes wird auch deutlich in der Vorstellung vom göttlichen Gericht, das der künftigen Vollendung vorausgeht. Nur wer im Gericht besteht, wessen

---

[46] Wo man das Tötungsverbot deontologisch (unabhängig von den Folgen) begründet, taugt dies Beispiel als Gegenargument natürlich nicht.

[47] Dieser Fehler ist in anderm Zusammenhang schon im 1. Kapitel (S. 46 f) aufgezeigt worden.

sittliche Güte im Gericht erwiesen ist, hat Anteil an der kommenden Welt. Die Nähe des Gerichtes bedeutet für den Menschen eine Warnung. ‚Bald ist es zu spät' wird eingeschärft; ‚wenn ihr nicht aufpaßt, könnte die Tür zum Festsaal endgültig verschlossen sein' (Mt 25,1–12). Aus ganzem Herzen umkehren, Frucht bringen, das Gute tun, ist deshalb die Forderung der Stunde (Lk 13,6–9). Es gilt, um es mit einem Bild von C. S. Lewis zu sagen, auf dem Posten zu sein, wenn die Inspektion kommt.[48] Diese ‚Inspektion' wird es ans Licht bringen, ob jemand gut oder schlecht gehandelt hat. So sieht auch Paulus die Sache; der Mensch soll in der Liebe wachsen und so „rein und ohne Tadel sein für den Tag Christi" (Phil 1,20).[49]

Die erste These von J. Weiß,[50] nach der die Ausrichtung auf das Reich Gottes, die Erwartung des Heils, Geringschätzung der Güter dieser Welt beziehungsweise Gleichgültigkeit gegenüber dem Übel in der Welt erfordert, ist damit zurückgewiesen. Wenn auch „die Leiden dieser Zeit nichts bedeuten im Vergleich zu der Herrlichkeit, die an uns offenbar werden soll" (Röm 8,18), so ist damit noch nichts darüber gesagt, wie man sich in den ‚Leiden dieser Zeit' konkret zu verhalten hat, ob einen etwa eigenes oder fremdes Leiden gleichgültig lassen darf.

Damit ist aber die zweite These von Weiß, nach der die Dinge der Welt angesichts des baldigen Untergangs ihren Wert verloren haben, noch nicht widerlegt. Wenn also nicht die Erwartung des Endes beziehungsweise der Vollendung allein eine ‚weltverneinende' Haltung fordern, ist eine solche Haltung vielleicht durch die *zeitliche Nähe* dieses Endes bedingt? ‚Weltverneinung' meint also in diesem Fall nicht Moralität überhaupt (Bedeutung 1) oder die sittlich geforderte Grundhaltung gegenüber nicht-sittlichen Werten beziehungsweise Übeln (Bedeutung 2), sondern – wie schon gesagt – eine Geringschätzung der ‚Dinge dieser Welt'. Diese Geringschätzung ist – nach Weiß – deswegen gefordert, weil durch die Nähe des Endes sich der Wert der irdischen Dinge ändert. Was seinen Wert verloren hat, braucht nicht mehr geschätzt und nicht mehr geschützt, kann vielmehr vernachlässigt werden; was zu einem geringen Übel geworden ist, braucht nicht beseitigt, kann vielmehr ertragen werden. Wenn das richtig ist, ist der Mensch angesichts der Nähe des Endes anderen sittlichen Forderungen unterworfen als zu ‚normalen' Zeiten.

Diese Behauptung klingt nicht ganz unplausibel, besonders in bezug auf die Schattenseiten des Lebens. Was von Übel ist, wird durch das abzusehende Ende des individuellen Lebens oder der Welt zu einem geringeren Übel,

---

[48] Vgl. *C. S. Lewis,* The World's Last Night, in: ders., Fern-seed and Elephants, Glasgow 1975, 65–85 (deutsch: Die letzte Nacht der Welt, in: ders., Was der Laie blökt, Einsiedeln 1977, 74–96).

[49] Vgl. auch Röm 2,5 f. 16; 13,11 f; 1 Kor 1,8; 3,13 f; Gal 6,7–10.

[50] Siehe oben S. 152.

kann deshalb eher in Kauf genommen werden. Verlieren aber auch die Güter des Lebens angesichts des baldigen Endes an Wert? Daß alle Güter dieser Welt vergänglich sind, ist bekannt. Niemand wird bestreiten, daß vergängliche Güter gegenüber unvergänglichen in dieser Hinsicht von niederem Wert sind. Aber bedeutet die Tatsache, daß irgendein Gut in kürzester Frist zerstört wird, an sich schon eine Wertminderung? Angenommen, ein großes Kunstwerk, etwa Michelangelos Pietà, würde morgen zerstört werden. Die Tatsache der bevorstehenden Zerstörung würde den Wert dieses Kunstwerks nicht im mindesten beeinträchtigen.[51] Ein Mensch, der an einer unheilbaren Krankheit leidet, ist nicht deswegen weniger wert, weil seine Lebenstage gezählt sind.

Gegen diese Überlegung mag man auf den reichen Kornbauern (Lk 12,16–21) verweisen, dessen großer Vorrat plötzlich zu nichts mehr nütze ist. Kritisiert aber Jesus das Ansammeln des großen Vorrats, weil der Bauer nicht seinen frühen Tod einkalkuliert hat? Den Zeitpunkt seines Todes kann doch niemand wissen, also weiß auch niemand, welche Menge an Vorrat er braucht. Die Lehre des Gleichnisses ist vielmehr: „das Leben eines Menschen hängt nicht von seinem Vermögen ab, mag es noch so groß sein" (Lk 12,15 b); man soll nicht für sich selbst Schätze sammeln, sondern vor Gott reich sein (Lk 12,21). Diese Lehre wäre genauso gültig, wenn dem Kornbauern sein Leben erst zehn Jahre später genommen würde. Sein plötzlicher Tod macht die Sinnlosigkeit seines Tuns nur besonders augenscheinlich. Daß allein das baldige Ende den Menschen noch nicht gleichgültig machen darf gegenüber den Gütern und Übeln dieser Welt, kann man sich an einer absurden Konsequenz klar machen. Nehmen wir an, ein alter Mensch, der seinem Tod ins Auge sieht, oder der Angehörige einer Sekte, der den baldigen Weltuntergang erwartet, sagt sich: ‚Was kümmern mich jetzt noch Glück und Unglück meiner Mitmenschen? Ich setze meine Hoffnung allein auf die kommende Welt. Nach mir die Sintflut!' Diese Art ‚Weltverneinung' wäre eine falsche Resignation gegenüber dem, was in unserer Welt von Übel ist. Man könnte sich einen alten Menschen vorstellen, der kein Testament macht, obwohl er Streitigkeiten um sein Erbe voraussieht, obwohl es in seiner Verwandtschaft Notleidende gibt, obwohl er bestimmten Menschen gegenüber etwas wiedergutzumachen hat; es ist ihm gleichgültig, was nach seinem Tod mit seinem Hab und Gut geschieht. Daß diese Gleichgültigkeit unmoralisch wäre, bedarf keiner Diskussion.

---

[51] Das baldige Ende könnte höchstens den finanziellen Wert des Kunstwerks beeinträchtigen, nicht aber seinen ästhetischen Wert. O. *Kirn* (Die sittlichen Forderungen Jesu, in: D. Kropatschek (Hrsg.), Biblische Zeit- und Streitfragen 6,4, Berlin 1910, 33) schreibt: „Für welchen ernsten Denker bemißt sich der Wert eines Gutes nach der Dauer seines voraussichtlichen Gebrauchs? Hat etwa ein schwächliches Kind in geringerem Maß auf geistige Bildung Anspruch als ein kräftiges? Kann die Zeitdauer der Maßstab des Wertes sein? Ein Gut von innerem Gehalt behält diesen auch, wenn uns nur ein kurz dauernder Gebrauch desselben zustehen sollte."

Die Nähe des Endes macht also Überlegungen normativer Ethik nicht etwa überflüssig, weil im Angesicht des Endes Wohl und Wehe des Menschen gleichgültig würden. Ob die Naherwartung ein für die Beurteilung der sittlichen Richtigkeit einer Handlung relevanter Faktor ist, muß vielmehr im Einzelfall geprüft werden; diese Prüfung am Einzelfall soll in den folgenden Abschnitten geleistet werden.

Es bleibt noch die Frage, ob man den Ausdruck ‚Weltverneinung' in diesem Zusammenhang nicht überhaupt vermeiden sollte. Die Problematik des Wortes liegt nicht nur in seiner Vieldeutigkeit, sondern in der negativen Wertung, die heute mit diesem Wort verbunden ist. Würden wir etwa bei Franz von Assisi von einer ‚weltverneinenden' Haltung sprechen? Franz hat in äußerster Armut gelebt; man könnte seine Haltung ‚Weltverneinung', ‚Weltflucht' oder gar ‚Weltverachtung' nennen. Wir wenden solche Kennzeichnungen auf Franziskus aber vermutlich deswegen nicht an, weil wir sein Programm heute positiv beurteilen. Da das Wort ‚Welt' heute meist positive Bedeutung hat (vgl. Wortprägungen wie ‚Theologie der Welt', ‚Zuwendung zur Welt', ‚weltliche Welt', ‚weltoffener Christ'), bezeichnen wir mit ‚Weltverneinung' oder ‚Weltverachtung' Haltungen, die wir selber ablehnen. ‚Weltbejahung' und ‚Weltverneinung' sind also nicht rein deskriptive Bezeichnungen einer bestimmten Haltung, sondern Wertungswörter: ‚weltbejahend' ist für uns der, der bejaht, was wir selber für bejahenswert halten. Wer die Anschauungen des Paulus als ‚weltverneinend' beurteilt, behauptet damit meist, Paulus verneine Dinge, die an sich bejahenswert seien (wie etwa die Ehe). Er fällt damit bereits ein negatives Urteil über die Anschauungen des Paulus, ohne dieses Urteil eigens zu begründen; mit anderen Worten: er übt Paulus gegenüber negative Paränese. Ob Paulus aber zu Recht oder zu Unrecht beispielsweise die bürgerliche Freiheit gegenüber dem Bekenntnis zu der in Christus geschenkten Freiheit, die Ehe gegenüber der Ehelosigkeit hintanstellt, ob die Erwartung des baldigen Endes solche Bewertungen rechtfertigt, das müßte erst gezeigt werden.

Ganz gleich also, was man unter ‚Weltverneinung' versteht – das ist das Ergebnis dieses Abschnitts –, die Behauptung eines Zusammenhangs zwischen Naherwartung und Weltverneinung ergibt entweder keinen rechten Sinn (in den ersten beiden Bedeutungen) oder ist (für die dritte Bedeutung) in ihrer allgemeinen Form zu pauschal.

3.3. Der mögliche Einfluß der Naherwartung auf die Stellungnahme des Paulus zur Sklaverei

Die These, im Fall der Naherwartung sei vom Christen ein grundsätzlich anderes Verhältnis zur Welt gefordert, wurde im vorhergehenden Abschnitt als falsch zurückgewiesen. Daß bei der Beurteilung bestimmter *einzelner* Verhaltensweisen die Naherwartung ein relevanter Faktor sein kann, ist damit noch nicht ausgeschlossen. Ob die Naherwartung die Weisungen des Paulus betreffs Sklaverei und Ehelosigkeit beeinflußt haben könnte, soll in diesem und im folgenden Abschnitt geprüft werden. Wie 1 Kor 7,21 zu interpretieren ist, kann bei diesen Überlegungen offenbleiben. Auch die Frage, ob Paulus und die frühe Kirche die Institution Sklaverei selbst als Problem empfunden haben oder ob es ihnen nur auf eine gerechte Behandlung der Sklaven ankam, braucht hier nicht erörtert zu werden. Es geht darum, ob Paulus in seiner Situation den Gesichtspunkt der Naherwartung zu Recht ins Spiel bringen könnte.

Ausdrücklich taucht dieser Gesichtspunkt in 1 Kor 7,20–24 nicht auf (wohl dagegen im Kontext von 1 Kor 7). Paulus könnte aber in seiner Situation der Meinung sein, angesichts des baldigen Endes lohne es sich nicht mehr, für die bürgerliche Gleichstellung des Sklaven einzutreten. Eine solche Vermutung äußert M. Dibelius: „Die *Sozialgestaltung der urchristlichen Generation* ist insofern von bescheidenem Ausmaß, als sie sich zunächst nur auf den eigenen Kreis erstreckt und von allen weitergehenden sozialreformatorischen Versuchen, der Sklavenbefreiung und der Ehereform, absieht. Man hat dies gerade aus der Aktualität des Evangeliums zu verstehen. Es kam nicht mehr darauf an, Grundsätze für die Dauer aufzustellen und im Großen zu verwirklichen. Die angenommene Nähe des Weltendes ließ jeden auf Dauer berechneten Reformversuch als aussichtslos erscheinen, vollends jeden, der sich auf die nichtchristliche Welt im Ganzen gerichtet hätte. So galt es zunächst, kurzfristig und im engsten Kreis Gemeinschaft zu gestalten und Liebe zu üben. Erst die Zunahme der Christen in der Welt bedeutete eine Mehrung der christlichen Verantwortung für die Welt und zwang den Christen in immer stärkerem Maße die Notwendigkeit auf, soziale Probleme dieser Welt als ihre eigenen zu betrachten und selbständig zu entscheiden."[52]

Hier sind zwei Gründe dafür genannt, daß die Christen zunächst nichts für die bürgerliche Gleichstellung der Sklaven getan haben:

1. Die Christen hatten damals keine gesellschaftliche Macht. So konnten sie für die bürgerliche Gleichstellung der Sklaven wenig tun. Das Problem war für sie nicht *leicht* zu lösen.

---

[52] *M. Dibelius*, a. a. O. (Anm. 2) 198 f; vgl. auch *H. Schürmann*, Das eschatologische Heil Gottes und die Weltverantwortung des Menschen: GuL 50 (1977) 18–30.

2. Selbst wenn die Christen gesellschaftlichen Einfluß gehabt hätten, wäre das Problem doch nicht *schnell* zu lösen gewesen. Die politische und wirtschaftliche Ordnung, wie sie bestand, setzte die Sklaverei voraus. Die Abschaffung der Sklaverei, falls Paulus sie tatsächlich ins Auge gefaßt hätte, wäre nur langfristig möglich gewesen. Auf solch eine lange Frist war Paulus aber offenbar nicht eingerichtet.[53]

Diese beiden Schwierigkeiten können allgemeiner so formuliert werden:

1. Der Mensch hat nur begrenzte Macht; nicht das, was wünschenswert ist, ist von ihm gefordert, sondern das, was wünschenswert ist *und* in seiner Macht liegt (ultra posse nemo tenetur). Dabei ist auch jeweils zu fragen, ob das grundsätzlich erreichbare Ergebnis der aufgewendeten Mühe entspricht. Um es mit Seneca zu sagen, „es soll weder unsere Mühe umsonst, weil ohne Ergebnis, sein, noch das Ergebnis die Mühe nicht wert".[54] Dieser Gesichtspunkt des begrenzten menschlichen Könnens ist grundsätzlich bei allen Überlegungen normativer Ethik zu berücksichtigen.

2. Wenn die zur Verfügung stehende Zeit kurz ist (1 Kor 7,29), ist das Können noch stärker begrenzt. Wo der Tod nahe ist, betrifft das nur den einzelnen Menschen. Wo aber das Ende aller Dinge erwartet wird, erfährt das Können aller eine entscheidende Begrenzung. Insofern ist eschatologi-

---

[53] Nach *S. Schulz* (Hat Christus die Sklaven befreit?: EK 5 [1972] 13–17) entschuldigt allein die Naherwartung Paulus dafür, daß er keinen Anstoß zur Sklavenbefreiung gegeben hat. In der folgenden Äußerung nennt Schulz noch einen anderen Grund dafür (a. a. O. 16): „Trotz Taufe und eschatologischer Freiheit sollen Sklaven gerade auch in ungerechten und unmenschlichen Verhältnissen unbedingt ausharren nach dem Vorbild des leidenden Christus. Das Evangelium soll gerade darin seine Kraft erweisen, daß sie sich in allem als zuverlässige Arbeitskräfte erweisen. Alle Emanzipationsbestrebungen, ja schon der Gedanke daran, mußten bei einer solchen massiv theologischen und christologischen Zementierung als unchristlich und sündig erscheinen." Falls das eine genetisch-historische These sein sollte, braucht sie uns hier nicht zu interessieren. Sollte Schulz aber behaupten wollen, für einen Sklaven sei Orientierung am leidenden Christus und Streben nach Emanzipation nicht vereinbar, muß man dem entschieden widersprechen. Das Vorbild Christi mahnt, in den ungerechten Verhältnissen auszuharren, wenn bestimmte *Gründe* dafür sprechen. So kann man ausharren, um Zeugnis zu geben für den Wert des In-Christus-Seins oder um in einer Situation der Christenverfolgung die Mächtigen bzw. die öffentliche Meinung nicht unnütz zu provozieren. Solch ein Ausharren „nach dem Vorbild des leidenden Christus" bedarf aber einer eigenen Rechtfertigung. Die Behauptung, jedes andere Verhalten, jede Emanzipationsbestrebung sei für den, der sich am leidenden Christus als Vorbild orientiert, von vornherein sündig, ist absurd. Zur Kritik an Schulz vgl. auch *P. Stuhlmacher,* Historisch unangemessen: EK 5 (1972) 297–299; *ders., Der Brief an Philemon,* Zürich/Neukirchen-Vluyn 1975, 47 f; *E. Schweizer,* Zum Sklavenproblem im Neuen Testament: EvTh 32 (1972) 502–506. Schweizer dürfte recht haben, wenn er gegen Schulz einwendet (505): „Könnte der Grund nicht darin liegen, daß . . . zwar Versöhnung ohne Veränderung von Menschen und ihren Beziehungen ein schwacher Trost ist, daß aber Veränderung ohne Versöhnung zum Terrorismus führt? Könnte es nicht sein, daß es Jesus wie Paulus zentral um etwas ginge, das *noch* wichtiger wäre als die zwanghafte Veränderung der Verhältnisse zum Besseren?"

[54] *Seneca,* De tranquillitate animi XII 1 („ne aut labor irritus sit sine effectu aut effectus labore indignus").

sche Naherwartung grundsätzlich relevant für einzelne Fragen normativer Ethik.[55]

Aus diesen Überlegungen darf man aber nicht generell folgern, wo das Ende nahe sei, lohne es sich nicht mehr, Not zu lindern, schwierige Situationen erträglicher zu machen. Dafür ein Beispiel: Eine alte Frau erkrankt an grauem Star. Ihre Sehfähigkeit könnte durch eine Operation und die Verschreibung einer Brille erhalten werden. Angenommen, man würde der alten Frau erklären, die Ausgaben für die Operation und die Brille lohnten sich angesichts ihres Alters und ihres schlechten Gesundheitszustandes nicht mehr: wir wären vermutlich empört; wir würden es für unsere Pflicht halten, der alten Frau die letzte Zeit ihres Lebens so angenehm wie möglich zu machen. Wenn die Sehfähigkeit eines Menschen durch eine Brille verbessert beziehungsweise wiederhergestellt werden kann, ist das Übel schnell und leicht zu beheben. Darin unterscheidet sich das Problem der Sehfähigkeit von dem der Sklaverei, wie es sich zur Zeit des Paulus und des frühen Christentums stellte. Man mag zu diesem Beispiel einwenden, die Situation einer Christengemeinde in Erwartung der baldigen Parusie sei mit der eines alten oder todgeweihten Menschen nicht zu vergleichen. Natürlich sind beide Situationen in mancher Hinsicht verschieden. Die Frage aber, ob es sich angesichts des baldigen Endes lohnt, ein bestimmtes Übel zu beseitigen oder zu lindern, muß für beide Situationen gleich beantwortet werden: Wo dieses Übel in der zur Verfügung stehenden Frist ohne allzu große Mühe zu beheben ist, muß man etwas dagegen tun. Wo die Behebung des Übels dagegen nicht rechtzeitig oder nur mit großem Aufwand zu erreichen ist, muß man es unter Umständen tolerieren. Das ist sehr allgemein gesagt; es sollte nur deutlich werden, daß (wie im Fall der alten Frau) das nahe Ende allein kein Grund ist, Leid und Not, alles, was von Übel ist, nicht zu bekämpfen.

Vermutlich hat sich Paulus über den Zeitpunkt der Parusie getäuscht. Auch darin zeigt sich ein allgemeines Problem normativer Überlegungen: nicht nur das *Können* des Menschen ist begrenzt, auch seine *Einsicht*. Die Einsicht in die Zukunft, der Überblick über die Folgen seines Handelns sind dem Menschen nur zum Teil gegeben. Es gibt allerdings Situationen im Leben des Menschen, in denen er die ihm noch zum Leben verbleibende Zeit einigermaßen überblicken kann. Auch dazu zunächst ein Beispiel aus dem individuellen Lebensbereich.

Jemand beginnt zu doktorieren. Nach einem halben Jahr erkrankt er schwer, die Ärzte geben ihm nur noch ein halbes Jahr zu leben. Angenommen, er wäre in diesem ihm verbleibenden halben Jahr nicht bettlägerig, er könnte also noch einiges tun. Was sollte er tun? Er weiß, daß er seine Promotion nicht beenden kann. Möglicherweise entschließt er sich deshalb, falls er

---

[55] Vgl. zu beiden Punkten *Schüller*, Begründung 102–125.

verheiratet ist, die ihm verbleibende Zeit seiner Familie zu widmen. Falls es sich bei dem Doktoranden um einen Priester handelte, würde er vielleicht die letzte Zeit seines Lebens seelsorgerlich tätig sein wollen. Man könnte sich aber vorstellen, daß er weiter an seiner Dissertation arbeitet, obwohl er weiß, daß er sie nicht mehr vollenden kann.[56]

Durch die Nähe des Todes wird also das Studium, die wissenschaftliche Arbeit, an sich nicht abgewertet. Die Gewißheit des baldigen Todes macht das Leben des einzelnen, die Tätigkeiten, denen er nachgeht, nicht wertlos. Ebensowenig ändert sich in der kurzen Frist vor dem Ende aller Dinge der Wertcharakter dieser Dinge. Nur wenn das Leben eines Menschen, sein Mühen und Arbeiten seinen Wert behält, ist es vorstellbar, daß ein Mensch im Angesicht des Todes bei seiner gewohnten Tätigkeit bleibt. Die Fortsetzung der gewohnten Tätigkeit kann ein Zeichen des Vertrauens und der Hoffnung sein auf den, der den Menschen aus dem Tod errettet. Dies Vertrauen zeigt sich etwa bei jenem Heiligen, der während eines Ballspiels gefragt wird, was er tun würde, wenn er in einer halben Stunde sterben müßte; er antwortet, er würde weiterspielen. Wenn die Tätigkeit des Ballspielens nicht auch angesichts des Todes ihren Wert behielte, wäre solche Handlungsweise nicht zu rechtfertigen; in diesem Fall müßte man aber auch fragen, ob der Mensch, der ja immer von einem plötzlichen Tod bedroht ist, dann jemals einer normalen Tätigkeit nachgehen dürfte.[57] Wenn das Ende nahe ist, ändert sich nicht der Wertcharakter der Dinge; es kann aber eine andere Pflicht vordringlich erscheinen. Für den Doktoranden kann es *vordringlich* sein, sich um seine Familie zu kümmern. Für die von Paulus angesprochenen Sklaven könnte es vordringlich sein, durch Verzicht auf bürgerliche Freiheit ein Zeichen zu setzen, das auf den überragenden Wert der durch Christus geschenkten Freiheit hinweist. (Ob Paulus allerdings eine solche Weisung erteilt, ist – wie in Kap. 2 gezeigt[58] – umstritten).

Am Beispiel Sklaverei ist somit gezeigt, daß es Elemente einer materialen ‚Interimsethik‘ gibt. Allerdings ergeben sich ‚interimsethische‘ Forderungen nicht, weil das irdische Leben angesichts des Endes keinen Wert mehr hätte, sondern weil in der zur Verfügung stehenden Frist das Mögliche beziehungsweise Vordringliche zu tun ist.

---

[56] Mir ist jemand in Erinnerung, der, zeitlebens an Fremdsprachen interessiert, noch in den letzten Wochen vor seinem Tod begonnen hatte, Italienisch zu lernen, obwohl ihm klar war, daß er die erworbenen Kenntnisse nicht mehr würde anwenden können.

[57] Vgl. dazu *C. S. Lewis,* Learning in War-Time, in: ders., Fern-seed and Elephants, Glasgow 1975, 26–38 (deutsch: Studium in Kriegszeiten, in: ders., Was der Laie blökt, Einsiedeln 1977, 36–50).

[58] Siehe oben S. 112–115.

3.4. Der mögliche Einfluß der Naherwartung auf die Stellungnahme des Paulus zu Ehe und Ehelosigkeit

Anders als bei der Ermahnung an die Sklaven ergibt sich die Vermutung eines Einflusses der Naherwartung auf die Einschätzung von Ehe und Ehelosigkeit eher vom Text in 1 Kor 7 her; Paulus weist schließlich im Zusammenhang mit der Frage der Ehelosigkeit auf die endzeitliche Bedrängnis und die Kürze der noch zur Verfügung stehenden Zeit hin. Baltensweiler folgert daraus: „Die Zurückhaltung gegenüber der Ehe resultiert bei Paulus allein aus der nahen Erwartung des Endes."[59]

Ob man die Ansichten des Paulus *allein* aus dieser Erwartung erklären kann, dürfte nach dem vorher Gesagten zweifelhaft sein. Das Problem liegt im Fall der Ehelosigkeit anders als in dem der Sklaverei. Hier war ein relevanter Gesichtspunkt der, daß innerhalb der angenommenen Frist eine Aufhebung der Sklaverei nicht zu erreichen war. Eine Eheschließung dagegen ist normalerweise ohne Schwierigkeiten möglich. Paulus will wohl nicht sagen, für die kurze Zeit lohne sich die Eheschließung nicht mehr. Eine Eheschließung ist auch dann durchaus sinnvoll, wenn das Ende des gemeinsamen Lebens, etwa der Tod eines Partners, bereits vorauszusehen ist. (Eheschließungen am Krankenbett sind schließlich nicht ungewöhnlich.) Etwas Gutes zu unterlassen, *nur* weil das Ende nahe ist, dürfte der Logik des menschlichen Wollens widersprechen. Die Tatsache, daß das Ende aller Dinge nahe ist, fordert – wie dargelegt – durchaus nicht unbedingt, nach einem Status-quo-Prinzip zu verfahren,[60] fordert durchaus nicht, alles beim alten zu belassen.

H. Windisch bezeichnet 1 Kor 7,25 ff und Jer 16,1 ff als „klassische Dokumente religiöser Interimsethik"[61]. Die Jeremia-Stelle bietet uns einen interessanten Vergleich zu den Ausführungen des Paulus; auf sie sei deshalb kurz eingegangen.

Jeremia soll auf Ehe und Kindersegen verzichten, weil der Untergang Judas bevorsteht. Auch hier bleibt also jemand „wegen der bevorstehenden Not" (1 Kor 7,26) ehelos. Es hat zunächst den Anschein, als solle Jeremia auf die Ehe verzichten, um sich und seiner Familie Schlimmes zu ersparen. Solch ein Entschluß läßt sich auch in anderen Situationen denken. Ein Bürgerrechtler in einem Ostblockland etwa könnte sich zur Ehelosigkeit entschließen,

---

[59] *Baltensweiler*, Ehe 172; vorsichtiger *R. Schnackenburg* (Die sittliche Botschaft des Neuen Testaments, München ²1962, 148): „Der Gedanke, daß die Parusie nicht fern sei und die vorausgehende Drangsalzeit die irdischen Nöte mehren werde, hat den Rat des Apostels zur Jungfräulichkeit verschärft."

[60] Gegen *Baltensweiler*, Ehe 170. *Hurd* (Origin 180) stellt dagegen heraus, daß das ‚eschatologische Argument' zu entgegengesetzten Resultaten führen könnte: „If things are not as they should be, then rapid change is necessary. If impending changes are less satisfactory, no change should be made in view of the present crisis."

[61] *H. Windisch*, a. a. O. (Anm. 14) 6.

damit andere (Frau und Kinder) nicht wegen seines freimütigen Wortes zu leiden haben und er selbst nicht durch Schikanierung seiner Familie erpreßt werden kann. Solch ein Entschluß wäre verständlich, es würde dem Bürgerrechtler aber sicher nicht leichtfallen, sich allein aus diesem Grunde *auf Lebenszeit* für ein eheloses Leben zu entscheiden. Wer dagegen von seiner baldigen Erlösung durch den Anbruch des neuen Äons überzeugt ist, dem dürfte ein Verzicht auf die Ehe leichter fallen als dem, der sich zu langjähriger Einsamkeit entschließen müßte. Eschatologische Naherwartung kann also die Entscheidung für ein eheloses Leben erleichtern, insofern sie die mit dieser Entscheidung verbundenen negativen Konsequenzen abmildert, konkret, insofern der Ehelose sich nur auf eine kurze Zeit der Einsamkeit einrichten muß. Wenn das Ende nahe ist, ist das Können des Menschen durch die Kürze der zur Verfügung stehenden Zeit eingegrenzt; durch die Nähe des Endes ergeben sich unter Umständen andere Prioritäten – das war das Ergebnis des vorigen Abschnitts über die Sklaverei. Das Beispiel Ehelosigkeit stellt einen anderen Gesichtspunkt deutlicher heraus: wenn das Ende nahe ist, sind die Folgen des Handelns leichter überschaubar, negative Folgen werden durch die Kürze der noch zur Verfügung stehenden Zeit abgemildert. Allein im Hinblick auf gegenwärtige oder bevorstehende Not fällt die Entscheidung zur Ehelosigkeit – wie gesehen – nicht leicht. Wo man auf baldige Erlösung aus der Not hoffen kann, fällt die Entscheidung leichter. Im Fall des Jeremia ist aber ein anderer Faktor ausschlaggebend. Jeremia soll auf die Ehe verzichten (ebenso auf die Beteiligung an Trauerbräuchen und auf Geselligkeit), um so sein Volk zeichenhaft auf die kommende Drangsal hinzuweisen. Durch diese prophetische Zeichenhandlung illustriert er die Ankündigung Gottes (16,9): „Seht, verstummen lasse ich diesen Ort, vor euren Augen und in euren Tagen, Jubelruf und Freudenruf, den Ruf des Bräutigams und den Ruf der Braut". Jeremia will damit aber nicht seinen Zeitgenossen nahelegen, ebenso zu handeln. Er sagt nicht: ,auch für euch ist es besser, auf Ehe und Nachkommenschaft zu verzichten'. Insofern ist es nicht besonders glücklich, Jer 16,1–9 als Dokument von Interimsethik zu bezeichnen.

Paulus dagegen gibt einen *allgemeinen* Rat zur Ehelosigkeit. Es wäre verständlich, wenn einzelne Christen wegen der Drangsal, die sie erleben beziehungsweise erwarten, und wegen der Erwartung baldiger Erlösung sich zur Ehelosigkeit entschlössen. Aber läßt sich allein aus solcher Naherwartung der Wunsch des Paulus verstehen, alle möchten so leben wie er? Ist die Ehelosigkeit deswegen die ,seligere' Alternative, weil sie in der jetzigen Situation – überspitzt gesagt – das Bequemere ist? Die Ehelosigkeit muß für Paulus doch wohl noch einen positiven Sinn haben, nicht nur den des besseren Bestehens der Drangsal. Der Verzicht auf die Ehe ist eine Ausdruckshandlung, Ausdruck der Offenheit, der Hoffnung auf das kommende Heil.

Dadurch, daß man auf die Bindung an einen Menschen verzichtet, macht man deutlich, daß es allein auf die Bindung an Christus ankommt. Wo Ehelosigkeit solche positive Sinngebung hat, dürfte sie auch leichter zu leben sein und von mehr Leuten als Lebensform ergriffen werden. Solche positive Sinngebung der Ehelosigkeit will Paulus offenbar in den Versen 32–34 andeuten. Ehelosigkeit macht deutlich: es kommt allein darauf an, dem Herrn zu gefallen. In der Situation eschatologischer Naherwartung scheint solche Ausdruckshandlung besonders angebracht. Eheloses Leben dokumentiert dann besonders deutlich die Bereitschaft für das Kommen des Herrn, die Sehnsucht nach diesem Kommen und nach der Vollendung der Welt.[62]

Es ist möglich, daß Paulus durch die Erwartung der Parusie zu dieser Sinngebung der Ehelosigkeit angeregt wurde. Insofern ist es (wie im Fall der Sklaverei) möglich, daß die Naherwartung die Stellungnahme des Paulus zur Ehelosigkeit beeinflußt hat. Allerdings hängt die Deutung der Ehelosigkeit als Ausdruckshandlung nicht von der Naherwartung ab. Daß Paulus und die Urkirche nichts für die bürgerliche Gleichstellung der Sklaven unternommen haben, läßt sich (abgesehen von dem fehlenden gesellschaftlichen Einfluß) unter Umständen durch die Naherwartung rechtfertigen. Ehelosigkeit als Ausdruckshandlung braucht dagegen nicht die Naherwartung zu ihrer Rechtfertigung; sie hängt nicht von der Naherwartung ab. Daß es allein darauf ankommt, dem Herrn zu gefallen, gilt zu jeder Zeit. Wo keine drängende Naherwartung herrscht, kann eheloses Leben darüber hinaus die Präsenz des Heils zum Ausdruck bringen, kann deutlich machen, daß „Gott allein genügt" (Theresia von Avila). In bezug auf den Ausdruckscharakter der Ehelosigkeit (nicht bezüglich des besseren Bestehens in der Drangsal) dürfte die Naherwartung nur genetische Bedeutung haben: sie verhilft dazu, den möglichen Ausdruckscharakter ehelosen Lebens zu erkennen.

Der Gesichtspunkt der Naherwartung könnte noch an anderen Stellen von 1 Kor 7 eine Rolle gespielt haben, nämlich bei der Frage der Wiederverheiratung der Witwen (V. 39f) und der Geschiedenen (V. 10–16). Die geschiedene Frau soll ehelos bleiben (ob dasselbe im Fall der Mischehen [V. 12–16] gilt, ist unklar). Leider begründet Paulus seine Weisung nicht; die Frage aber, ob man allen Geschiedenen lebenslange Ehelosigkeit abverlangen darf (das heutige Problem des kirchlichen Eherechts), stellt sich für Paulus wegen der Erwartung des baldigen Endes offenbar nicht. Auch hier gilt: die baldige Nähe des Endes würde die negativen Konsequenzen einer Entscheidung verringern beziehungsweise besser überschaubar machen.

---

[62] Vgl. dazu *J. B. Metz*, Zeit der Orden?, Freiburg 1977, 63–66.

3.5. Der behauptete Zusammenhang zwischen der bevorstehenden Parusie und außergewöhnlichen sittlichen Forderungen

In einer Ausnahmesituation, wie sie durch die Erwartung der baldigen Parusie entsteht – so hatte Weiß erklärt –, sei vom Menschen „*Gewaltiges, zum Teil Übermenschliches*" gefordert.[63] „In der kurzen Zwischenzeit bis zum Weltende" – so referiert Wendland die Position von Schweitzer und Weiß – „werden *außerordentliche, heroische* Leistungen gefordert."[64] Die ‚interimsethische' Position ist bereits dargestellt worden. Hier soll nicht mehr historisch, sondern sachlich gefragt werden: Ist vom Christen, der die baldige Parusie erwartet, tatsächlich Außerordentliches gefordert? Damit wird die Fragestellung der vorangegangenen beiden Abschnitte, ob sich aus der Naherwartung etwa der Verzicht auf bürgerliche Freiheit oder auf die Ehe ergibt, verallgemeinert.

Welche ‚übermenschlichen' oder ‚heroischen' Taten könnten denn gefordert sein? Vermutlich sind unter ‚übermenschlichen' Forderungen nicht solche zu verstehen, die das Können des Menschen grundsätzlich übersteigen, etwa die Forderung, alle Hungernden in der Welt zu sättigen. Daß wenigstens ein einzelner solchen Forderungen nicht genügen kann, ist einleuchtend, und es ist nicht einzusehen, wieso er sich angesichts der baldigen Parusie mit einer solchen Forderung konfrontiert sehen könnte. ‚Übermenschliche' Forderungen sind wohl solche, die große Opfer verlangen. Es gibt Situationen, in denen vom Menschen gefordert ist, auf sein eigenes Wohl, unter Umständen auf sein eigenes Leben, keine Rücksicht zu nehmen, etwa beim Eintreten für das Recht in einer Diktatur, in Zeiten der Glaubensverfolgung oder auch im Krieg. Das Wort ‚übermenschlich' legt sich hier vermutlich deswegen nahe, weil es den Anschein hat, als würde in solchen Situationen dem Menschen ein höheres Maß an Selbstlosigkeit abverlangt, als handle es sich hier um Moralität über dem alltäglichen Durchschnitt. Auch wenn man von ‚heroischen' Leistungen spricht, mag man an Taten denken, die großen Einsatz verlangen, von großem Gewicht sind, deshalb vielleicht auch den Eindruck überdurchschnittlicher Moralität machen. Ob dieser Eindruck richtig ist oder nicht,[65] kann hier auf sich beruhen bleiben. In diesem Zusammenhang

---

[63] Siehe oben S. 138 mit Anm. 15 (Hervorhebung hier von mir).

[64] *H. D. Wendland,* Ethik des Neuen Testaments, Göttingen 1970, 18 (Hervorhebung von mir).

[65] Vgl. dazu *R. Hofmann,* ‚Heroismus' in: LThK² V 267. Man könnte hier an die Heroen der Griechen erinnern, die ja nicht nur ihre kriegerischen Taten typisch sind, sondern auch die Belastung, das Leiden, das ihren Lebensweg kennzeichnet; man denke nur an Herakles, Achill und Odysseus (vgl. dazu *K. Reinhard,* Die Krise des Helden, in: ders., Tradition und Geist, Göttingen 1960, 420–427). Solche Belastungen müssen aber nicht immer von außen kommen; ein Mensch kann es etwa auch aufgrund seiner psychischen Konstitution schwer haben. Insofern jeder Mensch – kantisch gesprochen – den Konflikt zwischen Pflicht und Neigung ausfechten

ist die Frage wichtig, ob die Zeit vor dem Weltende tatsächlich solch eine außergewöhnliche Situation ist, die ein Mehr an Selbstlosigkeit fordern könnte.

Selbstloser Einsatz ist an sich da gefordert, wo etwas auf dem Spiel steht, etwa die Existenz eines Volkes im Fall eines feindlichen Überfalls, das Leben beziehungsweise das Wohl eines einzelnen oder vieler in einer grausamen Diktatur, der Glaube in Zeiten der Verfolgung. Nun stellt die Apokalyptik die Zeit vor dem Ende im Bild solcher Situationen dar, vermutlich weil in Zeiten der Bedrängnis die Erwartung des Endes besonders lebendig ist und auch, weil die Apokalyptik innerhalb des Judentums in einer solchen Zeit sich ausgebreitet hat.

Was für die Zeit vor dem Ende gilt, gilt in diesem Fall für jede Zeit der Bedrängnis. Wenn man aber nach der Relevanz der Naherwartung als solcher fragt, muß man den Gesichtspunkt der Bedrängnis außer acht lassen, sich also eine ‚normale' Situation kurz vor dem Ende aller Dinge vorstellen (wie die Tage des Noach und des Lot in Lk 17,26 ff). Außergewöhnlicher Einsatz ist da gefordert, wo etwas auf dem Spiel steht, so wurde schon festgestellt. Was steht aber in der Zeit vor der Parusie, vor dem Gericht auf dem Spiel? Das ewige Heil des Menschen. Aber das steht doch immer, in jedem Augenblick des Lebens auf dem Spiel. Der Mensch muß immer so leben, als sei die kommende Nacht „the world's last night".[66] Man könnte nun einwenden, im Gericht stehe die ganze Welt auf dem Spiel. Der Mensch hat aber nichts mehr, was er dagegen in die Waagschale werfen könnte; da alles auf dem Spiel steht, steht im Grunde nichts mehr auf dem Spiel mit Ausnahme seines eigenen Heiles. Gerade weil nichts oder wenig mehr auf dem Spiel steht, kann der Mensch in dieser Situation gleichsam – man verzeihe den Ausdruck – ohne Rücksicht auf Verluste handeln. Schon in den vorhergehenden Abschnitten wurde gezeigt, daß die Naherwartung die negativen Konsequenzen einer Handlung entschärft beziehungsweise überschaubar macht; die ‚Verluste' halten sich in Grenzen. Man kann also etwas riskieren; Handlungen, in denen man in diesem Sinne etwas riskiert, etwa Protest gegen staatliche Willkür ohne Rücksicht auf den Schaden, den

muß, kann der Heros zum Urbild des sittlich sich bemühenden Menschen werden; so in der Fabel des Prodikos von Herakles am Scheideweg (Xenophon, Memorabilien II 1,21–24).

J. G. Urmson (Saints and Heroes, in: A. I. Melden [Hrsg.], Essays in Moral Philosophy, Seattle/London 1958, 198–216, hier bes. 200–203) hat einen anderen Sprachgebrauch. Einen Menschen, der seine Neigungen überwindet, nennt er ‚heilig', während er als ‚heroisch' (und ebenfalls ‚heilig') jemanden bezeichnet, der mehr als seine Pflicht tut. ‚Heroismus' ist hier also eine Steigerung von ‚Heiligkeit'. Diese terminologische Unterscheidung ist aber nur dann sinnvoll, wenn der Mensch tatsächlich (im moralischen Sinne) mehr als seine Pflicht tun kann, wenn er Werke der Übergebühr vollbringen kann. Vgl. dazu kritisch *B. Schüller*, Zu den ethischen Kategorien des Rates und des überschüssigen guten Werkes, in: H. Wolter (Hrsg.), Testimonium Veritati, Frankfurt/Main 1971, 197–209.

[66] Vgl. den in Anm. 48 genannten Aufsatz von *C. S. Lewis*.

man sich selbst und andern damit möglicherweise zufügt, erwecken den Eindruck moralischer Entschiedenheit, von ‚Radikalität'.[67] In der Situation der Naherwartung sind solche in diesem Sinn ‚radikale' Handlungen eher zu verantworten,[68] weil die ‚Verluste' sich in Grenzen halten beziehungsweise baldige Erlösung winkt.[69] Es muß dabei immer beachtet werden: ein Mensch, der die negativen Konsequenzen mitbedenkt, der ihretwegen solche ‚Radikalität' nicht glaubt praktizieren zu dürfen, der meint, ‚Kompromisse' schließen zu müssen, ist deswegen nicht weniger sittlich integer. Ein solches Vorurteil wird durch das Wort ‚Kompromiß', das in diesem Zusammenhang den Beigeschmack eines ‚faulen' Kompromisses hat, leicht nahegelegt.[70] Daß der Mensch im Angesicht der Parusie besonders stark gefordert ist, könnte aber noch in einem andern Sinn verstanden werden. Wo der Mensch die an ihn gerichtete sittliche Forderung begreift, weiß er, daß er in seinem Denken und Tun hinter dieser Forderung zurückbleibt. Er erfährt, daß sein eigenes Trachten oft der sittlichen Forderung zuwiderläuft; er erkennt sich – theologisch gesprochen – als Sünder. Wo die sittliche Forderung in ihrer ganzen Tragweite verstanden ist, muß sie beim Menschen tiefe Betroffenheit hervorrufen. Diese Betroffenheit wird durch die Erwartung des Gerichtes verstärkt; dem Menschen wird klar, daß er zu Recht betroffen ist und um sein Heil besorgt sein muß, daß er um sein Heil „mit Furcht und Zittern" (Phil 2,12) bemüht sein muß. In einer Zeit der Naherwartung steht dem Menschen das kommende Gericht vor Augen. Zwar ist der Mensch immer dem Gericht nahe, insofern er seines Lebens nie sicher ist. Aber die Möglichkeit eines plötzlichen Todes wirkt sich auf das Handeln des Menschen oft nicht aus, weil diese Möglichkeit vielfach verdrängt wird und eben nur eine *Möglichkeit* ist. Wer aber die Naherwartung teilt, hält das baldige Gericht für

---

[67] Vgl. dazu B. *Schüller,* Zur Rede von der radikalen sittlichen Forderung: ThPh 46 (1971) 321–341.

[68] Eine ‚radikale' Handlung wäre also eine Handlung, deren Vollzug ein besonderes Maß an persönlichen Opfern und Verzichten mit sich bringt (vgl. ebd. 338).

[69] Ein atheistischer Ethiker würde an dieser Stelle vielleicht bemerken, nur der Atheist könne die sittliche Forderung ‚radikal' erfüllen, da ihm ja keine Erlösung winke, er also reine Selbstlosigkeit praktiziere. Hier dürfte die Selbstlosigkeit mit ihrem Echtheitskriterium verwechselt sein. Ob jemand selbstlos handelt, wird erst sichtbar, wo diese Selbstlosigkeit etwas kostet. Deshalb ist es aber wünschenswert, daß Selbstlosigkeit ins Unglück führt, daß der Gerechte leidet (vgl. dazu *Kants* Kritik an der Stoa, Kritik der praktischen Vernunft A 230).

[70] Daß ein ‚Kompromiß' nicht eine Schmälerung des sittlichen Ernstes bedeuten muß, betont neben B. *Schüller* (siehe Anm. 67) auch H. *Weber* (Der Kompromiß in der Moral: TThZ 86 (1977) 99–118, hier 115): „Der Gegensatz besteht nicht zwischen Kompromiß und radikaler Handlung, sondern zwischen dem guten (und besseren) und dem schlechten Kompromiß. Ein sogenanntes radikales Handeln kann ein guter Kompromiß sein, dann etwa, wenn das Ziel das Absehen von allem andern bei weitem lohnt. Aber es kann auch sein, daß durch das Ausklammern anderer Rücksichten und Werte zuviel geopfert, d. h. der negativen Schale beim Abwägen ein Übergewicht gegeben wird; in diesem Falle wäre das radikale Handeln ein schlechter Kompromiß." Vgl. zur Wertung des Kompromisses ausführlich H.-J. *Wilting,* Der Kompromiß als theologisches und als ethisches Problem, Düsseldorf 1975.

gewiß. Immer wenn dem Menschen nur noch eine kurze Frist bleibt, verstärkt er seine Bemühungen. Jede Kompression weckt neue Energie. Deshalb ist auch der Mensch im Angesicht des kommenden Gerichtes beziehungsweise im Angesicht der Parusie besonders gefordert. Wer dagegen im Angesicht der Katastrophe in den Tag hineinlebt (wie die Generation des Noach und des Lot; vgl. Lk 17,26 ff), der ist erst recht dem Gericht verfallen.

Die Nähe des Gerichtes läßt die Entscheidung zwischen Gut und Böse beziehungsweise das Wachsen im Guten als dringende Angelegenheit erscheinen; insofern sie zur Entscheidung beziehungsweise zu größerer Entschiedenheit ruft, ist sie ein Motiv der Paränese. Die Nähe des Endes gibt der Forderung nach sittlicher Güte eine besondere Dringlichkeit; das wird auch in der Paränese des Neuen Testaments an einigen Stellen deutlich, z. B. Röm 13,11 ff: „Bedenkt doch die Zeit: die Stunde ist gekommen, vom Schlaf aufzustehen. Denn jetzt ist das Heil uns näher als zu der Zeit, da wir gläubig wurden. Die Nacht ist vorgerückt, der Tag ist nahe. Darum laßt uns ablegen die Werke der Finsternis und anlegen die Waffen des Lichts! Laßt uns so leben, wie es dem Licht des Tages entspricht, ohne Fressen und Saufen, ohne Unzucht und Ausschweifung, ohne Streit und Eifersucht. Legt das neue Gewand an, Jesus Christus, den Herrn, und lebt nicht so, daß die Begierden des Leibes erwachen." Die gegenwärtige Stunde, der Anbruch des Tages mahnt zur Abkehr von den Lastern, den Merkmalen der vergehenden Welt. „Der Verweis auf die Kürze der verbleibenden Weltzeit dient jetzt dazu, die Dringlichkeit und Radikalität des alltäglichen Gottesdienstes zu betonen."[71] „Das Ende aller Dinge ist nahe", heißt es in 1 Petr 4,7. Daraus werden keine ethischen Ausnahmeforderungen abgeleitet, es heißt vielmehr (4,7–11): „Seid also besonnen und nüchtern und betet. Vor allem haltet fest an der Liebe zueinander; denn die Liebe deckt viele Sünden zu . . . So wird in allem Gott verherrlicht durch Jesus Christus. Er hat die Herrlichkeit und die Macht für ewige Zeiten. Amen."

3.6. Zusammenfassung

Die Überlegungen dieses Kapitels dürften gezeigt haben, daß das Thema ‚Ethik und Naherwartung' aufgegliedert werden muß in ‚Naherwartung und

[71] E. Käsemann, An die Römer, Tübingen² 1974, 346. Vgl. zur Bedeutung solcher Paränese auch C. E. Braaten, Eschatology and Ethics, Minneapolis (Minnesota) 1974, 111: „The proleptic structure of eschatological ethics has a twofold edge. On the one side, the futurity of the kingdom maintains a critical distance over against the present, so that every human effort and every social form are revealed to be imperfect and tentative approximations of the future kingdom, giving no one any ground for boasting before the Lord who judges all things. On the other side, the presence of the future kingdom in proleptic form offers a real participation in its life, generating a vision of hope and the courage of action to change the present in the direction of ever more adequate approximations of the eschatological kingdom."

Paränese' und ,Naherwartung und normative Ethik'.[72] Daß eschatologische Erwartung (des Gerichts, des Reiches Gottes, der Wiederkunft Christi) für den sittlich handelnden Menschen nicht bedeutungslos ist, dürfte einleuchten. Wieweit diese Erwartung aber ein relevanter Faktor in der Beurteilung von Einzelfragen normativer Ethik ist, muß im Einzelfall geprüft werden. Einer solchen Prüfung hat sich dieses Kapitel gewidmet, der Frage nämlich, in welcher Weise Paulus bei den in 1 Kor 7 behandelten Fragen den Faktor Naherwartung zu Recht ins Spiel bringen könnte. Gegen dies Vorgehen könnte man nachträglich einwenden, hier werde nicht vom Text ausgegangen, hier versuche man nicht, Paulus zu verstehen, sondern man schreibe Paulus gleichsam vor, in welcher Weise er zu argumentieren habe, beziehungsweise man lege in einer Überlegung normativer Ethik im voraus fest, wie der Text des Paulus zu verstehen sei. Zweifellos, wo man im strengen Sinn historisch-kritische Exegese betreibt, wo man sich das Ziel setzt, die Meinung des Paulus und deren geschichtliche Voraussetzungen zu erhellen, kann man sich im Prinzip von Überlegungen, wie sie in diesem Kapitel angestellt wurden, dispensiert fühlen. Wo man nur die Anschauungen des Paulus und ihre Genese erläutern will, wo man also keine Geltungsfragen stellt, das heißt, sich eines Urteils über die Antworten des Paulus auf die korinthischen Fragen enthält, da sind auch die Voraussetzungen für ein solches Urteil, nämlich die Klärung und Darlegung der eigenen theologischen beziehungsweise ethischen Position, nicht gefordert. Sobald man aber ein Urteil abgibt, ob etwa Paulus von seinen Voraussetzungen her zu Recht die Ehelosigkeit empfohlen hat, kann man auf derartige Überlegungen nicht verzichten. Wer ein begründetes und überlegtes Urteil über die Äußerungen des Paulus fällen will, von dem muß man Überlegungen, wie sie dieses Kapitel enthält, fordern.

Aber auch da, wo der Interpret sich konsequent auf eine historisch-genetische Fragestellung beschränkt, wo er also lediglich die Meinung des Paulus eruieren und erläutern will, dürften grundsätzliche normativ-ethische Überlegungen nicht ganz nutzlos sein für das rechte Verständnis der Antworten des Paulus in 1 Kor 7. Sie können dem Interpreten den Blick schärfen für die Implikationen bestimmter genetischer Thesen, der Interpret wird nach solchen Überlegungen solche genetischen Thesen mit größerer Vorsicht formulieren. Wo man den Zusammenhang zwischen Naherwartung und normativer Ethik nicht als solchen reflektiert hat, wird ein solcher

---

[72] Diese beiden Aspekte unterscheidet auch deutlich *A. N. Wilder* schon in der Gliederung seines Buches ,Eschatology and Ethics in the Teaching of Jesus' (New York ²1950). Im zweiten Teil seines Buches geht es nach Wilder (145) um folgendes: „Our first part has dealt with the sanction aspect of the relation of eschatology to ethics. We have to turn now to an even more significant aspect. How did the eschatological conception affect the content and nature of the ethics, if at all? Does Jesus call for a different righteousness, and if so how is it related to the conception of the end?"

Zusammenhang oft zu global behauptet, ist man geneigt, ethische Anschauungen, die einem selber fremd oder rigoros vorkommen, von vornherein aus den Voraussetzungen der Naherwartung zu verstehen und damit als für heute belanglos zu erklären. So kann der Verzicht auf die Klärung der normativ-ethischen Fragen dazu führen, daß man den aktuellen Anspruch, der sich aus den Weisungen des Paulus in 1 Kor 7 ergibt, nicht wahrnimmt. Daß andererseits der Theologe, der mit solchen reflektierten Voraussetzungen an die Auslegung von 1 Kor 7 herangeht, in der Gefahr ist, Paulus vorschnell seinen eigenen (wirklichen oder vermeintlichen) Einsichten gemäß zu interpretieren und sich diese Einsichten von Paulus lediglich bestätigen zu lassen, soll nicht bestritten werden. Jeder Interpret des Paulus muß bereit sein, seine eigenen Voraussetzungen neu zu bedenken und gegebenenfalls von Paulus her korrigieren zu lassen.

Wo sich eine Differenz zwischen den Anschauungen des Paulus und seines Interpreten ergibt, gibt es drei Möglichkeiten, dieser Meinungsverschiedenheit zu begegnen:

1. Der Interpret läßt sich von Paulus belehren, das heißt, er sieht sich genötigt, seine eigene Meinung, hier seine Sicht des Zusammenhangs zwischen Naherwartung und normativer Ethik, zu korrigieren.

2. Der Interpret sieht sich aufgrund seiner Reflexion des Problems außerstande, den Ausführungen des Paulus zuzustimmen, oder er glaubt sogar deutlich nachweisen zu können, daß und worin Paulus sich geirrt hat. In diesem Fall ergibt sich die Frage: Wer hat Recht? Wessen Meinung gilt? Diese Frage ist innerhalb des 5. Kapitels zu erörtern.

3. Der Interpret erklärt aufgrund seiner Überlegungen sein bisheriges Verständnis von 1 Kor 7 beziehungsweise das Verständnis anderer Interpreten für falsch oder für nicht zwingend. So ergibt sich meines Erachtens aus den Darlegungen des 2. und 3. Kapitels dieser Arbeit, daß man bei der Auslegung von 1 Kor 7 mindestens nicht gezwungen ist, die Antworten des Paulus auf die korinthischen Fragen betreffs Ehe und Ehelosigkeit allein aus der Erwartung des baldigen Endes zu erklären.

Aus den in diesem Kapitel erörterten Beispielen wurde deutlich, daß von Überlegungen normativer Ethik her die Naherwartung jeweils nur *ein* möglicherweise relevanter Gesichtspunkt ist. Es scheint – das sei zusammenfassend noch einmal hervorgehoben –, daß die Erwartung des baldigen Endes die sittliche Beurteilung mancher Handlungen einfacher macht. Wegen der verkürzten Lebenserwartung des einzelnen beziehungsweise aller Menschen braucht man die Auswirkungen seines Handelns nur für einen kurzen Zeitraum zu überblicken und abzuwägen; die Beurteilung der Folgen des Handelns ist also einfacher. Mit der Handlung verbundene Übel können wegen der Kürze der noch zur Verfügung stehenden Zeit leichter in Kauf genommen werden.[73] Auch die Auswirkung von Fehlentscheidungen ist somit begrenzt.

Da den Menschen in der Situation der Naherwartung die Grenzen seiner Macht und seiner Einsicht weniger zu bekümmern brauchen, mag mancher zu rigoristischen Anschauungen neigen. Solche rigoristischen Forderungen, solche ethischen Ausnahmegesetze können da berechtigt sein, wo die negativen Konsequenzen in Kauf genommen werden können. Man darf aber nicht den ernsten Appell zu sittlichem Handeln, der durch die Nähe des Reiches Gottes an die Menschen ergeht, mit solchem Rigorismus verwechseln. Dieser Appell ist eine Form der Paränese. Diese Paränese ist offenbar auch für A. Schweitzer das Entscheidende und Bleibende an der sittlichen Botschaft Jesu; er schreibt: „In Wirklichkeit vermag er für uns nicht eine Autorität der Erkenntnis, sondern nur eine des Willens zu sein. Seine Bestimmung kann nur darin liegen, daß er als ein gewaltiger Geist Motive des Wollens und Hoffens, die wir und unsere Umgebung in uns tragen und bewegen, auf eine Höhe und zu einer Klärung bringt, die sie, wenn wir auf uns allein angewiesen wären und nicht unter dem Eindruck seiner Persönlichkeit ständen, nicht erzielen würden, und daß er so unsere Weltanschauung, trotz aller Verschiedenheit des Vorstellungsmaterials, dem Wesen nach der seinen gleichgestaltet und die Energien wachruft, die in der seinigen wirksam sind."[74]

[73] Daß im Fall der Naherwartung der Mensch um die Auswirkungen seines Handelns weniger besorgt sein muß, betont auch *A. Schweitzer* in seiner Schrift „Reich Gottes und Christentum" (in: ders., Gesammelte Werke, hrsg. von R. Grabs, IV, München o. J., 627 f): „Durch die Erwartung des in Bälde kommenden überirdischen Reiches Gottes befindet sich Jesus in der Lage, von allem absehen zu können, was die Ethik in dieser Welt zu leisten hat, und von ihr nur zu verlangen, daß sie die Menschen als einzelne dahin bringe, sich von der Überlegung, was das wahrhaft Gute sei, leiten zu lassen. Sie darf letzte, höchste, grenzenlose Forderungen aufstellen. Schaffung besserer Zustände in der Welt kommt nicht mehr in Betracht. Damit bleibt der Ethik erspart, Zweckmäßigkeitserwägungen Gehör geben zu müssen, wodurch sie genötigt wird, sich auf Kompromisse einzulassen und sich damit zu begnügen, nur das relativ Gute zu wollen. Die Wirklichkeit, mit der sich Jesu Ethik auseinandersetzt, sind nicht die Zustände in der Welt und in der menschlichen Gesellschaft, sondern einzig die in den Herzen der einzelnen. Sie kümmert sich nicht einmal darum, ob bei der Befolgung des Gebotes, daß man dem Übel nicht widerstehen solle, das Bestehen auch nur einigermaßen geordneter gesellschaftlicher Zustände noch möglich ist." Wer das baldige Ende erwartet, kann also – nach Schweitzer – das Rechte ohne Rücksicht auf die Folgen tun, mit andern Worten, er kann es sich leisten, Deontologe zu sein. (Zur Eigenart einer deontologischen Theorie vgl. *Schüller,* Begründung 139–143.) Diese Stelle ist – soweit ich sehe – der einzige Beleg bei Schweitzer für eine ,interimsethische' Deutung der sittlichen Botschaft Jesu im heutigen Sinn. Eine deontologisch verstandene Bergpredigt (im obigen Zitat anhand der 5. Antithese angedeutet) wäre ein Beispiel für eine derartige Interimsethik.

[74] *A. Schweitzer,* a. a. O. (Anm. 19) 624.

4. Zur Bedeutung von ‚Askese' und zur ethischen Rechtfertigung von Verzichten

Wie sich in den Auslegungen von 1 Kor 7 verschiedene Meinungen über den Zusammenhang zwischen den Weisungen des Paulus und dessen Naherwartung finden, so ist man auch geteilter Meinung darüber, ob die Anschauungen des Paulus als ‚asketisch' zu bezeichnen seien. Die einen bezeichnen die Haltung des *Paulus* als ‚asketisch', die andern die Anschauung einer bestimmten *Gruppe in Korinth,* gegen die Paulus Stellung bezieht. Die Behauptung eines Zusammenhangs zwischen 1 Kor 7 und der Naherwartung kann – wie gezeigt – in einem rein historisch-genetischen, aber auch in normativem (rechtfertigendem) Sinn verstanden werden. Die These, die Ausführungen des Paulus über die Ehe und Ehelosigkeit seien asketisch, könnte ebenfalls in einem genetischen Sinne verstanden werden: Paulus, so könnte man meinen, ist durch ‚asketische' Strömungen seiner Zeit beeinflußt worden.

Aber was heißt hier ‚asketisch'? Man könnte als ‚asketisch' zunächst rein deskriptiv (nicht wertend) die Anschauung eines Menschen bezeichnen, der bestimmte Formen der Enthaltsamkeit propagiert (vor allem Fasten und sexuelle Abstinenz). Das Adjektiv ‚asketisch' ist aber meist nicht rein deskriptiv gemeint; dafür ein Beispiel: „Paulus hat die Tendenz, den neuen Menschen vor geschlechtlicher Befleckung zu bewahren, wozu er auch jeden ehelichen Verkehr rechnet. Aufs Ganze gesehen, wird man jedoch sagen müssen, daß Enthaltsamkeit im asketischen Sinne ‚ein ihm letztlich fremder Begriff' . . . ist."[1] Das klingt widersprüchlich. Der Widerspruch löst sich, wenn man erfährt, daß ‚Askese' für Grundmann eine „sich das Heil verdienende"[2] Askese ist. Vermutlich will Grundmann nicht eine „sich das Heil verdienende" Askese von einer anderen Art Askese unterscheiden, die sich nicht das Heil verdienen will; Grundmann scheint vielmehr ‚Askese' von vornherein negativ zu verstehen im Sinn von Verdienstmoral und Werkgerechtigkeit. Seine These ließe sich also folgendermaßen explizieren: Paulus empfiehlt sexuelle Enthaltsamkeit, aber er versteht das enthaltsame Leben nicht als verdienstliches gutes Werk. Hat Grundmann damit die Stellungnahme des Paulus gerechtfertigt? Nein; er hat sie zwar bewertet, hat aber nur

---

[1] *W. Grundmann,* ἐγϰϱάτεια ϰτλ., in: ThWNT II 338–340, hier 340.
[2] Ebd.

behauptet, daß Paulus mit der Empfehlung sexueller Enthaltsamkeit nicht die Rechtfertigung des Menschen aus seinen Werken verkünde. Paulus empfiehlt nicht, aus werkgerechter *Gesinnung* enthaltsam zu sein, das heißt, er predigt nicht die sittlich *schlechte* Gesinnung der Werkgerechtigkeit.

Die Frage normativer Ethik, ob sexuelle Enthaltsamkeit als sittlich *richtig* zu rechtfertigen ist, ist damit noch völlig offen.[3] Diese normative Frage wird in den Auslegungen von 1 Kor 7 kaum deutlich gestellt, ebensowenig wie die normative Frage, ob das baldige Ende ein enthaltsames Leben fordert. Wer aber zu den Ausführungen des Paulus in 1 Kor 7 Stellung nehmen will, muß diese Frage deutlich stellen und beantworten. Es wäre also zu fragen: Wie lassen sich sexuelle Enthaltsamkeit und andere Formen des Verzichts als sittlich richtig erweisen?

Wenn man ein sittliches Urteil über eine bestimmte Handlungsweise gewinnen will, muß – wie gezeigt – diese Handlungsweise zunächst rein deskriptiv gekennzeichnet werden. Das Wort ,Askese' eignet sich dazu nicht besonders, da es jedenfalls von manchen Autoren im negativen Sinn gebraucht wird. Um Mißverständnissen aus dem Wege zu gehen, ist deshalb auch darzulegen, wie das Wort ,Askese' gebraucht wird und welche Formen des Verzichts man sinnvollerweise deskriptiv unter dem Stichwort ,Askese' zusammenfassen könnte. Dabei kann natürlich keine vollständige phänomenologische Beschreibung dessen geboten werden, was alles als ,Askese' bezeichnet wird; es geht vielmehr um eine sinnvolle terminologische Festlegung.

4.1. Verschiedene Bedeutungen des Wortes ,Askese' bzw. ,Aszese'

Im folgenden soll ein Überblick gegeben werden über die verschiedenen Bedeutungen des Wortes ,Askese';[4] dabei wird auch die normative Frage gestellt, ob das jeweils unter ,Askese' Gemeinte sittlich zu rechtfertigen oder zu verwerfen, richtig oder falsch ist.

---

[3] Auch *T. C. Hall* (,Asceticism'. Introduction, in: ERE II 63–69, hier 64) betont: ,,The temptation to attribute to such exercises a special merit *per se,* and to harden them into a legal bondage, is so great that it has made Protestantism fearful in developing the ascetic life, perhaps even along legitimate lines. In the study of asceticism, however, the student must carefully keep present to his mind this legitimate element amid the legalistic and dualistic distortions."
[4] Auch *R. Egenter* (Die Aszese des Christen in der Welt, Ettal 1956, 17) stellt fest, ,,daß wenig moraltheologische Begriffe so uneinheitlich und teilweise unzulänglich gebraucht werden wie dieses Wort".

4.1.1. Die Grundbedeutung

Das Wort ἀσκέω wird im Griechischen zunächst im Sinn technischen oder künstlerischen Verfertigens gebraucht.[5] Weiter bezeichnet es dann die körperliche Ertüchtigung (gleichbedeutend mit γυμνάζεσθαι, der ἀσκητής entspricht dann dem ἀθλήτης[6]), ebenso die Schulung des erkennenden Geistes.[7] Allgemeiner gesagt, ‚Askese' ist zunächst die Schulung, die ‚Übung' von Fähigkeiten, die dem Menschen mitgegeben sind. Damit er sie aber für sich selbst und für andere nutzbringend anwenden kann, ist die Schulung und Ausbildung dieser Fähigkeiten notwendig und wünschenswert, im Prinzip also sittlich gerechtfertigt, ja geboten. Ohne diese Schulung würden diese Fähigkeiten nicht ausgebildet bzw. würden verkümmern. (Vgl. das Sprichwort: „Wer rastet, der rostet.")

Die Notwendigkeit des Übens, des beharrlichen, je neuen Sichbemühens erfährt der Mensch auch in seinem *sittlichen* Handeln; allerdings ist die Notwendigkeit solcher Übung nicht so unmittelbar einsichtig wie im Fall des Wettkämpfers. Beim Wettkämpfer macht sich ein Nachlassen des Trainingseifers sofort im Rückgang seiner Leistung bemerkbar. Über seine sittliche Gesinnung dagegen kann sich der Mensch leicht täuschen; deshalb vernachlässigt er oft das sittliche Bemühen. Man stellt daher den Wettkämpfer, bei dem die Notwendigkeit des Übens auf der Hand liegt, als Paradigma für den Menschen hin, der sich um die Tugend müht (der biblische Beleg ist 1 Kor 9,24—27). Der Verweis auf den Wettkämpfer ist ein beliebter paränetischer Topos.[8] Lassen sich sportlicher Wettkampf und sittliches Handeln aber überhaupt miteinander vergleichen? Beim sittlichen Handeln geht es um die freie Entscheidung zum Guten. Läßt sich diese Entscheidung zum Guten eintrainieren?

4.1.2. ‚Askese' als Bemühen um das Wachstum im Guten

Es gibt immer wieder Menschen, von denen man meint, sie hätten sich für das Gute entschieden; doch nach einiger Zeit verfolgen sie nur rücksichtslos ihren eigenen Nutzen. Xenophon nennt in seinen Memorabilien (I 2,12 ff) als Beispiele Kritias und Alkibiades, zwei Männer, die Schüler des Sokrates waren, die auch zunächst überzeugt waren, man müsse nach der Lehre und dem Vorbild des Sokrates leben, die aber dann im Peloponnesischen Krieg bzw. in der Zeit der dreißig Tyrannen eine unselige Rolle in der athenischen Politik gespielt haben. Können diese Männer sich jemals ernsthaft für das

---

[5] Vgl. *H. Windisch*, in:ThWNT I 492 (s. v. ἀσκέω); *R. Hauser*, in: HWP I 538 (s. v. ‚Askese'); *T. C. Hall*, a. a. O. 63.

[6] Vgl. bes. *Xenophon*, Memorabilien I 2,19 und *Epiktet*, Diss. III 10,7.

[7] Vgl. *Platon*, Euthydemos 283 a (σοφίαν τε καὶ ἀρετήν).

[8] Vgl. die in Anm. 6 und 7 genannten Belege.

Gute entschieden haben? Kann der Gerechte wieder ungerecht werden? Auf diese Frage antwortet Xenophon: „Denn wie die, die den Körper nicht üben, die Aufgaben des Körpers nicht zu erfüllen vermögen, so sind auch diejenigen, die die Seele nicht üben, nicht imstande, die Aufgaben der Seele zu vollbringen. Sie können weder das tun, was nötig wäre, noch das lassen, was sie lassen sollten."[9] Aber wie übt man denn die Seele? Xenophon nennt mehrere Beispiele dafür, wie solche Übung aussehen kann. Das erste Beispiel überrascht: „Deshalb halten auch die Väter ihre Söhne, besonders wenn sie besonnen sind, von den schlechten Menschen fern, weil der Umgang mit den Rechtschaffenen eine Übung in der Tugend bedeutet, der Umgang mit den Schlechten ihre Vernichtung."[10] Nach unserer Terminologie wäre der Umgang mit einem vorbildlichen Menschen eine Form von *Paränese*. ‚Die Seele muß geübt werden' heißt also hier soviel wie: ‚Der Mensch braucht die Ermahnung und das Vorbild eines guten Menschen'. Das formuliert Xenophon ausdrücklich: „Wenn aber einer die Worte der Ermahnung (νουθετικῶν λόγων) vergißt, hat er auch das vergessen, unter dessen Eindruck die Seele nach maßvoller Zucht (σωφροσύνης) zu streben pflegte; wenn man also diese Worte vergißt, ist es nicht verwunderlich, daß man auch das Maßhalten (σωφροσύνης) vergißt."[11]

Im ersten Kapitel wurde schon dargelegt, daß der Mensch Paränese, die Ermahnung zum Guten und die Warnung vor dem Bösen, daß er das Vorbild eines guten Menschen braucht.[12] Aber warum eigentlich? Ohne solche Paränese ist auch der bereits zum Guten Entschiedene in Gefahr, der sittlichen Forderung zuwiderzuhandeln, sei es, wie Xenophon im Fall von Kritias und Alkibiades annimmt, daß er die Entscheidung für das Gute revidiert und nur noch rücksichtslos auf seinen eigenen Vorteil aus ist, sei es, daß er grundsätzlich zum Guten entschlossen bleibt, aber bisweilen dieser Gundentscheidung zuwiderhandelt (Phänomen der läßlichen Sünde).

Das vollkommene sittliche Gutsein erwächst dem Menschen nicht einfach durch Erkenntnis, auch nicht durch eine einmalige grundsätzliche Entscheidung. Er kann sich zum Guten entschieden haben, und dennoch gibt es etwas in ihm, was dieser Ausrichtung auf das Gute entgegensteht. Und umgekehrt: ein Mensch kann sich zum Bösen entschieden haben, er tut es aber mit Furcht und Zittern, bekommt (z. B. bei einer Lüge) einen roten Kopf. Die Entscheidung zwischen Gut und Böse, in der der Mensch über sich selbst verfügt, bestimmt ihn dennoch nicht in seinem ganzen Wesen (total, aber nicht totaliter). Das, was dieser Entscheidung widerstreitet, was

---

[9] *Xenophon,* Memorabilien I 2,19 (Übersetzung nach der Ausgabe von R. Preiswerk, Stuttgart 1971).

[10] Ebd. I 2,20.

[11] Ebd. I 2,21.

[12] Vgl. S. 28.

vom Menschen je neu gemäß dieser Entscheidung durchformt werden muß, nennt man Konkupiszenz.[13] Paränese unterstützt das Bemühen des Menschen, der Grundentscheidung zum Guten gemäß zu leben. Mit ‚Askese' kann man dieses Bemühen des Menschen um das Wachstum im Guten bezeichnen.[14] In diesem Sinn wird das Wort in der katholischen Tradition gebraucht (meist aber als ‚Aszese'); es meint dann „alle Akte des menschlichen Bemühens um die Erlangung der christlichen Vollkommenheit, näherhin das *beharrliche* und *geordnete* Bemühen, wobei das Moment des Kampfes und der Entsagung durchaus mitschwingt, aber nicht schlechthin ausschlaggebend ist".[15] ‚Aszese' in diesem Sinn ist nicht die Aufgabe von wenigen ‚Standesasketen', sondern Aufgabe jedes Christen, jedes zum Guten entschiedenen Menschen.[16] Zu dieser Art ‚Aszese' gehört es auch, daß man – worauf Xenophon hinweist – die Paränese eines guten Menschen (durch die Worte und die Taten dieses Menschen) nicht bloß geschehen läßt, sondern geradezu sucht.

Was diese Art ‚Aszese' bedeutet, wird noch klarer, wenn man sich über das Ziel solcher Bemühungen vergewissert. Das Ziel ist, um es mit einem biblischen Bild zu sagen, daß man zu einem guten Baum wird, der von selber gute Früchte bringt; angezielt ist mit andern Worten: die Freiheit der Entschiedenheit, jene Entschiedenheit, in der ein Handeln entgegen der sittlichen Forderung keine echte Möglichkeit mehr für mich ist. Hierin liegt übrigens der Unterschied zwischen dem ‚Üben' des Wettkämpfers und der sittlichen ‚Übung' im Guten. Im ersten Fall geht es um die Ausbildung körperlichen *Könnens,* im zweiten um die Vollendung meiner *Freiheit,* nicht um die Ausbildung einer Fertigkeit. Der Unterschied wird deutlich im Fall des Zuwiderhandelns. Ein Musiker, der sein Instrument absichtlich schlecht spielt, verliert damit nicht seine Fähigkeit. Wer aber mit Absicht sittlich schlecht handelt (das heißt, eine schwere Sünde begeht), widerruft damit seine Entschiedenheit zum Guten; von seiner sittlichen Gesinnung bleibt nichts mehr. Diesen Unterschied wäre man in Gefahr zu übersehen, wenn man formulieren würde, das Ziel der sittlichen ‚Übung' sei die *Tugend.* Die

---

[13] Vgl. dazu *K. Rahner,* Zum theologischen Begriff der Konkupiszenz, in: ders., Schriften zur Theologie I, Einsiedeln [7]1964, 377–414. Insofern die ‚Konkupiszenz' auch der Entscheidung zum Bösen widerstreitet, gibt es auch eine ‚Übung' in der Schlechtigkeit; so spricht 2 Petr 2,14 von Menschen, deren Herz „in der Habsucht geübt"ist (καρδίαν γεγυμνασμένην πλεονεξίας ἔχοντες).

[14] In diesem Sinn wird ἀσκέω auch an der einzigen neutestamentlichen Belegstelle Apg 24,16 gebraucht. Die Bemühung um ein ‚reines Gewissen' muß hier verstanden werden als die Bemühung um die lautere *Gesinnung.* Zu dieser Bedeutung von συνείδησις/‚Gewissen' vgl. *H. Reiner,* in: HWP III 579 (s. v. ‚Gewissen').

[15] *F. Wulf,* ‚Aszese', in: HThG I 111–120, hier 113; vgl. *ders.,* ‚Aszese (Aszetik)', in: SM I 358–371. *C. Wellmann* (in: The Encyclopedia of Philosophy, ed. P. Edwards, I, New York/London 1967, 171 [s. v. ‚asceticism']) sagt: „the term ‚ascetic' was originally applied to any sort of moral discipline".

[16] Vgl. *F. Wulf,* in: SM I 359 (vgl. Anm. 15).

Tugend ist in der Antike weitgehend als Fertigkeit (τέχνη) interpretiert worden, wie etwa die Fertigkeit eines Handwerkers. In Wirklichkeit geht es bei dem mit ‚Tugend‘ Gemeinten um zwei Aspekte, die O. Kirn gut herausstellt: „Als *Tugend* . . . bezeichnen wir die in einer Person bleibend verwirklichte sittliche Tüchtigkeit. Sie besteht teils in der *Gesinnung,* die das Gute allseitig und stetig wertschätzt, teils in der *Fertigkeit,* die es zu entschlossener und nachhaltiger Ausführung bringt.“[17]

Bisher wurde von uns der erste Aspekt, die Ausbildung der sittlichen Gesinnung, herausgestellt. Der zweite Aspekt, die Ausbildung einer Fertigkeit, ist jetzt zu bedenken.

4.1.3. ‚Askese‘ als Einübung sittlich relevanter Gewohnheiten bzw. als Bekämpfung hinderlicher Neigungen und Gewohnheiten

Als ‚Askese‘ (bzw. ‚Aszese‘) gilt nicht nur die ‚Übung‘ seiner selbst im Guten, sondern auch eine Art bestimmter einzelner ‚Übungen‘, die das Bemühen um das sittliche Gutsein unterstützen[18] bzw. von diesem Bemühen gefordert werden. Dabei ist nicht nur an Formen der Enthaltsamkeit zu denken,[19] sondern auch an positive Gewohnheiten, etwa die tägliche Gewissenserforschung.[20] Welchen Sinn hat die Einübung solcher Gewohnheiten? Angenommen, jemand hält es für richtig, jeden Morgen vor dem Frühstück eine halbe Stunde zu meditieren. Er nimmt sich deswegen vor, jeden Morgen eine halbe Stunde früher aufzustehen, obwohl ihm das nicht leichtfällt. Indem er diesem Vorsatz treu bleibt und ihn ausnahmslos durchführt, ‚dressiert‘ er sich gleichsam zum rechtzeitigen Aufstehen und braucht am Ende nicht mehr viel Willenskraft dafür aufzuwenden.

Die oben charakterisierte Freiheit der Entschiedenheit darf nicht mit solcher

---

[17] O. *Kirn,* Grundriß der theologischen Ethik, Leipzig ⁶1929, 23. Zu diesen beiden Aspekten (Gesinnung und Fertigkeit) vgl. auch B. *Schüller,* Todsünde – Sünde zum Tod?, in: ThPh 42 (1967) 321–340, hier 336–338; *ders.,* Ist das Ideal des mündigen Christen eine Utopie?, in: Der Männerseelsorger 18 (1968) 193–199, hier bes. 194f. Zur Freiheit der Entschiedenheit im Unterschied zur Freiheit der Entscheidung vgl. *ders.,* Gesetz und Freiheit, Düsseldorf 1966, 26–30.

[18] So versteht T. C. *Hall* (a. a. O. [Anm. 3] 64) unter einem ‚disciplinary asceticism‘ „all exercises undertaken as training of the moral life, and carried through not for the sake of the exercise but for the effect produced upon the person using it“.

[19] Auf Formen des Verzichts, der Enthaltsamkeit und Kasteiung bezieht sich das Wort vor allem in seiner nicht-katholischen Verwendung; vgl. dazu D. *Thalhammer,* ‚Askese‘ III. Theologisch, in: LThK² I 932–937, hier 932; F. *Wulf,* a. a. O. (Anm. 15) 113; F. *Lau,* ‚Askese‘ V. In katholischer und protestantischer Ethik, in: RGG³ I 644–648, hier 645.

[20] Vgl. R. *Mohr,* ‚Askese‘ I. Religionsgeschichtlich, in: LThK² I 928–930, hier 928; G. *Mensching,* ‚Askese‘ I. Religionsgeschichtlich, in: RGG³ I 639f. Während man unter ‚negativer‘ Askese allgemein Formen des Verzichts versteht, bezeichnet man als ‚positive‘ Askese verschiedene Dinge: Mohr bezeichnet damit Formen der Selbstpeinigung (ebd.), J. *de Guibert* (‚Ascèse, Ascétisme‘ III. Questions Théologiques, in: DSp I 990–1001, hier 992) die Entwicklung alles dessen, was die Liebe und die Tugend fördert.

Selbstdressur verwechselt werden. Dort ging es darum, die Entscheidung zum Guten durchzuhalten, hier darum, daß ein bestimmtes Tun gewohnheitsmäßig ohne große Willensanstrengung einfach abläuft, damit die Willensenergie für andere Aufgaben frei wird. Gewohnheiten können außerdem auch zur Ausführung des sittlich Schlechten dienen. So ist pünktliches Aufstehen für sich allein betrachtet sittlich indifferent (im Sinn des stoischen Adiaphoron); man kann von dieser Gewohnheit einen guten, aber auch einen schlechten Gebrauch machen. Das Wachstum im Guten dagegen ist von vornherein positiv zu bewerten und ist vom Menschen kategorisch gefordert. In beiden Fällen, beim Wachstum im Guten und bei der Ausbildung nützlicher Gewohnheiten, ging es darum, durch ‚Übung' eine dauerhafte Wirkung zu erzielen.

Eine erwünschte dauerhafte Wirkung kann auch die Überwindung schlechter Gewohnheiten und falscher Neigungen sein. Dieser Gesichtspunkt wird schon bei Xenophon genannt: „Ich sehe aber auch, daß die der Trinklust Verfallenen und in Liebeshändel Verwickelten weniger imstande sind, sich mit dem abzugeben, was not tut, und sich dessen zu enthalten, das sie nicht tun sollten."[21] ‚Askese' als Einübung von Fertigkeiten bestände also auch in der Bekämpfung all dessen, was dem Tun des sittlich Geforderten im Wege steht. Daß solche Askese nicht nur erlaubt, sondern sittlich geboten ist, ergibt sich daraus, daß der Mensch zum Tun des sittlich Geforderten unbedingt verpflichtet ist. Diese Fähigkeit, unbeeinflußt von den natürlichen Neigungen und Lustempfindungen das sittlich Geforderte zu tun, nennen die Griechen σωφροσύνη (‚Besonnenheit' oder ‚Mäßigkeit')[22].

4.1.4. ‚Askese' als standhaftes Ertragen übler Widerfahrnisse

Im geduldigen Aushalten von Mühsalen, so formuliert Musonius, übe sich die Seele auf das Ziel der ‚Taperkeit' (ἀνδρεία) hin, durch die Enthaltung vom Angenehmen auf das Ziel der Besonnenheit (σωφροσύνη).[23] Dieselben Tugenden ordnet auch O. Kirn einander zu: „Die Selbstbeherrschung unter dem Charakter des Maßes ist *Mäßigkeit*, unter dem der Stärke *Tapferkeit*."[24] Über die Tapferkeit sind noch einige Überlegungen anzustellen.

---

[21] *Xenophon*, Memorabilien I 2,22.

[22] Vgl. besonders *Aristoteles*, Nikomachische Ethik 1117 b 23 ff und das Xenophon-Zitat S. 175 (Anm. 11).

[23] *Musonius*, p. 25 (ed. Hense): ῥώννυται δὲ ἡ ψυχὴ γυμναζομένη διὰ μὲν τῆς ὑπομονῆς τῶν ἐπιπόνων πρὸς ἀνδρείαν, διὰ δὲ τῆς ἀποχῆς τῶν ἡδέων πρὸς σωφροσύνην. Was Musonius ἀνδρεία nennt, dürfte der biblischen ὑπομονή entsprechen. Beide Worte stehen 4 Makk 1,11 (wohl synonym) nebeneinander. Vgl. im Neuen Testament Röm 5,3f; Jak 1,4; 5,11 sowie die Ausführungen über die ὑπομονή bei *M. Dibelius*, Der Brief des Jakobus, Göttingen ⁵1964, 101 f.

[24] *O. Kirn*, a. a. O. (Anm. 17) 42.

Wie der Sportler durch Überwindung von Widerständen seine Kraft vergrößert, so wird die Willenskraft dessen, der sich um das sittliche Gutsein bemüht, durch Überwindung von Widerständen gestärkt. In diesem Sinn spricht Ch. Andrutsos von einer ‚gymnastischen‘ (im Unterschied zu einer unten zu besprechenden ‚diätetischen‘) Askese.[25] Solche Widerstände können nicht nur im Menschen selber liegen, sie können auch von außen kommen. So kann es eine Form von ‚Askese‘ sein, ein unvermeidliches Übel, etwa eine unheilbare Krankheit, standhaft zu ertragen. Im Fall des Martyriums geht es darum, sich durch die Übel, die einem zugefügt und angedroht werden, nicht zu einem Handeln gegen das Gewissen verleiten zu lassen (vgl. etwa das Lob des Eleazar in 4 Makk 7). Wo es um solche Überwindung von Widerständen geht, sei es um die Widerstände in einem selber, sei es um Übel, die einem von außen widerfahren, wird ‚Askese‘ im Bild des Kampfes, des ἀγών interpretiert, der ‚Asket‘ wird zum ‚Athleten‘.[26] Die üblen Widerfahrnisse werden als Chance ergriffen, im Guten zu wachsen. In diesem Sinne mahnt der Hebräerbrief (12,4–13)[27], die ‚Züchtigungen‘ als Zeichen der Vaterliebe Gottes anzusehen, und betont (12,11): „Jede Züchtigung scheint zwar für den Augenblick nicht Freude, sondern Schmerz zu bringen; später aber schenkt sie denen, die durch diese Schule gegangen sind (γεγυμνασμένοις), als Frucht den Frieden, die Gerechtigkeit.“

4.1.5. ‚Askese‘ als Verzicht

So wie das Wort ‚Askese‘ heute meist verwendet wird, ist es gleichbedeutend nicht so sehr mit ‚Übung‘, sondern mit ‚Verzicht‘, ‚Enthaltsamkeit‘ (ἐγκράτεια).[28] Nun waren allerdings auch die bereits genannten Arten von ‚Askese‘ durchaus mit Verzichten verbunden. Der Martyrer leistet zweifellos einen großen Verzicht; auch derjenige, der seine Trunksucht überwinden will, muß einen Verzicht üben, der ihm mit Sicherheit nicht leichtfällt. Mit ‚Askese‘ bezeichnet man also offenbar eine besondere Art von Verzichten. Der schon genannte Terminus „diätetische Askese“ kann uns einen Hinweis geben. Kant zitiert den Wahlspruch der Stoiker „assuesce incommodis et desuesce commoditatibus vitae“ und fährt fort: „Es ist eine Art von *Diätetik* für den Menschen, sich moralisch gesund zu erhalten.“[29] Mit dieser Diätetik

---

[25] *X. Ἀνδρούτσου*, Σύστημα ἠθικῆς, Θεσσαλονίκη ²1964, 163–165.

[26] Eindrucksvoll formuliert das *Ignatius* in seiner Mahnung an Polykarp (Ign Pol 3,1): „Steh fest wie ein Amboß unter den Schlägen! Es gehört zu einem großen Kämpfer, Hiebe hinzunehmen und zu siegen.“ Vgl. auch 1 Cl 5 f; 4 Makk 6,10 sowie *E. Stauffer*, ἀγών κτλ., in: ThWNT I 134–140. Das Ignatiuswort erinnert an den berühmten Menandervers: Ὁ μὴ δαρεὶς ἄνθρωπος οὐ παιδεύεται.

[27] Vgl. dazu das im 1. Kapitel (S. 56 f) zu dieser Stelle Ausgeführte.

[28] Vgl. Anm. 19.

[29] *I. Kant*, Metaphysik der Sitten, Tugendlehre A 176.

179

dürfte der zweite Imperativ des stoischen Wahlspruchs gemeint sein, das Entbehren der „überflüssigen Ergötzlichkeiten". So versteht auch Andrutsos die ἄσκησις διαιτητική,[30] nicht als eine ‚Diät‘, die der Wiederherstellung der Gesundheit dient und deswegen notwendig ist, sondern – um im Bilde zu bleiben – als eine Art gesunde Ernährung, die der Gesundheit dienlich ist und der Krankheit vorbeugt. Solche Askese will also nicht etwas bekämpfen, was eindeutig dem Tun des sittlich Geforderten widerspricht und insofern sittlich falsch ist, sondern auf etwas *prinzipiell Erlaubtes* verzichten.

Man scheint also das Wort ‚Askese‘ zu verwenden bei Verzichten, die nicht unbedingt notwendig sind, die nicht conditio sine qua non für die Erreichung eines bestimmten sittlich geforderten Zieles sind, die vielmehr sittliches Handeln und das Wachsen im Guten fördern. Das klassische Beispiel für solche diätetische Askese dürfte das Fasten sein, das (sofern es maßvoll betrieben wird) sowohl der leiblichen Gesundheit wie auch der seelischen Ausgeglichenheit des Menschen förderlich ist. Wo ein Verzicht eine notwendige Bedingung für die Erreichung eines allgemein als erstrebenswert anerkannten Zieles darstellt, erscheint dieser Verzicht selbstverständlich, da spricht man nicht von ‚Askese‘. Wo etwa ein Zuckerkranker die ihm vorgeschriebene Diät einhält, würde man nach dem von uns festgelegten Sprachgebrauch diesen Verzicht nicht als ‚asketisch‘ bezeichnen.

Nun gibt es aber Situationen, in denen ein Verzicht die Erreichung eines bestimmten Zieles zwar erleichtert, jedoch keine unerläßliche Bedingung darstellt. Ein gescheiter Mann wird in jedem Fall wissenschaftlich etwas leisten können. Um aber besser arbeiten zu können, um das, was er schreibt und vorträgt, besser durchdenken zu können, verzichtet er auf alle überflüssigen Zerstreuungen und lebt nach einem genau eingeteilten Tagesplan. Diese Lebensweise *fördert* sein wissenschaftliches Arbeiten, ist aber keine conditio sine qua non. Da es sich außerdem um eine bewußt geplante Bemühung handelt, könnte man hier von ‚Askese‘ sprechen. Allerdings, diese ‚Askese‘ könnte in einem maßlosen Ehrgeiz wurzeln. Wenn wir ‚Askese‘ nur auf moralische Bemühungen beziehen, wäre die geschilderte Lebensweise nur dann als ‚asketisch‘ zu bezeichnen, wenn der Betreffende diese Lebensweise als seine sittliche Pflicht ansähe. Er würde es vielleicht für unmoralisch ansehen, sich selber ein bequemes Leben zu machen, während andere für einen geringeren Verdienst wesentlich härter arbeiten müssen.

Auch bestimmte Formen der religiösen (mystischen) Askese können die Erreichung eines gesetzten Zieles (Vertiefung des Gebets, des Glaubens) erleichtern. Weil aber Fasten, abgeschiedenes Leben nicht unerläßliche Bedingungen sind, kann man sie als ‚asketische‘ Verzichte bezeichnen. Unter

---

[30] *Ch. Andrutsos*, a. a. O. (Anm. 25) 165.

diese Art ‚Askese' ist neben dem Verzicht auf Nahrung (Fasten) auch der Sexualverzicht (Ehelosigkeit) einzuordnen, ebenfalls ein Verzicht, der zur Erreichung eines bestimmten Zieles nicht unbedingt notwendig ist. Während das Fasten prinzipiell von allen zeitweise geübt werden kann, gibt es neben zeitweiligem Sexualverzicht aus religiösen Gründen (vgl. 1 Kor 7,5) auch die lebenslange Ehelosigkeit weniger ‚Standesasketen'.

Mit ‚Askese' bezeichnet man also Verzichte, die nicht alltäglich sind, die besonders in die Augen fallen, deren Sinn bzw. Notwendigkeit nicht unmittelbar einleuchtet. Weil der Sinn solcher Verzichte nicht unmittelbar einleuchtet, erwecken sie oft den Eindruck, als würde hier um des Verzichtes willen verzichtet, als würde der Verzicht hier zum Selbstzweck oder als würde man auf etwas in sich Schlechtes verzichten. Weil bestimmte Verzichte nur von wenigen ‚Standesasketen' geleistet werden können, entsteht der Eindruck, hier werde Moralität über das Geforderte hinaus praktiziert (als ‚opus supererogatorium').

Da Fasten und Ehelosigkeit meist auch religiös motiviert sind, mag man geneigt sein, alle durch die Religion geforderten besonderen Verzichte als ‚asketisch' zu bezeichnen.[31] Wenn man etwa von Ehelosigkeit ‚um des Reiches Gottes willen' spricht, liegt der genaue Zusammenhang zwischen Ehelosigkeit und Reich Gottes nicht klar auf der Hand. Insofern könnte man hier auch von ‚Askese' zu sprechen geneigt sein.

Die bisherigen Ausführungen haben gezeigt, daß mit dem Wort ‚Askese' die für den Menschen notwendigen Bemühungen um das sittliche Gutsein angesprochen sind. Gerade die Überlegungen über die Verzichte haben aber gezeigt, daß man nicht unbedingt alle diese Bemühungen als ‚asketisch' bezeichnet. Von daher ergibt sich die Notwendigkeit, eine terminologische Festlegung vorzunehmen.

4.2. Ein Vorschlag zur Terminologie

In den Ausführungen von T. C. Hall zum Thema ‚Askese' finden sich zwei Definitionen von ‚asceticism', die zu einer sinnvollen Eingrenzung dessen anregen, was man mit ‚Askese' bezeichnen sollte. In der ersten Definition werden unter ‚Askese' zusammengefaßt „alle Übungen, die unternommen werden als Training des moralischen Lebens und durchgeführt werden nicht um der Übung willen, sondern der Wirkung wegen, die sich für die übende

---

[31] So werden etwa bestimmte Riten (z. B. die Beschneidung) als ‚asketisch' bezeichnet; vgl. dazu *T. C. Hall*, a. a. O. (Anm. 3) 64. Zu dem großen Bereich der kultischen und mystischen Askese vgl. den ganzen Artikel ‚Asceticism' in ERE I 63–111 und *Th. Hopfner*, ‚Askese', in PWS VII 50–64.

Person ergibt".[32] Nicht alle sittlichen Bemühungen werden also hier als Askese bezeichnet, sondern solche, die kontinuierlich und mit Überlegung durchgeführt werden, „beharrliche und geordnete"[33] Bemühungen. Was sind aber Übungen, die nur „um der Übung willen" unternommen werden? Vermutlich will Hall Übungen ausschließen, mit denen der Übende keine bewußte Zielsetzung verbindet, etwa bestimmte Bräuche, an die man sich hält, weil alle sich daran halten (zum Beispiel die Abstinenz am Freitag). Hall nennt die in dieser ersten Definition angesprochene ‚Askese' einen „disciplinary asceticism".

In einer zweiten Definition bezeichnet Hall als ‚Askese' den „Widerstand gegen naturgegebene Neigungen unter dem Anspruch eines höheren oder als höher angesehenen Ideals, das der Wille dem Leben als Ziel gibt".[34] Durch diese zweite Definition wird das Element des Verzichts, der ἐγϰϱάτεια hervorgehoben. Nun sprechen wir, wie schon angedeutet, nicht bei jedem Verzicht von ‚Askese'. Zu einem ‚asketischen' Verzicht gehört die ‚contradiction of natural desires'. Als ‚asketisch' sollen für uns gelten bestimmte auffällige, nicht alltägliche Verzichte, die Nichterfüllung bestimmter Bedürfnisse, deren Befriedigung allgemein als selbstverständlich (in diesem Sinn ‚natürlich') angesehen wird, so das Bedürfnis nach Nahrung, Wohnung und sexueller Gemeinschaft. Am Beispiel der Ehe läßt sich das Gemeinte gut erläutern. Wer sich in der Ehe für sein Leben an einen Partner bindet, verzichtet damit auf jede andere sexuelle Gemeinschaft. Dieser Verzicht kann in bestimmten Situationen (etwa bei schwerer Erkrankung eines Partners) sehr hart sein und heroische Anstrengungen erfordern. Wir reden aber hier nicht von ‚Askese'. Nur wer Polygamie oder außerehelichen Geschlechtsverkehr als sittlich erlaubt ansähe, würde solchen Verzicht als ‚asketisch' empfinden. Wir dürften also mit dem normalen Sprachgebrauch übereinstimmen, wenn wir mit ‚Askese' nur solche Verzichte bezeichnen, die man nicht allgemein als sittlich geboten ansieht.[35] Wer solche Verzichte auf

---

[32] Vgl. Anm. 18.

[33] Vgl. das Zitat von *F. Wulf* auf S. 176 (Anm. 15).

[34] *T. C. Hall*, a. a. O. 63 („contradiction of natural desires under the mandate of some higher, or supposed higher ideal set by the will before the life"). Hall scheint mit diesen beiden Definitionen das, was er unter ‚Askese' versteht, zu umschreiben. Alles ‚Asketische' müsse (ebd.) „be shown to be connected either (a) with a disciplinary process for the attainment of righteousness, or (b) with a complete negation of the body by its mortification". (Die Bedingung (b) klingt sehr dualistisch, aber das braucht hier nicht erörtert zu werden.) Leider sagt Hall nicht genau, wie nach seiner Meinung das Verhältnis dieser beiden Definitionen zueinander zu denken ist, ob er also einen oder zwei Begriffe von ‚Askese' hat; das Wort ‚or' spricht für die letztere Annahme. Wie dem auch sei, es geht hier nicht darum, Hall korrekt zu interpretieren, sondern einen (wesentlich durch Hall angeregten) Vorschlag zur Terminologie zu machen.

[35] *H. Strathmann* (‚Askese' I [nichtchristlich] in: RAC I 749–758, hier 750) bezeichnet als ‚asketisch' „eine Lebenshaltung, die gekennzeichnet ist durch eine ethisch-religiös begründete freiwillige Selbstbeschränkung, einen freien Verzicht auf grundsätzlich erlaubte Lebensgewohnheiten, Beziehungen, Betätigungen oder Genüsse".

sich nimmt, kann sich nicht einfach einem bestimmten Brauch anpassen, sondern muß sich selbst Rechenschaft darüber ablegen, warum er diesen Verzicht übt. Wir bezeichnen also solche Verzichte als ‚asketisch‘, deren Verwirklichung ein gewisses Maß an *ethischer Reflexion* erfordert.

Wie verhalten sich nun die beiden Definitionen Halls zueinander? Für uns soll die erste Definition die grundlegende sein: bei aller Askese geht es um ein ethisches ‚Training‘. Auch die Verzichte, die wir als ‚asketisch‘ bezeichnen, erfordern ein kontinuierliches und bewußtes Bemühen. Die zweite Definition bezieht sich dann auf eine bestimmte Form asketischen Bemühens, nämlich auf bestimmte auffällige, nicht alltägliche Verzichte.

Es sei noch überlegt, welche Voraussetzungen für so verstandene Askese nötig sind. Zum einen erfordert bewußte sittliche Übung wohl ein gewisses *ethisches Reflexionsniveau*. Wer sich bewußt um das Wachsen im Guten, um die Tugend bemüht, muß einigermaßen reflex Moralität als das eigentliche dem Menschen vorgegebene Ziel, als den eigentlichen Sinn des Lebens erkannt haben. Wer substantielle Verzichte leistet, muß Wohlstand, Gaumenfreuden, Sexualität als mögliche Gefährdungen von Moralität erkannt haben. Auffällige Verzichte wird nur der leisten, der sich eines gewissen Wohlstands erfreut. Ein Nomade, der ständig am Rande des Existenzminimums lebt, wird nicht auf die Idee kommen zu fasten. Wer (wegen hoher Kindersterblichkeit) auf den Bestand seiner Familie achten muß, für den ist Ehelosigkeit keine ernsthafte Möglichkeit. Askese setzt also normalerweise ein gewisses *ökonomisches und zivilisatorisches Niveau* in einer bestimmten Gesellschaft oder Gesellschaftsschicht voraus.[36]

Der bis jetzt skizzierte Begriff von ‚Askese‘ kann noch deutlichere Konturen gewinnen dadurch, daß wir an ein paar Beispielen zeigen, was nicht darunter fällt.

Zunächst seien genannt Tonsur und Beschneidung. Die Tonsur, die ein Ausdruck von Buße oder Hingabe sein kann, entwickelte sich zu einem Zeichen der Zugehörigkeit zum geistlichen Stand, die Beschneidung wurde das Zeichen der Zugehörigkeit zum alttestamentlichen Gottesvolk. Hier geht es weder um Selbstdisziplin noch um einen substantiellen Verzicht.

Als zweites Beispiel sei angeführt, was Hall „survival forms" nennt.[37] Er nennt als Beispiel die Essener, deren Rückzug in die Wüste nicht als Verzicht auf Wohlstand und die Annehmlichkeiten des Kulturlandes zu interpretieren ist, sondern als zeichenhafte Rückkehr in die Anfangszeit des Gottesvolkes, in die Zeit der ‚ersten Liebe‘. Ähnlich ist das Anliegen der Rechabiter, die

---

[36] Diese Einsicht verdanke ich der sehr erhellenden Bemerkung von *T. C. Hall* (a. a. O. 64): „in general it may be said that any developed asceticism belongs only to a high and elaborate economic stage. Asceticism proper belongs to an age of reflexion." Daraus folgt (ebd. 65): „It is, to say the least, doubtful if, outside of the highest civilization, asceticism in the strict sense of either discipline of negation of the bodily desires can be shown anywhere."

[37] Ebd. 63.

dem nomadischen Leben treu blieben, weil sie anders die Treue zu Jahwe nicht glaubten leben zu können (vgl. Jer 35). Wenn Amos (6,1–14) gegen die leichtlebige Oberschicht zu Felde zieht, dann nicht, weil er Reichtum und Luxus an sich für etwas Schlechtes hielte und Konsumverzicht predigen möchte, sondern weil dieser Reichtum die Kehrseite von sozialer Ungerechtigkeit ist, weil die Reichen sich keine Gedanken über das Schicksal ihres Volkes machen und weil für ihn die Rückkehr zum einfachen Leben vielleicht auch die zeichenhafte Rückkehr zum alten Gehorsam gegenüber Jahwe ist.[38]

Weiter sollen nicht als asketisch bezeichnet werden Akte der Sühne. Als Beispiele seien genannt das Fasten des David (2 Sam 2,16), das Fasten der Niniviten (Jon 3,7), das Fasten am Versöhnungstag. Dieses Fasten ist nicht im Sinn der Selbstdisziplinierung gedacht, vielmehr deutet man zeichenhaft an, daß man wegen seiner Sünden die Gaben der Schöpfung (Nahrung oder auch bequemes Nachtlager) nicht verdient. Daß man von Gott Strafe für seine Sünden verdient, macht man deutlich dadurch, daß man sich selber eine Art Strafe auferlegt. Man müßte also ein asketisches Fasten (als Akt der Selbstdisziplin, des moralischen ,Training') unterscheiden von einem nicht-asketischen Fasten (als Zeichen der Sühne).

Als letztes Beispiel sei genannt Sexualverzicht zur Vermeidung kultischer Unreinheit. Auch hier geht es nicht um einen Akt moralischer Selbstdisziplin, sondern einfach um die Erfüllung einer Bedingung für den Vollzug gottesdienstlicher Handlungen.

Diese Aufzählung von Beispielen, die sich bewußt an das Alte Testament anlehnt, macht deutlich, wie wichtig eine einigermaßen präzise Sprachregelung ist. Wenn jemand fragt, ob es im Alten Testament Askese gebe, ist eine Beantwortung dieser Frage sinnlos, solange man sich nicht darüber einigt, was unter ,Askese' zu verstehen sei. Bezeichnet man die aufgezählten Beispiele alle als Formen von Askese,[39] gibt es natürlich vielfältige Formen der Askese im Alten Testament. Nur ist die Frage, ob eine solche Sprachregelung sinnvoll ist. Man ist dann geneigt, alle ethischen Anschauungen und ihnen entsprechende Handlungsweisen, die einem selber merkwürdig und überholt vorkommen, als ,asketisch' zu bezeichnen.

---

[38] *T. C. Hall* formuliert (ebd.): „In new social and economic situations past moralities see much to blame, and can find hope only in reverting to the outward simpler life of the past and its forms."

[39] *O. Zöckler* (Askese und Mönchtum I, Frankfurt 1897, 8) ordnet unter ,Askese' beispielsweise folgende Formen von ,Kultusaskese' ein: „asketisch geregeltes Lesen heiliger Bücher, asketisches Singen heiliger Gesänge, asketischer Sakramentsgebrauch, Nachtwachengottesdienste (Vigilien), Umzüge (Prozessionen) mit zur Schau gestellten Heiligtümern (besonders Reliquien), Pilgerfahrten (Peregrinationen) nach berühmten Andachtsstätten oder Gnadenorten".

4.3. Die ethische Rechtfertigung von Verzichten

Bisher wurde dargelegt, was man unter ‚Askese' versteht bzw. was man darunter verstehen sollte. Was hier mit ‚Askese' gemeint ist, dürfte grundsätzlich positiv zu bewerten sein, ist sittlich erlaubt oder sogar gefordert. Es bleibt die Frage, wieso ‚Askese' vielfach zu einem negativen Wertungswort geworden ist. Da diese negative Bedeutung häufig auf bestimmte auffällige Verzichte bezogen wird (wie etwa auf die Ehelosigkeit in 1 Kor 7), dürfte es ratsam sein, einige Gedanken über die ethische Rechtfertigung von Verzichten vorauszuschicken (zusätzlich zu den schon unter 4.1.5. gegebenen Hinweisen). Dabei sollen auch die Verzichte, die nach unserer terminologischen Festlegung nicht als ‚asketisch' zu bezeichnen wären, in die Überlegungen einbezogen werden. Wenn man sich nämlich auf bestimmte auffällige, nicht alltägliche Verzichte konzentrieren würde, verlöre man leicht die Tatsache aus dem Auge, daß jedes menschliche Leben mit Verzichten verbunden ist.

Verzicht leisten muß jeder Mensch bereits als Säugling.[40] Es ist bekannt, daß Kinder, die alles im Überfluß haben und auf nichts verzichten müssen, seelischen Schaden davontragen. Ein Grund dafür liegt in der Tatsache, daß jemand, der alles im Überfluß hat, schließlich an keiner Sache mehr Freude gewinnt. Da andererseits das spätere Leben meist unausweichlich Verzichte fordert, ist man nicht in der Lage, Verzichte zu leisten, weil man es nie gelernt hat. Für die Notwendigkeit, Verzichte zu leisten, dürfte Epikur als unverdächtiger Zeuge gelten; er schreibt: „Wir halten auch die Selbstgenügsamkeit für ein großes Gut, nicht um uns in jedem Falle mit Wenigem zu begnügen, sondern damit wir, wenn wir das Viele nicht haben, mit dem Wenigen auskommen, in der echten Überzeugung, daß jene den Überfluß am süßesten genießen, die seiner am wenigsten bedürfen, und daß alles Naturgemäße leicht, das Sinnlose aber schwer zu beschaffen ist, und daß bescheidene Suppen ebensoviel Lust erzeugen wie ein üppiges Mahl, sowie einmal aller schmerzende Mangel beseitigt ist, und daß Wasser und Brot die höchste Lust zu verschaffen vermögen, wenn einer sie aus Bedürfnis zu sich nimmt. Sich also zu gewöhnen an einfaches und nicht kostspieliges Essen verschafft nicht nur volle Gesundheit, sondern macht den Menschen auch unbeschwert gegenüber den notwendigen Verrichtungen des Lebens, bringt uns in eine zufriedenere Verfassung, wenn wir in Abständen uns einmal an eine kostbare

---

[40] Das wird auch etwa von Tiefenpsychologen oder von Hedonisten nicht bestritten, die sonst nicht gerade als Verfechter von Askese gelten. Vgl. zur Tiefenpsychologie *A. Görres/L. Beirnaert*, ‚Askese' IV. Tiefenpsychologisch, in: LThK² I 937–939; zum Hedonismus *Senecas* Bemerkungen über Epikur, Ep 18,9; *ders.*, De vita beata XIII.

Tafel begeben, und erzeugt Furchtlosigkeit vor den Wechselfällen des Zufalls."[41]

Es scheint also zweierlei Gründe für Verzichte zu geben:
1. Man verzichtet auf etwas Gutes, um etwas Wertvolleres zu erreichen.
2. Man verzichtet, um sich auf die Zeit der Not, des Mangels, auf die „Wechselfälle des Zufalls" einzustellen.

4.3.1. Verzicht um der Erreichung eines höheren Gutes willen

Selbst der Lebenskünstler, so wird aus den Worten Epikurs deutlich, wird sich Verzichte auferlegen, damit er auch den Überfluß in der rechten Weise genießen kann. Die Bereitschaft zu verzichten setzt also nicht unbedingt eine besonders moralische Haltung voraus. Um den Sinn von Verzichten zu erkennen und solche Verzichte zu leisten, braucht man demnach nicht ein Ausbund von Tugend zu sein, es braucht dazu nur ein wenig Intelligenz und Willensstärke. Daß es zur Erhaltung der Gesundheit vielfach notwendig ist, seinem Appetit nicht immer nachzugeben, versuchen die dafür Verantwortlichen den Wohlstandsbürgern unserer Gesellschaft immer wieder deutlich zu machen. Man sollte auf übermäßiges Essen verzichten beziehungsweise fasten, um seine Gesundheit zu erhalten beziehungsweise wiederherzustellen. Das ist ein reines Gebot der Klugheit; die Gesundheit ist auf längere Sicht der vorzugswürdige Wert. Verzicht ist also in vielen Fällen eine notwendige Bedingung zur Erreichung eines bestimmten Zieles. Wer sportliche Höchstleistungen erbringen will, muß etwa auf Zigaretten und Alkohol verzichten. Damit ist auch schon angedeutet, wodurch Verzichte ethisch zu rechtfertigen sind. Der Verzicht auf etwas Gutes läßt sich nur rechtfertigen, wenn er um eines höheren Gutes oder zur Vermeidung eines entsprechend großen Übels geschieht; sonst ist er abzulehnen. Wo man Kinder auf vieles verzichten läßt, um sie zu sportlichen Höchstleistungen zu bringen, stellt sich die Frage, ob dieser Erfolg nicht zu teuer erkauft ist.

Es gibt aber Situationen, in denen auch der Verzicht um eines *höheren* Gutes willen als sittlich falsch bezeichnet werden muß. Angenommen, ein Gelehrter gönnt sich wenig Schlaf, um sich möglichst ganz der Wissenschaft zu widmen. Vermutlich wird auf die Dauer seine Gesundheit dabei Schaden erleiden und auch seine wissenschaftliche Arbeit beeinträchtigt werden. Ausreichender Schlaf ist ein fundamentales Gut für den Menschen; er ist die Grundlage, das Fundament für die Realisierung anderer Werte. Der Verzicht auf fundamentale Güter ist also gegebenenfalls abzulehnen, weil er die Realisierung höherer Werte auf die Dauer beeinträchtigt.

---

[41] *Epikur,* Brief an Menoikeus, zitiert nach D. Birnbacher/N. Hoerster (Hrsg.), Texte zur Ethik, München 1976, 293 f.

4.3.2. Verzicht als Vorbereitung auf ein kommendes Übel

Man muß gegen die „Wechselfälle des Zufalls" gewappnet sein, so hatte schon Epikur gesagt. Man muß in der Zeit des Überflusses lernen, zu verzichten, damit man, wenn es sein muß, auch mit Wenigem auskommt. Damit einen künftige Schicksalsschläge nicht unvorbereitet treffen, bereitet man sich durch Verzicht auf mögliche Entbehrungen vor. Ein solcher Verzicht ist vergleichbar mit einem Manöver, das der Soldat, das ein Heer durchführt, um im Ernstfall bestehen zu können.[42]

Angenommen, ein begütertes Ehepaar hat ein Kind, das nur mäßig begabt ist. Die Eltern sehen voraus, daß es, sobald es für seinen eigenen Lebensunterhalt sorgen muß, ihren eigenen Lebensstandard nicht wird erreichen können. Das Kind müßte demnach schon im Elternhaus darauf vorbereitet werden, ein einfacheres Leben zu führen. Dem Kind (und mit Rücksicht auf das Kind auch sich selbst) als Vorbereitung gewisse Verzichte zuzumuten, wäre pädagogische Pflicht der Eltern.

Im letzten Beispiel war der Ernstfall schon vorauszusehen. Ob der Ernstfall überhaupt eintritt, ist aber vielfach offen. So könnte sich jemand, der sich um sein Auskommen und sein Vermögen keine Sorgen zu machen braucht, durch zeitweiligen Verzicht auf eine Zeit des Mangels vorbereiten. Oft macht sich der Mensch Illusionen darüber, worauf er im Ernstfall leicht verzichten könnte. Durch einen nicht von äußeren Umständen aufgezwungenen Verzicht kann er sich selber prüfen, welchen Stellenwert die irdischen Dinge in seinem Leben haben. Er kann – mit Seneca gesprochen[43] – prüfen, ob er den Reichtum nur in sein Haus oder in sein Herz geschlossen hat. Ziel eines solchen Verzichtes wäre die Haltung, wie sie Paulus in Phil 4,12 beschreibt: „Ich weiß Entbehrungen zu ertragen, ich kann im Überfluß leben. In jedes und alles bin ich eingeweiht: in Sattsein und Hungern, Überfluß haben und Entbehren." Bei Paulus führte allerdings wohl die entbehrungsreiche apostolische Tätigkeit selbst zu dieser Haltung; freiwillige Verzichte darüber hinaus waren nicht notwendig.

4.3.3. Verzicht als Ausdruckshandlung

Die bisher besprochenen Typen von Verzichten konnten nur verstanden und gerechtfertigt werden aus einem größeren Zusammenhang, einer umfassenderen Zielsetzung. Nun scheint es aber auch Verzichte zu geben, die ihren Sinn gleichsam in sich selber tragen. Als Beispiel sollen die schon erwähnten Sühnehandlungen dienen. Man kann das Fasten des David, das Fasten der Niniviten nicht verstehen als notwendige Bedingung für die Vergebung

---

[42] Dies Bild gebraucht *Seneca*, Ep 18,6.
[43] *Seneca*, De vita beata XXI 4.

Gottes. Der Verzicht auf irdische Dinge kann nicht in der Weise Bedingung für die göttliche Vergebung sein, wie gesunde Ernährung eine Bedingung für den Erhalt der Gesundheit ist, es sei denn, Gott hätte positiv eine solche Bedingung gesetzt (Moralpositivismus). Im Fasten des David und der Niniviten scheint vielmehr der Ernst des Umkehrwillens sichtbar zu werden. David zeigt, daß ihm jetzt, nach den Vorhaltungen des Natan, die Schwere seiner Verfehlung bewußt ist. Durch den Verzicht auf Nahrung und ein bequemes Nachtlager bringt er zum Ausdruck, daß er dieser irdischen Gaben nicht wert ist. In seiner Handlungsweise findet so die Einstellung des verlorenen Sohns („Ich bin nicht mehr *wert*, dein Sohn zu heißen") leibhaftigen Ausdruck. Mit solchen Ausdruckshandlungen will man nicht etwas bewirken, nicht die Voraussetzungen für die Erreichung eines bestimmten Zieles schaffen, sondern einer inneren Einstellung äußeren, leibhaften Ausdruck geben. Dieser Ausdruckscharakter des Fastens wird im Hebräischen durch die für *ṣwm* äquivalente Wendung '*nh npš* = ‚die Seele demütigen' (gr. ταπεινοῦν τὴν ἑαυτοῦ ψυχήν)[44] schön zum Ausdruck gebracht. Solche Sühneverzichte können – wie schon gesagt – zunächst nicht in unserm Sinn als ‚asketisch' bezeichnet werden, da sie eher spontanen Charakter haben und ihnen das Moment der bewußten und geplanten Selbsterziehung fehlt. Allerdings kann man sich die Genese einer solchen Handlung auch anders denken: Jemand empfindet nur halbherzige Reue über seine Sünde. Um sich selber den Ernst seiner Verfehlung klar zu machen, fastet er. Das Fasten wäre in diesem Fall ein durchaus asketisch zu nennendes Bemühen um das Wachsen einer inneren Einstellung. Allerdings wird man da, wo man mit dem Fasten eine bestimmte Wirkung beabsichtigt, in dieser Hinsicht nicht mehr von einer Ausdruckshandlung reden können. Das gilt etwa für den Hungerstreik, sofern man durch ihn politischen Druck ausüben will. Man kann durch solch einen Hungerstreik aber auch gleichzeitig seine ablehnende Haltung, seine Verachtung für bestimmte Menschen oder für die Gesellschaft zum Ausdruck bringen. Wie man einem Menschen, mit dem man sich entzweit hat, etwa die Geschenke, die man von ihm erhalten hat, zurückgibt, so kann man auch seiner Ablehnung der Gesellschaft Ausdruck verleihen, indem man ihre Wohltaten zurückweist. Solch ein Verzicht, in dem der Bruch mit einem Menschen, mit einer Gemeinschaft zum Ausdruck gebracht wird, muß nicht in jedem Fall unmoralisch sein. Franz von Assisi, der seinem Vater auch die Kleider, die er auf dem Leib trägt, zurückgibt, ist dafür ein Beispiel. Von ‚Askese' in unserem Sinne wird man aber auch hier nicht reden. Sofern es sich bei Verzichten um eine spontane Ausdruckshandlung handelt, fehlt ihnen das Moment geplanter Selbsterziehung, was zu unserm Begriff von Askese gehört; das gleiche gilt für Verzichte, mit denen man eine

---

[44] Vgl. *J. Behm*, νῆστις κτλ., in: ThWNT IV 925–935, hier 928.

Wirkung bei anderen erreichen will (wie am Beispiel des Hungerstreiks aufgezeigt).[45]

Unter den verschiedenen Formen des Verzichts gibt es noch eine andere Art von Ausdruckshandlungen, die man ‚kostspielige Ausdruckshandlungen' nennen kann. Es geht hier nicht, wie bei den Sühnehandlungen, um die Verleiblichung einer affektiven Stellungnahme. Um was es geht, läßt sich gut am Beispiel Ehelosigkeit demonstrieren.

Jemand, der nach einer Begründung für den Priesterzölibat fragt, könnte die Antwort erhalten, der Priester müsse ehelos sein, um seiner Gemeinde (der Kirche, den Menschen) besser dienen zu können. Der Zölibat ließe sich dann vergleichen mit der Ehelosigkeit einer Tochter, die ehelos bleibt, um ihre kranke Mutter pflegen zu können, eines Forschers, der von seiner Forschung ganz in Beschlag genommen wird.[46] Solche Begründung des Priesterzölibats wäre prinzipiell einsichtig. Der Verzicht auf Ehe würde gerechtfertigt durch die größere Freiheit und Verfügbarkeit für die pastorale Arbeit. Was aber, wenn der Fragende zur Antwort bekäme, der Priester müsse auf die Ehe verzichten, um Gott besser dienen zu können? Sofern der Dienst Gottes auch den Dienst an den Menschen einschließt, wäre diese Antwort noch einsichtig. Sofern es aber darum geht, in der Liebe zu Gott zu wachsen, müßte man gegen diese Antwort Bedenken anmelden. Stehen denn die Liebe zu Gott und die Liebe zu einer Frau in einem Konkurrenzverhältnis? Zweifellos nicht. Die Liebe zu Gott und zum Nächsten schließen sich nicht aus, sondern ein, sie sind nicht umgekehrt proportional, sondern wachsen im gleichen Grad.[47] Der mögliche Zusammenhang zwischen Liebe zu Gott und Ehelosigkeit muß demnach anders interpretiert werden.

Der Verzicht auf Ehe kann auch nicht als Verleiblichung einer affektiven Stellungnahme interpretiert werden. Ein Verzicht, etwa der Verzicht auf den Genuß eines guten Weines, ist an sich weder ein Ausdruck von Nächsten- noch von Gottesliebe. Aber Verzichte kosten oft etwas. Der Verzicht auf die Ehe ist normalerweise für den Menschen von großem existentiellem Gewicht. Er kann zum Ausdruck der Liebe werden, weil die Ausdrucksformen der Liebe sich überhaupt oft durch eine gewisse Kostspieligkeit, eine gewisse Verschwendung auszeichnen. Ein Blumenstrauß kann ein Zeichen der Aufmerksamkeit, des Dankes, der Wertschätzung sein. Er braucht in vielen

---

[45] *R. Ginters* (Die Ausdruckshandlung, Düsseldorf 1976, 33–72) spricht hier von ‚Wirkhandlungen' im Unterschied zu ‚Ausdruckshandlungen'. Er erläutert diesen Unterschied und analysiert auch verschiedene Arten von Ausdruckshandlungen.

[46] Vgl. (auch zum Folgenden) *K. Rahner*, Über die evangelischen Räte, in: ders., Schriften zur Theologie VII, Einsiedeln 1966, 404–434, hier 418 Anm. 1.

[47] „Gott wird von vornherein als eine kategoriale Größe betrachtet, die sich *neben* und mit andern, (!) innerweltlichen Werten und Zielen um den endlichen Daseinsraum des Menschen streitet, ihn sich ‚teilen' muß. Das ist aber, metaphysisch und auch christlich gesehen, falsch. Die ‚Welt' (als das von Gott Geschaffene) ist gerade das, was wächst, wenn Gott größer für uns wird, und umgekehrt . . . Die Liebe zu Gott und zu den Menschen wachsen im selben Grad" (Ebd.).

Fällen nicht kostspielig zu sein. Wenn aber ein junger Mann der Dame seines Herzens seine Zuneigung durch einen Blumenstrauß mitteilen will, wird er nicht gerade die billigsten Blumen kaufen. Dadurch daß er es sich etwas kosten läßt, zeigt er, daß die junge Dame ihm etwas bedeutet. Man könnte erwidern, es komme der Liebe doch nicht auf das Geld an, sondern auf den Menschen. Nun kann aber bekanntlich der Mensch eine bestimmte Einstellung vortäuschen. Über die wirkliche Zuneigung eines anderen ist man sich selten restlos sicher. Es gibt Scheinheiligkeit und Heuchelei unter Menschen wie auch Gott gegenüber. Je mehr es sich der Mensch etwas kosten läßt, seine Liebe auszudrücken, je größere Verzichte er auf sich nimmt, desto größer ist die Wahrscheinlichkeit, daß er es ernst meint. Durch Verzicht zeigt man aber nicht nur dem anderen, daß man es ernst meint, der Verzicht stellt auch eine existentielle Selbstvergewisserung dar. Nicht nur über die wahre Gesinnung des anderen kann man sich täuschen, sondern auch über den Grad der eigenen Selbstlosigkeit kann man sich Illusionen machen. In dieser Weise läßt sich auch die Ehelosigkeit des Priesters verstehen und rechtfertigen.[48] Der kirchliche Amtsträger muß von Berufs wegen seinen Mitchristen immer neu einschärfen, daß auf die Liebe zu Gott und zum Nächsten, auf die Erfüllung des Willens Gottes alles ankommt. Ob und wie sehr er selber hinter dieser Botschaft steht, darüber kann er sich selbst und andere täuschen. Indem er auf die Ehe verzichtet, kann er sich erstens selber vergewissern, wieviel ihm die Botschaft, die er verkündet, wert ist, ergibt sich zweitens für seine Mitchristen die Wahrscheinlichkeit, daß er tatsächlich hinter der Botschaft steht, die er verkündet. Die Kostspieligkeit macht einerseits den Sinn solcher Ausdruckshandlungen verständlich, macht aber zugleich ihre ethische Problematik aus. Da jeder Verzicht ein Übel darstellt, darf nicht jeder Preis gezahlt werden. So wäre es eine zu kostspielige Ausdruckshandlung, wenn jemand seine verstorbene Lieblingskatze in einem Mausoleum beisetzen wollte.[49] Im Falle religiös begründeter Ehelosigkeit liegt die Problematik etwas anders. An sich ist der Preis nicht zu hoch, das in Kauf genommene Übel ist dem Wert der Moralität, dem Wert der Gottesliebe, auf den sich die Handlung bezieht, durchaus angemessen. Aber der Verzicht könnte zu fundamental sein. So neigte Thomas Morus zum Klosterleben, war an sich bereit, den Preis der Ehelosigkeit zu zahlen, befürchtete aber, diese Lebensform auf die Dauer nicht durchhalten, diesen fundamentalen Verzicht nicht leisten zu können. Auf den fundamentalen Wert der Sexualität spielt Paulus an, wenn er feststellt (1 Kor 7,9): „Es ist besser zu heiraten, als sich in Begierde zu verzehren." So betrachtet, braucht dieser

---

[48] Hier werden natürlich nur grundsätzliche Angemessenheitsgründe für die Ehelosigkeit des Priesters angeführt. Ob unter den heutigen Bedingungen der Priesterzölibat aufrechterhalten werden sollte, ist eine andere Frage, bei der Gründe und Gegengründe abzuwägen wären.

[49] Zum Problem der Rechtfertigung von Ausdruckshandlungen vgl. *R. Ginters*, a. a. O. 100–116.

Satz nicht anstößig zu klingen, er spricht im Grunde eine Binsenwahrheit aus. Dagegen könnte man einwenden, Ehelosigkeit bedeute doch nicht nur Sexualverzicht, sondern schließlich auch den Verzicht auf eine personale Bindung, auf eine den Menschen bereichernde Liebesbeziehung. Zweifellos, Ehelosigkeit ist mehr als Sexualverzicht. Wo die sexuelle Begegnung zum Ausdruck personaler Liebe wird, ist sie nicht bloß von fundamentalem Wert. Die theoretische und praktische Problematik der Ehelosigkeit scheint aber in dem Verzicht auf einen fundamentalen Wert zu liegen. Auf einen hohen Wert zu verzichten, um so die Liebe zu Gott auszudrücken, ist ohne Schwierigkeiten zu rechtfertigen, solange dieser Verzicht keine schwerwiegenden existentiellen Probleme mit sich bringt. Die Problematik der Ehelosigkeit liegt aber gerade in den mit ihr möglicherweise gegebenen existentiellen Schwierigkeiten. Dagegen würde etwa ein Verzicht auf Theaterbesuche solche Schwierigkeiten nicht mit sich bringen. Existentiell schwierige Formen des Verzichts erfordern, damit das Leben des Menschen gelingt, ein gewisses Maß bewußter Bemühung, ein gewisses Maß an ‚Askese'. Andernfalls kann solche Lebensweise zu einer hohlen Form ohne Inhalt werden. So ist es verständlich, daß wir nicht jede kostspielige Ausdruckshandlung als ‚asketisch' bezeichnen, sondern offenbar nur solche, in denen ein fundamentaler Verzicht geleistet wird, ein Verzicht, der nur als Stellungnahme zu höchsten Werten, also dem sittlichen Gutsein, zu dem kommenden beziehungsweise in Christus schon gegenwärtigen Heil angemessen ist.

Nun gibt es aber auch andere fundamentale Verzichte, die wir nicht als ‚asketisch' bezeichnen. Das Martyrium ist eine kostspielige Ausdruckshandlung, in der auf den fundamentalsten aller nicht-sittlichen Werte, das leibliche Leben, verzichtet wird. Dennoch spricht man hier nicht von ‚Askese', zum ersten wohl, weil mit dem Verlust des Lebens alle weiteren ‚asketischen' Bemühungen erledigt sind. Mit dem Verzicht auf Ehe dagegen ist eine bestimmte Lebensform begründet, die bewältigt werden muß, oft die Lebensform nicht eines einzelnen, sondern einer Gemeinschaft oder eines Standes. Zum zweiten handelt es sich beim Martyrium um einen aufgezwungenen Verzicht; genauer gesagt, die Alternative ‚Handeln gegen das Gewissen oder Sterben' wird dem Menschen aufgezwungen. In diesem Fall ist der Verzicht auf das Leben die einzige moralische Möglichkeit. Die Bezeichnung eines Verzichts als ‚asketisch' scheint dagegen vorauszusetzen, daß auch ein Nicht-Verzichten eine ethisch diskutable Alternative und so die Entscheidung für den Verzicht nicht selbstverständlich ist.

4.4. ‚Askese' als negatives Wertungswort

Die beiden gegensätzlichen Richtungen in der Gemeinde von Korinth, mit denen Paulus sich im 1. Korintherbrief auseinandersetzt, bezeichnet man gemeinhin mit den Stichworten ‚Libertinismus' und ‚Askese'.[50] ‚Askese' bezeichnet dann ein Extrem, eine abzulehnende Richtung, wird also als negatives Wertungswort gebraucht. In negativer Bedeutung gebraucht das Wort auch O. Kirn. Er räumt ein, manche protestantischen Ethiker bezeichneten als ‚Askese' „den grundsätzlichen und konsequenten Gebrauch solcher Maßnahmen der Selbsterziehung",[51] fährt aber dann fort: „Man muß aber zugeben, daß der herrschende Sprachgebrauch unter ‚Askese' ein Handeln versteht, das aus dualistischer Naturfeindschaft und gesetzlicher Auffassung des sittlichen Lebens entspringt und darum auf protestantischem Boden kein Existenzrecht beanspruchen kann."[52] Aus dieser Äußerung Kirns wird deutlich, daß Meinungsverschiedenheiten zwischen Katholiken und Protestanten über die Notwendigkeit und den Sinn von Askese zu einem großen Teil auf einem unterschiedlichen Sprachgebrauch beruhen dürften. Auch Kirn erkennt den Sinn und die Notwendigkeit von Maßnahmen der Selbsterziehung und Selbstzucht durchaus an. Er behandelt diese Fragen unter der Überschrift „Maßregeln zur Selbsterziehung".[53] Die bei Kirn genannten zwei negativen Bedeutungen von ‚Askese', die ‚gesetzliche' und die ‚dualistische', sollen nun kurz bedacht werden.

4.4.1. ‚Askese' als verdienstliches gutes Werk

Protestanten pflegen die Möglichkeit zu bestreiten, „durch überpflichtige gute Werke asketischer Entsagung oder Kasteiung sich Verdienste zu erwerben".[54] Es ist genauer zu fragen, was dabei eigentlich abgelehnt wird. Wenn man die Verdienstlichkeit der guten Werke bestreitet, lehnt man damit ja noch nicht die guten Werke selber ab. Daß der Glaube in Taten der Liebe Frucht bringen muß, wird niemand bestreiten. Wenn man also die Verdienstlichkeit ‚asketischer Entsagung' bestreitet, bestreitet man damit noch nicht den Sinn und das Recht von Entsagung überhaupt. Andernfalls müßte jede Form von Entsagung als sittlich falsch erwiesen werden. Man tut so, als gebe es nur ‚asketische' (das heißt verwerfliche) Formen der Entsagung. Augenfälliges asketisches Leben, so lautet ein Einwand, werde „allzuleicht zum Ausdruck geistlicher Eitelkeit und Selbstgefälligkeit".[55] Formen der

[50] Vgl. etwa *Schrage*, Frontstellung 219.
[51] *O. Kirn*, a. a. O. (Anm. 17) 47.
[52] Ebd.
[53] Ebd. 46–48.
[54] *R. Hupfeld*, Evangelische Askese: ZSTh 23 (1954) 387–415, hier 399.
[55] So *F. Lau*, a. a. O. (Anm. 19) 646.

Entsagung, so lautet also der Vorwurf, sind häufig faktisch negative Ausdruckshandlungen; nicht die Liebe zu Gott aus ganzem Herzen kommt in ihnen zum Ausdruck, sondern die Selbstgefälligkeit; sie sind, paulinisch gesprochen, Ausdruck einer falschen καύχησις. Hier gilt allerdings: abusus non tollit usum. Schließlich können wohl alle vom Menschen sittlich geforderten guten Werke zum Ausdruck geistlicher Eitelkeit werden, zum Beispiel Gebet, Fasten und Almosengeben (vgl. Mt 6).[56] Niemand wird aber deswegen das Verteilen von Almosen grundsätzlich verwerfen. Mit der negativ gemeinten Qualifizierung bestimmter Formen der Entsagung als ,Askese' wird unterstellt, sie würden immer aus einer sittlich schlechten Gesinnung heraus vollzogen. Die Frage der sittlichen Güte des Menschen und die Frage nach der sittlichen Richtigkeit bestimmter Formen der Entsagung werden also hier nicht auseinandergehalten.

Wieso werden aber nun gerade Formen der Entsagung als Ausdruck geistlicher Eitelkeit verdächtigt? Auch hier kann uns O. Kirn einen Hinweis geben. Er stellt sich die Frage nach der sittlichen Erlaubtheit von Gelübden und äußert dabei: „Versteht man unter einem Gelübde das Versprechen einer Leistung oder Unterlassung, um eines besonderen von Gott zu gewährenden Gutes dafür teilhaftig zu werden, so widerspricht ein solcher Vertrag mit Gott offenbar der evangelischen Auffassung von der Gnade Gottes und der Unverdienstlichkeit des sittlichen Verhaltens."[57]

Ein Grund des Mißtrauens gegenüber Formen der Entsagung dürfte in der seitens der katholischen Tradition üblichen Kennzeichnung bestimmter Formen des Verzichts mit Hilfe der Kategorien des Evangelischen Rates und des überschüssigen guten Werkes liegen. Diese Kategorien, durch deren Anwendung man ursprünglich der Konsequenz zu entgehen suchte, alle Christen seien zu Armut und Ehelosigkeit verpflichtet,[58] mögen zu dem Mißverständnis verleiten, durch solche Werke könne man einen besonderen Eindruck bei Gott erwecken und einen besonderen Lohn im Himmel herausschinden.

Die Kennzeichnung bestimmter Arten von Gelübden als eines ,Vertrages' mit Gott wirft einige Probleme auf, die hier nicht in extenso zu behandeln sind.[59] (Schließlich enthält die biblische Vorstellung eines Bundes zwischen Gott und dem Volk Israel auch den Vertragsgedanken, eine Vorstellung, die zur Vermeidung positivistischer oder eudämonistischer Mißverständnisse einer Interpretation bedarf.) Kirn scheint den Ausdruckscharakter, den ein

---

[56] Ein Beispiel für solches Almosengeben mit negativem Ausdruckscharakter ist der Pharisäer in Lk 18,9–14.

[57] *O. Kirn,* a. a. O. 48.

[58] Eine Auseinandersetzung mit dieser Lehre kann hier nicht erfolgen; vgl. dazu *B. Schüller,* Zu den ethischen Kategorien des Rates und des überschüssigen guten Werkes, in: H. Wolter (Hrsg.), Testimonium Veritati, Frankfurt 1971, 197–209.

[59] Vgl. dazu *R. Ginters,* Versprechen und Geloben, Düsseldorf 1973, 29–34.

Leben der Jungfräulichkeit hat, übersehen zu haben. Er unterscheidet die Art von Gelübden, die er ablehnt, von einem Vorsatz, „dessen sittliche Notwendigkeit abgesehen von jedem durch das Versprechen zu erlangenden Erfolg feststeht".[60] Kirn setzt offenbar voraus, bestimmte Gelübde würden, da sie sich bloß im Rahmen des irdischen Lebens nicht rechtfertigen ließen, wegen der Aussicht auf einen besonderen Lohn von seiten Gottes abgelegt. Daß aber die Richtigkeit einer Handlung sich nicht vom verheißenen himmlischen Lohn her begründen läßt, wurde schon mehrfach herausgestellt.[61] Wenn sich ein Gelübde der Jungfräulichkeit vom ethischen Standpunkt aus nicht rechtfertigen ließe, könnte es auch von einem theologischen Standpunkt aus nicht zulässig sein. Die Verzichte, die mit einer kostspieligen Ausdruckshandlung verbunden sind, können nicht durch die Aussicht auf himmlischen Lohn kompensiert werden. Daß es falsch motivierte, das heißt, aus schlechter Gesinnung unternommene Entsagung geben kann, soll nicht bestritten werden. Wer aber das Wort ‚Askese' auf solche Entsagung einschränkt, leistet dem Mißverständnis Vorschub, bestimmte Formen der Entsagung erfolgten immer in selbstgerechter Gesinnung und wer solche Entsagung empfehle, verkündige die Rechtfertigung des Menschen aus seinen Werken.

4.4.2. ‚Askese' als Ausdruck einer dualistischen Weltanschauung

Askese erwecke, so lautet ein Vorwurf, „den falschen Schein, als ob die eigentliche Sünde vom Fleische, vom leiblichen Sein herkomme – statt aus dem gläubigen Herzen".[62] In diesem Sinn spricht wohl auch Kirn von einem Handeln „aus dualistischer Naturfeindschaft". Wie könnte dieser Vorwurf zu verstehen sein?

In der ‚Enciclopedia Cattolica' wird Askese definiert als „methodische Anstrengung, die niederen Strebungen der Natur zu unterdrücken, um fortschreitend die geistliche Vollkommenheit zu realisieren".[63] Das Reden von der ‚Niederen Sphäre' ist mißverständlich. Nicht alles, was der sittlichen Vollkommenheit entgegensteht, entstammt dieser ‚niederen Sphäre'. Neben der Sünde der Begehrlichkeit gibt es schließlich die Sünde des Hochmuts.[64] Ob man allerdings auch die Bekämpfung des Hochmuts unter ‚Askese' begreift, ist eine Frage der Terminologie. Nur darf nicht der Eindruck entstehen, alle Versuchungen kämen aus der Sphäre der Begehrlich-

---

[60] *O. Kirn,* a. a. O. 48.
[61] Siehe S. 46f. 154.
[62] *F. Lau,* a. a. O. 646; vgl. *A. D. Müller,* Ethik, Berlin 1937, 186 und *R. Hupfeld,* a. a. O. (Anm. 54) 393f.
[63] „Sforzo metodico di reprimere le tendenze inferiori della natura per realizzare progressivamente la perfezione spirituale" (Enciclopedia Cattolica I 87).
[64] Vgl. *D. von Hildebrand,* Christliche Ethik, Düsseldorf 1959, 508–533.

keit. Das Wort ‚niedere Sphäre‘ selbst ist mißverständlich. Ein christlicher Theologe kann die Sphäre des leiblichen Begehrens nur als Sphäre von geringerem *Wert* begreifen, nicht als ein Übel; andernfalls wäre er ein Häretiker. Wer im dualistischen Sinne die Sexualität, das Begehren des Menschen, die Güter dieser Welt für Übel erklären würde, für den wäre ein Verzicht auf diese Dinge nicht ein Verzicht auf etwas Gutes um eines höheren Gutes willen, sondern Verzicht auf ein Übel. Aber kann man hier überhaupt von einem Verzicht reden? Wenn ein Mensch sich weigert, etwas Giftiges oder Gesundheitsschädliches zu sich zu nehmen, würde man das kaum einen Verzicht nennen, es sei denn, dies Gift wäre unter einem andern Gesichtspunkt, zum Beispiel dem des Genusses, etwas Gutes (so bei Alkohol und Nikotin). ‚Askese‘ im dualistischen Sinn wäre dann nicht ein Verzicht, sondern der Versuch, sich von den Übeln dieser Welt (beziehungsweise von dem nur vermeintlich Guten) zu befreien. Ob das eine sinnvolle Terminologie ist, steht auf einem anderen Blatt.

Es wäre nun eigentlich genauer zu untersuchen, welche Anschauung dualistische Systeme genau vertreten. In ihrer extremen Form leugnen sie vermutlich den Unterschied zwischen nicht-sittlichen Übeln und dem sittlich Schlechten (Bösen) beziehungsweise nehmen ihn nicht wahr. Das Böse liegt dann nicht im Menschen selbst, sondern im sinnlichen beziehungsweise im materiellen Bereich. ‚Askese‘ im dualistischen Sinne wäre dann als Abwendung von diesem Bereich identisch mit dem Bemühen um sittliches Handeln. In der Religionswissenschaft scheint man ‚Askese‘ tatsächlich oft so zu verstehen.[65] Interessant ist folgende Äußerung Nietzsches: „In jeder asketischen Moral betet der Mensch einen Teil von sich als Gott an und hat dazu nötig, den übrigen Teil zu diabolisieren".[66] Über die Richtigkeit dieser Behauptung zu streiten, ist müßig, da man den Satz einfach als Explikation dessen verstehen kann, was Nietzsche unter einer ‚asketischen Moral‘ versteht. Wichtig aber ist der Hinweis, daß dualistische ‚Askese‘ ein Ausfluß von selbstgerechter Gesinnung sein kann. Gerade der Dualist neigt zu der Überzeugung, er könne aus eigener Kraft die Sphäre des Bösen hinter sich lassen. Vermutlich ist die Selbstherrlichkeit der korinthischen Enthusiasten so zu erklären, eine Selbstherrlichkeit, die sich allerdings sowohl in Enthaltsamkeit als auch in Ausschweifung äußern kann.

In Nietzsches Äußerung zeigt sich möglicherweise ein typisches Mißverständnis von Äußerungen gläubiger Menschen. Wer eine tiefgreifende Bekehrung erlebt, neigt dazu, die Dinge, die ihm früher etwas bedeutet haben, als ‚wertlos‘, als ‚Verlust‘ oder ‚Unrat‘ (vgl. Paulus in Phil 3,7 f) zu

---

[65] Vgl. etwa *G. van der Leeuw*, Phänomenologie der Religion, Tübingen ³1970, 519–522.
[66] *F. Nietzsche*, Menschliches – Allzumenschliches, Kröner-Ausg. 1,24, hier zitiert nach G. van der Leeuw, a. a. O. 520.

bezeichnen. Das ist aber komparativisch gemeint.[67] Im Verhältnis zu dem, was Paulus jetzt als ‚Gewinn‘ erscheint, ist alles andere ‚Verlust‘; deswegen ist für Paulus seine Herkunft aus dem Volk Israel aber kein Übel, im Gegenteil, sie ist für ihn weiterhin von Bedeutung. Wo man jemandem vorwirft, er sei ein ‚Asket‘ im negativen (dualistischen) Sinn, handelt es sich in vielen Fällen vermutlich um ein Mißverständnis. Von daher ist dieser Sprachgebrauch fragwürdig. Daß bei manchen Formen von Askese einzelne Werte zu wenig beachtet werden, ist möglich. Deshalb braucht man aber noch keinen Dualismus zu vermuten.

4.5. Askese in 1 Kor 7

Die geleistete Begriffsklärung und die Ausführungen über die ethische Rechtfertigung von Verzichten können nun dazu verhelfen, die ‚asketischen‘ Gedanken des Paulus in 1 Kor 7 genauer zu erfassen und zu würdigen. Manches von dem, was hier zu sagen ist, ist schon in der Auslegung von 1 Kor 7 angedeutet worden, könnte aber nach den Darlegungen dieses Kapitels noch deutlicher werden.

4.5.1. Warnung vor übertriebener Askese in 1 Kor 7,1 f. 5. 8 f. 36–38

Nicht jede Art von Verzicht eignet sich für jeden Menschen; das betont Paulus gleich am Anfang von 1 Kor 7. Was dem einen hilft, im Guten zu wachsen, kann für den andern ein Anlaß zur Sünde sein (V. 1.5), wenn ihm diese Form des Verzichtes nicht gegeben ist (V. 7). Es kann geschehen, daß man das, worauf man verzichten will, um so stürmischer begehrt. Wer Herr sein wollte, kann dann erst recht zum Knecht seiner Begierden werden. Selbst wenn Sexualverzicht nicht zur Unzucht führt, kann er doch ein großes Maß an Willensenergie einfordern (V. 9). Der fundamentale Charakter des Sexualverzichtes kann der Grund dafür sein, daß sich jemand ‚in Begierde verzehrt‘. Askese soll aber eigentlich Energie freisetzen, soll den Menschen zum Tun des sittlich Geforderten disponieren. Wo ein Verzicht zu schwierig ist, kann er zum Gegenteil führen, kann er kontraproduktiv wirken.[68] Ein fundamentaler Verzicht setzt bereits eine gewisse ἐξουσία περὶ τοῦ ἰδίου θελήματος (Gewalt über seinen eigenen Willen – V. 37) voraus.

---

67 Vgl. dazu *Schüller,* Begründung 117–120.
68 Vgl. zu dem Gesichtspunkt der Kontraproduktivität *P. Knauer,* Der Glaube kommt vom Hören, Graz 1978, 63–68.

4.5.2. Zeitweilige sexuelle Enthaltsamkeit in 1 Kor 7,5 f

Die Warnung vor den mit sexueller Enthaltsamkeit gegebenen Gefährdungen spricht Paulus besonders deutlich betreffs der Enthaltsamkeit innerhalb der Ehe aus: er warnt vor der Versuchung durch den Satan (V. 5). Die Problematik sexueller Enthaltsamkeit liegt hier nicht nur in deren fundamentalem Charakter (daß der Mensch sie aufgrund seiner ἀκρασία nicht durchhalten kann), sie steht auch in Spannung zum Inhalt des Eheversprechens, das ja wesentlich Gewährung leiblicher Gemeinschaft beinhaltet. Aus welchem Grund empfiehlt beziehungsweise konzediert Paulus aber dennoch eine zeitweilige Enthaltsamkeit für eine Zeit intensiven Gebetes? Offenbar ist er der Meinung, daß solche zeitweilige Enthaltsamkeit dem Vollzug des Gebets förderlich sein kann. Dem Zweck einer Intensivierung des Gebets beziehungsweise einer größeren Sammlung ist solch ein Verzicht durchaus angemessen. Wo er von vornherein zeitlich begrenzt wird, ist die damit verbundene Gefährdung nicht allzu groß. Dieser Verzicht ist also durchaus zu rechtfertigen, falls die sexuelle Enthaltsamkeit dem angestrebten Zweck, der Vertiefung des Gebetes, tatsächlich dient. Ob sie das Gebet fördert, ist eine Frage geistlicher Erfahrung, eine quaestio facti also, nicht eine Wertfrage. Die Empfehlung der zweitweiligen Enthaltsamkeit innerhalb der Ehe ist deshalb an sich überhaupt kein Zeichen von Sexualfeindschaft. Die Enthaltsamkeit soll ja der Sammlung dienen, wie etwa striktes Silentium der Konzentration und Sammlung dient. Vermutlich würde niemand demjenigen, der zu bestimmten Zeiten striktes Silentium empfiehlt, vorwerfen, er verachte die Sprache beziehungsweise die sprachliche Kommunikation unter den Menschen. So kann man auch aus der Empfehlung zeitweiliger Enthaltsamkeit innerhalb der Ehe durch Paulus nicht schließen, er verachte die Sexualität beziehungsweise die leibliche Gemeinschaft unter Eheleuten.

4.5.3. Verzicht auf bürgerliche Freiheit in 1 Kor 7,21

Ob Paulus in 1 Kor 7,21 tatsächlich den Sklaven den Verzicht auf bürgerliche Freiheit empfiehlt beziehungsweise befiehlt, ist – wie in der Auslegung dieses Verses gezeigt wurde – durchaus fraglich. Dennoch kann hier (hypothetisch) gefragt werden, ob sich ein solcher Rat beziehungsweise ein solches Gebot rechtfertigen ließe. Manche Autoren scheinen ja ein solches Verständnis von 1 Kor 7,21 abzulehnen, weil sie eine entsprechende Weisung des Paulus geradezu für unmoralisch halten würden.[69] Im freiwilligen Verzicht auf bürgerliche Freiheit ginge es um eine Ausdruckshandlung. Der Sklave, der freiwillig auf bürgerliche Freiheit verzichtet, weist auf die überragende

---

[69] Vgl. Anm. 53 des 3. Kapitels, oben S. 159, und Anm. 160 des 2. Kapitels, oben S. 113.

Bedeutung der in Christus geschenkten Freiheit hin. Insofern diese von Christus erworbene Freiheit eine neue Befähigung zu sittlicher Güte bedeutet, läge in dem Verzicht auf die bürgerliche Freiheit ein Hinweis auf den überragenden Wert sittlicher Güte.

Da das sittliche Gutsein des Menschen immer gefährdet ist, sind auffällige Verzichte, die den Menschen auf das eine Notwendige verweisen, angebracht. Dieser Verzicht ist aber nur auffällig, wenn die bürgerliche Freiheit, auf die der Sklave verzichtet, ein Wert ist und als solcher von ihm und seiner Umgebung geschätzt wird. Gerade wenn man die bürgerliche Freiheit für ein Gut hält, ist der Verzicht auf sie ein eindringlicher Hinweis auf die in Christus geschehene Befreiung. Ob ein solcher Verzicht in unserm Sinn als ‚asketisch‘ zu bezeichnen wäre, ist nicht leicht zu beurteilen. Es würde unter unseren Begriff von ‚Askese‘ fallen, sofern er nur als sittliche Empfehlung gegeben würde (das Ergreifen der bürgerlichen Freiheit also ebenfalls als legitime Möglichkeit gälte). Da aber der Verzicht auf bürgerliche Freiheit keine weiteren ‚asketischen‘ Bemühungen erfordert (wie das ehelose Leben), das Moment einer kontinuierlichen Bemühung also fehlt, spricht man hier besser nicht von ‚Askese‘.

Diese Überlegung, wie ein freiwilliger Verzicht des Sklaven auf bürgerliche Freiheit, falls Paulus dazu raten würde, sittlich zu beurteilen wäre, soll dazu verhelfen, diese Interpretationsmöglichkeit bei der Auslegung von 1 Kor 7,21 im Auge zu behalten. Wo man erkannt hat, daß solch ein Rat durchaus sittlich zu rechtfertigen wäre, wird man diese Interpretationsmöglichkeit unvoreingenommener beurteilen können.

4.5.4. Verzicht auf Ehe wegen der anstehenden Drangsal in 1 Kor 7,25–28

Daß ein einfaches Leben, daß die Übung im Verzichten von manchen Belastungen befreit, ist eine alltägliche Erfahrung. Wer wenig Geld hat, braucht sich um die Anlage seines Geldes nicht zu sorgen; wer keinen kostbaren Besitz hat, braucht keine Angst vor Dieben zu haben. Solche Sorglosigkeit wird nicht unbedingt um eines bequemeren Lebens willen eingeübt, sie kann im Sinne einer größeren Freiheit und Verfügbarkeit für wichtigere Aufgaben gefordert beziehungsweise dienlich sein. In ähnlicher Weise scheint Paulus in 1 Kor 7,25–28 die Ehelosigkeit zu begründen. Falls er die Korinther auf eine kommende Not[70] vorbereiten will, wäre die Ehelosigkeit im Sinne eines Verzichts zur Vorbereitung auf ein kommendes Übel zu interpretieren (vgl. unter 4.3.2.). Falls Paulus auf eine gegenwärtige Not anspielt, würde er die Ehelosigkeit als Hilfe zum Bestehen dieser Notlage, also gleichsam als Hilfe zur Ausbildung der ἀνδρεία (vgl. unter 4.1.4.) empfehlen.

[70] Vgl. die Auslegung zu 1 Kor 7,26 im 2. Kapitel, oben S. 119 f.

198

Prinzipiell läßt sich Ehelosigkeit zweifellos so rechtfertigen. Es bleibt allerdings offen, inwiefern der Verzicht auf die Ehe den angegebenen Zielen dienen kann. Kann die eheliche Gemeinschaft nicht auch dazu verhelfen, die (gegenwärtige oder kommende) Drangsal besser durchzustehen? Kann Ehelosigkeit in einer gegenwärtigen Not nicht auch eher eine zusätzliche Belastung denn eine Hilfe darstellen? Wieweit diese Begründung der Ehelosigkeit auch heute aktuell ist, hinge demnach von der quaestio facti ab, ob eheloses Leben dem von Paulus angegebenen Ziel tatsächlich dient. Wer an Paulus bezüglich dieses Abschnitts Kritik vorbringen will, braucht also nicht den Vorwurf der Ehefeindschaft zu erheben, er muß sich mit der genannten quaestio facti befassen.

4.5.5. Verzicht auf Ehe, um dem Herrn zu gefallen, in 1 Kor 7,32 – 35; die Ehelosigkeit als die ‚seligere‘ Alternative in 1 Kor 7,40

Das Interpretationsproblem dieser Verse liegt, wie bereits in der Exegese angedeutet,[71] in der Mehrdeutigkeit der Worte ‚Sorgen‘ (μεριμνάω) und ‚Gefallen‘ (ἀρέσκω). Für den Christen kommt es darauf an, Gott zu gefallen, das heißt, den Willen Gottes zu tun, sich um die Sache des Herrn zu kümmern, sich zu sorgen, daß Gottes Reich kommt und sein Wille geschieht. ‚Gott gefallen‘ und ‚Sich sorgen um die Sache des Herrn‘ sind also Umschreibungen sittlich guten Handelns beziehungsweise sittlich guter Gesinnung. In diesem Sinn muß der Mensch Gott gefallen und nicht den Menschen (vgl. 1 Thess 2,4; Gal 1,1). Man kann aber sittlich gute Gesinnung auch als Nächstenliebe vom Egoismus abheben; dann geht es darum, andern zu gefallen und nicht sich selbst (vgl. Röm 15,1–3).[72] Die Mahnungen, Gott zu gefallen, beziehungsweise nicht sich selbst, sondern den andern zu Gefallen zu leben, sind also reine Paränese.

Bei der Mahnung, sich um die Sache des Herrn zu sorgen, liegt das Problem ähnlich. Allerdings wird die Wortgruppe μέριμνα, μεριμνάω durchweg negativ gebraucht,[73] im Sinne einer falschen Sorge um die Dinge des Alltags, die das eine Notwendige verstellt (vgl. Lk 10,41 f); die Sorgen dieser Welt ersticken das Wort der Verkündigung (vgl. Mk 4,19 parr). Selbst an unserer Stelle, wo es um die richtige Sorge um die Dinge des Herrn geht,[74] erscheint

---

[71] Siehe oben S. 126–129.

[72] Was für ἀρέσκω gilt, trifft auch für δουλεύω zu; vgl. dazu *H. Schlier*, Der Brief an die Galater, Göttingen ⁴1965, 243 f. Zur Mehrdeutigkeit des ἀρέσκειν τοῖς ἀνθρώποις vgl. *W. C. van Unnik*, Die Rücksichtnahme auf die Reaktion der Nichtchristen als Motiv in der altchristlichen Paränese, in: W. Eltester (Hrsg.), Judentum – Urchristentum – Kirche, Berlin 1960, 221–234.

[73] Vgl. *Bachmann* 284–286.

[74] Positiv wird die Wortgruppe μεριμνάω κτλ. noch gebraucht in 2 Kor 11,28; 1 Kor 12,25; Phil 2,20. Vgl. auch *R. Bultmann*, μεριμνάω κτλ., in: ThWNT IV 593–598.

diese als die wahre Sorglosigkeit (V. 32). ‚Sich nicht sorgen um die Dinge der Welt‘ und ‚Sich sorgen um die Sache des Herrn‘ sind also ebenfalls Umschreibungen des sittlich Guten; die Mahnungen dazu sind Aufforderungen zu sittlicher Güte.

Paulus beantwortet also die Frage, ob Ehe oder Ehelosigkeit besser sei, mit paränetischen Formulierungen; es scheint, daß Paulus selber hier Argumentation und Paränese verwechselt hat. Hier liegt jedenfalls das Interpretationsproblem dieses Abschnitts.

Für die Verse 32–35 ergeben sich nun zwei Interpretationsmöglichkeiten.

a) Die Sorge der Ehegatten füreinander, das Einander-Gefallen-Wollen gefährdet das sittliche Gutsein, die Ausrichtung auf das eine Notwendige.

So abwegig eine solche Ansicht klingt, sie hätte einen gewissen Anhaltspunkt in der synoptischen Tradition. Zwar sind die Warnungen vor dem Reichtum sehr viel deutlicher als die vor der Ehe (beim Reichtum läßt sich ja auch in verschiedenem Maße Verzicht üben, hier ist man sozusagen flexibler), aber vor allem im Lukasevangelium zeigt sich eine gewisse Reserve gegenüber der Ehe. Dort findet man die Mahnung, auch die Frau zu verlassen (Lk 14,26, anders Mt 10,37), und im Gleichnis von der Einladung zum Festmahl entschuldigt einer der Geladenen sein Fernbleiben mit der erfolgten Eheschließung (Lk 14,20, anders Mt 22,5). Die Mahnung des Paulus müßte bei einer solchen Interpretation nicht so verstanden werden, daß um der echten Sorge für die Sache des Herrn willen keine Eheschließung stattfinden solle. Paulus würde den Eheleuten ihre spezifische Gefährdung bewußt machen und ihnen die Ehelosen als Beispiel und Darstellung dessen empfehlen, worauf es ankommt.[75] Bei dieser Interpretation könnte man die Verse 32–35 als Paränese in Fortsetzung von V. 29–31 verstehen. Paulus würde dann nicht eigentlich auf eine Frage antworten, sondern die Eheleute an das eine Notwendige erinnern.[76] Er würde die Verheirateten auf eine Gefahr hinweisen, die ihnen selbst nicht bewußt ist.

---

[75] In diesem Sinne interpretiert *Allo* 182 f.

[76] Damit ist auf die Maria-Martha-Perikope angespielt (Lk 10,38–42). Ein Vergleich von 1 Kor 7,32–35 mit Lk 10,38–42 könnte diese Interpretation stützen, allerdings nur, wenn – wie hier vorausgesetzt – die kulinarische Deutung von Lk 10,41 f (auf die Menge der Speisen) auszuschließen ist. Martha ist in dieser Erzählung ganz in Anspruch genommen von der Sorge um das leibliche Wohl Jesu. Der Text bringt deutlich zum Ausdruck, wie sie ‚hin- und hergerissen‘ ist von ihren vielfältigen Bemühungen (περιεσπᾶτο περὶ πολλὴν διακονίαν), von vielerlei Sorgen (μεριμνᾷς καὶ θορυβάζῃ περὶ πολλά). In scharfem Kontrast dazu steht Maria, die gesammelt den Worten des Meisters lauscht. In ihr ist das von Paulus geforderte εὐπάρεδρον τῷ κυρίῳ ἀπερισπάστως (1 Kor 7,35) erfüllt (vgl. *Weiß* 205; F. *Klostermann*, Das Lukasevangelium, Tübingen ²1929, 122).
Für den Vergleich mit 1 Kor 7,32–35 sind folgende Gesichtspunkte wichtig:
1. Bei aller Kritik an Martha ist die Erzählung des Lukas sicher keine Stellungnahme gegen die christliche Gastfreundschaft. Im Gegenteil: die Praxis der Gastfreundschaft war für die frühe Kirche von großer Wichtigkeit (vgl. Hebr 13,2 und E. *Laland*, Die Martha-Maria-Perikope

b) Die Ehelosigkeit wird von Paulus aufgrund ihres Ausdruckswertes vorgezogen.

Jedes sittlich gute Handeln des Menschen ist Gott wohlgefällig. In allem sittlich verantworteten Tun sucht der Mensch Gott zu gefallen. Ob jemand verheiratet ist oder nicht, es kommt darauf an, Gott zu Gefallen zu leben. Ob aber jemand wirklich Gott zu Gefallen lebt, ob in seinem Handeln sittliche Güte wirksam ist oder nur ein kluger Egoismus, darüber kann er sich selbst und seine Mitmenschen täuschen, solange das sittliche Handeln keinen allzu großen Preis fordert. Eheloses Leben kann nun verstanden werden als eine kostspielige Ausdruckshandlung, in der der Mensch einen schwerwiegenden Verzicht leistet; so ergibt sich für seine Mitmenschen die Wahrscheinlichkeit, daß er es ernst meint. Aber auch derjenige, der diesen Verzicht auf sich nimmt, vergewissert sich darüber, ob er wirklich von sittlicher Güte bewegt ist. Aus diesem Grunde könnte Paulus die Ehelosigkeit empfehlen. Der Christ, der sich zur Ehelosigkeit entschließt, kann sich prüfen, ob es ihm wirklich darauf ankommt, dem Herrn zu gefallen; er kann durch seinen Verzicht sich selbst und seinen Mitmenschen beziehungsweise Mitchristen zeigen, wieviel ihm die Botschaft bedeutet, die er vertritt, wie sehr er aus der Gemeinschaft mit Christus lebt. Insofern es sich beim ehelosen Leben nicht um eine einmalige Tat, sondern um eine Lebensform handelt, ist eheloses Leben eine dauernde Chance, moralische Gesinnung zu bewähren, im Guten zu wachsen, ‚ungeteilt' dem Herrn zu Gefallen zu leben; insofern kann eheloses Leben als ‚asketische' Bemühung gelten.[77] Falls diese Interpretation

Lukas 10,38–42: Studia Theologica 13 (1959) 70–85, hier 77–85). Die Perikope will vielmehr auf eine mögliche Gefahr, auf ein mögliches Fehlverhalten derer, die Gastfreundschaft üben, hinweisen, und zwar am Gegenbild der Maria. Entsprechend braucht man auch in 1 Kor 7,32–35 keine Stellungnahme gegen die Ehe zu erblicken; Paulus könnte am Gegenbild der Ehelosen eine spezifische Gefährdung der Eheleute aufzeigen.

2. Diese Gefährdung wird in beiden Fällen als falsche Sorge expliziert. *Klostermann* (a. a. O. 123) formuliert: „Maria hat das bessere Verhalten erwählt, insofern nämlich es wichtiger ist, sich um das Unvergängliche zu bemühen." Wie bei der Auslegung von 1 Kor 7,32–35 ergibt sich hier die Frage: Worin besteht denn die Sorge um das Unvergängliche? Ist die Sorge um das Wohl des Herrn (bzw. nach Ostern die Sorge um Nahrung und Auskommen der Boten des Evangeliums) ‚weltliche' Sorge, Sorge um Vergängliches? Realisiert sich die Sorge um das Unvergängliche nicht auch im rechten Umgang mit den vergänglichen Dingen? Die Frage stellen heißt, sie bejahen. Gastfreundschaft gegenüber dem Herrn kann nichts Minderwertiges sein. Aber die Bemühungen des Gastgebers können diesen so in Beschlag nehmen, daß er die Ausrichtung auf das Unvergängliche vergißt. Von der Sorge um den Gast waren besonders die Frauen in Anspruch genommen. Lukas will deshalb vielleicht betont herausstellen, daß den Frauen, die schließlich voll zur Gemeinde Jesu gehören, das Wort Gottes nicht vorenthalten werden darf (so *Laland,* a. a. O. 81–84). So wichtig Gastfreundschaft ist, es bedarf doch der ausdrücklichen (thematischen) Hinwendung auf Jesus, auf das Heil, auf das Unvergängliche. Hören auf das Wort Jesu bzw. seiner Boten ist eine Form dieser ausdrücklichen Hinwendung auf das Unvergängliche, eheloses Leben eine andere Form einer solchen Ausrichtung.

[77] Welche von den beiden genannten Deutungsmöglichkeiten man vorzieht, hängt wohl davon ab, wen Paulus hier in erster Linie anspricht. Falls er Eheleute (oder solche, die es werden wollen) anspricht, würde er sie auf eine mögliche Gefährdung des Ehelebens hinweisen (Deutung a). Falls die Ausführungen an Ehelose gerichtet sind, würde Paulus ihnen die Begründung christli-

den Gedanken des Paulus entspräche, läge in 1 Kor 7,32–35 ein Stück – allerdings sehr mißverständlicher – ethischer Argumentation vor. Paulus würde auf die Frage ‚Ehe oder Ehelosigkeit?‘ die Ehelosigkeit unter einem bestimmten Gesichtspunkt, nämlich dem Gesichtspunkt ihres Ausdruckswertes, als das bessere bezeichnen. Insofern der Ehelose sich ausdrücklich auf die Sache des Herrn ausrichtet, wäre Ehelosigkeit die ‚seligere‘ (V. 40) Alternative.

cher Ehelosigkeit als Ausdruckshandlung vor Augen stellen; Deutung b) wäre also in diesem Fall wahrscheinlicher. Da es in 1 Kor 7,25–40 an sich um Ehelosigkeit geht, liegt Deutung b) zunächst näher. Insofern Paulus im 2. Teil von 1 Kor 7 aber auch auf Vorbehalte gegen eheloses Leben zu entgegnen scheint, könnte er, nachdem er von den Gefährdungen der Ehelosen gesprochen hat (1 Kor 7,8 f), aber auch die Gefährdungen der Eheleute aufzeigen. So könnte Paulus auch beides, die Gefährdung der Eheleute sowie die Begründung der Ehelosigkeit als Ausdruckshandlung zur Sprache bringen. Die Deutungen a) und b) schließen sich also nicht unbedingt aus.

5. Die Autorität Jesu und des Paulus oder die Verbindlichkeit ihrer sittlichen Weisungen

Die Stellungnahme des Paulus zur Ehelosigkeit wurde von uns so interpretiert, daß sie auch uns als ethisch sinnvoll einleuchtet. Es könnte jemand einwenden, das Wort des Paulus als eines Apostels gelte unbedingt; es sei für uns auch dann verbindliche Weisung, wenn es uns nicht gelinge, ihm einen rechten Sinn abzugewinnen. Man kann allerdings bezweifeln, ob irgendjemand tatsächlich bereit ist, diesen Grundsatz auf sämtliche paulinische Weisungen unterschiedslos anzuwenden. Dann müßte er nämlich darauf bestehen, daß auch heute noch Frauen nicht unverschleiert am Gottesdienst teilnehmen. Es mag sein, daß es eher möglich ist, nach diesem Grundsatz alles anzunehmen, was uns an Weisungen Jesu im Neuen Testament überliefert ist. Aber gerade weil wir gegen die Weisungen Jesu normalerweise keine Vorbehalte haben, ist doch die Unauflöslichkeit der Ehe ein so dorniges Problem. Natürlich, kein Christ wird bestreiten, daß das Wort Jesu zur Ehescheidung für ihn verbindlich ist. Nur legen die einen dieses Wort so aus, daß es die traditionelle, von vielen für rigoros gehaltene Praxis der katholischen Kirche legitimiert, während andere der Meinung sind, diese Praxis beruhe auf einem Mißverständnis der ursprünglichen Intention Jesu. Hinzu kommt die Schwierigkeit, daß schon Paulus in 1 Kor 7,10–16, wie es zunächst scheint, sich nicht ganz an das Wort Jesu hält. Es besteht also einiger Grund, der Frage nachzugehen, in welchem Sinn die sittlichen Weisungen Jesu und eines Paulus Verbindlichkeit beanspruchen.

Bei der Untersuchung dieser Frage unterscheidet Schürmann zwischen ‚kategorialen‘ und „‚transzendental‘ ausgerichteten paulinischen Wertungen und Weisungen".[1] Die letzteren seien „vom Ethos der Ganzhingabe, von der Liebe, beseelt";[2] sie riefen dazu auf, „das theo-logische und eschatologische Ziel beziehungsweise die heilsgeschichtliche Stunde und Gegebenheit zu berücksichtigen oder den Heilstaten Gottes durch Christus im heiligen Geist beziehungsweise dem Taufstand entsprechend zu leben";[3] im Unterschied dazu heißt es von den ‚kategorialen‘ Weisungen, sie bezögen sich „auf partikuläre Lebensbereiche beziehungsweise Einzelhandlungen".[4]

[1] *Schürmann,* Modellcharakter 240 f.
[2] Ebd. 242.
[3] Ebd.
[4] Ebd. 248.

Schürmann scheint das Wortpaar ‚transzendental' – ‚kategorial' ähnlich zu verwenden, wie es in der scholastischen Philosophie üblich ist. Möglicherweise hat bei ihm das Adjektiv ‚transzendental' zugleich auch die Bedeutung von ‚transzendent', und zwar in dem Sinn, wie etwa von Gott gesagt werden kann, er sei die transzendente Ursache des Daseins und Soseins des Menschen. Jedenfalls gibt er als Inhalt transzendentaler Weisungen das an, was (a) sittliches Gutsein als solches ausmacht (Liebe aus ganzem Herzen) und was (b) dieses Gutsein eingefügt sein läßt in die oeconomia salutis. Jedenfalls lassen sich diese Weisungen zusammenfassen in die an Christen gerichtete Aufforderung: ‚Habt die Liebe!' oder: ‚Seid sittlich gut!' Anders die kategorialen Weisungen; sie wollen angeben, was an besonderen Taten Liebe oder sittliche Güte in den mannigfachen Lebenssituationen fordert. Sie beziehen sich auf den weitgefächerten Bereich des sittlich Richtigen. Da nun unter Christen kaum strittig sein dürfte, worin sittliche Güte innerhalb der gegenwärtigen oeconomia salutis besteht, ist von vornherein zu vermuten, daß die ‚transzendentalen' Weisungen in eine paränetische Situation gehören. Die ‚kategorialen' Weisungen dagegen mögen eher der normativen Ethik zuzuordnen sein,[5] da eben deren Probleme vorwiegend auf dem Gebiet des sittlich Richtigen liegen.

Wie Schürmann betont,[6] stellt sich bei transzendentalen Weisungen die Frage der Verbindlichkeit anders als bei kategorialen Weisungen. Das wäre unmittelbar einleuchtend, wenn es dabei um den Unterschied ginge, der zwischen paränetischer Rede und normativer Ethik besteht. Und man könnte zur Illustration einander gegenüberstellen (a) die an Christen gerichtete Mahnung, ihrer Berufung würdig zu wandeln (vgl. Eph 4,1), und (b) die Aufforderung an die Frauen in der korinthischen Gemeinde, beim Gottesdienst einen Schleier zu tragen (1 Kor 11,2–16). Es kommt allerdings darauf an, diesen Unterschied ausdrücklich bewußtzumachen. Im Hinblick auf 1 Kor 7 stellt sich vor allem die Frage nach der Verbindlichkeit der von Paulus gegebenen kategorialen Weisungen. Das wäre die Frage nach der

---

[5] Vermutlich knüpft Schürmann mit diesen Termini an *J. Fuchs* an (Der Absolutheitscharakter sittlicher Handlungsnormen, in: H. Wolter (Hrsg.), Testimonium veritati, Frankfurt 1971, 211–240). Fuchs (ebd. 213) bezeichnet als ‚transzendental' „die grundlegende Forderung von Treue und Gehorsam gegenüber Gott, vom Leben gemäß Glaube und Taufe, oder – nach Johannes – von Glaube und Liebe". Davon unterscheidet er die „Forderung von partikulären Haltungen und Wertungen" (Güte, Milde, Barmherzigkeit, Gerechtigkeit, Keuschheit), die aber keine ‚operativen' Handlungsnormen seien. Erst bei den von Fuchs genannten ‚operativen' Handlungsnormen handelt es sich um normative Ethik. Ein Tugendwort wie ‚Keuschheit' bezieht sich auf die richtige Gesinnung und das richtige Verhalten in einem partikulären Bereich, ohne festzulegen, was in diesem Bereich sittlich richtig ist; die Forderung nach Keuschheit ist also Paränese. Schürmann scheint nun die bei Fuchs unterschiedenen ‚partikulären' Haltungen und ‚operativen' Handlungsnormen als ‚kategoriale' Wertungen und Weisungen zusammenzufassen. Insofern entspricht dieser Unterschied bei Schürmann nicht ganz dem zwischen Paränese und normativer Ethik.

[6] *Schürmann*, Modellcharakter 241.

Autorität eines Paulus innerhalb normativer Ethik. Allem Anschein nach
jedoch befassen sich Exegeten meist mit den ‚transzendentalen' Weisungen,
das heißt, mit Paränese, wenn sie die sittliche Botschaft des Paulus auslegen.[7]
Betreffs der Verbindlichkeit der transzendentalen Weisungen gibt es aber im
Grunde keine Probleme. Man kann sich zwar fragen, was für eine Art Autorität jemand beansprucht, der seine Mitchristen ermahnt, ihrer Berufung
würdig zu wandeln; niemand würde aber einem Paulus das Recht zu solcher
Mahnung streitig machen wollen. Die Frage, in welcher Weise Paränese
verbindlich ist, inwiefern etwa Paulus zur Paränese legitimiert ist, will nur
einen unbestrittenen Sachverhalt bewußt machen; sie soll im zweiten Teil
dieses Kapitels behandelt werden. Sehr viel schwieriger ist die Frage, wieso
etwa das paulinische Gebot des Schleiertragens Verbindlichkeit beanspruchen darf. Die Frage nach der Verbindlichkeit der paulinischen Weisungen
stellt sich also vor allem für den Bereich der normativen Ethik. Da sich in
1 Kor 7 überwiegend Überlegungen normativer Art finden, ist im Rahmen
dieser Arbeit gerade die Frage nach der Verbindlichkeit dieser Weisungen zu
stellen. Da Paulus sich in 1 Kor 7,10 ausdrücklich auf ein Herrenwort beruft,
muß auch über die Verbindlichkeit der sittlichen Urteile Jesu nachgedacht
werden. Diese Frage soll zunächst erörtert werden.

5.1. Die Verbindlichkeit der sittlichen Urteile Jesu

Außer in 1 Kor 7,10 findet sich innerhalb der paulinischen Briefe nur noch
1 Kor 9,14 ein expliziter Hinweis auf ein Herrenwort.[8] Auf diese beiden
Stellen soll sich deshalb unsere Untersuchung der sittlichen Urteile Jesu
konzentrieren; auf synoptische Jesusworte, etwa aus der Bergpredigt, soll
nur zum Vergleich eingegangen werden. Hier zunächst einige gängige
Auffassungen betreffs der paulinischen Rezeption der Worte Jesu.

5.1.1. Die These, Jesu Worte müßten ohne weitere Diskussion
angenommen und befolgt werden

Merk schreibt: „Wo das Gebot des Herrn die Norm der Weisung ist, bedarf
es keiner weiteren Begründung."[9] Eine solche Äußerung klingt sehr ein-

---

[7] Vgl. die in Kap. 1 Anm. 136 (oben S. 69) genannten Aufsätze von *H. Schlier*. Aber auch in
moraltheologischen Arbeiten finden sich Darlegungen paulinischer Paränese; vgl. *H. Halter*,
Taufe und Ethos, Freiburg 1977; *R. Hasenstab*, Modelle paulinischer Ethik, Mainz 1977 (der im
zweiten Teil seiner Arbeit die paulinische Paränese vom κλῆσις-Begriff her darlegt).

[8] Die Mahnungen „im Namen des Herrn" in 1 Kor 5,4 und 2 Thess 3,6 gehören zur Gattung
Paränese; hier wird eine Forderung eingeschärft unter Berufung auf den erhöhten Herrn. Diesen
Unterschied stellt *Baltensweiler* (Ehe 188 f) nicht deutlich heraus, wohl dagegen *Schrage* (Einzelge-
bote 238–249) in seinen Ausführungen über „Die Herrenworte als Norm des christlichen
Lebens".

[9] *Merk*, Handeln 104. Merk fügt jedoch hinzu (ebd.), die Begründung für das Scheidungsverbot

drucksvoll. Aber ist sie auch richtig? Oder wie muß sie verstanden werden, damit sie als richtig angesehen werden kann?

Nach Mt 6,6 sagt Jesus, man solle sich beim Beten in seine Kammer einschließen. Niemand wird daraus folgern, der Christ dürfe unter keinen Umständen in der Öffentlichkeit beten. Warum nicht? Aus dem Kontext geht hervor, daß Jesus einschärfen will, man solle nicht beten, um damit vor anderen seine Frömmigkeit zur Schau zu stellen. Wir haben also diese Weisung Jesu erst wirklich verstanden, wenn wir ihren Grund erfaßt haben. *Daß* Jesu Gebot Geltung hat, daß seine Worte befolgt werden sollen, ist für den, der sich zu ihm bekennt und an ihn glaubt, nicht zweifelhaft; wer an Jesus Christus glaubt, erkennt ja in ihm den, der den Willen Gottes authentisch verkündigt. Gerade *weil* das Gebot Jesu verbindlich ist, muß man aber genau seinen Sinn zu erfassen versuchen, sorgfältig überlegen, wie es zu verstehen ist. Wenn ich nicht versuche, den Grund des Gebotes zu erfassen, besteht die Gefahr, daß ich der Intention Jesu zuwiderhandle, obwohl ich seinem Wort ohne Wenn und Aber zu folgen gewillt bin.[10] Man kann dem Wortlaut einer Weisung Jesu *gemäß* handeln und dennoch seine Intention verfehlen. Man kann aber auch *entgegen* dem Wortlaut einer Weisung Jesu handeln und dabei seiner Intention gerecht werden. Letzteres beansprucht Paulus mit Recht in 1 Kor 9,14 f.

Jesus hatte den Jüngern bei der Aussendung jede Erwerbstätigkeit untersagt (Mt 10,10; Lk 10,7). „Jesus will, daß die Boten ausschließlich für ihre Aufgabe da sind."[11] Dieser Grund für die Forderung Jesu leuchtet sofort ein, obwohl er nicht ausdrücklich so formuliert wird. Paulus weiß sich wie die in der synoptischen Aussendungsrede angesprochenen Jünger „auserwählt, das Evangelium zu verkündigen" (Röm 1,1); hinter dieser Aufgabe muß alles andere zurückstehen (vgl. 1 Kor 9,16; Phil 1,24–26). Gerade um der Verkündigung des Evangeliums willen aber entscheidet sich Paulus im Fall der Korinther entgegen dem Wortlaut der Weisung Jesu dazu, selbst für seinen Unterhalt zu sorgen. Den Korinthern gegenüber schien es ihm gerade um der glaubwürdigen Verkündigung des Evangeliums willen vordringlich, seine Unabhängigkeit zu bewahren (1 Kor 9,19); außerdem wollte er wohl auch jeden Eindruck von Eigennutz und Gewinnsucht vermeiden (vgl. 2 Kor 11,9). Um der Verkündigung des Evangeliums willen entscheidet Paulus in seiner Situation also anders als Jesus bei der Aussendung der

---

finde sich bei Paulus schon in 7,2–5. Vgl. auch die im 2. Kapitel Anm. 88 (oben S. 96) zitierte Äußerung von Niederwimmer; außerdem *Weiß* 192 zu 7,25: „Hier wird noch einmal klar, wie die Herrenworte der neuen Gemeinde als Gesetz dienten, wie man einem solchen gegenüber alles Streitens und Grübelns enthoben war." *Schrage* (Einzelgebote 112) betont dagegen, gegenüber den Weisungen Jesu sei das ‚Warum' keine verbotene Frage.

[10] Es sei denn, es gäbe im sittlichen Bereich *positive* Vorschriften Jesu; aber das dürfte niemand im Ernst behaupten. Vgl. unten S. 214.

[11] *J. Jeremias,* Neutestamentliche Theologie I, Gütersloh 1971, 227.

Jünger. Beide aber gehen davon aus, daß die Aufgabe der Verkündigung des Evangeliums unbedingten Vorrang genießt. Weil Paulus dieser Intention Jesu gerecht werden will, interpretiert er die ‚Anordnung' (διέταξεν 1 Kor 9,14) Jesu als eine ‚Erlaubnis' (ἐξουσία 1 Kor 9,5 f),[12] von der er den Korinthern gegenüber keinen Gebrauch macht. Daß Paulus in diesem Fall obwohl gegen den Wortlaut der Weisung Jesu dennoch der Intention Jesu gemäß gehandelt hat,[13] wird man kaum bestreiten können. Hätte er sich umgekehrt ohne weiteres Nachdenken von den Korinthern versorgen lassen, dann hätte er seiner Verkündigung möglicherweise geschadet und die Intention Jesu verfehlt. Falls man dieser Bewertung des Verhaltens des Paulus zustimmt, ergibt sich notwendig die Folgerung, daß die Weisungen Jesu nicht unbedingt buchstäblich zu befolgen, sondern auf ihren Sinn und Grund zu prüfen sind.

Diese Forderung gilt auch für Jesu Wort über die Ehescheidung (Lk 16,18): „Wer seine Frau aus der Ehe entläßt und eine andere heiratet, begeht Ehebruch; auch wer eine Frau heiratet, die von ihrem Mann aus der Ehe entlassen wurde, begeht Ehebruch." Aus dem Wortlaut ist nicht eindeutig zu erkennen, ob Jesus – und wenn ja, warum – in jedem Fall Scheidung beziehungsweise Wiederverheiratung für verboten erklärt, ob etwa seiner Meinung nach Scheidung und Wiederverheiratung das größere Übel gegenüber dem Aufrechterhalten einer zerrütteten Ehe sind oder ob vielleicht eine Wiederverheiratung um der Institution Ehe willen (zum Schutz der Ehe überhaupt) unterbleiben soll. Paulus jedenfalls hält im Fall der Mischehen unter bestimmten Voraussetzungen die Scheidung offenbar für das kleinere Übel; andernfalls würde er die Trennung (beziehungsweise die Wiederverheiratung) nicht gestatten (1 Kor 7,15 f). Damit setzt er aber auch stillschweigend voraus, daß das Scheidungsverbot, so wie es von seiner Begründung her zu verstehen ist, auf diesen Fall nicht zutrifft.

An dieser Stelle wird vermutlich mancher Theologe widersprechen. Während betreffs 1 Kor 9,14 wohl jeder Übereinstimmung zwischen Paulus und Jesus konstatieren wird, stellt man bezüglich 1 Kor 7,10 f oft eine Differenz

---

12 Vgl. den Exkurs zu diesem Thema in Kap. 2, oben S. 86–90. *Schürmann* (Modellcharakter 261) interpretiert sachlich richtig, unterscheidet nur terminologisch unglücklich ‚Erlaubnis' und ‚Erfüllungsgebot'. Der Terminus ‚Erfüllungsgebot' wird sonst meist als Gegenbegriff zu ‚Zielgebot' gebraucht; darunter versteht man ein Gebot, das nur approximativ erfüllt werden kann. ‚Erfüllungsgebot' in diesem Sinne wäre ein Gebot, das erfüllt werden *kann* (vom Vermögen des Menschen her gesehen), im Sinne von Schürmann ein Gebot, das erfüllt werden *muß* (unter allen Umständen).

13 In diesem Sinn beschreibt *Aristoteles* (Nikomachische Ethik 1137 b 19–23, zitiert nach der Übersetzung von F. Dirlmeier, Stuttgart 1969) das Wesen der *Epikie*: „Wenn nun das Gesetz eine allgemeine Bestimmung trifft und in diesem Umkreis ein Fall vorkommt, der durch die allgemeine Bestimmung nicht erfaßt wird, so ist es ganz in Ordnung, an der Stelle, wo uns der Gesetzgeber im Stiche läßt und durch seine vereinfachende Bestimmung einen Fehler verursacht hat, das Versäumnis im Sinn des Gesetzgebers selbst zu berichtigen: so wie er selbst die Bestimmung getroffen hätte, wenn er im Lande gewesen wäre."

oder Diskontinuität zwischen dem Wort Jesu und seiner Auslegung durch Paulus fest. Es lassen sich zwei Typen einer solchen Interpretation unterscheiden. Die eine erkennt in dem Wort Jesu ein ‚Zielgebot‘, das in der rauhen Wirklichkeit dieser Welt nur ‚approximativ‘ erfüllt werden kann, beziehungsweise ein Gebot, das mit einer anderen Pflicht *kollidieren* kann. Die andere stellt fest, Jesu Verbot der Wiederverheiratung sei kein neues ‚Gesetz‘; Paulus dagegen beziehungsweise die spätere Kirche hätten dies Wort Jesu dann gesetzlich mißverstanden. Diese beiden Interpretationstypen sollen nun untersucht werden.

5.1.2. Die Interpretation des Wortes Jesu über die Ehescheidung im Sinne eines Zielgebotes beziehungsweise einer idealen Pflicht

Moffat schreibt zu 1 Kor 7,8–16: „Welche Anschauung von V. 16 wir auch annehmen, es ist bemerkenswert, daß Paulus, obwohl er sich zur Unauflöslichkeit der Ehe, wie Jesus sie gelehrt hat, bekennt, doch zuviel über die menschliche Natur wußte, als daß er sie rigoros in jedem Fall angewendet hätte."[14] Mit anderen Worten: Jesu Wort ist gültig, nur leider ist die Wirklichkeit nicht so, daß man es immer anwenden könnte. Jesu Wort wird als Ideal verstanden, das den ‚eigentlichen Willen Gottes‘ mitteilt, oder als ‚Zielgebot‘, das nur ‚approximativ‘ erfüllt werden kann; Paulus macht dieses Wort Jesu dann ‚praktizierbar‘, er schließt einen Kompromiß zwischen Ideal und Wirklichkeit.[15]

Selten wird die Frage gestellt, bei welchen Worten Jesu man geneigt ist, die Kategorie des Zielgebotes anzuwenden.[16] Vermutlich verwendet man diese Kategorie bei der Interpretation von 1 Kor 9,14 nicht, obwohl es an sich denkbar wäre. Die Anweisung Jesu würde von der idealen Situation ausgehen, daß die Hörer der Botschaft den Boten keine unlauteren Motive unterstellen, daß sie auch nicht mit ihrem Beitrag zum Unterhalt der Boten Druck auf diese auszuüben versuchen. Das Ideal, das Jesus vorschwebt, wäre ein Verkünder des Evangeliums, der seine ganze Arbeitskraft dieser Aufgabe widmen kann. Nach Meinung des Paulus war aber in Korinth die Situation, von der Jesus ausgeht, nicht gegeben, also mußte er anders handeln. Obwohl eine solche Interpretation denkbar wäre, im Zusammenhang von 1 Kor 9,12–18 wirkt die Kategorie ‚Zielgebot‘ äußerst merkwürdig. Um herauszufinden, warum sie merkwürdig wirkt, wäre zu überlegen, bei

---

14 *Moffat* 85 („It is worth notice, whatever view we take of verse 16, that while Paul adheres to the indissolubility of marriage, as Jesus had taught, he knew too much of human nature to insist that it should be rigidly applied in every case").

15 Vgl. die Übersicht bei *Schrage*, Einzelgebote 26–29.

16 Zur Kritik der Kategorie des ‚Zielgebotes‘ vgl. *B. Schüller*, Neuere Beiträge zum Thema „Begründung sittlicher Normen", in: F. Furger/ J. Pfammatter (Hrsg.), Theologische Berichte 4, Einsiedeln 1977, 109–286, hier 129–135.

welchen Weisungen Jesu die Kategorie ‚Zielgebot' angemessen erscheint. Als Beispiele sollen dafür zwei der matthäischen Antithesen herausgegriffen werden.

In der ersten Antithese (Mt 6,21–26) verwirft Jesus nicht nur den Mord, sondern auch jeden bösen Gedanken und jedes böse Wort dem Nächsten gegenüber. Nun hat aber der Mensch seine Handlungen besser unter Kontrolle als seine Gedanken und seine Zunge (vgl. Jak 3,1–12). Das Bemühen des Menschen um die Beherrschung seiner Zunge und um die Lauterkeit der Gesinnung ist deshalb nicht sofort von Erfolg gekrönt. Speziell das Bemühen um die rechte Gesinnung ist eine Aufgabe für das ganze Leben. Wo die rechte Gesinnung als sittlich gefordert eingeschärft wird, könnte man deshalb mit Recht von einem ‚Zielgebot' sprechen. Die Aufforderung, vollkommen zu sein wie der himmlische Vater (Mt 5,48), läßt sich nur approximativ erfüllen, die rechte Gesinnung kann nur ‚angezielt' werden.[17] Die fünfte Antithese (Mt 5,38–42) wird manchmal verstanden als Aufforderung zu bedingungslosem Gewaltverzicht. Bei einem solchen Verständnis (das hier nicht diskutiert zu werden braucht) entsteht die Schwierigkeit, daß bedingungsloser Gewaltverzicht potentielle Übeltäter geradezu ermutigen würde. Wenn man nicht bereit ist, für sich persönlich oder für andere Menschen diese Konsequenz zu ziehen, könnte sich die Interpretation der fünften Antithese als Zielgebot anbieten. Allerdings wäre hier von ‚Zielgebot' in einem andern Sinn die Rede als im Fall der ersten Antithese. Die Forderung nach lauterer Gesinnung läßt sich wegen der menschlichen Schwäche nicht auf einmal verwirklichen, sondern nur ‚anzielen'. Der bedingungslose Gewaltverzicht läßt sich prinzipiell durchaus verwirklichen, nur fordert er unter Umständen einen hohen Preis, etwa das Leben eines Menschen, dessen Ermordung man tatenlos zuschauen muß. Durch die Interpretation des Wortes Jesu als ‚Zielgebot' entgeht man dieser geradezu unmoralisch erscheinenden Konsequenz. Jesus würde Gewaltverzicht dann nur ‚nach Möglichkeit' fordern, das heißt, wenn die Folgen erträglich beziehungsweise sittlich zu verantworten sind.

Die gekennzeichnete Schwierigkeit, daß die Befolgung einer sittlichen Norm gegenüber dem Zuwiderhandeln als die schlechtere Alternative erscheint, das heißt, mit den schlimmeren Folgen verbunden ist, ergibt sich bei *deontologischen* Normen. So erscheint auch nach einer Scheidung die

---

[17] *K. Demmer* (Sein und Gebot, München 1971, 88; vgl. 88–90) schreibt über das Zielgebot: „Es stellt in seiner Forderung ein Zielbild auf, das in der Form eines niemals vollkommen einzuholenden Ideals anzustreben ist. Der unter dem Anspruch eines Zielgebotes Stehende ist zu diesem aufgestellten Ideal immer unterwegs. Ein Zurückbleiben hinter ihm ist schon aufgrund der Geschichtlichkeit und infolgedessen der Begrenztheit des Menschen notwendig gegeben; es offenbart zwar Unvollkommenheit, keinesfalls aber zwangsläufig Schuld. Schuld liegt nur unter der Voraussetzung vor, daß der geforderte Wachstumsprozeß im Guten und die durch ihn bereits freigesetzten sittlichen Möglichkeiten offensichtlich auseinanderfallen."

Wiederheirat gegenüber dem Verzicht darauf manchmal als die bessere Lösung. Durch die Interpretation des Wiederverheiratungsverbotes als ‚Zielgebot' entgeht man der Verpflichtung, es auch dann zu befolgen, wenn, von den Konsequenzen her gesehen, alles dagegen spricht. Die Kategorie ‚Zielgebot' dient also, wo sie nicht auf Gesinnungsparänese angewandt wird, der Milderung, der Praktizierbarkeit einer deontologisch verstandenen sittlichen Norm.[18] Jetzt läßt sich auch erklären, warum im Fall von 1 Kor 9,12–18 die Verwendung des Wortes ‚Zielgebot' unplausibel wirkt. Die Anweisung Jesu, die Verkünder des Evangeliums sollten von dieser Tätigkeit leben, versteht jeder *teleologisch*, das heißt, jeder geht davon aus, Jesus habe so geboten, weil es so für das Anliegen der Verkündigung am besten sei, das heißt mit Rücksicht auf die Folgen. Wenn aber, wie Paulus in seiner Situation annimmt, das von Jesus an sich geforderte Verhalten der Sache des Evangeliums eher schadet, fühlt sich niemand an den Buchstaben des Wortes Jesu gebunden.

Bei deontologisch verstandenen Normen ist das anders; der Mensch fühlt sich an sie auch dann gebunden, wenn die Folgen schlecht oder sogar verhängnisvoll sind. Bei der Deutung deontologischer Normen als ‚Zielgebote' ist nun die Möglichkeit gegeben, sich in bestimmten Fällen von ihrer buchstäblichen Befolgung zu ‚dispensieren'.

Die Problematik deontologischer Normen kann hier nicht in extenso erörtert werden. Wohl aber ist festzuhalten, daß die Interpretation eines Wortes Jesu (das nicht reine Gesinnungsparänese beinhaltet) als ‚Zielgebot' ein deontologisches Verständnis dieses Gebotes implizit voraussetzt. Die Richtigkeit dieser Voraussetzung ist aber eigens zu prüfen. Wie Moffat im obigen Zitat,[19] setzt man heute oft, wenn über Unauflöslichkeit der Ehe diskutiert und geschrieben wird, bereits als geklärt voraus, wie denn die Unauflöslichkeit der Ehe nach der Meinung Jesu zu verstehen und zu begründen sei. Ob das Wort Jesu aber etwa deontologisch zu verstehen ist, ist gerade die Frage. Erst wenn diese Frage geklärt ist, kann man beurteilen, ob Paulus das Wort Jesu befolgt, angewandt, abgemildert oder falsch interpretiert hat.

Die Äußerung Moffats läßt sich aber auch noch anders verstehen. Paulus hat bei der Anwendung des Wortes Jesu nach Moffats Meinung die Gegebenheiten der menschlichen Natur berücksichtigt. Hat also Jesus sein Wort über die Ehescheidung ohne solche Rücksichten verkündet? Jesu Wort müßte in diesem Fall als eine *ideale* Pflicht interpretiert werden. Eine solche Pflicht

---

[18] Die Vorstellung des Zielgebotes dürfte auch der oben S. 67 zitierten Äußerung von *V. Eid* zugrunde liegen, die Ehe müsse so gelebt werden, „daß eine Scheidung gar nicht in Frage kommen kann". Das Verhalten der Eheleute soll also auf eine möglichst vollkommene Ehe ‚zielen', in der es keinen Grund zur Scheidung gibt. Die Frage ist aber, ob es bei unvollkommenen Ehen nach der Meinung Jesu akzeptable Gründe für Scheidung und Wiederheirat gibt, und wenn ja, welche.

[19] Oben S. 208 mit Anm. 14.

würde „unabhängig von den Gegebenheiten dieser Welt und den Möglich-
keiten des Handelnden bestimmt, während bei der Suche nach dem Inhalt
des ‚aktuellen' Sollens gerade diese Faktoren berücksichtigt würden".[20]
Beim Problem Scheidung und Wiederverheiratung ergäbe sich damit für
Paulus und auch die spätere Kirche die *Kollision* einer idealen Pflicht, die im
Wort Jesu ausgesprochen ist, und der aktuellen Pflicht, unter den gegebenen
Umständen die vergleichsweise beste Regelung zu treffen. Beide Pflichten
aber hätten unbedingte Geltung. Auch die ideale Pflicht müßte an sich
(anders als das Zielgebot) voll (nicht bloß approximativ) erfüllt werden. Da
Paulus aber nur einer Pflicht genügen kann, macht er sich – das wäre die
Folgerung – notwendig sittlich schuldig, da er einer unbedingt geltenden
Pflicht nicht genügt. Ein Zielgebot soll nur nach Möglichkeit erfüllt werden;
wer aber einer idealen Pflicht nicht genügt, muß dabei ein schlechtes Gewis-
sen haben.
Ob Moffat seine Äußerung in diesem Sinn verstanden wissen will, sei dahin-
gestellt. Jedenfalls müßte auch diese Interpretation von 1 Kor 7,10 ff auf ihre
Voraussetzungen hin kritisch befragt werden. Die Annahme einer idealen
Pflicht setzt wiederum (wie im Fall des ‚Zielgebots') ein deontologisches
Verständnis des Ehescheidungsverbots Jesu voraus. Die Frage ist nur, ob
der Wortlaut der Weisung Jesu solch eine deontologische Deutung fordert.

5.1.3. Das Problem einer ‚gesetzlichen' Interpretation der sittlichen Weisungen Jesu

Die Art, wie Paulus das Problem der Mischehen in 1 Kor 7,12–16 löst,
erweckt auf den ersten Blick den Eindruck, als mache er von einer Forderung
Jesu Abstriche. Dieser Eindruck ergibt sich, wenn man das Wort Jesu als
ausnahmsloses Verbot auffaßt. Nicht alle Theologen verstehen aber das
Logion Jesu im Sinne eines ausnahmslosen Verbotes jeder Scheidung
beziehungsweise Wiederverheiratung; bei einer solchen Annahme erscheint
die Stellungnahme des Paulus in einem anderen Licht. Paulus würde dann
das Wort Jesu nicht abmildern, sondern sachgerecht auf eine konkrete Situation beziehen. In diesem Zusammenhang wird oft formuliert, das Wort Jesu
sei nicht ‚gesetzlich' zu verstehen. Andererseits kann man auch lesen, die
Herrenworte hätten der frühen Gemeinde „als Gesetz"[21] gedient. Die
Vokabel ‚gesetzlich' wird – gerade im Zusammenhang mit dem Thema
Ehescheidung – vielfach verwendet; ob dieses Wort immer die gleiche
Bedeutung hat, ist eine andere Frage.

---

[20] *H.-J. Wilting,* Der Kompromiß als theologisches und als ethisches Problem, Düsseldorf 1975, 134; vgl. auch *Schüller,* Begründung 154–163.
[21] *Weiß* 192 (vgl. oben S. 205 f Anm. 9).

Der folgende Überblick soll zeigen, daß das Adjektiv ‚gesetzlich' tasächlich nicht einheitlich verwendet wird. Ja, es ist oft gar nicht leicht auszumachen, was genau die einzelnen Autoren im jeweiligen Zusammenhang mit ‚gesetzlich' meinen. Selbst bei ein und demselben Autor gehen oft verschiedene Bedeutungen ineinander über. Die Zitate in der folgenden Übersicht sollen deshalb nur exemplarisch deutlich machen, was man unter ‚gesetzlich' alles verstehen könnte. Wegen der Vieldeutigkeit dieses Wortes kann aber nicht der Anspruch erhoben werden, den Sprachgebrauch des zitierten Autors unbezweifelbar richtig wiedergegeben zu haben.

5.1.3.1. *Verschiedene Bedeutungen des Adjektivs ‚gesetzlich'*

(1) *Gesetzlich* im Sinne von *buchstäblich*

Eine buchstäbliche Interpretation eines Wortes Jesu ist immer dann abzulehnen, wenn das betreffende Wort deutlich bildhaft gemeint ist. So sind die Worte vom Ausreißen des Auges und vom Abhauen der Hand im Fall des Ärgernisses (Mt 5,29 f) nicht buchstäblich aufzufassen, sondern als bildhafte Mahnungen zu äußerster moralischer Konsequenz. Ähnlich soll der Eunuchenspruch (Mt 19,12) nicht buchstäblich aufgefaßt werden (wie es Origenes getan haben soll). Schwieriger ist es schon mit der Mahnung, alles zu verkaufen und es den Armen zu geben (Lk 12,33). Ein buchstäbliches Befolgen dieser Mahnung kann nicht grundsätzlich verworfen werden, wie das Beispiel des Franz von Assisi zeigt; dennoch sind wir heute nicht der Meinung, jeder Christ müsse so leben wie er. Daß eine Mahnung nicht (unbedingt) buchstäblich zu befolgen ist, daß „nicht der Wortlaut, sondern die Sache" entscheidend ist, das stellt man manchmal da heraus, wo man sich gegen eine ‚gesetzliche Interpretation' wendet. In diesem Sinne sagt etwa R. Pesch zu 1 Kor 7,10 ff: „Die unbedingte Geltung des Herrengebotes wird von Paulus . . . nicht gesetzlich, sondern verbindlich ausgelegt."[22]

(2) *Gesetzlich* im Sinne von *ausnahmslos*

Conzelmann äußert zu 1 Kor 7,12 f, Paulus wende hier die Regel Jesu „keineswegs mechanisch-gesetzlich" an.[23] Unter einer ‚mechanischen' Anwendung der Regel Jesu dürfte eine gedankenlose Anwendung ohne Rücksicht auf die jeweiligen besonderen Umstände zu verstehen sein, eine Anwendung, die die Möglichkeit einer Ausnahme gar nicht erst berücksichtigt. Da Paulus sich nun Gedanken macht, wie im Fall der Mischehen zu verfahren ist, wendet er das Wort Jesu nicht mechanisch, in diesem Sinne nicht ‚gesetzlich' an.

(3) *Gesetzlich* im Sinne von *deontologisch*

V. Eid schreibt, die frühe Gemeinde habe das Wort Jesu über die Eheschei-

[22] *R. Pesch,* Freie Treue, Freiburg 1971, 7.
[23] *Conzelmann* 146.

dung als ‚Wesensgesetz' verstanden. Jesus dagegen habe sich gegen die inhumane Behandlung der Frau in der jüdischen Scheidungspraxis gewandt.[24] Jesus hatte nach Eid also die Beseitigung eines Übels im Blick, hat demnach teleologisch gedacht, die Gemeinde hat das Verbot Jesu als solches, abgelöst von seiner ursprünglichen Intention, aufrechterhalten. Falls man die Bezeichnung ‚Wesensgesetz' so zu verstehen hat, hätte die Gemeinde nach Eid das Wort Jesu als ein ohne Rücksicht auf die Folgen geltendes Verbot deontologisch mißverstanden.

(4) *Gesetzlich* im Sinne von *konstitutiv*
Der Vorwurf Eids, die Kirche habe aus dem Wort Jesu über die Ehescheidung ein ‚übergeschichtliches Wesensgesetz' gemacht, könnte aber auch noch anders verstanden werden: nicht allein der Ehewille der Partner, sondern die rechtlichen (institutionellen) Regeln[25] über die Einheit und Unauflöslichkeit der Ehe *konstituieren* erst das Wesen der Ehe. Zu Lebzeiten des rechtmäßigen Partners *kann* nach geltendem kanonischem Recht niemand mit einem andern eine Ehe eingehen; er ist dazu institutionell unfähig (inhabilis). Dieses Verständnis könnte Eid angreifen. Tatsächlich könnte man ja das Wort Jesu vor allem in der Fassung Lk 16,18 in diesem Sinn ‚gesetzlich' verstehen: ‚Wer seine Frau aus der Ehe entläßt und eine andere heiratet, *kann* gar nichts anderes als Ehebruch begehen; er mag zwar den guten Willen haben, mit der neuen Partnerin in einer Ehe zu leben; dennoch ist die Gemeinschaft ipso facto ein permanenter Ehebruch.'

(5) *Gesetzlich* im Sinne von *kasuistisch*
Kasuistik will „die allgemeinen Normen des Rechts oder Sittengesetzes auf konkrete Handlungen und Handlungssituationen"[26] anwenden. Eine kasuistische Auslegung des Wortes Jesu über die Ehescheidung würde prüfen, „unter welchen Umständen und Voraussetzungen das Scheitern einer Ehe, die Wiederverheiratung eines Geschiedenen von der Gemeinde hingenommen werden kann".[27] Zu solchen Überlegungen war bereits die frühe Kirche gezwungen, wie sich ja im Neuen Testament zeigt. V. Eid spricht hier von „*pastoralen Anpassungs- und Vergesetzlichungstendenzen*".[28] Ob Eid hier pastorale Anpassung (sprich: Kasuistik) und ‚Vergesetzlichung' einfach gleichsetzen will oder ob eine kasuistische Auslegung des Wortes Jesu nur die Gefahr der ‚Vergesetzlichung' mit sich bringt (was immer das

---

[24] *V. Eid,* in: P. Hoffmann/V. Eid, Jesus von Nazareth und eine christliche Moral, Freiburg 1975, 136; vgl. ebd.: „Dabei ergäbe sich aber groteskerweise, daß seine gegenüber dem jüdischen Gesetz auf größere Humanisierung der partnerschaftlichen Bezüge in der Ehe gerichtete Stellungnahme unversehens in eine hartes ‚Schicksals'-Gesetz umgewandelt würde."
[25] Zur Eigenart dieser Regeln vgl. *J. Rawls,* Zwei Regelbegriffe, in: O. Höffe (Hrsg.), Einführung in die utilitaristische Ethik, München 1975, 96–120, bes. 110–114.
[26] *M. Forschner,* ‚Kasuistik', in: O. Höffe (Hrsg.), Lexikon der Ethik, München 1977, 119f.
[27] *V. Eid,* a. a. O. 134.
[28] Ebd.

für eine Gefahr sein mag), ist nicht ganz deutlich. Es ließen sich aber sicher andere Belege finden, in denen ‚gesetzlich' gleichbedeutend ist mit kasuistisch. Wie in den Unzuchtsklauseln bei Matthäus würde sich dann auch bei Paulus der Anfang einer ‚gesetzlichen' (kasuistischen) Auslegung des Wortes Jesu finden; gibt man dagegen dem Wort ‚gesetzlich' den Sinn von ‚ausnahmslos', würde Paulus gerade nicht ‚gesetzlich' interpretieren.

(6) *Gesetzlich* im Sinne von *positiv*

H. Windisch stellt in seinem Buch über die Bergpredigt fest, „daß auch die ‚radikalen' Sprüche keineswegs aus der Ebene der Gesetzlichkeit herausfallen".[29] Als Beispiel nennt er das Schwurverbot: „Das Schwurverbot ist ein richtiges Verbot. Jesus wünscht, daß Hörer und Jünger alle Eidformeln meiden und immer in schlichter Weise die Wahrheit sagen. Nur wer das wörtlich ausführt, hat ihn ‚verstanden'."[30] Windisch setzt das Wort ‚verstanden' in Anführungsstriche; damit will er möglicherweise andeuten, es gebe hier nichts zu verstehen, das Schwurverbot könne nicht einsichtig gemacht werden. Dem Christen sei das Schwören nicht deswegen verboten, weil es für dieses Verbot einen einsichtigen Grund gebe, sondern nur, weil Jesus es so angeordnet habe. Das Schwurverbot wäre dann eine *positive* Anordnung Jesu, nicht in einer sachlichen Notwendigkeit begründet, sondern allein in der Autorität Jesu. Das Schwurverbot wäre in diesem Sinn positives, gesetztes Recht, das Schwören wäre nicht verboten, weil falsch, sondern falsch, weil verboten. Vielleicht versteht Windisch unter einem ‚richtigen Verbot' ein solches positives Verbot. Ähnlich redet Windisch über die dritte Antithese. ‚Er bricht die Ehe' bedeute: „er übertritt das 6. Gebot"; hinter diesem Gebot stehe „letztlich die Autorität einer göttlichen Stiftung".[31] Eine ‚naturrechtliche' (‚Naturrecht' ist hier der Gegensatz zu ‚positivem' Recht) Interpretation des 6. Gebotes würde lauten: ‚Ehebruch ist ein Übel, ein Unrecht gegenüber dem andern Partner, also sittlich falsch und deswegen von Gott verboten.' Als positiver Rechtssatz interpretiert würde das 6. Gebot besagen: ‚Die Ehe ist von Gott als Einehe gestiftet. Ehebruch widerspricht dem göttlichen Stiftungswillen, ist also von Gott verboten und deswegen sittlich falsch.' Die ‚Ebene der Gesetzlichkeit' könnte also die Ebene positiven Rechtes sein, in der man nicht nach dem Sinn und Grund einer Weisung fragen darf, sondern nur deshalb gehorchen muß, weil es so befohlen wurde.

---

[29] *H. Windisch,* Der Sinn der Bergpredigt, Leipzig 1929, 55.
[30] Ebd. 56.
[31] Ebd. Ob Windisch das Verbot der Wiederverheiratung tatsächlich rein positiv versteht, sei dahingestellt. Er vertritt zwar dem Wortlaut nach ein solches Verständnis, schränkt es aber durch das Wort ‚letztlich' ein. Außerdem gibt er selber im vorhergehenden Zitat dem Schwurverbot eine bestimmte Deutung, die implizit eine Begründung enthält. Die positivistische Deutung bestimmter Worte Jesu entpuppt sich bei näherem Zusehen oft als bloßer Verbalradikalismus.

(7) *Gesetzlich* im Sinne von *normativ*

P. Hoffmann schreibt zum Logion Jesu über die Ehescheidung: „Es ist sowenig Gesetz wie das Verbot des Zürnens, des Eides oder Ehebruchs im Herzen. Jesus benutzt hier wie dort die Gesetzessprache, verfremdet sie aber, um die gesetzliche Ebene zu durchstoßen und die Wirklichkeit der zwischenmenschlichen Beziehungen aufzudecken."[32] Die Wirklichkeit, die hier aufgedeckt werden soll, ist offenbar die durch die *Sünde* verdorbene „Wirklichkeit der zwischenmenschlichen Beziehungen". Jesus würde dann die Menschen ihrer Sünde überführen wollen, also Paränese üben. Daß Jesus die ‚gesetzliche Ebene' durchstößt, könnte also bedeuten, Jesus bewege sich gar nicht auf der Ebene normativer Ethik. Wenn Jesus mit dem Logion über die Ehescheidung in diesem Sinne kein ‚Gesetz' gibt, müßte das Logion als paränetische Rede verstanden werden, nicht als normatives Urteil über das sittlich richtige Verhalten.[33]

Derselben Meinung scheint auch R. Pesch zu sein: „Jesu provokatorischer Spruch, der wider das alttestamentliche Gesetz die Ehescheidung als Ehebruch verwirft, ist nicht die Promulgation eines neuen Gesetzes, sondern ein eindringlicher Ruf zu freier Treue".[34] Ein „Ruf zu freier Treue" wäre an sich die Aufforderung, aus eigenem Antrieb, aus lauterer Gesinnung die Treue zu halten. Solch eine Aufforderung setzt aber als geklärt voraus, was die Treue konkret fordert, worin die Treue inhaltlich besteht, ob man etwa bis zum Tode an die Ehe gebunden ist oder nur bis zu einer möglichen Zerrüttung oder gar über den Tod hinaus. Der „Ruf zu freier Treue" wäre also Paränese. Daß Jesus kein ‚neues Gesetz' promulgiert, hieße, Jesus äußert sich nicht dazu, was konkret die von den Eheleuten gelobte Treue fordert, er würde also kein Urteil normativer Ethik fällen.

(8) *Gesetzlich* im Sinne von *minimalistisch*

Nach E. Schweizer zeigt das Wort über die Ehescheidung „eine grundsätzliche Überwindung der Gesetzlichkeit. Man kann nicht mehr fragen: Was ist durch das Gesetz verboten, und wo gibt es eine vom Gesetz nicht belegte Freistatt für mich?"[35]

Was nicht verboten ist, das ist erlaubt; das gilt an sich für den Bereich des staatlichen Rechtes. Oft schließen Menschen aber kurzschlüssig, was rechtlich erlaubt sei, sei auch moralisch erlaubt. So ist es etwa dem, der in einer bloß zivil geschlossenen Ehe lebt, kirchenrechtlich erlaubt, mit einem andern Partner eine kirchlich gültige Ehe einzugehen; ob er moralisch

---

[32] *P. Hoffmann,* a. a. O (Anm. 24) 120.

[33] Allerdings würde auch solche paränetische Rede bestimmte normative Überzeugungen voraussetzen. Paulus müßte bei der Beantwortung der Fragen aus Korinth diese normativen Implikationen zu erkennen versuchen und von daher eine Antwort geben. Er müßte – in diesem Sinn ‚gesetzliche' – Folgerungen aus der Paränese Jesu ziehen.

[34] *R. Pesch,* a. a. O. (Anm. 22) 16.

[35] *E. Schweizer,* Das Evangelium nach Markus, Göttingen ²1968, 116.

berechtigt ist, die erste ‚Ehe' zu lösen, ist eine ganz andere Frage. Menschen, die sich mit einem sittlichen Minimalprogramm begnügen wollen, sind oft geneigt, diese Frage zu übergehen. So sind möglicherweise die in Mk 10,2 ff genannten Pharisäer der Meinung, die Erlaubnis des Mose, die Frau mit einem Scheidebrief zu entlassen, mache diese Handlungsweise auch in jedem Fall zu einer sittlich richtigen. R. Pesch sagt zu dieser Stelle, die Frage nach einer Erlaubnis sei „im Grunde eine eigensüchtige, eben eine ‚gesetzliche' Frage".[36] Diese Eigensucht zeigt sich darin, daß man Belastungen, Verzichten, sittlichen Anforderungen möglichst aus dem Wege geht, sich mit sittlichen Minimalforderungen (etwa der Erfüllung der rechtlichen Pflichten) begnügt. Insofern bedeutet ‚gesetzlich' in diesem Zusammenhang soviel wie ‚egoistisch' oder ‚minimalistisch'.

(9) *Gesetzlich* im Sinne von *restriktiv*

Das unter (8) angeführte Zitat von E. Schweizer könnte auch noch anders verstanden werden; Schweizer könnte an restriktive Auslegung deontologischer Normen denken. Um die negativen Konsequenzen der Befolgung einer deontologischen Norm abzumildern, sucht man oft eine ‚Freistatt', eine Handlungsweise, die sich aus einem deontologisch verstandenen Verbot ausklammern läßt. So kann man die doppelsinnige Rede aus dem Verbot jeder Falschaussage ausklammern, ebenso die Trennung von Tisch und Bett aus dem Verbot jeder Ehescheidung. Durch solche restriktive Auslegung wird allerdings keine ‚Freistatt' für Willkür geschaffen, vielmehr wird die durch restriktive Auslegung aus dem deontologischen Verbot ausgeklammerte Handlungsweise teleologisch beurteilt. Doppelsinnige Rede gilt dann als erlaubt, wenn die Offenlegung der Wahrheit schlimme Folgen hätte, Trennung von Tisch und Bett dann, wenn die Ehe zerrüttet ist, ein weiteres Zusammenleben also die schlechtere Alternative wäre. Solche restriktive Auslegung erscheint dem, der teleologisch denkt, leicht als ‚gesetzliche' Spitzfindigkeit; man muß aber bedenken, daß der Deontologe gar nicht anders kann: er muß um der Liebe willen dafür sorgen, daß die negativen Konsequenzen der Befolgung deontologischer Normen möglichst geringgehalten werden.

(10) *Gesetzlich* im Sinne eines *finalen* Moralverständnisses

Nach H. Windisch ist das Wort vom Baum und seinen Früchten (Mt 7,17 f) „das einzige in der Bergpredigt, aus dem man den Begriff eines Gegensatzes von Ethos und Ethik, von Beschreibung und Forderung, von Gesinnung und Gesetz herauslesen könnte."[37]

Moralität wird vom Menschen zunächst als Forderung erfahren. Der sittlich

---

[36] *R. Pesch,* Die neutestamentliche Weisung für die Ehe, in: N. Weil/R. Pesch u. a., Zum Thema Ehescheidung, Stuttgart 1970, 24–40, hier 30.

[37] *H. Windisch,* a. a. O. (Anm. 29) 62.

noch Unentschlossene weiß sich aufgerufen, das Gute zu tun und das Böse zu lassen. Die einzelnen Gebote, auch die Mahnungen der Bergpredigt, begegnen ihm als Imperative. Indem er solchen Geboten und Mahnungen folgt, indem er im einzelnen das Gute tut, wird er zu einem guten Menschen, wird seine gute Gesinnung gefestigt. Er tut das Gute, *damit* er zu einem guten Menschen wird (*finales* Moralverständnis). Wer aber schon für das Gute entschieden ist, für den hat die sittliche Forderung ihren Forderungscharakter verloren. Sittliche Einzelnormen sind für ihn nicht mehr Forderungen, gegen die er sich sträubt, sondern Weisungen, die ihm angeben, *wie* er konkret das Gute zu tun hat, zu dem er bereits entschlossen ist (sogenannter tertius usus legis). Er ist bereits ein guter Baum, der von selbst gute Früchte bringt. Die einzelnen guten Taten *folgen* aus der schon gegebenen guten Gesinnung (*konsekutives* Moralverständnis). Der Mensch braucht nicht mehr zum Guten aufgefordert, er braucht nur noch über das sittlich Richtige belehrt zu werden. Offenbar vermißt Windisch in der Bergpredigt (außer in Mt 7,17 f) diesen konsekutiven Aspekt der Moral; die Mahnungen und Forderungen der Bergpredigt machen deshalb vermutlich auf ihn einen ‚gesetzlichen‘ Eindruck. Windisch setzt ‚Ethik‘, ‚Forderung‘ und ‚Gesetz‘ in Gegensatz zu ‚Ethos‘, ‚Beschreibung‘ und ‚Gesinnung‘. Wo Gesinnung, wo Ethos vorhanden ist – so will Windisch wohl sagen –, da muß das richtige Handeln nicht mehr gefordert, sondern bloß noch beschrieben werden.

Daß sich finales und konsekutives Verständnis von Moral nicht ausschließen, vielmehr – wie schon angedeutet – zwei Aspekte derselben Sache sind, kann hier nicht eigens gezeigt, soll aber ausdrücklich betont werden. Wo man einseitig den finalen Aspekt betont, stellt man besonders die Leistung des Menschen heraus. Der Mensch scheint es dann in der Hand zu haben, durch das Tun des Guten zu einem guten Menschen zu werden und dadurch sein Heil zu wirken. Ein finales Verständnis scheint keinen Raum mehr zu lassen für das Handeln Gottes, der in uns „das Wollen und das Vollbringen bewirkt" (Phil 2,13), es scheint nicht vereinbar zu sein mit der Rechtfertigungslehre, mit der Tatsache, daß der Mensch aus eigener Kraft das Gute nicht tun und sein Heil nicht wirken kann. Ein einseitig finales Verständnis bekommt nur die Aufgabe des Menschen in den Blick, nicht die Gabe Gottes, nur das Gesetz, nicht das Evangelium; insofern kann man geneigt sein, ein finales Verständnis der Moral als ‚gesetzlich‘ zu bezeichnen.

(11) *Gesetzlich* im Sinne von *werkgerecht*

Durch das Tun des Guten wächst der Mensch zu einem guten Menschen heran. Das gilt für den Menschen, der sittlich noch unentschlossen ist bzw. im Guten noch nicht sehr fortgeschritten ist. Was ist aber mit dem Sünder? Es gibt den Fall, daß der Sünder nur eine scheinbare Bekehrung vollzieht. Er handelt gemäß der sittlichen Forderung, er tut die ‚Werke des Gesetzes‘, aber er vertraut dabei auf seine eigene Kraft, glaubt durch sein Tun vor Gott einen Anspruch zu haben. Er versucht, die ‚eigene Gerechtigkeit‘ (Röm 10,3) aufzurichten und damit von Gottes Gnade unabhängig zu sein. Damit weigert er sich aber, sich als Geschöpf zu verstehen, erkennt er den Schöpfer nicht an. Seine Handlungen mögen untadelig sein, dennoch verfehlt er die sittliche Gesinnung, weil er allein durch seine richtigen Handlungen, durch die ‚Werke des Gesetzes‘ einen Anspruch vor Gott zu haben glaubt. Diese Haltung der ‚Werkgerechtigkeit‘ wird oft auch als ‚gesetzlich‘ bezeichnet. H. Windisch meint diese Haltung in der Bergpredigt entdecken zu können: „Die Bergpredigt ist Gesetz für die Diener und Kinder Gottes, Gottes Wille und Forderung an uns; ganz unzweideutig ist mehrmals eingeschärft, daß nur, wer die Gebote getan hat, im Gericht besteht und ins Reich eingelassen wird. Das Tun und Halten der Gebote ist der Heilsweg".[38] Zweifellos betont die Bergpredigt, es komme auf das Tun des Willens Gottes an (vgl. etwa Mt 7,21). Damit soll aber gesagt sein, die Gesinnung allein reicht nicht, oder richtiger, die Gesinnung ist erst dann echt, wenn sie sich im rechten Tun, in Taten der Liebe äußert. Wenn die Bergpredigt das herausstellt, ist sie deswegen aber nicht „vorwiegend *eschatologische Heils- und Leistungsreligion*"[39], sie verkündet damit noch nicht die Rechtfertigung des Menschen aus seinen Werken, sie ist in dem Sinne nicht ‚gesetzlich‘. Schließlich gibt es in der Bergpredigt ja nicht nur die Mahnung zum Handeln, sondern auch genügend Beispiele von Gesinnungsparänese, etwa die Mahnungen zur rechten Motivation bei Fasten, Beten und Almosen (Mt 6,1–18) oder die Mahnung zum Vertrauen auf die Fürsorge Gottes (Mt 6,19–34). Das ganze Kapitel Mt 6 ist eine Mahnung, nicht auf die eigene Kraft zu vertrauen und sich nicht selbst vor Gott oder vor den Menschen herauszustreichen.

Überblickt man die verschiedenen Verwendungsweisen des Wortes ‚gesetzlich‘, drängt sich wohl die Forderung auf, dieses Adjektiv möglichst zu vermeiden, es in den „theologischen Giftschrank"[40] einzuschließen. Die Problematik dieses Adjektivs liegt nicht bloß in seiner Vieldeutigkeit, sondern auch darin, daß die Bedeutung (11) ‚werkgerecht‘ immer mitassoziiert wird. ‚Gesetzlich‘ wird unter Exegeten und Moraltheologen als negatives Wertungswort gebraucht. Der deskriptive Inhalt (was also abgesehen von der negativen Wertung mit dem Adjektiv ausgesagt ist) kann wechseln, die wertende Komponente dagegen ist festgelegt, nämlich negativ. Ja, manchmal scheint das Wort bloß noch ein negatives Wertungswort zu sein, fast ohne jede deskriptive Bedeutung. So sagt etwa E. Schweizer zu Mt 19,1–12: „Der ganze Abschnitt zeigt, wie wenig Jesus starr gesetzlich ist.

---

[38] Ebd. 131.
[39] Ebd. 130.
[40] Diese Metapher verdanke ich W. Kasper.

Er kann ebenso vom Geheimnis der unauflöslichen Ehe, wie vom Geheimnis der Ehelosigkeit reden".[41] Daß Jesus nicht „starr gesetzlich" ist, heißt hier offenbar nur, daß er keinen beschränkten Horizont hat. Hier ist ‚gesetzlich' fast ein reines Wertungswort. Wo man aber um die richtige Interpretation einer Weisung Jesu ringt, ist ein solches Wertungswort nicht angebracht. Wenn man etwa ein deontologisches Verständnis des Wiederverheiratungsverbotes als ‚gesetzlich' etikettiert, erklärt man es damit nicht bloß für falsch, sondern wirft denen, die es vertreten, darüber hinaus vor, sie verkündeten die Rechtfertigung des Menschen aus seinen Werken. In der Tat sind deontologische Normen leicht einem solchen Mißverständnis ausgesetzt, weil sie den Anschein erwecken, es komme nicht darauf an, die Liebe zu üben, sondern bestimmte Regeln zu beobachten, ein ‚Gesetz' zu erfüllen.[42] Aber diesem Verdacht kann auch der Teleologe, ja das Unternehmen normativer Ethik überhaupt, nicht immer entgehen (wie unter (7) gezeigt). Auffallend ist auch, daß man gegensätzliche Auslegungen des Wortes Jesu gleichermaßen als ‚gesetzlich' anprangert. Eine Auslegung, die den Einzelfall nicht berücksichtigt und keine Ausnahmen macht (2), steht ebenso unter dem Verdikt der ‚Gesetzlichkeit' wie die Auslegung, die den Einzelfall abwägt. So ist es nach V. Eid zu „einer Vergesetzlichung der Stellungnahme Jesu"[43] sowohl durch „pastoral-kasuistische Regelungen"[44] gekommen als auch durch die Umwandlung der Stellungnahme Jesu „in ein übergeschichtliches Wesensgesetz"[45]. Ob die Kirche nun in Sachen Wiederverheiratung unbeugsam oder flexibel ist, in jedem Fall scheint sie der ‚Gesetzlichkeit' zu verfallen.

Hier zeigt sich eine auch sonst zu beobachtende ambivalente Einstellung zu Ausnahmen von einem ethischen Grundsatz. Ausnahmslos gültige Normen machen einerseits den Eindruck von Legalismus und Unmenschlichkeit (im Stil etwa des „Tut nichts, der Jude wird verbrannt" in Lessings ‚Nathan' oder von Joh 19,7: „Wir haben ein Gesetz, und nach diesem Gesetz muß er sterben"), andererseits erwecken sie den Eindruck besonderen sittlichen Ernstes, von ‚Radikalität'.[46] Entsprechend erscheinen Ausnahmen einerseits als Konzessionen, als faule Kompromisse, als Ausdruck von Minimalismus, als Zugeständnis an menschliche Schwäche, andererseits als Zeichen einer menschenfreundlichen, ‚humanen' Sittlichkeit; man mag dabei an Mk 2,27 denken: „Der Sabbat ist für den Menschen da, nicht der Mensch für den

41 E. Schweizer, Das Evangelium nach Matthäus, Göttingen 1973, 250.
42 Vgl. B. Schüller, a. a. O. (Anm. 16) 117–120.
43 V. Eid, a. a. O. 134.
44 Ebd. 134 f.
45 Ebd. 136.
46 Vgl. dazu B. Schüller, Zur Rede von der radikalen sittlichen Forderung: ThPh 46 (1973) 321–341, hier bes. 332–336. Manche der aufgezeigten Bedeutungen von ‚gesetzlich' tauchen, wo sie positiv gewertet werden, unter dem Stichwort ‚radikal' auf.

Sabbat." Von dieser Ambivalenz her ist es zu erklären, daß sowohl die prinzipielle Strenge der Kirche in Sachen Wiederverheiratung als auch die Möglichkeiten zur Annullierung bzw. Auflösung einer Ehe als Ausdruck von ‚Gesetzlichkeit' erscheinen. Die Verwendung des Adjektivs ‚gesetzlich' ist ein Musterbeispiel dafür, wie man an der falschen Stelle Paränese übt. Man weist dem, der anderer Meinung ist, nicht eine falsche Interpretation nach, sondern fordert von ihm die *Bekehrung* von falscher Gesetzlichkeit. Man ist sich dessen nur deswegen oft nicht bewußt, weil man die deskriptive Bedeutung des Wortes ‚gesetzlich' und die negativ-wertende Komponente nicht bewußt unterscheidet. Nur so ist es zu verstehen, daß H. Windisch sich einerseits mit Recht gegen die paulinisierende Exegese der Bergpredigt wendet, nach der die ‚unerfüllbaren' Forderungen der Bergpredigt dem Menschen nur seine Sünde bewußt machen sollen, daß er deswegen aber andererseits die Bergpredigt als ein Dokument der Leistungs- und Verdienstmoral meint identifizieren zu müssen.

Wie es zu der verwirrenden Vielfalt von Bedeutungen des Adjektivs ‚gesetzlich' kommt, ist durch diese Überlegungen teilweise schon aufgezeigt worden. Durch eine kurze Untersuchung des entsprechenden Substantivs ‚Gesetz' läßt sich diese Vielfalt noch besser erklären.

5.1.3.2. Zur Bedeutung des Substantivs ‚Gesetz'

(1) Das Stichwort ‚Gesetz' (tora) ist im Alten Testament von großer Bedeutung. Die fünf Bücher Moses, der für die Juden wichtigste Teil des Alten Testaments, werden unter diesem Titel zusammengefaßt. Da sich im Neuen Testament, besonders bei Paulus, viel Kritik am ‚Gesetz' findet, erliegt der Christ leicht dem Vorurteil, das Alte Testament verstehe sich wesentlich als ‚Gesetz' in dem negativen Sinne, den das Wort bei Paulus häufig hat. Von daher erklärt sich das fast unausrottbare Mißverständnis, im Gegensatz zum Ethos der Liebe im Neuen Testament finde sich im Alten Testament bloß ‚Gesetzesethos', bloß ‚Legalismus',[47] das Alte Testament fordere nicht Liebe aus ganzem Herzen, sondern bloß die Erfüllung bestimmter Vorschriften. Nun zeigt aber besonders die Paränese des Deuteronomiums, daß es der alttestamentlichen Tora nicht bloß um einzelne Vorschriften geht, nicht bloß um das richtige Handeln, sondern gerade auch um die Liebe und den Gehorsam aus ganzem Herzen (vgl. Dtn 6,5). ‚Tora' meint damit also nicht zunächst eine Summe von Einzelvorschriften, sie zielt auch nicht auf ein veräußerlichtes, ‚legalistisches' Ethos,[48] sie umfaßt vielmehr sowohl die

---

[47] Vgl. dagegen vor allem *N. Lohfink*, Liebe. Das Ethos des Neuen Testaments – erhabener als das des Alten?, in: ders., Unsere großen Wörter, Freiburg 1977, 225–240.

[48] Dadurch daß das Alte Testament den ganzen Pentateuch als Tora bezeichnet, faßt es unter dieser

rechte Gesinnung, die Liebe aus ganzem Herzen, wie auch die Forderung bestimmter Taten, in denen sich diese Liebe konkretisieren muß. Dasselbe gilt vom ‚natürlichen Sittengesetz' (es meint den Inbegriff der sittlichen Forderungen, insofern sie der Mensch aus eigener Kraft durch seine Vernunft erkennt): Von diesem ihm durch seine Vernunft gegebenen Sittengesetz weiß sich der Mensch in Gesinnung und Tat gefordert.[49] Sollte man zur Vermeidung von Mißverständnissen auf die Rede von einem moralischen ‚Gesetz' nicht lieber verzichten?[50] Prinzipiell wäre das möglich. Das Wort ‚Gesetz' bringt aber einen wichtigen Aspekt der sittlichen Forderung zur Geltung; es führt nach Kant „den Begriff einer *unbedingten* und zwar objektiven und mithin allgemein gültigen *Notwendigkeit* bei sich, und Gebote sind Gesetze, denen gehorcht, d. i. auch wider Neigung Folge geleistet werden muß".[51] Der Terminus ‚Gesetz' bringt also – mit anderen Worten – den *kategorischen* Charakter der sittlichen Forderung zum Ausdruck. ‚Gesetzliches' Handeln (Denken) in diesem Sinn wäre gleichbedeutend mit ‚moralischem' Handeln (Denken), es wäre ein der sittlichen Forderung gemäßes (sittlich gutes und richtiges) Handeln (Denken).

(2) Man kann bei dem Wort ‚Gesetz' aber auch von der sittlichen Güte abstrahieren; die moralische Gesinnung wird dabei nicht für unwichtig erklärt, sondern lediglich aus den Überlegungen ausgeklammert, wenn theoretische Probleme auf der Ebene des Handelns, also Probleme normativer Ethik, sich ergeben. So zählen etwa vor dem Strafrecht nur die *Taten* des Menschen. Zwar kann, wenn einer sich in guter Absicht gegen die Gesetze vergangen hat, diese gute Absicht sich strafmildernd auswirken, aber allein wegen schlechter Gesinnung wird niemand bestraft. Ein Staat, der bereits die egoistische Gesinnung bestrafte, ohne daß ein Vergehen gegen die Gesetze vorläge, wäre ein schlimme Diktatur. Das Beispiel des Strafrechts zeigt, daß es in bestimmten Fällen erlaubt, ja geboten sein kann, von der sittlichen Gesinnung zu abstrahieren. Ein ‚gesetzliches' Denken in diesem Sinne wäre ein Denken, das nur die Ebene der Handlung, nur die Frage der sittlichen Richtigkeit in Betracht ziehen würde. ‚Gesetzliches' Handeln in diesem Sinne wäre dem Gesetz *gemäßes,* sittlich *richtiges* Handeln, kantisch gesprochen, *legales* Handeln, in Gegensatz zu illegalem, sittlich falschem Handeln. Wer eine Weisung Jesu ‚gesetzlich' interpretiert, würde in diesem Sinne von dem betreffenden Wort Jesu behaupten, es befasse sich mit der sittlichen Richtigkeit einer Handlung bzw. Handlungsweise, also mit Fragen

Bezeichnung die Forderung Jahwes *und* seine Heilstaten zusammen (Gesetz und Evangelium); es gebraucht damit ‚Gesetz' etwa gleichbedeutend mit ‚Bund'.

[49] Vgl. *O. v. Nell-Breuning,* ‚Gesetz', in: W. Brugger (Hrsg.) Philosophisches Wörterbuch, Freiburg [14]1976, 142f, hier 143.

[50] Vgl. etwa *K. Kertelge,* Neutestamentliche Ethik. Ein Literaturbericht: Bibel und Leben 12 (1971) 126–140, hier 128.

[51] *I. Kant,* Grundlegung zur Metaphysik der Sitten, BA 44f.

normativer Ethik (Bedeutung 7). Eine nicht-gesetzliche Deutung würde in demselben Jesuswort Paränese erkennen.

(3) Man kann das Wort ‚Gesetz' auch so gebrauchen, daß vom Geist der sittlichen Forderung, von der Gesinnung, kantisch gesprochen, von der Moralität (im Unterschied zu Legalität) nicht nur abgesehen wird, sondern dieser Geist mißachtet wird. Diese Haltung könnte man mit Recht negativ als ‚Gesetzlichkeit', als ‚Legalismus' qualifizieren. ‚Gesetz' bezeichnet dann den Inbegriff aller sittlichen Handlungsnormen, insofern sie ein bestimmtes *äußeres* Verhalten fordern und insofern sie im Sinne der Selbstgerechtigkeit (Werkgerechtigkeit) mißverstanden werden bzw. mißverstanden werden können. ‚Gesetzliches' Handeln (Denken, Urteilen) in diesem Sinne wäre *bloß* legales, bloß sittlich richtiges Handeln, Handeln ohne die geforderte innere Gesinnung, damit sittlich schlechtes, sündhaftes, unmoralisches Handeln (Denken, Urteilen), obwohl die Handlung sittlich richtig ist. Der Gegensatz wäre in diesem Fall Handeln aus Liebe, aus Achtung vor der sittlichen Forderung, Handeln in der Freiheit der Kinder Gottes, sittlich gutes Handeln.

Wer die vom ‚Gesetz' geforderten Taten vollbringt, ist damit noch nicht gerechtfertigt. Das will Paulus herausstellen. Die Problematik des Gesetzes bei Paulus liegt also nicht im Gesetzesinhalt, nicht in einzelnen Fragen normativer Ethik, sondern in der ‚Gesetzlichkeit', die sich mit dem sittlich richtigen Tun zufriedengibt.[52] Wo es also um *Inhalte* des Gesetzes, um Fragen normativer Ethik geht (wie in 1 Kor 7), taucht das Problem der Gesetzlichkeit gar nicht auf. Ebenso wäre es sinnlos, in diesem Sinn von einem ‚gesetzlichen' Verständnis des Wortes Jesu zu reden. Daß Jesus die Rechtfertigung des Menschen aus seinen Werken gelehrt habe, wird wohl niemand behaupten wollen.

(4) In den ersten drei aufgezeigten Verwendungsweisen wird unter ‚Gesetz' der Inbegriff von Forderungen an das Denken und Handeln des Menschen verstanden. Man kann unter ‚Gesetz' aber auch eine *einzelne* Handlungsnorm verstehen. Versteht man unter ‚Gesetz' eine einzelne *sittliche Regel,* wäre ‚gesetzliches' Denken ein Denken, das allein die Befolgung dieser Regel im Blick hat, nicht das Gute, das dadurch erreicht werden soll; das wäre deonto-logisches Denken (Bedeutung 3).

---

[52] Vgl. *H. Schlier*, Der Brief an die Galater, Göttingen ⁴1965, 179. Auch *W. Joest* (‚Gesetz' VI. Gesetz und Evangelium, dogmatisch, in: RGG³ II 1526–1531) betont, daß das Problem der Gesetzlichkeit nicht ein Problem bestimmter Inhalte des Gesetzes sei: „Auch die wirklichen Gebote Gottes (ja selbst das Liebesgebot) können zum Element von Gesetzesreligion gemacht werden. Das geschieht dann, wenn der Mensch diese Gebote als Aufforderung versteht, aus seiner eigenen Kraft religiöse und sittliche Leistungen zu vollbringen und sich mit diesen Leistungen einen Anspruch auf Gottes Wohlgefallen . . . zu sichern" (ebd. 1527). Andererseits ist es nicht so, „als ob Gott im Zeichen des Evangeliums auf die Erfüllung dessen, was das Gesetz seinem eigentlichen Inhalt nach besagt, verzichtete" (ebd. 1528).

Versteht man unter ,Gesetz' eine *institutionelle* Regel, müßte man unter ,gesetzlichem' Denken ein Denken verstehen, das die Aufrechterhaltung einer Institution und der für sie konstitutiven Regeln zum Inhalt hätte (Bedeutung 4). So kann etwa ein Richter, der ein Urteil über ein Eigentumsdelikt fällen muß, nur nach den für die Institution Eigentum konstitutiven Regeln urteilen; sein Urteil muß den Schutz dieser Institution im Auge haben, selbst wenn er der Meinung sein sollte, die Güter seien in der Gesellschaft, in der er lebt, ungerecht verteilt. Diese Güter anders zu verteilen, die Regeln der Institution Eigentum zu ändern, wäre eine Aufgabe des Gesetzgebers, nicht des Richters. Man kann unter ,Gesetz' auch ein Stück *positiven,* ,gesetzten' Rechtes verstehen. Eine ,gesetzliche' Interpretation eines Wortes Jesu wäre dann ein Verständnis dieses Wortes als positive Anordnung, als Anordnung, die ihren Grund allein in der Autorität Jesu hat (Bedeutung 6).

Die ausführliche Übersicht über die Wörter ,gesetzlich' und ,Gesetz' dürfte hinlänglich gezeigt haben, daß diese Vokabeln zur Interpretation der sittlichen Botschaft Jesu bzw. des Paulus nichts beitragen, daß sie im Gegenteil neue Interpretationsprobleme schaffen, insofern erst herauszufinden ist, was der Exeget bzw. Moraltheologe jeweils unter ,gesetzlich' versteht. Diese Vokabeln verleiten dazu, die Probleme der Rechtfertigungslehre mit den Fragen normativer Ethik zu verwechseln.

5.1.4. Die paulinische Interpretation der Herrenworte in 1 Kor 7,10 ff und 9,14

Wer 1 Kor 7,10–16 auslegen will, steht vor der Frage: Wie verhält sich die Weisung des Paulus zur Weisung Jesu?

Oft – so wurde gezeigt – macht man bei der Interpretation der paulinischen Stellungnahme zum Problem der Ehescheidung die Voraussetzung, die Weisung Jesu betreffs Ehescheidung sei eindeutig. In Wirklichkeit setzt man eine bestimmte Interpretation des Wortes Jesu als richtig voraus. Man will das Wort Jesu und die Interpretation bzw. Anwendung dieses Wortes durch Paulus gegenüberstellen, in Wirklichkeit aber vergleicht man das eigene Verständnis des Wortes Jesu mit dem des Paulus.

Diese Schwierigkeiten ergeben sich im Fall von 1 Kor 9,14 nicht, da die zugrundeliegende Weisung Jesu keine Interpretationsprobleme bietet; deshalb soll das einfachere Beispiel 1 Kor 9,14 hier zuerst betrachtet werden.

Paulus faßt – wie schon gesagt[53] – die Weisung Jesu als Erlaubnis auf: ,,So hat auch der Herr denen, die das Evangelium verkündigen, geboten (διέτα-ξεν), vom Evangelium zu leben." Paulus formuliert nicht etwa, Jesus habe

---

[53] Siehe oben S. 207.

erlaubt (ἐπέτρεψεν), vom Evangelium zu leben. Offenbar war das Wort Jesu, wie es Paulus bekannt war, als Gebot formuliert. Paulus ist aber der Meinung, den Korinthern gegenüber nicht nach diesem Gebot handeln zu sollen. Niemand wird deswegen urteilen, Paulus habe das Wort Jesu eingeschränkt oder praktikabel gemacht. Paulus hat vielleicht dem Buchstaben zuwidergehandelt, aber sicher der Intention Jesu gemäß. Wieso erkennen aber viele im Fall von 1 Kor 7,10–16 eine Differenz zwischen Paulus und Jesus? Dafür kann man meines Erachtens zwei Gründe anführen:

1. Wer Jesu Wort über die Ehescheidung als ausnahmsloses Verbot auffaßt, wird die Lösung des Paulus wie auch die matthäischen Unzuchtsklauseln als Aufweichung empfinden. (Wer dagegen das Wort Jesu im Sinne einer prima-facie-Pflicht interpretiert, dürfte in dem ausnahmslosen Verbot der Wiederverheiratung im Fall christlicher Ehen (V. 11) eine ungebührliche Härte sehen.)

2. In 1 Kor 9,14 entscheidet Paulus so, daß er selber stärker belastet ist, als nach dem Wortlaut der Weisung Jesu von ihm gefordert wäre. Wo aber jemand ein Herrenwort zu seinen Ungunsten interpretiert, kommt er gar nicht erst in den Verdacht, am Herrenwort Abstriche zu machen. In 1 Kor 7,10–16 scheint Paulus dagegen – nicht für sich, sondern für andere – Abstriche zu machen, das Wort Jesu aufzuweichen. Grundsätzlich ist aber festzuhalten: Eine rigorose Interpretation spricht zwar im allgemeinen für den sittlichen Ernst des Interpreten, muß aber deswegen nicht unbedingt richtig sein; eine milde Auslegung kann den Anschein eines faulen Kompromisses erwecken, muß deswegen aber nicht falsch sein. Die Äußerungen des Paulus in 1 Kor 7,10–16 geben jedenfalls keinen Hinweis darauf, daß er seine Interpretation als Einschränkung oder Aufweichung des Herrenwortes oder als Kompromiß mit der rauhen Wirklichkeit aufgefaßt hat. „Jesu Wort wird durch das Verhalten des Paulus nicht eigentlich als depotenziert erfahren oder als aufgelockert verstanden."[54]

Wir können somit nur feststellen: Paulus versucht, das Wort Jesu für seine Situation auszulegen. Ob seine Anwendung des Wortes Jesu diesem gemäß ist, können wir nicht mit letzter Sicherheit beurteilen, da der Sinn des Wortes Jesu nicht eindeutig auszumachen ist. Wenn die Aussage Jesu allerdings klar wäre, wenn Jesus etwa eindeutig Scheidung und Wiederheirat für in jedem Fall sittlich falsch erklärt hätte, wäre für den Christen jede weitere Diskus-

---

[54] *K. Lehmann,* Unauflöslichkeit der Ehe und Pastoral für wiederverheiratete Geschiedene: IKaZ 1 (1972) 355–372, hier 361. Lehmann bemerkt (ebd. 361 f) mit Recht: „Wir müssen wieder das Auge für die Tatsache schärfen, daß in bestimmten Situationen die reale Möglichkeit der Ehescheidung und Wiederverheiratung eingeräumt wird, ohne daß dies grundsätzlich im Sinn einer Aufweichung und Lockerung der uneingeschränkten Forderung Jesu verstanden wird." (Hier wäre lediglich kritisch zu fragen, in welchem Sinn Jesu Forderung als ‚uneingeschränkt' zu bezeichnen ist.)

sion überflüssig. Wenn er nämlich in diesem Fall der Meinung Jesu nicht folgen wollte, würde er dessen Anspruch bestreiten, den Willen Gottes letztgültig zu verkünden. Mit folgender Überlegung kann man sich das klarmachen. Das Wort Jesu an die Syrophönizierin (Mk 7,27) „Laßt zuerst die Kinder satt werden; denn es ist nicht recht, das Brot den Kindern wegzunehmen und den Hunden vorzuwerfen" könnte im Sinn eines ethischen Partikularismus mißverstanden werden, als ob Jesus nur die Angehörigen seines eigenen Volkes, also nur Juden, als seinesgleichen anerkenne, die Angehörigen anderer Völker dagegen als Menschen zweiter Klasse (gleichsam als Hunde) ansehe. Wer solchen Partikularismus ablehnt (die meisten Menschen dürften ihn heute ablehnen) und gleichzeitig der Ansicht wäre, Jesus vertrete einen solchen Partikularismus, müßte den Anspruch Jesu bestreiten, den Willen Gottes authentisch zu verkünden. Diese Überlegung sei noch durch ein weiteres Beispiel verdeutlicht. Angenommen, Jesus hätte eindeutig jede Wiederverheiratung für sittlich unerlaubt erklärt. Wer diese Ansicht rundweg für falsch erklärt, müßte, wie im obigen Fall, den Anspruch Jesu bestreiten. Allerdings widerspricht ein ausnahmsloses Verbot der Wiederverheiratung nicht so diametral unserem heutigen sittlichen Empfinden wie ein ethischer Partikularismus. Wir können eine Anschauung, nach der jede Wiederheirat verwerflich ist, auch nicht mit letzter Sicherheit als falsch erweisen, da bei diesem Problem die Folgen schwer zu überblicken sind. Wir könnten deshalb annehmen, Jesus selber habe eine bessere Einsicht in die Folgen von Scheidung und Wiederheirat; weil diese Folgen insgesamt von Übel seien, habe er jede Wiederheirat für verboten erklärt. Weil wir im allgemeinen der Überzeugung sind, Jesus lege den Willen Gottes richtig aus, würden wir in diesem Fall präsumieren, daß seine Weisung begründet und darum richtig ist, obwohl wir selbst den Grund (noch) nicht einsehen.[55]
Die beiden irrealen Beispiele haben gezeigt: Wer Jesus als authentischen Verkündiger des Willens Gottes anerkennt, geht immer davon aus, daß seine sittlichen Weisungen begründet und prinzipiell einsichtig sind. Nur deshalb können wir es verantworten, dem Buchstaben einer Weisung Jesu zuwiderzuhandeln, wie wir es im Fall des Schwurverbots tun. Wir leisten Eide, obwohl Jesus sagt (Mt 5,34): „Schwört überhaupt nicht!" Man fragt sich bei dieser Aufforderung: Warum soll man Gott nicht zum Zeugen dafür anrufen dürfen, daß man die Wahrheit sagt? Was soll daran so schlimm sein, wo doch Ijob (mit nachträglicher Billigung Gottes) Gott zum Zeugen für seine Unschuld anruft und Paulus Gott zum Zeugen dafür anruft, daß er die

---

[55] Diese Überzeugung formuliert auch *D. Evans* (The Ethics of Jesus and the Modern Mind: Harvard Theological Review 4 (1911) 418–438, hier 421): „We are persuaded that the kind of allegiance Jesus demands is a loyalty based on the conviction that his fundamental moral claims are reasonable and just."

Wahrheit schreibt (Röm 1,9; 9,1 ff; 2 Kor 1,23; Phil 1,8)?[56] Weil uns das nicht einleuchtet, gehen wir selbstverständlich davon aus, daß Jesu Schwurverbot nicht buchstäblich (ausnahmslos) gemeint sein kann. Niemand wird daraus folgern können, das Schwurverbot Jesu sei für uns nicht verbindlich, es ist nur die Frage, wie es zu verstehen ist.

Wo einmal die Autorität Jesu, sein Anspruch, den Willen Gottes authentisch zu verkünden, anerkannt ist, kann es keinen Zweifel mehr darüber geben, ob eine einzelne Weisung Jesu verbindlich ist. Wo, wie im Fall des Scheidungs- und des Schwurverbots, der Sinn einer Weisung Jesu nicht eindeutig zu klären ist, stellt sich nicht das Problem der Verbindlichkeit dieses Wortes, sondern das Problem einer verbindlichen *Interpretation* dieses Wortes Jesu, zum Beispiel die Frage nach der Verbindlichkeit der paulinischen Interpretation in 1 Kor 7,10–16. Damit ist zugleich die Frage nach der Verbindlichkeit der paulinischen Weisungen überhaupt gestellt. Wer nämlich den Anspruch erhebt, die Weisungen Jesu verbindlich zu interpretieren, muß selber eine entsprechende Einsicht in das sittlich Geforderte haben. Wenn also Paulus beansprucht, Jesu Forderung verbindlich zu interpretieren, muß auch seinen eigenen Weisungen eine gewisse Verbindlichkeit eignen. Der folgende Abschnitt soll die Art dieser Verbindlichkeit näher bestimmen.

5.2. Die Verbindlichkeit der sittlichen Urteile des Paulus

Bei den sittlichen Weisungen Jesu – so wurde gezeigt – stellt sich lediglich das Problem der richtigen Interpretation. Interpretationsprobleme gibt es auch bei Paulus, wie die Auslegungsversuche von 1 Kor 7 hinreichend deutlich machen. Es gibt aber auch dem Inhalt nach klare Anweisungen in den paulinischen Briefen, gegen die wir inhaltliche Bedenken haben, zum Beispiel die Mahnung an die Frauen, sich den Männern unterzuordnen (1 Kor 11,2–16; 14,33 b–36). Wir erkennen den Weisungen des Paulus also offenbar nicht die gleiche Verbindlichkeit zu wie den Weisungen Jesu. Anders als Jesus (soweit uns seine Worte in den synoptischen Evangelien überliefert sind) hat sich Paulus auch zu sehr detaillierten Fragen äußern müssen, wie zur Frage der Verschleierung der Frau beim Gottesdienst (1 Kor 11,2–16), zur Frage des Essens von Götzenopferfleisch (1 Kor 8–10), zur Frage der ekstatischen Rede beim Gottesdienst (1 Kor 14). Diese konkreteren Weisungen scheinen am ehesten umstritten zu sein. So legt sich als Faustregel nahe: „Je konkreter die Wertungen und Weisungen materialiter werden, desto mehr muß ihre universale Verbindlichkeit hinterfragt wer-

---

[56] Vgl. dazu *B. Schüller*, Beansprucht die Botschaft Christi eine Zuständigkeit in Fragen des gesellschaftlichen Lebens und seiner Entwicklung? in: Fragen des sozialen Lebens VI, Wien 1969, 16–30, hier 20.

den".[57] Das klingt als Faustregel zunächst ganz plausibel. Eine allgemeinere Weisung des Paulus, etwa die Mahnung, jeder solle selber für seinen Lebensunterhalt sorgen (1 Thess 4,9–12; vgl. 2 Thess 3,6–12), bereitet uns keine Schwierigkeiten, wohl dagegen die Forderung des Schleiertragens. Die obige Faustregel scheint so auf den ersten Blick zuzutreffen; dennoch soll sie an drei Beispielen konkreter Weisung geprüft werden.

1. In der Frage des Götzenopferfleisches urteilt Paulus, man solle kein Götzenopferfleisch essen, wenn der Bruder daran Anstoß nehme (1 Kor 8–10). Ist dieses Urteil des Paulus für uns verbindlich? Wir sind heute von diesem Urteil nicht betroffen, da sich für uns das Problem des Götzenopferfleisches nicht mehr stellt. Vermutlich ist man weithin davon überzeugt, daß Paulus in dieser Frage richtig geurteilt und sein Urteil richtig begründet hat. Wenn wir aber die Argumentation des Paulus akzeptieren, gilt auch für uns, daß man auf das schwache Gewissen des Bruders Rücksicht zu nehmen verpflichtet ist, daß man Ärgernis vermeiden muß (allerdings nicht in jedem Fall, wie Gal 2,11–21 zeigt). Das Urteil des Paulus zur Frage des Götzenopferfleisches hat also für uns *exemplarische* Bedeutung; das von Paulus behandelte Problem ist für uns nicht mehr aktuell, seine Überlegungen zu diesem Problem lassen sich aber auf andere Fälle übertragen. Da ein Christ auch heute zur Rücksichtnahme und zur Vermeidung von unnötigen Ärgernissen verpflichtet ist, behält das Urteil des Paulus durchaus seine Gültigkeit.[58]

2. Anders ist die Ausführung über das Schleiertragen (1 Kor 11,2–16) zu bewerten. Auch dieses Problem stellt sich für uns nicht mehr, einmal weil es (wenigstens in unserem Land) diesen Brauch nicht gibt, zum andern weil uns gerade an dieser Frage die Begründung des Paulus nicht einleuchtet. Deswegen versuchen wir auch nicht, die Gedanken des Paulus auf heutige Probleme betreffs der Emanzipation der Frau zu übertragen. Das einzig überzeugende Argument, das Paulus zu diesem Problem anführt, ist das letzte, der Hinweis auf einen bestehenden Brauch (1 Kor 11,16). Auch hier befiehlt Paulus also Rücksichtnahme (in einer relativ geringfügigen Sache um der Einheit der Kirche willen). Da solche Rücksichtnahme auch für uns geboten sein kann, eignet auch diesem Urteil eine gewisse bleibende Gültigkeit.

3. Die Christen sollen nach Paulus wie „Kinder Gottes ohne Makel mitten

---

[57] *Schürmann*, Modellcharakter 265.
[58] Hier könnte man sinnvoll von einem ethischen ‚Modell‘ sprechen. *J. Blank* (Zum Problem ethischer Normen im Neuen Testament, in: G. Teichtweier/W. Dreier (Hrsg.), Herausforderung und Kritik der Moraltheologie, Würzburg 1971, 172–183, vgl. bes. 180–183) expliziert diese Kategorie an demselben Beispiel. Allerdings leuchtet Blanks Versuch, alle ethischen Äußerungen des Neuen Testaments (etwa die Bergpredigt) als modellhaft zu bezeichnen, nicht ein. Im Fall von Gesinnungsparänese (etwa bei der ersten Antithese) dürfte die Rede von einem ethischen ‚Modell‘ nicht sinnvoll sein, da man dabei wohl eher Handlungs-, Verhaltensmodelle assoziiert. Paränese kann ‚modellhaft‘ sein, aber nicht die sittliche Gesinnung.

in einer verwirrten und verdorbenen Generation" (Phil 2,15) leben. Ähnlich werden sich wohl auch die selbstbewußten Korinther als eine Art Elite verstanden haben. ‚Wenn ihr aber' – so macht Paulus den Korinthern mit Recht deutlich – ‚vor heidnischen Richtern eure Rechtshändel ausfechtet, gebt ihr nicht gerade ein leuchtendes Zeugnis für euren Glauben' (1 Kor 6,1–11). Was dem Zeugnis für Christus widerspricht, das soll unterbleiben – das gilt auch heute. Deswegen sind wir aber nicht der Meinung, Christen dürften in gar keinem Fall miteinander prozessieren. Die Klärung der Rechtslage kann im öffentlichen Interesse liegen. In vielen Fällen kann der einzelne gar nicht allein entscheiden, ob er einen Prozeß führen soll oder nicht (zum Beispiel bei einem Verkehrsunfall). Da außerdem die Christen in unserm Land keine kleine Minderheit sind, ist eine innerkirchliche Schiedsgerichtsbarkeit (außer in Fragen, die das kirchliche Leben selbst betreffen) nicht sinnvoll. In dieser Frage stehen wir also heute in einer grundlegend anderen Situation. Die heutigen Gegebenheiten erfordern ein anderes Urteil.

In allen drei Fällen halten wir die Weisung des Paulus prinzipiell für richtig, allerdings nicht immer seine Begründung, speziell nicht im Fall des Schleiertragens. Erklären wir also, wenn wir betreffs des Rechtsverzichts anders handeln zu müssen glauben, das Urteil des Paulus für unverbindlich? Nein, wir sind lediglich der Meinung, unsere Situation sei von der des Paulus in relevanter Weise verschieden, das heißt so verschieden, daß die unterschiedlichen Umstände damals und heute ein unterschiedliches Verhalten fordern. Eine Weisung des Paulus gilt, wie jedes sittliche Urteil, *ceteris paribus*, unter sonst gleichen Umständen. Wo konkurrierende Gesichtspunkte eine dem Wortlaut der paulinischen Weisung entgegengesetzte Handlungsweise erfordern, wo etwa ein Prozeß unter Christen in einem öffentlichen Interesse liegt, sind diese gleichen Umstände nicht mehr gegeben. Durch das Handeln entgegen dem Wortlaut der Weisung des Paulus wird aber die Verbindlichkeit dieser Weisung in keiner Weise angetastet, wie ja auch Paulus in 1 Kor 9,14 nicht die Verbindlichkeit des Wortes Jesu einschränkt, wenn er – unter anderen Umständen – anders handelt, als Jesus zur Zeit seines Wirkens befohlen hatte.

Die Faustregel, von der wir ausgegangen sind, muß deshalb folgendermaßen präzisiert werden: Ein konkretes Urteil ist, wenn es richtig ist, an sich genauso verbindlich wie ein allgemeines Urteil. Je detaillierter eine Weisung ist, desto größer ist die Wahrscheinlichkeit, daß bei anderer Gelegenheit veränderte Umstände ein vom Wortlaut jener Weisung abweichendes Urteil erfordern. Je detaillierter die vorliegende Weisung den von ihr beurteilten Fall beschreibt, desto mehr kommt es bei der Anwendung dieser Weisung in einer anderen Situation darauf an, die für die Beurteilung relevanten Faktoren richtig einzuschätzen und abzuwägen, desto eher ist aber auch die Gefahr des Irrtums, das heißt einer falschen Anwendung der vorgegebenen Weisung, gegeben.[59]

Manchmal wird darauf hingewiesen, Paulus selbst habe seine Weisungen nicht bloß zeitbedingt verstanden.[60] Ein solcher Hinweis ist zwar nicht uninteressant, trägt aber zur Frage der Verbindlichkeit der paulinischen Weisungen nicht allzuviel bei. Selbst wenn Paulus bei einigen Weisungen nur an die konkrete Situation gedacht hätte, so wäre doch seine Weisung, falls wir sie in dieser Situation für richtig hielten, für alle ähnlichen Situationen gültig.

An dieser Stelle stoßen wir auf ein grundsätzliches Mißverständnis, das sich oft in der Frage nach der Verbindlichkeit der paulinischen Weisungen zeigt. Es soll an folgender Äußerung Schürmanns demonstriert werden: „Wer die universale Verbindlichkeit der genannten (allgemein bleibenden) Mahnungen und Imperative der Neutestamentlichen Schriften leugnen würde, würde die neutestamentliche Heilsbotschaft, in der die Paränese gründet, relativieren".[61] Schürmann könnte der Ansicht sein, nur allgemeine (universale) Urteile seien universal verbindlich. Demnach wäre etwa die Weisung „Jeder leiste den Trägern der staatlichen Gewalt den schuldigen Gehorsam" (Röm 13,1) universal verbindlich, die Mahnung an Timotheus „Einen älteren Mann sollst du nicht grob behandeln" (1 Tim 5,1) dagegen nicht. Das klingt unplausibel. Daß die Mahnung von 1 Tim 5,1 sich an einen einzelnen wendet, schließt nicht aus, daß sie universal verbindlich ist.[62] Warum das so ist, soll an einem simplen Beispiel dargelegt werden. Ich ermahne einen Freund: ‚Du solltest deinen Hund in den Zwinger sperren, damit er nicht ahnungslose Spaziergänger beißt.‘ Diese Mahnung ist zwar an einen einzelnen gerichtet, mit dieser Mahnung gebe ich aber einschlußweise zu verstehen, *jeder* Besitzer eines bissigen Hundes sollte diesen in einen Zwinger sperren. Wenn die leibliche Unversehrtheit eines Spaziergängers im Fall meines Freundes ein hinreichender Grund dafür ist, den bissigen Hund einzusperren, dann ist sie es auch in jedem andern Fall.[63] Wenn die Bekehrung des Onesimos für Philemon ein Grund ist, seinen entlaufenen Sklaven in Güte wiederaufzunehmen, dann muß nach der Meinung des Paulus die Bekehrung

---

[59] Es sei denn, eine Weisung ist so detailliert, daß konkurrierende Gesichtspunkte schon in der Formulierung ausgeschlossen sind. Beispiel: Ich darf niemals einen Menschen töten, bloß weil mir sein Gesicht nicht gefällt.

[60] Vgl. dazu die Ausführungen von *Schrage* (Einzelgebote 37—48) zum Thema: „Sind die Einzelgebote ausschließlich konkret und situationsbezogen?"

[61] *H. Schürmann,* Die Frage nach der Verbindlichkeit der neutestamentlichen Wertungen und Weisungen, in: J. Ratzinger (Hrsg.), Prinzipien christlicher Moral, Einsiedeln 1975, 9—39, hier 29.

[62] Das betont auch *Schrage,* Einzelgebote 179 f; vgl. dort das Kapitel V (117—140) „Die Allgemeingültigkeit der apostolischen Forderungen".

[63] Vgl. dazu R. M. *Hare,* Universalisierbarkeit, in: G. Grewendorf/G. Meggle (Hrsg.), Seminar: Sprache und Ethik, Frankfurt 1974, 198—216.

eines entlaufenen Sklaven für seinen christlichen Herrn immer ein Grund sein, diesen in Güte aufzunehmen. Wer derselben Meinung ist wie Paulus, wer also die Weisung des Paulus an Philemon für richtig hält, anerkennt damit implizit, daß sie in jedem relevant ähnlichen Fall gilt, insofern also universal verbindlich ist. Diese Verbindlichkeit bleibt auch bestehen, wenn es auf der ganzen Welt keine Sklaverei mehr gibt, wenn also niemand mehr von dieser Weisung des Paulus betroffen ist.

Betreffs der Weisungen des Paulus ist die entscheidende Frage also nicht, ob sie konkret oder allgemein sind, situationsbezogen oder nicht, sondern ob Paulus richtig geurteilt hat; wenn er richtig geurteilt hat, sind sie auch verbindlich. Wir sind allerdings nur da gehalten, dem Wortlaut der paulinischen Weisung entsprechend zu handeln, wo unsere Situation der des Paulus in relevanter Weise entspricht. Dies Ergebnis soll nun an 1 Kor 7 erläutert werden.

Die Ausführungen des Paulus im ersten Abschnitt 7,1–7 betreffen allgemein die grundsätzliche Erlaubtheit der Ehe. Daß die Ehe grundsätzlich erlaubt ist, daß sie der Vermeidung von Unzucht dient, wird man im allgemeinen nicht bestreiten; insofern halten wir das Urteil des Paulus für richtig und deshalb für verbindlich. Da Paulus allgemein (nicht für eine besondere Situation) die Erlaubtheit der Ehe feststellt, sind wir auch selbst an dieses Urteil gebunden; es gibt für uns keinen Grund, aus irgendeinem Grund (wegen einer besonderen Situation) die Ehe für unerlaubt zu erklären. Die Ausführungen des Paulus sind nur insofern situationsbezogen, als Paulus auf eine bestimmte Fragestellung antworten muß. Die Art der Fragestellung dürfte (jedenfalls zum Teil) für die nach unserm Empfinden etwas einseitige Argumentation verantwortlich sein. Es steht uns frei, den Wert und die sittliche Erlaubtheit der Ehe anders aufzuzeigen.

Auch gegen die Anordnungen des Paulus in 7,8–16 dürften sich keine grundsätzlichen Bedenken erheben; insofern sind sie auch für uns verbindlich. Die Probleme, die Paulus bespricht, stellen sich auch für uns. Es gibt geschiedene christliche Ehen, es gibt Schwierigkeiten in religionsverschiedenen Ehen; insofern sind wir von den Anordnungen des Paulus in 7,10–16 betroffen. Allerdings ist die Anordnung betreffs der Mischehen nicht ganz klar, da Paulus nicht sagt, ob er im Fall der religionsverschiedenen Ehen eine Wiederheirat des christlichen Partners für erlaubt hält. Wenn nicht, würde Paulus 7,15 f (betreffs der Mischehen) genauso urteilen wie 7,10 f (betreffs der christlichen Ehen). Wenn ja, stellt sich die Frage, aus welchem Grund Paulus die Frage der Wiederverheiratung bei einer christlichen Ehe anders beurteilt als bei einer religionsverschiedenen, worin also der für diese Frage relevante Unterschied zwischen der Ehe zweier Christen und der religionsverschiedenen Ehe liegt. Da Paulus sich darüber nicht äußert, kann der Interpret nur mit Hilfe seiner eigenen Einsicht diesen Grund zu erkennen versuchen. Die kirchliche Praxis geht bekanntlich von der zweiten Interpretationsmöglichkeit aus, daß Paulus die Wiederverheiratung gestattet. Indem die Kirche Paulus so auslegt, gibt sie zu verstehen, daß sie selber aufgrund ihrer *eigenen* Einsicht meint, um des Glaubens willen (in favorem fidei) die Wiederheirat in dem genannten Fall erlauben zu dürfen. Dabei stellt sich sofort die Frage, ob es nicht relevant ähnliche Situationen gibt, in denen ebenfalls um des Glaubens willen eine Wiederheirat gestattet werden sollte. Bis jetzt hat die Kirche im sogenannten Privilegium Petrinum nur eine geringe Anzahl von Situationen als relevant ähnlich anerkannt; die Frage ist heute, ob es nicht noch mehr relevant ähnliche Situationen gibt.

Diese Überlegungen zu 7,10–16 zeigen: Gehorsam gegenüber dem Wort der Schrift und Gehorsam gegenüber der eigenen Einsicht sind nicht unbedingt Gegensätze; besonders da, wo eine Weisung der Schrift nicht eindeutig ist, folgt man sowohl der Schrift als auch der eigenen Einsicht. Auch die Anwendung des Wortes des Paulus auf eine heutige Situation ist eine Sache der eigenen Einsicht. Ob eine gegenwärtige Situation der des Paulus relevant ähnlich ist oder nicht, sagt uns nicht die Schrift, das müssen wir selber beurteilen.

Während man gegen die Urteile des Paulus im ersten Teil von 1 Kor 7 keine grundsätzlichen Bedenken hat, ist man über die Empfehlung der Ehelosigkeit im zweiten Teil dieses Kapitels (V. 25–40) geteilter Meinung. Wer diese Empfehlung der Ehelosigkeit „allein aus der Erwartung des baldigen Endes"[64] erklärt, der kann die Empfehlung des Paulus als für sich irrelevant erklären, da er ihre Voraussetzung, die Naherwartung, nicht teilt. Nun haben aber meines Erachtens die Überlegungen des 3. Kapitels gezeigt, daß die Bevorzugung der Ehelosigkeit allein durch die Naherwartung nicht zu begründen ist. Außerdem führt Paulus in 7,32–35 selbst andere Gründe für seine Empfehlung der Ehelosigkeit an. Aus diesen Darlegungen geht allerdings nicht klar hervor, worin für Paulus genau der höhere Wert der Ehelosigkeit begründet ist. Im 4. Kapitel wurde gezeigt, daß eine mögliche plausible Erklärung der Stellungnahme des Paulus in dem höheren Ausdruckswert der Ehelosigkeit liegt. Damit haben wir faktisch die Stellungnahme des Paulus für richtig und verbindlich erklärt.

Gegen die Grundthese dieses Abschnitts, ein sittliches Urteil des Paulus sei dann verbindlich, wenn es richtig sei, könnte man nun einwenden, diese These sei trivial. Was hier über Paulus gesagt werde, könne von jedem Menschen ausgesagt werden: seine sittlichen Urteile seien für uns dann verbindlich, wenn sie richtig seien; jedes richtige sittliche Urteil sei als solches auch verbindlich. Also hätten wir Paulus überhaupt keine besondere Autorität in sittlichen Fragen zugesprochen.

[64] *Baltensweiler,* Ehe 172.

Diesem Einwand ist in seinem ersten Teil voll zuzustimmen; tatsächlich ist jedes richtige sittliche Urteil auch verbindlich. Die Folgerung, wir sprächen Paulus keine besondere Autorität zu, ist dagegen voreilig. Allerdings ist die Autorität des Paulus durch die bisherigen Darlegungen noch nicht recht in den Blick gerückt worden, weil wir weitgehend nur den Fall betrachtet haben, daß unser eigenes Urteil mit dem des Paulus übereinstimmt. Autorität tritt aber erst da in Funktion, wo keine Übereinstimmung herrscht. Das sei zunächst an einem einfachen Beispiel klargemacht. Angenommen, ich berate mich mit einem Freund darüber, welche Handlung in einer bestimmten Situation von mir gefordert ist. Wenn wir beide zum gleichen Urteil kommen, ist es gut, dann kann mich die Meinung des Freundes nur bestärken. Es könnte aber auch sein, daß mein Freund meint, ich müsse die Handlung A tun, während ich mich selber zu Handlung B verpflichtet glaube. Falls keiner den andern überzeugen kann, werde ich normalerweise meinem eigenen Urteil folgen, auch wenn ich nicht sicher bin, ob mein Freund nicht doch recht hat. Ich könnte mir aber auch sagen: ‚Mein Freund ist klüger, erfahrener als ich; es hat sich schon oft gezeigt, daß er in solchen Fragen schließlich doch recht behalten hat. Da die Wahrscheinlichkeit, daß er recht hat, größer ist als die, daß ich recht habe, folge ich seinem Urteil.‘ In diesem Fall erkenne ich meinem Freund Autorität in sittlichen Fragen zu.

Daß ich ihm Autorität zuerkenne, bedeutet aber nicht, daß ich seinem Urteil in jedem Fall den Vorzug gebe vor meinem. Es könnte sich eine Meinungsverschiedenheit ergeben, bei der ich zu der klaren Überzeugung gelange, er habe unrecht. Ich bin überzeugt, seine Meinung widerlegt zu haben, er sieht es nur nicht ein. Ich folge deshalb meinem eigenen Urteil. In dieser letzten Situation sind wir Paulus gegenüber betreffs der Weisung über die Verschleierung der Frauen; hier halten wir seine Argumentation für fehlerhaft und sein Urteil (soweit es nicht durch die Rücksichtnahme auf einen bestehenden Brauch begründet ist) für falsch.

Die andere Art von Meinungsverschiedenheit mit Paulus haben wir bis jetzt nicht berücksichtigt; sie könnte sich für manchen Theologen bei der Empfehlung der Ehelosigkeit ergeben: er ist über den Wert der Ehelosigkeit anderer Meinung als Paulus, kann aber auch nicht schlüssig beweisen, daß Paulus unrecht hat. Falls er nun Paulus als Autorität in sittlichen Fragen anerkennt, müßte er sich sagen: Im Zweifelsfall, bis zum Beweis des Gegenteils, gilt das Urteil des Paulus. Das gilt erst recht für die Kirche insgesamt: Im Zweifelsfall gilt in sittlichen Fragen das Urteil des Paulus beziehungsweise der Schrift; wer anderer Meinung ist, trägt die Beweislast. Was das konkret bedeuten könnte, sei an einem Zitat von O. Kirn verdeutlicht: „In die Ehe zu treten ist allgemeine sittliche Aufgabe, welche nur da zurückstehen muß, wo besondere Lebensführungen oder nähere Pflichten, sei es der Pietät, sei es des Berufs, sie ausschließen. Wo dies nicht zutrifft, da ist die in christlicher Tugend geschlossene und geführte Ehe ein viel vollkommenerer Stand als die Ehelosigkeit."[65] Wie diese Stellungnahme Kirns zu verstehen ist, ist nicht eindeutig zu klären. Kirn könnte schlicht und einfach sagen: Eine gut geführte Ehe ist besser als eine schlecht gelebte Ehelosigkeit. Das wäre richtig, aber trivial. Falls Kirn aber behaupten sollte, ceteris paribus (das heißt, wenn man in gleicher „christlicher Tugend" gelebte Ehe und Ehelosigkeit vergleicht und wenn nicht irgendeine Verpflichtung den Verzicht auf die Ehe fordert) sei die Ehe das Bessere, würde er der Stellungnahme des Paulus in 1 Kor 7 widersprechen. Paulus erklärt ceteris paribus wohl doch die Ehelosigkeit für das Bessere. Prinzipiell ist es Kirn zwar nicht zu verwehren, in diesem Punkt eine von Paulus abweichende Meinung zu vertreten. Allerdings müßte eine solche Abweichung von der Meinung des Paulus in einer Theologischen Ethik eigens ausdrücklich gerechtfertigt werden. Der Autor müßte erklären, wie er 1 Kor 7,25–40 versteht und warum er (falls er nicht Paulus in seinem eigenen Sinne interpretiert) anderer Meinung ist.

Daß die sittlichen Urteile des Paulus verbindlich sind, daß Paulus in sittlichen Fragen Autorität hat, besagt also: Sein Urteil gilt für den einzelnen Christen und die Kirche insgesamt, es sei denn, es ist als irrig erwiesen.

5.3. Das Autoritätsargument in sittlichen Fragen

Die Frage der Verbindlichkeit der sittlichen Weisungen Jesu und des Paulus wurde bis jetzt anhand der paulinischen Rezeption der Worte Jesu und durch die Untersuchung einzelner sittlicher Urteile des Paulus behandelt. Es bleibt zu fragen, wieweit sich Paulus selber als Autorität in sittlichen Fragen sieht. Davon ausgehend soll auch die Autorität Jesu in sittlichen Fragen noch einmal zur Sprache kommen sowie die Bedeutung von Autoritätsargumenten für ethische Fragen überhaupt dargelegt werden.

Paulus weist in 1 Kor 7 an zwei Stellen darauf hin, daß seine Meinung besonderes Gewicht hat; V. 40 betont er, den Geist Gottes zu haben, in V. 25 qualifiziert er seine γνώμη als die eines πιστός. Wie ist das zu verstehen?

5.3.1. Die auf der moralischen Gesinnung beruhende Autorität

Die Einheitsübersetzung gibt πιστός mit ‚vertrauenswürdig' wieder. ‚Vertrauenswürdig', ‚glaubwürdig' kennzeichnen im Deutschen – so scheint es – einen Mann mit lauterer Absicht. Bei einem solchen Verständnis von πιστός würde Paulus betonen, daß er es ehrlich meint, daß er das Wohl der Korin-

---

[65] O. Kirn, Grundriß der theologischen Ethik, Leipzig ⁶1929, 59.

ther vor Augen hat und nicht sein eigenes, wie er ja V. 35 ausdrücklich herausstellt. Ist mit der lauteren Absicht des Paulus aber auch schon eine gewisse Wahrscheinlichkeit gegeben, daß das Urteil des Paulus zur Frage der Ehelosigkeit *richtig* ist? Zweifellos hat in vielen Fällen die sittliche Güte eines Menschen eine Bedeutung für die Genese sittlicher Einsichten.[66] So bedurfte es eines Mannes von lauterem Charakter wie Sokrates zur Formulierung der Erkenntnis, daß es besser ist, Unrecht zu leiden als Unrecht zu tun. Ohne seine lautere Gesinnung wäre Sokrates wohl nicht zu dieser Einsicht gekommen; dadurch, daß er selbst mit dieser Erkenntnis ernst gemacht hat, hat er vielen anderen diese Wahrheit nahegebracht. Ähnlich scheint es, um den Wert der Ehelosigkeit als religiöser Ausdruckshandlung zu erfassen, einer gewissen existentiellen Aufgeschlossenheit für eine solche Lebensform zu bedürfen, wie wir sie außerhalb des Neuen Testaments etwa bei Epiktet finden. Paulus betont, daß die Christen durch sittliche Erneuerung in die Lage versetzt sind, den Willen Gottes zu erkennen (Röm 12,2), zu prüfen, worauf es ankommt (Phil 1,9). Vor der Rettung durch Christus waren die Menschen sittlich verdorben, aber auch in ihrer Einsicht getrübt (vgl. Röm 1,28.31). Das Leben in den *Begierden* ist nach 1 Petr 1,14 auch ein Leben in *Unwissenheit*.

Allerdings darf man die Bedeutung der moralischen Gesinnung für die Erkenntnis des sittlich Richtigen auch nicht überschätzen. Sie ist, wie schon gesagt, oft eine Bedingung für die *Genese* sittlicher Einsicht; zur *Beurteilung* dieser Einsicht aber zählen nur die Argumente. Bei diffizilen ethischen Fragen, wie etwa im Problembereich Euthanasie, kommt es vor allem auf die richtigen Argumente an. Ob das Liebesgebot auch die Tötung auf Verlangen beinhaltet, kann nur durch Argumente entschieden werden. Vor allem zur Beurteilung sozialethischer Fragen (zum Beispiel betreffs wirtschaftlicher Zusammenhänge) braucht es oft weniger guten Willen als Sachkenntnis. Sittliche Güte und tiefe Frömmigkeit bewahren durchaus nicht immer vor sittlichen Irrtümern (man denke an Bernhard von Clairvaux und seine Kreuzzugspredigten). Daß die ethischen Anschauungen eines lauteren Menschen eher die Vermutung der Wahrheit für sich haben als die eines Opportunisten, gilt zunächst nur ceteris paribus (bei gleicher Sachkenntnis und intellektueller Begabung). Ob sich die moralische Gesinnung auf sittliche Urteile auswirkt, dürfte auch davon abhängen, wie sehr jemand von dem jeweiligen ethischen Problem existentiell betroffen ist. Wo man selber nicht betroffen ist, wo man selber keine unheilbar Kranken zu pflegen hat,

---

[66] Vgl. dazu *B. Schüller,* Die Bedeutung der Erfahrung für die Rechtfertigung sittlicher Verhaltensregeln, in: K. Demmer/B. Schüller (Hrsg.), Christlich glauben und handeln, Düsseldorf 1977, 261–286, bes. 267–273. Wie umgekehrt sittliche Schlechtigkeit die Einsicht vermindert, beschreibt treffend *Augustinus* (De libero arbitrio III 18,52, zitiert nach CChr. SL XXIX 305 f): „id est autem ut qui sciens recte non facit amittat scire quid rectum sit, et qui recte facere cum posset noluit amittat posse uti uelit".

kann man sehr kluge Aufsätze zum Thema Euthanasie schreiben. Wo aber ein egoistischer Mann sich mit einem unheilbar Kranken plagen muß, wird er vielleicht geneigt sein, für Tötung auf Verlangen zu plädieren. Wenn Paulus 1 Kor 7,25 also nur seine moralische Integrität herausstellen würde, hätte ein solcher Hinweis nur eine begrenzte Bedeutung; ein solcher Hinweis ergäbe nur eine gewisse *Wahrscheinlichkeit* für die Richtigkeit seiner Aussagen. Ganz anders im Fall der Paränese. Wer Paränese übt, muß sich vor allem selber unter die sittliche Forderung gestellt wissen. Andernfalls würde er von dem, den er ermahnt, etwas verlangen, was er selber nicht zu geben bereit ist. Er würde von andern Moralität verlangen, um selber besser seinen egoistischen Zielen nachgehen zu können. In seiner ‚Paränese' käme nicht die sittliche Forderung zu Wort, sondern sein Eigeninteresse, das sich zufällig mit den Forderungen der Moral deckt. Sein Versuch, andere mit der sittlichen Forderung zu konfrontieren, wäre Anmaßung, selbst wenn seine Mahnung auf sittlich richtiges Verhalten zielte.

Jemand kann eine Autorität in sittlichen Fragen sein, er kann aber wegen seiner schlechten Gesinnung die Ermächtigung zur Paränese verwirkt haben. Solche Scheinparänese wirft Jesus Mt 23,2 f den Schriftgelehrten und Pharisäern vor, wobei er deren Autorität keineswegs bestreitet: „Auf dem Stuhl des Mose sitzen die Schriftgelehrten und Pharisäer. Darum tut und befolgt alles, was sie euch sagen. Nach ihren Taten aber richtet euch nicht. Denn sie reden, handeln aber nicht danach." Worauf beruht aber nun die Autorität der Schriftgelehrten, wenn sie nicht in ihrer moralischen Gesinnung begründet ist?

5.3.2. Epistemische Autorität

Die Frage nach der Autorität der Schriftgelehrten, nach der Autorität des Paulus in bezug auf sittliche Urteile, ist die Frage nach Autorität in bezug auf eine richtige *Erkenntnis*. Vermutlich assoziiert man mit dem Wort ‚Autorität' zunächst eher jemanden, der befehlen kann, der Gehorsam beanspruchen darf; das wäre *Leitungsautorität*, eine Autorität, die das *Handeln* bestimmt. Hier aber geht es um eine Autorität, die das *Denken* und Urteilen bestimmt. Als Beispiel sei genannt die Autorität des Gerichtsmediziners, der untersucht, wie ein Mensch zu Tode gekommen ist. Auf das Urteil eines oder mehrerer Gerichtsmediziner muß der Richter sich bei seiner Urteilsfindung häufig verlassen; er kann die gerichtsmedizinischen Sachverhalte nicht selber erheben, da er auf diesem Gebiet kein Experte ist. Die Art von Autorität, um die es uns hier geht, ist also die Autorität des *Experten* (*epistemische* Autorität) im Gegensatz zur Autorität des *Vorgesetzten (deontische* Autorität).[67] Wer

---

[67] Diese Termini übernehme ich von *J. M. Bocheński,* Was ist Autorität?, Freiburg 1974, 57–69. 81–90.

berufsmäßig ethische Fragen reflektiert, ein Moraltheologe oder ein philosophischer Ethiker, besitzt die Autorität eines Experten auf diesem Gebiet, hat epistemische Autorität. Wer berufsmäßig die Tora studiert, hat als Schriftgelehrter die Autorität eines Experten. Da Paulus als gesetzestreuer Jude gelebt hat (vgl. Gal 1,13 f; Phil 3,5 f) und sich in der Schrift und in den Überlieferungen der Väter auskennt, hat auch er die Autorität eines Experten. Von seiner Vorgeschichte her besitzt er gegenüber den Christen von Korinth eine überlegene Einsicht. Allerdings kommt diese epistemische Autorität des Paulus als solche kaum zur Sprache. Wo er auf seine Autorität pocht, verweist er auf das *Amt* des Apostels; davon soll im nächsten Abschnitt die Rede sein.

Vorher soll aber noch die Frage erörtert werden, ob wir Jesus solche epistemische Autorität zuschreiben. Daß in der Person Jesu die sittliche Güte in ihrer Vollgestalt verwirklicht ist, ist dem Christen nicht zweifelhaft. Muß der Christ aber dem Zimmermann beziehungsweise Zimmermannssohn (Mk 6,3 parr) Jesus, der keine schriftgelehrte Ausbildung nachweisen kann, auch epistemische Autorität zuerkennen? Besitzt der Mensch Jesus neben vollkommener sittlicher Güte auch vollkommene sittliche Einsicht? Wenn ja, worauf ist diese Einsicht gegründet?

In früheren Überlegungen dieses Kapitels ist schon deutlich geworden, daß Paulus und mit ihm jeder Christ Jesus prinzipiell solche überlegene Einsicht zubilligt.[68] Wenn Jesus sich zur Frage der Jungfrauen (1 Kor 7,25) geäußert hätte, hätte sein Wort Geltung. Da Jesus beansprucht, den Willen Gottes authentisch zu verkünden, kommen wir gar nicht umhin, ihm Einsicht in den Willen Gottes zuzubilligen. Tatsächlich sind aber – wie schon bemerkt – die Weisungen Jesu nicht so detailliert, daß wir uns eigene normative Überlegungen ersparen könnten.[69] Wir kommen in der Regel gar nicht in die Verlegenheit, eine Weisung Jesu befolgen zu müssen, die unserer eigenen Einsicht völlig unzugänglich ist. Wo uns der Wortlaut einer Weisung Jesu nicht einleuchtet (wie im Fall des Schwurverbots), gehen wir selbstverständlich davon aus, daß wir diese Weisung noch nicht richtig verstanden haben.

Daraus folgt: Wir sind immer schon – wenn auch unreflex – der Überzeugung, daß es ein inhaltliches Proprium christlicher Ethik nicht gibt. Solch

---

[68] Siehe oben S. 225 f.
[69] *O. Cullmann* (La Tradition, Neuchâtel 1953, 17) schließt aus 1 Kor 7,25: „Il permet de supposer qu'en principe, il existait dans la paradosis des paroles de Jésus relatives aux questions les plus concrètes de la vie morale, puisque l'apôtre souligne spécialement que, dans ce cas très particulier, il n'a pas de paroles du Seigneur à sa disposition." Allerdings scheinen Paulus diese konkreten Herrenworte nicht bekannt gewesen zu sein, sonst hätte er sich wohl öfter auf sie berufen. Auch in den synoptischen Evangelien finden sich keine Stellungnahmen Jesu zu den ‚konkretesten‘ Fragen der Moral. In Wirklichkeit war die frühe Kirche bei der Lösung solcher Fragen weitgehend auf sich selbst gestellt.

ein inhaltliches Proprium gäbe es nur, wenn wir bestimmte sittliche Weisungen nur aufgrund der überlegenen Einsicht Jesu für richtig hielten, Weisungen also, deren Richtigkeit wir selber nicht begründen könnten, die einem Nichtchristen prinzipiell nicht einsichtig gemacht werden könnten.[70] Diese Überlegungen zur Autorität Jesu in sittlichen Fragen vermitteln uns folgende Erkenntnisse:

1. Wir gehen immer schon mit Selbstverständlichkeit davon aus, daß die Autorität Jesu im Bereich des sittlich Richtigen *maieutische* Funktion hat.[71] Wenn wir die Weisungen Jesu zu verstehen und gegen Zweifel abzusichern versuchen, gehen wir faktisch davon aus, daß sie für uns einsichtig sind. Die Worte Jesu wecken in uns die richtige Einsicht in das sittlich Geforderte; sie verhelfen uns zur *eigenen* Erkenntnis des sittlich Richtigen.

2. Man mag zunächst geneigt sein, in solch maieutischer Funktion von Autorität eine defiziente, minderwertige Form von Autorität zu erblicken. Autorität hat aber grundsätzlich eine *subsidiäre* Funktion.[72] Ceteris paribus ist es besser, wenn ich aus eigener Einsicht urteilen kann und mich nicht auf das Wissen eines anderen verlassen muß. Ceteris paribus ist es besser, wenn man in einer Gruppe oder in der Gesellschaft zu einem einmütigen Entschluß kommt, als wenn man bei Meinungsverschiedenheiten einer Autoritätsentscheidung folgt. Da aber Meinungsverschiedenheiten sich manchmal gar nicht, oft nicht in genügend kurzer Zeit beheben lassen, da man oft gar nicht oder nicht schnell genug Einsicht in einen schwierigen Sachverhalt gewinnen kann, muß man sich einer Autorität anvertrauen. Da ich mir nicht alles Wissen unserer Zeit erwerben kann, muß ich mich in vielen Fragen (etwa über die Risiken der Kernenergie) auf die Fachkenntnis anderer verlassen, in andern Fragen aber (etwa der Schriftauslegung und der Moraltheologie) kann mir die Erkenntnis anderer zu eigener Einsicht und zu einem eigenen begründeten Urteil verhelfen. In jedem Fall ist ceteris paribus die eigene Einsicht das Bessere. Das gilt letzten Endes auch für die Inhalte des Glaubens; in diesem Leben kann ich zwar den Glauben aufgrund des Zeugnisses der Schrift beziehungsweise der Kirche nicht durch Erkenntnis ablösen, dennoch zielt aber der Glaube auf das „Schauen von Angesicht zu Angesicht" (1 Kor 13,12).

3. Die Einsichten, die wir Jesus verdanken (etwa Pflicht zur Feindesliebe, zur Versöhnung, ethischer Universalismus), bieten durchweg keine großen

---

70 Ein inhaltliches Proprium christlicher Ethik läge auch dann vor, wenn es positive sittliche Weisungen Jesu gäbe (siehe oben S. 214). Aber das steht hier nicht zur Debatte.

71 Das gilt nur für die *ethischen* Äußerungen Jesu. Hier soll nicht Lessings Meinung vertreten werden, *alle* Aussagen der Schrift hätten lediglich maieutische Funktion. (So *Lessing* in seiner Schrift „Die Erziehung des Menschengeschlechts" von 1780.)

72 Vgl. B. *Schüller*, Bemerkungen zur authentischen Verkündigung des kirchlichen Lehramts: ThPh 42 (1967) 534–551, hier 540; P. *Knauer*, Der Glaube kommt vom Hören, Graz 1978, 220–236, hier bes. 224.

theoretischen Schwierigkeiten. Sie setzen keine gedanklichen Anstrengungen voraus, sondern existentielle Aufgeschlossenheit, Bereitschaft zur Selbstlosigkeit. Insofern dürfte die überlegene Einsicht Jesu, wie sie sich uns als Lesern beziehungsweise Hörern des Evangeliums zeigt, weitgehend auf seiner sittlichen Vollkommenheit beruhen.[73]

5.3.3. Institutionelle Autorität

Wenn Paulus auf seine Autorität verweist, so wurde schon angedeutet, verweist er nicht auf seine Schriftgelehrsamkeit, also nicht auf seine epistemische Autorität, sondern auf sein apostolisches Amt. Um welche Art von Autorität handelt es sich dabei? Die mit dem apostolischen Amt gegebene Autorität läßt sich nicht durch die Unterscheidung zwischen epistemischer und deontischer Autorität näher kennzeichnen; denn mit der Autorität des Apostels ist offensichtlich beides gegeben. Paulus kann Befehle erteilen, kann positive Regelungen für das Gemeindeleben treffen (man denke an die Kollekte für Jerusalem in 2 Kor 8 f), kann disziplinäre Maßnahmen anordnen (betreffs des Blutschänders in 1 Kor 5). Der Apostel besitzt also ohne Zweifel auch Leitungsautorität.

Bei der Autorität des Apostels handelt es sich um *institutionelle* im Gegensatz zu *natürlicher (persönlicher)* Autorität. Letztere haftet an den natürlichen oder erworbenen Fähigkeiten einer Person, an ihren Führungsqualitäten, an ihrem Wissen, an ihrer Erfahrung; institutionelle Autorität dagegen haftet an einem Amt, an einer Institution, die *unabhängig* von ihrem Träger besteht.

---

[73] Die Zurückhaltung in Einzelfragen normativer Ethik hat *O. Kirn* (Die sittlichen Forderungen Jesu, in: D. Kropatschek (Hrsg.), Biblische Zeit- und Streitfragen, Berlin 1910, 35) treffend kommentiert: „Eine hohe Weisheit liegt aber in dieser Zurückhaltung auch noch in anderer Hinsicht. Denken wir uns, Jesus hätte zugleich das politische und kulturelle Gebiet in den Kreis seiner Anweisungen einbezogen, er wäre zugleich sozialer Gesetzgeber und Pionier der Kultur gewesen, so ist nichts gewisser, als daß er eben damit sein Werk geschädigt, es mit vergänglichen und hemmenden Elementen belastet hätte. Dann ständen in unseren Evangelien nicht bloß Forderungen, deren Erfüllung uns schwer wird, sondern Zumutungen, deren Befolgung für uns, die Kinder einer anderen Zeit, völlig unmöglich ist. Nur so konnte dem Einfluß Jesu auf die Menschheit unvergängliche Dauer gesichert werden, daß er sich gänzlich zurückhielt von dem Gebiet des *geschichtlich Veränderlichen und Wechselnden.* Wo wir im Zusammenhang einer religiösen Denkweise Satzungen rechtlicher und kultureller Art finden, sei es im Gesetz Israels, den Regeln Buddhas, den Aussprüchen Mohammeds, da sind sie stets im Lauf der Jahrhunderte zu Fesseln der Rechts- und Kultur-Entwicklung geworden. Jesus dagegen läßt dieses ganze Gebiet grundsätzlich frei. Als Schöpfungen des Menschengeistes sollen Kultur und Recht sich nach ihren eigenen immanenten Gesetzen entfalten. Jesu Jünger soll hier nicht durch eine autoritative Weisung gebunden sein. Er soll mit eigener Einsicht und freier Anwendung seiner Kraft das Beste zu finden und zu verwirklichen bestrebt sein. So ist für uns diese anscheinend lückenhafte Moral in Wahrheit die vollkommenste, weil sie den Menschen nur an das Ewige und Unveränderliche bindet, während sie die Beurteilung und Gestaltung aller innerweltlichen Lebensverhältnisse freiläßt. Und nicht weil Jesu Moral Weltuntergangsmoral ist, setzt sie sich diese Schranken, sondern weil sie ganz und konsequent nur religiöse Moral ist, darauf bedacht, Menschen zum Anblick des ewigen Gotteswillens emporzuführen.“

So gibt es das Amt des Bundeskanzlers, des Bischofs, auch wenn für eine bestimmte Zeit niemand dieses Amt ausübt (deshalb spricht man von einem ‚vakanten' Bischofssitz).

Den Schriftgelehrten billigt Jesus in Mt 23 nicht nur natürliche epistemische Autorität zu (aufgrund ihres Torastudiums), er anerkennt auch ihre institutionelle Autorität mit dem Hinweis, daß sie auf dem „Stuhl" des Mose sitzen.

Die institutionelle Autorität des Paulus als eines Apostels kommt auch in 1 Kor 7 zur Geltung. Vermutlich weist Paulus in V. 25 nicht auf seine moralische Gesinnung hin, sondern auf seine apostolische Autorität. So interpretiert jedenfalls W. Bauer: „Wenn Paulus 1 Kor 7,25 erklärt, daß der Herr ihn begnadet habe, πιστός zu sein, und darauf seinen Anspruch gründet, respektvoll angehört zu werden, so ist πιστός schwerlich ‚gläubig'..., sondern der Apostel fühlt sich in besonderem Sinne vom Vertrauen des Herrn berufen und beauftragt (πιστός fast wie ein Titel = Vertrauensmann, Beauftragter")[74] In diesem Sinne begegne πιστός in Inschriften, ebenso πίστις als ‚Vertrauensposten'. Vertrauen fordert Paulus also nicht aufgrund persönlicher Qualitäten, sondern aufgrund seiner Berufung zum Apostel. (Daß persönliche und institutionelle Zuverlässigkeit auseinandertreten können, wird im Neuen Testament besonders am Beispiel des Petrus deutlich.) Als von Gott berufener Apostel kann Paulus nicht nur Befehle erteilen, auch seine Meinung gilt etwas; er hat Anspruch, „respektvoll angehört zu werden".

Die institutionelle Autorität des Paulus kommt aber innerhalb von 1 Kor 7 nicht nur in den Versen 25 und 40 zum Ausdruck, wo Paulus selber auf seine Autorität verweist. Daß Paulus verdient, „respektvoll angehört zu werden", daß sein Wort Gewicht hat, anerkennen die Korinther bereits dadurch, daß sie betreffs Ehe und Ehelosigkeit Fragen an Paulus richten. Sie billigen damit seiner Antwort schon *im voraus* besonderes Gewicht zu, sie billigen ihm im Prinzip überlegene Einsicht aufgrund seines apostolischen Amtes zu. Daß die Meinung des Paulus als eines Apostels auch zu diesem Thema Gewicht haben muß, kann man sich an einer einfachen Überlegung klarmachen. Angenommen, eine einflußreiche Gruppe in Korinth hätte sich gegen die sittliche Erlaubtheit der Ehe ausgesprochen. Diese Position hätte, falls sie weitere Anhänger unter den Christen gefunden hätte, für das Leben der korinthischen Gemeinde, für ihr missionarisches Wirken, unter Umständen

---

[74] *Bauer,* Wörterbuch 1318, s. v. πιστός; ebenso interpretiert *U. Wilckens* in seiner Übersetzung (Hamburg/Köln/Zürich ²1971): „Immerhin hat Gott mich ja durch seine Barmherzigkeit (als Apostel) einer Vertrauensstellung gewürdigt." Im Deutschen scheint es kein passendes Adjektiv für eine Person zu geben, auf deren Urteil man sich verlassen kann. Die Adjektive ‚glaubwürdig', ‚zuverlässig' haben eher moralischen Sinn. Wir bezeichnen wohl etwa die *Diagnose* eines Arztes als zuverlässig, wenn wir aber einen *Arzt* als zuverlässig bezeichnen, beziehen wir uns nicht auf sein fachliches Können, sondern auf eine menschliche Qualität (daß man sich auf sein Wort verlassen kann).

auch für die ganze frühe Kirche, eine verhängnisvolle Bedeutung gehabt. In diesem Fall hätte jeder kirchliche Amtsträger Stellung beziehen müssen. Die Fragen normativer Ethik können für die Verkündigung des Glaubens und das Leben der Kirche von großer Tragweite sein. Insofern muß der Kirche auch für die Auslegung des Sittengesetzes prinzipiell der Beistand des Geistes (vgl. 1 Kor 7,40) zuerkannt werden. So billigen auch die Korinther Paulus als einem Apostel eine kraft Amtes überlegene Einsicht zu.[75] Hier zeigt sich eine Eigentümlichkeit institutioneller Autorität innerhalb der Kirche. Andere Träger institutioneller Autorität können befehlen. Das Parlament ist befugt zu beschließen, welche Steuern der Bürger zu zahlen hat. Wo die Abgeordneten sich nicht einig sind, entscheidet die Mehrheit darüber, was zu tun ist. Die Mehrheit beansprucht damit aber nicht, als Mehrheit eine überlegene Einsicht zu haben. Von der Zahl der Stimmen her läßt sich keine praesumptio veritatis begründen. Die Mehrheit gibt deswegen den Ausschlag, weil man bei Meinungsverschiedenheiten durch Diskussion oft nicht zu einer einmütigen Überzeugung kommt, weil man vielmehr eine Entscheidung treffen muß und diese nicht beliebig aufschieben kann. Mit anderen Worten: Die Autorität eines Parlamentes (beziehungsweise der Mehrheit dieses Parlamentes) ist eine rein deontische Autorität. Sie ordnet an, was zu tun ist, läßt aber die Wahrheitsfrage offen. Das gilt auch für andere Träger institutioneller Autorität in Staat und Gesellschaft: ihre Autorität erstreckt sich nicht auf die Wahrheitsfrage. Wo in einem Staat ‚die Partei immer recht‘ hat, handelt es sich um einen totalitären Staat. Institutionelle epistemische Autorität scheint es nur innerhalb der Kirche zu geben, also nur innerhalb einer Institution, die als solche eine institutionelle Kompetenz in bezug auf die Wahrheitsfrage hat, freilich nicht auf jedem Gebiet, sondern betreffs der Botschaft, die sie zu verkünden und zu tradieren hat. Die Autorität des Paulus als eines Apostels in Fragen der normativen Ethik muß demnach als institutionelle epistemische Autorität verstanden werden.[76]

5.4. Paränetische Autorität

Wo es um normative Ethik geht, bemüht man sich um die *Erkenntnis* des sittlich Richtigen. Autorität bezüglich der Beurteilung des sittlich Richtigen

---

[75] Vgl. dazu *H. Schürmann,* Die Gemeinde des Neuen Bundes als der Quellort des sittlichen Erkennens nach Paulus: Catholica 26 (1972) 15–37, bes. 35–37, sowie den Abschnitt „Das Miteinander im Suchen des rechten Weges" bei *Schrage,* Einzelgebote 174–181.

[76] Zu den weiteren sich ergebenden Fragen (ob diese Autorität als grundsätzlich fehlbare anzusehen ist, welchen Nutzen eigentlich nicht-unfehlbare Autorität hat, ob die Autorität der Kirche in Fragen des Glaubens und der Moral gleich oder unterschiedlich zu verstehen ist) vgl. die in Anm. 72 genannten Ausführungen von *B. Schüller* und *P. Knauer.*

muß deshalb als epistemische Autorität diagnostiziert werden. Gibt es Autorität auch im Bereich der Paränese? Wo man Paränese übt, ist – wie gezeigt – die Frage nach dem sittlich geforderten Tun als geklärt vorausgesetzt. Paränetische Autorität braucht also nicht ein Defizit an sittlicher Einsicht auszugleichen. Wer paränetische Autorität besäße, müßte offenbar andere mit Erfolg zum Tun des Guten motivieren können.

Wer Paränese übt, wer andere zum Guten ermahnt beziehungsweise die Bosheit anderer verurteilt, stellt sich damit selber implizit unter die sittliche Forderung; denn worin er den andern richtet, verurteilt er sich selbst, falls er dasselbe tut (vgl. Röm 2,1). Andernfalls wäre seine Paränese eine Anmaßung. Dagegen scheint jeder sittlich lautere Mensch, jeder, der sich selbst unter die sittliche Forderung stellt, Paränese üben zu können. Paulus bestätigt das, wenn er schreibt (Röm 15,14): „Meine Brüder, ich bin fest überzeugt, daß ihr den Willen habt, das Gute zu tun, daß ihr reiche Erkenntnis besitzt und selbst imstande seid, einander zurechtzuweisen." Paulus ermuntert die Römer also zur correctio fraterna untereinander. Aber kann man sich vorstellen, daß ein einzelner römischer Christ eine andere christliche Gemeinde ermahnt, wie es Paulus gegenüber den Römern (vgl. Röm 15,15), wie es die römische Gemeinde im 1. Klemensbrief den Korinthern gegenüber tut? Vermutlich nicht ohne weiteres. Nicht jeder, der ein überzeugendes Beispiel christlichen Handelns gibt, hat damit schon das Charisma eines Propheten (wie etwa eine Katharina von Siena). Das muß nicht ein Mangel sein. Das gelebte Beispiel mancher Menschen kann eine eindrucksvolle Mahnung sein; es braucht von ihrer Seite keine Paränese in Worten. Nicht jeder sittlich lautere Mensch scheint also zu *verbaler* Paränese befähigt zu sein.

Beim Problem paränetischer Autorität ginge es demnach offenbar um die Frage: Wer ist zu *verbaler* Paränese befähigt?

Um verbale Paränese üben zu können, muß wohl zur lauteren Gesinnung etwas hinzukommen, zum Beispiel institutionelle Autorität. Paulus hat als Apostel, die römische Gemeinde als Gruppe institutionelle Autorität. Wenn die in Taizé versammelten Jugendlichen als ‚Konzil der Jugend' einen ‚Brief an das Volk Gottes' schreiben, sprechen sie sich mit dieser Selbstbezeichnung eine Art institutioneller Autorität zu.

Ein Johannes XXIII. konnte verbale Paränese üben kraft der institutionellen Autorität des Petrusamtes, ein Jimmy Carter sich für die Menschenrechte einsetzen als Präsident der USA. Auch die Stellung des Vaters und der Mutter beinhaltet institutionelle Autorität. Eltern können ihren eigenen Kindern gegenüber verbale Paränese üben, fremden Kindern gegenüber aber mindestens nicht in der gleichen Weise.

Gegenüber dem bisher Gesagten erhebt sich die Schwierigkeit, daß auch die schon genannte correctio fraterna eine Form verbaler Paränese ist. Es wäre merkwürdig, wollte man jedem, der solche brüderliche Zurechtweisung übt,

paränetische Autorität zusprechen. Autorität hat man aufgrund einer natürlichen oder institutionellen Überlegenheit über andere. Es wäre merkwürdig, wollte man sittliche Güte, die zu realisieren und in der zu wachsen jeder
Mensch kategorisch verpflichtet ist, als eine Form von Überlegenheit über
andere deuten. Zwar wird verwirklichte sittliche Güte oft als ein Sieg expliziert (vgl. 1 Joh 2,14), aber dieser Sieg ist vor allem Sieg über das Böse in
einem selber, nicht Überlegenheit anderen gegenüber.

Der Unterschied zwischen einer correctio fraterna und der Zurechtweisung
durch einen Träger paränetischer Autorität wird gut deutlich in der Perikope
Mt 18,15–17. Man soll den Bruder, der gesündigt hat, zunächst unter vier
Augen zurechtweisen. Wenn er nicht hört, soll man zwei oder drei Zeugen
hinzuziehen. Wozu? J. Schmid erklärt den Sinn dieser Bestimmung so: „Der
Sinn und Zweck ihrer Beiziehung ist nicht der, den Schuldigen durch eine
Mehrzahl von Belastungszeugen zu überführen . . ., sondern . . . der, die
Autorität des Mahnenden zu erhöhen und dadurch der Zurechtweisung
größeren Nachdruck zu geben."[77] Die Zeugen sollen also der Mahnung zur
Umkehr mehr Nachdruck verleihen. Aber warum diese Zwischenstufe?
Warum soll man nicht nach dem Gespräch unter vier Augen die Sache vor
die ganze Gemeinde tragen? Die Antwort liegt auf der Hand: Nach Möglich-
keit soll der Sünder nicht vor der ganzen Gemeinde beschämt werden.

Warum die öffentliche Zurechtweisung die ultima ratio bleiben muß, dafür
lassen sich zwei Gründe angeben:

1. Da es dem Menschen vielfach Vergnügen bereitet, über die Fehler anderer zu reden, könnte jemand leicht aus unlauteren Motiven, unter Umständen aus Rachsucht, einen anderen bei der Gemeinde anschwärzen. Deshalb
ordnet auch die Sektenregel von Qumran (1 QS V 25–VI 1) die vorherige
Zurechtweisung vor Zeugen an. Die Damaskusschrift (CD IX 2–4) sagt:
„Und jeder Mann von denen, die in den Bund eingetreten sind, der gegen
seinen Nächsten eine Sache vorbringt, ohne ihn vor Zeugen zurechtgewie-
sen zu haben, oder der in grimmigem Zorn sie vorbringt oder sie seinen
Ältesten erzählt, um ihn verächtlich zu machen, der ist einer, der sich rächt
und Groll bewahrt."[78]

2. Die Mahnung zur Umkehr erhält von der ersten bis zur dritten Stufe
immer mehr Gewicht. Je größeres Gewicht die Mahnung hat, desto ent-
schiedener muß der Sünder, falls er nicht umkehren will, der Mahnung
widerstehen. Mit dem Gewicht der Mahnung wächst das existentielle Engagement des Sünders, der an seiner Sünde festhält. Die öffentliche Zurechtweisung hat also entweder die Umkehr des Sünders oder seine Verstockung
zur Folge. Von daher ist es gerade im Interesse des Sünders gefordert, bei der

---

[77] *J. Schmid,* Das Evangelium nach Matthäus, Regensburrg ⁵1965, 272.
[78] Zitiert nach *E. Lohse* (Hrsg.), Die Texte aus Qumran, Hebräisch und Deutsch, Darmstadt 1964.

notwendigen Zurechtweisung nicht gleich das schwerste Geschütz aufzufahren. Niemand soll vorschnell zum ‚Heiden oder Zöllner' gemacht werden.

Wo ist nun bei den drei Formen der Zurechtweisung paränetische Autorität anzusetzen? Sinnvollerweise wohl bei der dritten. J. Schmid spricht zwar in der Einzahl von der ‚Autorität' des Mahnenden, man sollte aber wohl besser – wie wir es formuliert haben – vom größeren *Gewicht* reden, das die Mahnung des einzelnen durch die Zuziehung der Zeugen erhält. Aus der Anordnung des Matthäusevangeliums wird außerdem deutlich, daß paränetische Autorität – soweit es um Zurechtweisung durch institutionelle Autorität geht – subsidiären Charakter hat. Sie tritt erst da in Aktion, wo andere Formen der Zurechtweisung nichts gefruchtet haben. Sie darf erst dann in Aktion treten, weil die Weigerung des Sünders ihr gegenüber dessen ‚Bindung' (Mt 18,18), das heißt Exkommunikation, zur Folge hat.

Paulus bestätigt auf seine Weise die subsidiäre Funktion seiner paränetischen Autorität als Apostel, wenn er den Römern zubilligt, sie seien selbst imstande, einander zurechtzuweisen (Röm 15,14). Er weist sie deshalb auch nicht zurecht, sondern ruft ihnen nur einiges in Erinnerung (Röm 15,15). Wenn er auch die Gemeinde nicht zurechtzuweisen braucht, so ist damit doch seine Paränese, insofern sie Motivation zu sittlichem Handeln ist, nicht überflüssig;[79] auch der zum Guten Entschlossene (der keiner Zurechtweisung bedarf) bedarf ja der Ermunterung zum sittlichen Handeln.

Paränetische Autorität ist also – das ist das Ergebnis der bisherigen Überlegungen – als die Ermächtigung zu verbaler Paränese zu verstehen, aber nicht jede verbale Paränese ist autoritativ.

Zur moralischen Integrität muß etwas dazukommen, damit jemand zu verbaler Paränese befähigt ist; das kann auch epistemische Autorität sein. Die moralische Integrität eines Thomas Morus war über jeden Zweifel erhaben; er war aber gleichzeitig ein hochgelehrter Mann. Das gleiche gilt heute für einen A. Sacharow. Sein Wort hat deshalb Gewicht, wie das Reden und Schweigen des Thomas Morus zu seiner Zeit Gewicht hatte. Das Wort eines Roger Schutz hat Gewicht, da er einerseits als ein in geistlichen Dingen erfahrener Mann (um das Wort ‚Experte' hier zu vermeiden) eine Art epistemischer Autorität hat, gleichzeitig aber als Prior einer innerhalb der Ökumene nicht unbedeutenden Mönchsgemeinschaft Träger institutioneller Autorität ist. Als eine Art epistemischer Autorität ist wohl auch die Vorrangstellung der alten Menschen zu betrachten. Aufgrund ihrer längeren Lebenserfahrung hatte ihr Wort immer besonderes Gewicht.[80] Es scheint

[79] Gegen *E. Käsemann* (An die Römer, Tübingen ²1974, 373), der mit Lietzmann meint: „Die gesamte Paränese wäre überflüssig, wollte man den Vers wörtlich nehmen".
[80] Ein großartiges Beispiel dafür sind die Paränesen des Nestor in der Ilias 1, 254–284; 7, 124–160; 11, 656–803. Dazu äußert *W. Schadewaldt* (Iliasstudien, Leipzig ²1943 [Neudruck Darmstadt

aber, daß in unserer schnellebigen Zeit die lange Lebenserfahrung von geringerem Wert ist; deswegen hat die Stimme der alten Menschen an Gewicht verloren. Es gibt aber noch andere Merkmale paränetischer Autorität. Ignatius schreibt den Ephesern (3,1): „Ich befehle euch nicht, als wäre ich jemand. Denn wenn ich auch Fesseln trage im Namen [sc. Jesu Christi], so bin ich noch nicht vollendet in Jesus Christus. Denn jetzt fange ich an, ein Jünger zu werden und rede zu euch wie meinen Mitschülern." Ignatius hat zwar als Bischof institutionelle Autorität. Aber derselbe Ignatius, der dieses Amt so hoch einschätzt, betont doch, erst wer seinen Glauben in einer außerordentlichen Situation (Verfolgung, Martyrium) bewährt habe, sei eigentlich zur Paränese legitimiert. Ignatius fängt immerhin an, ein Jünger zu werden, er beginnt, die Bewährungsprobe, den Echtheitsbeweis für seinen Glauben zu erbringen. Umgekehrt sieht sich der Verfasser des Hebräerbriefes ermächtigt und gefordert zur Paränese, weil die Adressaten „im Kampf gegen die Sünde noch nicht bis aufs Blut widerstanden" (Hebr 12,4) haben. Die Adressaten haben Paränese nötig, der Verfasser selber scheint dagegen bereits ‚kampferprobt' zu sein.

Die bis jetzt genannten Merkmale paränetischer Autorität finden sich auch bei Paulus. Gegen seine Gegner, die ihm solche Autorität absprechen, die etwa auf seine schwache Redebegabung verweisen (2 Kor 10,10 f), muß er seine Legitimation erweisen. Er stellt seine Lauterkeit und Uneigennützigkeit heraus (1 Kor 4,14; 7,35; 9,14; 2 Kor 6,6; 11,9; 12,14–18), seine Vorbildlichkeit (Phil 3,17), er ist in den Schriften bewandert (Gal 1,13 f), geistlich erfahren (2 Kor 12,1–4), er hat Verfolgungen und Drangsal ertragen (2 Kor 6,4–10; 11,22–33), und er ist schließlich Apostel wie die Zwölf (Gal 1,10–24), Mitarbeiter Gottes (2 Kor 6,1), er hat die ἐξουσία (2 Kor 10,8), die Gemeinde aufzuerbauen.

5.5 Die Paränese des Paulus

Was paränetische Autorität im allgemeinen ausmacht, findet sich auch bei Paulus. Die Paränese des Paulus hat aber auch ihr individuelles Gesicht. Deshalb soll die Paränese des Paulus in diesem Abschnitt noch näher charakterisiert werden. Für diesen Aufweis eignet sich 1 Kor 7 nicht so sehr; es wird deshalb auf andere Stellen, besonders Röm 12,1 f, Bezug genommen.

1966], 19): „Der Greis mit dem schneeigen Haar und dem jugendstarken Herzen ist das verkörperte Gewissen des Achaierheers. Er ist der Mahner, in dem die größere Vorzeit ihre Stimme erhebt, wenn die Jugend zu versagen droht."

5.5.1. Das Subjekt der Paränese

Am Beginn des paränetischen Abschnitts des Römerbriefs (Röm 12,1) spricht Paulus die Römer ausdrücklich als ‚Brüder' an. „Wo vom Mahnen in solchen Zusammenhängen die Rede ist, da stellt sich der Gedanke an die apostolische Vaterschaft und an die Bruderschaft der Gemeinde, an die *familia dei* ein."[81] Daß Paulus sich als *Vater* der Gemeinde, aber auch als *Bruder* unter Brüdern äußert, ist für das Verständnis seiner Paränese aufschlußreich. Der Gedanke der Bruderschaft dürfte dabei grundlegend sein. Auch als Träger paränetischer Autorität bleibt Paulus Bruder unter Brüdern, da er unter der gleichen sittlichen Forderung, unter dem gleichen Anspruch der Botschaft Jesu steht wie etwa die Christen von Rom. Genau das haben wir als conditio sine qua non für paränetische Autorität erkannt, daß der Mahnende sich selber sittlich gefordert weiß,[82] daß er „im Wissen um die Furcht des Herrn" (2 Kor 5,11) mahnt.

Alle Glieder einer christlichen Gemeinde sind zunächst *Adressaten* von Paränese, zunächst *Hörer* des Wortes. Insofern gilt: „Ihr alle seid Brüder" (Mt 23,8), ‚nur einer ist euer Meister und Herr'. Nur wer sich selbst als Adressat von Paränese versteht, kann paränetische Autorität haben. An sich beruht zwar Autorität auf natürlicher oder institutioneller Überlegenheit,[83] für den, der Paränese übt, muß aber das gemeinsame Stehen unter dem Anspruch Gottes im Vordergrund des Bewußtseins stehen. Durch die Bruder-Anrede wird diese Gemeinsamkeit zum Ausdruck gebracht. Paulus ermahnt aber nicht nur als Bruder unter Brüdern, sondern auch als *Vater* der Gemeinde. Er ist zum Vater etwa der Gemeinde von Korinth geworden, weil er ihnen das Evangelium verkündet und so die korinthische Gemeinde ins Leben gerufen hat (vgl. 1 Kor 4,15). Paulus erinnert die allzu selbstbewußten Korinther daran, daß sie sich nicht selber das neue Leben in Christus verschafft haben, sondern es von ihm, Paulus, empfangen haben (1 Kor 4,7). Zwar sind beide, die Korinther und Paulus, zunächst Beschenkte. Auch von Paulus gilt: „Was hast du, was nicht empfangen wäre?" (1 Kor 4,7). Den-

---

[81] *H. Schlier,* Die Eigenart der christlichen Mahnung nach dem Apostel Paulus, in: ders., Besinnung auf das Neue Testament, Freiburg 1964, 340–357, hier 342.

[82] Nach 1 Thess 4,1 ist die Mahnung zugleich Bitte. Dadurch wird nach *H. Schlier* (Der Apostel und seine Gemeinde, Freiburg 1972, 61) zum Ausdruck gebracht, „daß dieser Befehl nicht etwa auf einem persönlichen Anspruch beruht, auch nicht eine Aufforderung des Apostels als des Herrn der Gemeinde ist, sondern der bittende Anruf und Aufruf dessen, der obwohl Apostel und geistliche Autorität, ... doch auch jetzt als Bruder zu den Brüdern spricht".

[83] Man versteht hier ‚Autorität' am besten so, wie *M. Weber* ,Herrschaft' definiert, als „die Chance, für einen Befehl bestimmten Inhalts bei angebbaren Personen Gehorsam zu finden" (*M. Weber,* Wirtschaft und Gesellschaft, Köln ⁵1964, 38). Die Frage nach paränetischer Autorität wäre also nicht eine Frage nach Überlegenheit, sondern die Frage: Wer findet am ehesten Gehör? Dabei spielt natürlich eine bestehende Überlegenheit eine Rolle. Aber gerade die Tatsache, daß ein Überlegener sich unter dieselbe sittliche Forderung gestellt weiß, macht wohl die Wirksamkeit seiner Paränese aus.

noch ist Paulus den Korinthern gegenüber der Gebende (nur durch seine Vermittlung haben sie den Glauben empfangen), wie im Verhältnis zwischen Eltern und Kindern die Eltern die Gebenden, die Kinder die Empfangenden sind (vgl. 2 Kor 12,14 f).[84] Wer wie ein Vater gibt, ohne daß ihm seine Mühen entsprechend vergolten werden, der erweist seine moralische Gesinnung, seine uneigennützige Haltung. Paulus weist 1 Kor 4,8–13 auf die Mühen und Leiden hin, die die Verkündigung des Evangeliums mit sich bringt. Nicht als ob man erst dann wahrhaft moralisch wäre, wenn man solche Mühen und Leiden auf sich nehmen muß. Aber diese Mühen und Leiden sind ein Kriterium dafür, daß die Treue des Paulus zum Evangelium und seine Liebe zu den Korinthern echt sind. Wenn Paulus sich als ‚Vater‘ der Gemeinde bezeichnet, betont er damit seine offenkundige lautere Gesinnung.

Paulus unterscheidet die Funktion des Vaters von der des παιδαγωγός, der nur beschämt (1 Kor 4,15), dem im Grunde an seinen Zöglingen nichts liegt (Gal 3,24); deshalb kommt er nicht mit Strenge, nicht mit dem Stock, sondern mit Liebe und im Geist der Sanftmut (1 Kor 4,21). Er will die Korinther auch nicht bloßstellen, wie es einem παιδαγωγός in den Sinn kommen könnte. Der Hinweis auf seine apostolischen Mühen und Leiden soll die Korinther nicht niederdrücken, sondern ihnen seine selbstlose Liebe vor Augen führen. Ein selbstlos liebender Vater ist natürlich besonders betroffen durch das Verhalten mißratener Söhne, wie es die Galater sind; sie bereiten ihm Schmerzen, wie das ungeborene Kind einer Mutter in Geburtswehen Schmerzen bereitet (Gal 4,19).

Die Mahnung des Paulus ergeht Röm 12,1 διὰ τῶν οἰκτιρμῶν τοῦ θεοῦ. Wie ist hier die Präposition διά zu verstehen? Nennt Paulus hier ein Motiv zur Befolgung seiner Mahnungen? Eher ist wohl das Erbarmen Gottes als das eigentliche Subjekt der Mahnung anzusehen. Paulus würde dann die Mahnung, die durch das Erbarmen Gottes ergeht, nur weitervermitteln.[85] Präpositionale Formeln mit διά kommen bei Paulus öfter vor; die ausführlichsten sind Röm 12,1; 15,30; 1 Kor 1,10; 2 Kor 10,1. Bjerkelund weist darauf hin, daß Röm 12,1 und 2 Kor 10,1 Substantive gebraucht werden, „die in den heiligen Schriften als Attribute Gottes vorkommen“.[86] Er sieht deshalb in diesen Ausdrücken eine Art Beschwörungsformeln. Daß die Vulgata παρακαλῶ oft mit ‚obsecro‘ übersetzt (z. B. Röm 12,1), spricht

---

[84] Vgl. dazu E. Neuhäusler, Der Bischof als geistlicher Vater, München 1964, 22–30. Wenn der Verfasser des 1 Joh die Adressaten sowohl als ‚Brüder‘ (2,7; 4,1.7) wie auch als ‚Kinder‘ (2,18; 3,7) anredet, mahnt er ebenfalls als Vater und Bruder.

[85] So H. Schlier, a. a. O. (Anm. 81) 343 f; ders., Vom Wesen der apostolischen Ermahnung, in: ders., Die Zeit der Kirche, Freiburg ⁴1966, 74–89, hier 78–82; A. Grabner-Haider, Paraklese und Eschatologie bei Paulus, Münster 1968, 47–49; W. Thüsing, Per Christum in Deum, Münster 1965, 170–174. Auch Epiktet (Diss III 1,36) versteht seine Paränese als von Gott her ermächtigt.

[86] C. J. Bjerkelund, Parakalô, Oslo o. J., 164, vgl. dort 162–168.

für ein solches Verständnis. Eine beschwörende Mahnung richtet man an einen anderen, wenn der Inhalt der Mahnung besonders wichtig ist (vgl. etwa Gen 24,3), besonders wenn der Angeredete die Wichtigkeit der Sache nicht vor Augen hat und anders zu handeln droht. Wenn Paulus nun beim Erbarmen Gottes (Röm 12,1) oder „kraft der Huld und Güte Christi" (2 Kor 10,1)[87] beschwört, beteuert er, daß er nicht in seinem eigenen Namen redet, daß er nicht seine eigenen Interessen vertritt, sondern die Forderung eines andern ausrichtet. Diese Interpretation wird bestätigt durch 2 Kor 5,20: „Wir sind also Gesandte an Christi Statt, und Gott ist es, der durch uns mahnt. Wir bitten an Christi Statt: Laßt euch mit Gott versöhnen!" Jeder, der zum Guten mahnt, verkündet anderen die Forderung Gottes. Das gilt aber besonders für den Apostel wie für den Träger kirchlicher Autorität überhaupt. Sein Amt ist das Amt eines Gesandten, sein Beruf ist es, den Auftrag des Sendenden zu Gehör zu bringen. Insofern ist jeder Träger kirchlicher Autorität in besonderem Maße zur Paränese legitimiert. Dieser Gesichtspunkt wird pointiert bei Ignatius herausgestellt (Ign Tr 13,2): „Lebt wohl in Jesus Christus, untertan dem Bischof wie dem Gebot" [sc. Gottes]. In dem Gegenüber zwischen Bischof und Gemeinde wird für Ignatius so das Gegenüber von Gott und Menschen abgebildet (vgl. bes. Ign Mg 6,1).[88]

5.5.2. Das Ziel der Paränese

Paulus mahnt die Römer (12,1): „euch selbst als lebendiges und heiliges Opfer darzubringen, das Gott gefällt". Paränese zielt also, wie schon im 1. Kapitel bemerkt,[89] auf die Selbsthingabe, auf bedingungslose sittliche Güte, auf vollkommenen Gehorsam. Selbst wo Paränese zu einer bestimmten Handlung mahnt, steht nicht die Richtigkeit der Handlung zur Debatte, sondern soll in dieser Handlung der vollkommene Gehorsam geübt werden, die sittliche Güte sich bestätigen und wachsen. „Das Erbarmen Gottes mahnt zum Opfer. Das Erbarmen Gottes fordert unser Leben. Und zwar nicht so, daß wir etwas davon zurückbehalten, sondern so, daß wir es Gott zur Verfügung stellen und selbst keine Verfügung mehr darüber haben. Und es will unser Leben so, daß wir sein Opfer vor Augen stellen und es nicht in der Verborgenheit des Innerlichen lassen ... Das Opfer, zu dem das Erbarmen Gottes mahnt, ist ein Opfer der realen Existenz."[90]

---

[87] So übersetzt *U. Wilckens* (vgl. Anm. 74).

[88] Vgl. *E. Neuhäusler*, a. a. O. (Anm. 84) 55–84.

[89] Siehe oben S. 34. 39 f.

[90] *H. Schlier*, Vom Wesen der apostolischen Ermahnung, in: ders., Die Zeit der Kirche, Freiburg ⁴1966, 74–89, hier 82 f.

5.5.3. Der Vollzug der Paränese

Die Paränesen des Paulus werden vor allem mit dem Verbum παρακαλῶ eingeleitet. Wie schon bemerkt, setzt dieses Verbum ein freundliches Verhältnis voraus und drückt die Zuneigung dessen aus, der um den Ermahnten besorgt ist.[91] „Es bezeichnet nämlich weder die argumentierende, noch die eigentlich belehrende Art der Verkündigung, sondern eine eindringliche, zu-, an- und herbeirufende Form der Predigt."[92]

5.5.4. ‚Paränese‘ oder ‚Paraklese‘?

Schlier und Grabner-Haider haben gefordert, man solle statt von ‚Paränese‘ von ‚Paraklese‘ reden, da παραινέω im Neuen Testament kaum und παραίνεσις überhaupt nicht vorkomme.[93] Grabner-Haider reserviert deshalb ‚Paränese‘ für außerbiblische Mahnungen.

Wie man eine Sache benennt, ist an sich ziemlich gleichgültig; daß das zugrundeliegende Wort im Neuen Testament nicht vorkommt, bedeutet noch nicht, daß die Benennung ‚Paränese‘ sachlich unangemessen ist. Dennoch wird in diesem terminologischen Streit auf einen wichtigen Sachverhalt aufmerksam gemacht. Das Verbum παρακαλῶ setzt, wie gesagt, freundschaftliche Verbundenheit voraus, es bezeichnet die aufmunternde Mahnung, es kann auch die Bedeutung ‚trösten‘ haben (die Vulgata übersetzt 1 Thess 5,11 mit ‚consolari‘). Unter ‚Paränese‘, wie sie in dieser Arbeit verstanden wird, fällt aber auch die Droh- und Scheltrede, die Ankündigung des Gerichtes. Schlier und Grabner-Haider wollen vielleicht darauf aufmerksam machen, daß die *Paränese* des Neuen Testaments vor allem *Paraklese,* das heißt positive Paränese ist. Jesus ist anders als der Täufer nicht in erster Linie der Verkünder des kommenden Gerichts. Die Mahnungen des Paulus wollen vor allem im Guten bestärken. Paulus ist ja nicht Zuchtmeister, der beschämen muß (1 Kor 4,14), sondern der Vater, der sich um die Seinen sorgt und sie aufrichtet.

Damit ist nicht gesagt, Gerichtsparänese sei unchristlich. Die Paränese des Paulus richtet sich in erster Linie an Gerechtfertigte, an solche, die Vergebung der Sünden erlangt haben und damit grundsätzlich auf den Willen Gottes ausgerichtet sind. Dadurch, daß etwa die Korinther Paulus nach dem sittlich richtigen Verhalten fragen, zeigen sie ja, daß sie den Willen Gottes erfüllen wollen. Je mehr jemand dem Willen Gottes gleichförmig wird, desto mehr verliert die sittliche Forderung ihren Forderungscharakter, desto mehr

---

[91] Vgl. ebd. 75; *C. J. Bjerkelund,* a. a. O. (Anm. 86) 188.

[92] *H. Schlier,* a. a. O. (Anm. 90) 77.

[93] *H. Schlier,* a. a. O. (Anm. 81) 340 Anm. 2; *A. Grabner-Haider,* a. a. O. (Anm. 85) 4f (dort werden noch andere Autoren genannt, die diese Forderung erheben).

sind die einzelnen Gebote der normativen Ethik hilfreiche Wegweisung, desto mehr hat die an ihn ergehende Paränese den Charakter der Paraklese,[94] desto weniger ist Gerichtsparänese erforderlich.

5.6. Die Paränese Jesu

Wie Paulus den Anforderungen, die an paränetische Autorität gestellt werden, genügt, wurde gezeigt. Läßt sich in dieser Weise auch die paränetische Autorität Jesu interpretieren? Daß bei Jesus die conditio sine qua non, nämlich sittliche Güte, gegeben ist, zeigt sich zunächst in seinem *irdischen Wirken*. Seine Weisungen machen beispielhaft deutlich, was sittliche Güte heißt, in seinen Taten wird sittliche Güte anschaulich. Jesus hat aber auch den Erweis dieser sittlichen Güte gegeben. Er „war gehorsam bis zum Tod, bis zum Tod am Kreuz" (Phil 2,8), er hat seinen Gehorsam in der extremen Situation des *Kreuzes* bewährt. Was solcher Erweis sittlicher Güte bedeutet, formuliert der Hebräerbrief (5,8): „Obwohl er Sohn war, hat er durch Leiden den Gehorsam gelernt." Es handelt sich hier natürlich nicht um ein intellektuelles, sondern um ein existentielles Lernen. Ob ich wirklich gehorsam bin, ob meine moralische Gesinnung echt ist, das wird nicht nur für die andern, sondern auch für mich selbst erst erfahrbar, das ,lerne' ich erst in der Situation extremer Belastung, wo mein Gehorsam mir nur noch zum Nachteil gereicht. An Leiden und Tod Jesu erweist sich nicht nur für uns die vollkommene sittliche Güte Jesu, sondern auch für ihn selbst; insofern ,lernt' er Gehorsam.[95] Jesus hat nach den Worten des Hebräerbriefs Gehorsam gelernt, „obwohl er Sohn war". Er, der es nicht nötig hatte, hat freiwillig seinen Gehorsam unter Beweis gestellt. Wenn unter Menschen jemand, der eine gewisse Überlegenheit besitzt (besondere Begabung oder auch institutionelle Autorität), nicht den starken Mann spielt (vgl. die Versuchung Jesu), sondern sich deutlich unter die an alle ergehende sittliche Forderung stellt, so liegt darin ein besonderer Impuls, das Gute zu tun. Da der Überlegene immer weniger auf das moralische Verhalten anderer angewiesen ist als der Schwache, sieht man seinem Verhalten die Selbstlosigkeit eher an. Bei einem Schwachen würde ein Plädoyer für Moralität leicht als Ausdruck von Eigeninteresse verstanden und deshalb abgelehnt werden. (Ein Kranker kann schlecht Ärzte und Pflegepersonal zu selbstlosem Dienst ermahnen.) Die *freiwillige* Erniedrigung Jesu ist deshalb ein Motiv zu sittlichem Handeln. Die *Präexistenz*aussage ist also für die Kennzeichnung der paränetischen Autorität wichtig,

---

[94] Vgl. *B. Schüller*, Gesetz und Freiheit, Düsseldorf 1966, 166–192.
[95] Zu dem Wortspiel ἔμαϑεν – ἔπαϑεν vgl. *W. Michaelis*, in: ThWNT V 905 (s. v. πάσχω κτλ.).

249

insofern der, der wie Gott war, wie ein Sklave das Joch des Gehorsams auf sich genommen hat (vgl. Phil 2,6–8), „dem Gesetz unterstellt" (Gal 4,4) wurde.[96] Seit Ostern ist Jesus „eingesetzt als Sohn Gottes in Macht" (Röm 1,4). Auch die *Auferstehung* Jesu ist wichtig für die Charakterisierung seiner paränetischen Autorität. Die *,Macht'* des Auferstandenen unterstreicht aber wohl nicht (wie im Fall der Präexistenz) die Selbstlosigkeit Jesu, sondern eher die Gewißheit, daß das Gute siegt. Der Auferstandene ist – biblisch gesprochen – Sieger über Tod und Teufel (vgl. Hebr 2,14).

Gerade die Unausweichlichkeit des Todes macht dem Menschen deutlich, daß auch vollkommene sittliche Güte nicht zum Glück, nicht zur Erfüllung seiner Sehnsüchte führt, daß – kantisch gesprochen – die Maxime der Tugend nicht die Ursache der Glückseligkeit ist.[97] Insofern kann die Furcht vor dem Tode nicht nur eine Mahnung zum sittlichen Gehorsam sein im Sinne des Memento mori, sondern auch eine Versuchung zum Ungehorsam nach dem Motto: „Wenn Tote nicht auferweckt werden, dann laßt uns essen und trinken, denn morgen sind wir tot!" (1 Kor 15,32). Die Auferweckung Jesu bedeutet die Befreiung von dieser Knechtschaft des Todes (vgl. Hebr. 2,15). Jesus ist auch endgültiger Sieger über den Teufel, insofern er nicht mehr der Versuchung, nicht mehr der Schwachheit unterworfen, sondern „auf ewig vollendet ist" (Hebr 7,28). Auch das gehört nach Kant zum höchsten Gut, „die *völlige Angemessenheit* der Gesinnungen zum moralischen Gesetze"[98]; zur Vollendung ist erforderlich, daß nichts mehr im Menschen dem Willen zum Guten entgegensteht. Da im auferstandenen Jesus die kantische Antinomie der praktischen Vernunft aufgehoben ist, da der gehorsame Jesus des höchsten Gutes teilhaftig ist, da er als „Hoherpriester der künftigen Güter" (Hebr 9,11) für alle, die an ihn glauben, die Vollendung erwirkt hat, ist gerade die Paränese des Auferstandenen vollendete Paraklese, Ermutigung und Tröstung. Der Sieger über den Tod ist aber auch der Richter. Jetzt, da der Tod besiegt ist, ist Ungehorsam um so verwerflicher. Insofern geht vom Sieger über den Tod auch eine besonders scharfe Warnung und Drohung aus (vgl. die Sendschreiben der Apokalypse). Nach dem Hebräerbrief (Hebr 12,1 f) verhilft der „Aufblick zu dem Urheber und Vollender des

---

[96] Diese Überlegung hilft auch – wie mir scheint –, die Perikope vom Weltgericht (Mt 25,31–46) besser zu verstehen. Wer hungert, dürstet, arm, nackt usw. ist, hat zwar einen moralischen Anspruch auf Hilfe, seiner Bitte um Hilfe fehlt aber jede paränetische Autorität, weil er allein in eigenem Interesse bittet. Der Notleidende, der einen anderen auffordert, ihm (dem Notleidenden) gegenüber seine sittliche Pflicht zu erfüllen, vertritt, auch wenn seine Forderung moralisch berechtigt und er selber ein lauterer Mensch ist, faktisch sein Eigeninteresse. Wenn aber der, der es nicht nötig hat, der keine Not leidet, die Sache des Armen zu seiner eigenen macht, verleiht er dadurch der Bitte des Armen paränetische Autorität. Das tut Jesus, wenn er sagt (Mt 25,40): „Was ihr für einen meiner geringsten Brüder getan habt, das habt ihr für mich getan."
[97] Vgl. *I. Kant,* Kritik der praktischen Vernunft, A 204.
[98] Ebd. A 220.

Glaubens", zum erhöhten Jesus Christus, dazu, „mit Ausdauer in dem Wettkampf" zu laufen, der uns bestimmt ist. In seinem Tod hat Jesus seine vollkommene sittliche Güte erwiesen, in seiner Auferweckung erlangt er die Vollendung, auf die das sittliche Bemühen der Menschen eigentlich ausgerichtet, die für den Menschen aber dennoch nicht erreichbar ist. Für den an Christus Glaubenden ist diese Vollendung im Auferstandenen geschehen. In der Nachfolge des Auferstandenen wird es ihm leichter, die Mühen des ‚Wettkampfes' auf sich zu nehmen, den alles sittliche Bemühen darstellt.

Abkürzungsverzeichnis

Die Abkürzung der Bücher der *Bibel* erfolgte gemäß den Loccumer Richtlinien von 1972.

Die für *antike* und *urchristliche Autoren* verwendeten Abkürzungen entsprechen dem Abkürzungsverzeichnis des Theologischen Wörterbuches zum Neuen Testament (hrsg. von G. Kittel/G. Friedrich). Für *Zeitschriften* und *Reihen* wurden die Abkürzungen des von S. Schwertner bearbeiteten Abkürzungsverzeichnisses der Theologischen Realenzyklopädie (hrsg. von G. Krause/G. Müller) verwendet. Die *Kommentare zum 1. Korintherbrief* sind (wie im Literaturverzeichnis vermerkt) mit dem Zunamen des Verfassers zitiert.

Andere abgekürzte Literatur findet sich im Literaturverzeichnis unter A, B und D.

Folgende Abkürzungen seien der leichteren Orientierung wegen noch einzeln erwähnt:

Bill.	(H. L. Strack)/*P. Billerbeck,* Kommentar zum Neuen Testament aus Talmud und Midrasch, 4 Bde, München 1922–1928
Ep	Epistula
Rehkopf, Grammatik	*F. Blaß/A. Debrunner,* Grammatik des neutestamentlichen Griechisch, bearbeitet von *F. Rehkopf,* Göttingen [14]1976
SVF	*Stoicorum* Veterum Fragmenta, ed. J. von Arnim, 1903–1924 (Nachdruck Stuttgart 1964)

Literaturverzeichnis

A. Texte (Quellen und Übersetzungen)

1. Bibel

Biblia Hebraica, ed. R. Kittel, Stuttgart [12]1961
Septuaginta, ed. A. Rahlfs, 2 Bde., Stuttgart [8]1965
Biblia Sacra iuxta *Vulgatam* versionem, ed. R. Weber, 2 Bde., Stuttgart [21]1975
Novum Testamentum graece, ed. E. Nestle et K. Aland, Stuttgart [25]1963
Einheitsübersetzung der *Heiligen Schrift,* Stuttgart 1972 (Neues Testament) bzw. 1974
   (Altes Testament)
Das *Neue Testament,* übs. u. kommentiert von U. Wilckens, Hamburg/Zürich [21]1971

2. Frühjüdisches, antikes und frühchristliches Schrifttum

Altjüdisches Schrifttum außerhalb der Bibel, übs. von P. Rießler, Darmstadt [21]1966
Die *Apostolischen Väter* (griechisch und deutsch), hrsg. von J. A. Fischer, Darmstadt
   [5]1966 (= Schriften des Urchristentums I)
Aristotelis Ethica Nicomachea, ed. I.Bywater, Oxford [16]1975
Aristoteles, Nikomachische Ethik, übs. von F. Dirlmeier, Stuttgart 1969
Ders., Die Bücher der Redekunst, in: Aristoteles II, übs. von A. Stahr, 3. Aufl., Berlin
   o. J.
Augustinus, In Epistulam Ioannis ad Parthos Tractatus X, in: ders., Opera omnia
   III 2, Paris 1841, 1977 – 2062
Ders., De libero arbitrio, in: CChr. SL XXIX 211 – 321
(H. L. Strack)/*P. Billerbeck,* Kommentar zum Neuen Testament aus Talmud und
   Midrasch, Bd. 1 – 4,München 1922 – 28 (Abk.: Bill.)
Cicero, De finibus bonorum et malorum, with an English Translation by H. Rackham,
   Cambridge (Mass.)/London [4]1951
Ders., Vom höchsten Gut und größten Übel. De finibus bonorum et malorum, übs.
   von R. Kühner, München o. J. (Abk.: Cicero, Fin)
Ders., De officiis, De virtutibus, ed. K. Atzert, Leipzig [4(3)]1963
Ders., Vom pflichtgemäßen Handeln. De officiis, übs. von K. Atzert, 3. Aufl.,
   München o. J.
Epictetus, The Discourses as reported by Arrian, The Manual and Fragments, with an
   English Translation by W. A. Oldfather, 2 Bde., Cambridge (Mass.)/London [5]1967
   ([4]1966) (Abk.: Epiktet, Diss)
Epiktet, Handbüchlein der Ethik, übs. von E. Neitzke, Stuttgart 1958 (zitiert als:
   Epiktet, Encheiridion)

Johannes Chrysostomus, Homilia XIX in Epistolam primam ad Corinthios, in: PG 61, 151–160

C. Musonii Rufi Reliquiae, ed. O. Hense, Leipzig 1905

Philonis Alexandrini opera quae supersunt, ed. L. Cohn/P. Wendland, Berlin 1896–1962

Philo von Alexandria, Die Werke in deutscher Übersetzung, hrsg. von L. Cohn u. a., Berlin ²1962–64

Platon, Werke in acht Bänden (griechisch und deutsch), hrsg. von G. Eigler, Darmstadt 1970 ff

Seneca, Philosophische Schriften (lateinisch und deutsch), hrsg. von M. Rosenbach, Darmstadt 1969 ff

Ders., Philosophische Schriften IV, übs. von C. Apelt, Leipzig 1924

Ders., Ad Lucilium epistulae morales, ed. L. D. Reynolds, Bd. II, Oxford 1965

Ders., Briefe an Lucilius, hrsg. von E. Glaser-Gerhard, Bd. II, Hamburg ²1968 (Abk.: Seneca, Ep)

Stoicorum Veterum Fragmenta, ed. J. von Arnim, 1903–24 (Nachdruck Stuttgart 1964) (Abk.: SVF)

Die Texte aus *Qumran* (hebräisch und deutsch), hrsg. von E. Lohse, Darmstadt 1964

Xenophontis opera omnia, ed. E. C. Marchant, Bd. II (Commentarii, Oeconomicus, Convivium, Apologia Socratis), Oxford ²1921 (Neudruck 1955)

Xenophon, Erinnerungen an Sokrates, übs. von R. Preiswerk, Stuttgart 1971 (zitiert als: Xenophon, Memorabilien)

B. Allgemeine Hilfsmittel

Bauer, W., Griechisch-Deutsches Wörterbuch zu den Schriften des NT und der übrigen urchristlichen Literatur, Berlin ⁵1958 (Abk.: Bauer, Wörterbuch)

Blaß, F./Debrunner, A., Grammatik des neutestamentlichen Griechisch, bearbeitet von F. Rehkopf, Göttingen ¹⁴1976 (Abk.: Rehkopf, Grammatik)

Der große *Brockhaus,* Leipzig ¹⁵1933

Brugger, W., (Hrsg.), Philosophisches Wörterbuch, Freiburg ¹⁴1976

Denniston, J. D., The Greek Particles, Oxford ²1959

Dictionnaire de la spiritualité, ascétique et mystique. Doctrine et histoire, hrsg. von M. Viller u. a., Paris 1932 ff (Abk.: DSp)

Enciclopedia Cattolica, 12 Bde, Vatikanstadt 1948–54

The Encyclopedia of Philosophy, hrsg. von P. Edwards, 8 Bde, New York/London ²1972

Encyclopedia of Religion and Ethics, hrsg. von J. Hastings, 12 Bde, Edinburgh/New York ²1925–34 (Abk.: ERE)

Handbuch theologischer Grundbegriffe, hrsg. von H. Fries, 2 Bde, München 1962 f (Abk.: HThG)

Historisches Wörterbuch der Philosophie, hrsg. von J. Ritter/K. Gründer, Darmstadt/Basel 1971 ff (Abk.: HWP)

Kraft, H., Clavis Patrum Apostolicorum, Darmstadt 1963

Lexikon der Alten Welt, hrsg. von C. Andresen u. a., Zürich 1965

Lexikon für Theologie und Kirche, 2., völlig neu bearbeitete Auflage, hrsg. von J. Höfer/K. Rahner, 10 Bde und 3 Erg.-Bde, Freiburg 1957–68 (Abk.: LThK² bzw. LThK.E)

Liddell, H. G./Scott, R., A Greek-English Lexikon, Oxford ⁹1940 (Reprinted 1948)

Moffat, J., An Introduction to the Literature of the New Testament, Edinburgh ³1918 (Reprinted 1961)

Paulys Realencyclopädie der classischen Altertumswissenschaft. Neue Bearbeitung von C. Wissowa, 15 Supplementbände, Stuttgart 1963–1978 (Abk.: PWS)

Reallexikon für Antike und Christentum, hrsg. von Th. Klauser, Stuttgart 1950 ff (Abk.: RAC)

Die Religion in Geschichte und Gegenwart, 2. Auflage, hrsg. von H. Gunkel/ L. Tscharnak, 5 Bde, Tübingen 1927–1931; 3. Auflage, hrsg. von K. Galling, 6 Bde, Tübingen 1957–62 (Abk.: RGG² bzw. RGG³)

Sacramentum Mundi. Theologisches Lexikon für die Praxis, hrsg. von K. Rahner/ A. Darlap, 4 Bde, Freiburg 1967–1969 (Abk.: SM)

Schmoller, A., Handkonkordanz zum griechischen Neuen Testament, Stuttgart ¹³1963

Shipley, J. T., Dictionary of World Literary Terms, London ²1979

Theologisches Handwörterbuch zum Alten Testament, hrsg. von E. Jenni/C. Westermann, 2 Bde, München/Zürich ³1978 (I) ²1979 (II) (Abk.: THAT)

Theologisches Wörterbuch zum Neuen Testament, hrsg. von G. Kittel/G. Friedrich, 9 Bde, Stuttgart 1933–73 (Abk.: ThWNT)

Thesaurus Graecae Linguae, ed. H. Stephanus, 9 Bde, ²1831–1865 (Neudruck Graz 1954)

Τσουκανᾶ, Α., Νέον ῞Ελληνο – Γερμανικὸν Λεξικόν, ᾿Αϑῆναι ο. J.

Vielhauer, Ph., Geschichte der urchristlichen Literatur. Einleitung in das Neue Testament, die Apokryphen und die Apostolischen Väter, Berlin 1975

Wikenhauser, A./Schmid, J., Einleitung in das Neue Testament, Freiburg ⁶1973

C. Kommentare

1. *zum 1. Korintherbrief* (nur mit dem Zunamen des Verfassers zitiert)

Allo, E.-B., Première Épître aux Corinthiens, Paris 1934 (in: EtB)

Bachmann, Ph., Der erste Brief des Paulus an die Korinter, Leipzig ³1921 (= KNT VII)

Barrett, Ch. K., A Commentary on the first Epistle to the Corinthians, London 1968 (in: BNTC)

Bousset, W., Der erste Brief an die Korinther, Göttingen ³1917 (= SNT II)

Conzelmann, H., Der erste Brief an die Korinther, Göttingen 1969 (= KEK V)

Fascher, E., Der erste Brief des Paulus an die Korinther I, Berlin 1975 (ThHK VII 1)

Grosheide, F. W., Commentary on the first Epistle to the Corinthians, London ²1954 (in: NLC)

Heinrici, G., Der erste Brief an die Korinther, Göttingen ⁷1888 (= KEK V)

Héring, J., La première Épître de Saint Paul aux Corinthiens, Neuchâtel 1949 (= CNT VII)

Moffat, J., The first Epistle of Paul to the Corinthians, London ⁸1954 (in: MNTC)

Robertson, A./Plummer, A., A Critical and Exegetical Commentary on the first Epistle of St. Paul to the Corinthians, Edinburgh ⁵1953 (in: ICC)

Schlatter, A., Paulus, der Bote Jesu. Eine Deutung seiner Briefe an die Korinther, Stuttgart 1934

Weiß, J., Der erste Korintherbrief, Göttingen 1910 (= KEK V)

Wendland, H.-D., Die Briefe an die Korinther, Göttingen ¹⁰1964 (= NTD 7)

2. zu anderen biblischen Büchern

Brox, N., Die Pastoralbriefe, Regensburg 1969 (= RNT 7,2)

Bultmann, R., Der zweite Brief an die Korinther (hrsg. von E. Dinkler), Göttingen 1976 (= KEK Sonderband)

Conzelmann, H., Der Brief an die Epheser, in: J. Becker/H. Conzelmann/G. Friedrich, Die Briefe an die Galater, Epheser, Philipper, Kolosser, Thessalonicher und Philemon, Göttingen 1976 (= NTD 8)

Dibelius, M., Der Brief des Jakobus, Göttingen⁵ 1964 (= KEK XV)

Ernst, J., Der Brief an die Epheser, in: ders., Die Briefe an die Philipper, an die Kolosser, an die Epheser, Regensburg 1974 (in: RNT)

Gnilka, J., Der Philipperbrief, Freiburg 1968 (= HThK X 3)

Käsemann, E., An die Römer, Tübingen ²1974 (= HNT 8 a)

Klostermann, F., Das Lukasevangelium, Tübingen ²1929 (= HNT 5)

Michel, O., Der Brief an die Hebräer, Göttingen ⁶1966 (= KEK XIII)

Mußner, F., Der Jakobusbrief, Freiburg 1964 (= HThK XIII 1)

Rad, G. von, Das fünfte Buch Mose. Deuteronomium, Göttingen ²1968 (= ATD 8)

Schlier, H., Der Apostel und seine Gemeinde. Auslegung des ersten Briefes an die Thessalonicher, Freiburg 1972

Ders., Der Brief an die Galater, Göttingen ⁴1965 (= KEK VII)

Ders., Der Römerbrief, Freiburg 1977 (= HThK VI)

Schnackenburg, R., Die Johannesbriefe, Freiburg ⁵1975 (= HThK XIII 3)

Ders., Das Johannesevangelium, 3. Teil, Freiburg 1975 (= HThK IV 3)

Schmid, J., Das Evangelium nach Matthäus, Regensburg ⁵1965 (= RNT 1)

Stuhlmacher, P., Der Brief an Philemon, Zürich/Neukirchen-Vluyn 1975 (in: EKK)

D. Abgekürzt zitierte Literatur

Allmen, J.-J. von, Maris et femmes d'après Saint Paul, Neuchâtel/Paris 1951 (= Cahiers Théologiques 29) (Abk.: von Allmen, Maris et femmes)

Baltensweiler, H., Die Ehe im Neuen Testament, Zürich 1967 (= AThANT 52) (Abk.: Baltensweiler, Ehe)

Bartchy, S. S., ΜΑΛΛΟΝ ΧΡΗΣΑΙ. First Century Slavery and 1 Corinthians 7:21, Missoula (Montana) 1973 (SBL Dissertation Series 11) (Abk.: Bartchy, Slavery)

Bjerkelund, C. J., Parakalô. Form, Funktion und Sinn der parakalô-Sätze in den paulinischen Briefen, Oslo o. J. (= Bibliotheca Theologica Norvegica 1) (Abk.: Bjerkelund, Parakalô)

Blinzler, J., Zur Auslegung von I Kor 7,14, in: ders. u. a. (Hrsg.), Neutestamentliche Aufsätze. Festschrift für J. Schmid, Regensburg 1963, 23–41 (Abk.: Blinzler, Auslegung)

Braun, H., Die Indifferenz gegenüber der Welt bei Paulus und bei Epiktet, in: ders., Gesammelte Studien zum Neuen Testament und seiner Umwelt, Tübingen 1962, 159–167 (Abk.: Braun, Indifferenz)

Ders., Exegetische Randglossen zum 1. Korintherbrief: Theologia Viatorum (1948/49) 26–50 (Abk.: Braun, Randglossen)

Chadwick, H., ,All Things to All Men': NTS 1 (1954/55) 261–275 (Abk.: Chadwick, ,All Things to All Men')

Delling, G., Nun aber sind sie heilig, in: Gott und Götter. Festgabe für E. Fascher. Berlin o. J., 84–93 (Abk.: Delling, Nun aber sind sie heilig)

Ders., Paulus' Stellung zu Frau und Ehe, Stuttgart 1931 (= BWANT 4. Folge 5) (Abk.: Delling, Stellung)

Doughty, D. J., Heiligkeit und Freiheit. Eine exegetische Untersuchung der Anwendung des paulinischen Freiheitsgedankens in 1 Kor 7, Diss. Göttingen 1965 (Abk.: Doughty, Heiligkeit)

Harder, G., Miszelle zu 1 Kor 7,17: ThLZ 79 (1954) 367–372 (Abk.: Harder, Miszelle)

Hierzenberger, G., Weltbewertung bei Paulus nach 1 Kor 7. Eine exegetisch-kerygmatische Studie, Düsseldorf 1967 (Abk.: Hierzenberger, Weltbewertung)

Hurd, J. C., The Origin of 1 Corinthians, London 1965 (Abk.: Hurd, Origin)

Jeremias, J., Zur Gedankenführung in den paulinischen Briefen, in: Studia Paulina. Festschrift für J. de Zwaan, Haarlem 1953 (Abk.: Jeremias, Gedankenführung)

Kümmel, W. G., Verlobung und Heirat bei Paulus (1 Kor 7,36–38), in: W. Eltester (Hrsg.), Neutestamentliche Studien für Rudolf Bultmann, Berlin 1954 (= BZNW 21), 275–295 (Abk.: Kümmel, Verlobung)

Léon-Dufour, X., Mariage et continence selon s. Paul, in: A la rencontre de Dieu. Mémorial A. Gelin, Le Puy 1961, 319–329 (Abk.: Léon-Dufour, Mariage)

Maurer, Ch., Ehe und Unzucht nach 1 Kor 6,12–7,7, in: Wort und Dienst (Jahrbuch der Theol. Schule Bethel) NF 6 (1959), 159–169 (Abk.: Maurer, Ehe und Unzucht)

Menoud, Ph.-H., Mariage et célibat selon saint Paul: RThPh NS III 1 (1951) 21–34 (Abk.: Menoud, Mariage)

Merk, O., Handeln aus Glauben. Motivierungen der paulinischen Ethik, Marburg 1968 (= MThSt NS 5) (Abk.: Merk, Handeln)

Neuhäusler, E., Ruf Gottes und Stand des Christen. Bemerkungen zu 1 Kor 7: BZ NF 3 (1959) 43–60 (Abk.: Neuhäusler, Ruf Gottes)

Niederwimmer, K., Askese und Mysterium. Über Ehe, Ehescheidung, Eheverzicht in den Anfängen des christlichen Glaubens, Göttingen 1975 (= FRLANT 113) (Abk.: Niederwimmer, Askese)

Oepke, A., Irrwege in der neueren Paulusforschung: ThLZ 77 (1952) 449–458 (Abk.: Oepke, Irrwege)

Preisker, H., Das Ethos des Urchristentums, Gütersloh ²1949 (Neudruck Darmstadt 1968 (Abk.: Preisker, Ethos)

Rex, H. D., Das ethische Problem in der eschatologischen Existenz bei Paulus, Diss. Tübingen 1954 (Abk.: Rex, Problem)

Schrage, W., Die konkreten Einzelgebote in der paulinischen Paränese. Ein Beitrag zur paulinischen Ethik, Gütersloh 1961 (Abk.: Schrage, Einzelgebote)

Ders., Zur Frontstellung der paulinischen Ehebewertung in 1 Kor 7, 1–7: ZNW 67 (1976) 214–234 (Abk.: Schrage, Frontstellung)

Ders., Die Stellung zur Welt bei Paulus, Epiktet und in der Apokalyptik. Ein Beitrag zu 1 Kor 7, 29–31: ZThK 61 (1964) 125–154 (Abk.: Schrage, Stellung)

Schüller, B., Die Begründung sittlicher Urteile. Typen ethischer Argumentation in der katholischen Moraltheologie, Düsseldorf 1973 (Abk.: Schüller, Begründung)

Ders., Zur Diskussion über das Proprium einer christlichen Ethik: ThPh 51 (1976) 321–343 (Abk.: Schüller, Proprium)

Schürmann, H., Haben die paulinischen Wertungen und Weisungen Modellcharakter? Beobachtungen und Anmerkungen zur Frage nach ihrer formalen Eigenart und inhaltlichen Verbindlichkeit: Gregorianum 56 (1975) 237–271 (Abk.: Schürmann, Modellcharakter)

Trummer, P., Die Chance der Freiheit. Zur Interpretation des μᾶλλον χρῆσαι in 1 Kor 7,21: Biblica 56 (1975) 344–368 (Abk.: Trummer, Freiheit)

E. Weitere Literatur

Alt, A., Die Ursprünge des israelischen Rechts, in: ders., Kleine Schriften zur Geschichte des Volkes Israel I, München 1953, 278–332

Ἀνδρούτσου, Χ., Σύστημα ἠθικῆς, Θεσσαλονίκη ²1964

Baier, K., Der Standpunkt der Moral. Eine rationale Grundlegung der Ethik, Düsseldorf 1974

Behm, J., νῆστις κτλ., in: ThWNT IV 925–935

Beintker, H., Eschatologie und Ethik: ZSTh 19 (1954) 416–445

Bertram, G., παιδεύω κτλ., in: ThWNT V 596–624

Birnbacher, D./Hoerster, N. (Hrsg.), Texte zur Ethik, München 1976

Blank, J., Zum Problem ethischer Normen im Neuen Testament, in: G. Teichtweier/ W. Dreier (Hrsg.), Herausforderung und Kritik der Moraltheologie, Würzburg 1971, 172–183

Bochénski, J. M., Was ist Autorität? Einführung in die Logik der Autorität, Freiburg 1974

Böckle, F., Fundamentalmoral, München 1977

Bornkamm, G., Jesus von Nazareth, Stuttgart ⁷1965

Braaten, C. E., Eschatology and Ethics, Minneapolis (Minnesota) 1974

Bultmann, R., ἔλεος κτλ., in: ThWNT II 474–483

Ders., Jesus Christus und die Mythologie, in: ders., Glauben und Verstehen. Gesammelte Aufsätze IV, Tübingen 1965, 141–189

Ders., μεριμνάω κτλ., in: ThWNT IV 593–598

Ders., συγγνώμη, in: ThWNT I 716 f

Ders., Theologie des Neuen Testaments, Tübingen ⁵1965

Burchard, Ch., Ei nach einem Ausdruck des Wissens oder Nichtwissens Joh 9,25; Act 19,2; I Cor 1,16; 7,16: ZNW 52 (1961) 73–82

Chadwick, H., ,Enkrateia', in: RAC VI 343–365

Cullmann, O., La Tradition, Neuchâtel 1953

Delling, G., διατάσσω, in: ThWNT VIII 34–36

Ders., ἐπιταγή, in: ThWNT VIII 37

Ders., Zur Exegese von 1 Kor 7,14, in: ders., Studien zum Neuen Testament und zum hellenistischen Judentum, Göttingen 1970, 281–287

Ders., Lexikalisches zu τέκνον, ebd. 270–280

Demmer, K., Sein und Gebot. Die Bedeutsamkeit des transzendental-philosophischen Denkansatzes in der Scholastik der Gegenwart für den formalen Aufriß der Fundamentalmoral, München 1971

Dibelius, M., Geschichte der urchristlichen Literatur, München ²1976 (= Theologische Bücherei NT 58)

Ders., Die Formgeschichte des Evangeliums, Tübingen ³1959

Ders., Das soziale Motiv im Neuen Testament, in: ders., Botschaft und Geschichte I (hrsg. von G. Bornkamm), Tübingen 1953, 178–203

Egenter, R., Die Aszese des Christen in der Welt, Ettal 1956

Eichholz, G., Die Theologie des Paulus im Umriß, Neukirchen-Vluyn ²1977

Eichrodt, W., Theologie des Alten Testaments II/III, Stuttgart/Göttingen ⁵1964

Evans, D., The Ethics of Jesus and the Modern Mind: Harvard Theological Review 4 (1911) 418–438

Faw, C. E., On the Writing of First Thessalonians: JBL 71 (1952) 217–225

Foerster, W., ἀρέσκω κτλ., in: ThWNT I 455–457

Forschner, M., ,Kasuistik', in: O. Höffe (Hrsg.), Lexikon der Ethik, München 1977, 119 f

Frankena, W. K., Analytische Ethik. Eine Einführung, München 1972

Ders., Is Morality Logically Dependent on Religion, in: G. Outka/J. P. Reeder, Jr. (Ed.), Religion and Morality, Garden City (N. Y.) 1973, 295–317

Fuchs, J., Der Absolutheitscharakter sittlicher Handlungsnormen, in: H. Wolter (Hrsg.), Testimonium veritati. Philosophische und theologische Studien zu kirchlichen Fragen der Gegenwart (Festschrift für Bischof W. Kempf), Frankfurt (Main) 1971, 211–240

Gayer, R., Die Stellung des Sklaven in den paulinischen Gemeinden und bei Paulus. Zugleich ein sozialgeschichtlich vergleichender Beitrag zur Wertung des Sklaven in der Antike. Bern/Frankfurt (Main) 1976 (= Europäische Hochschulschriften XXIII/78)

Gerstenberger, E., Wesen und Herkunft des apodiktischen Rechts, Neukirchen-Vluyn 1965 (= WMANT 20)

Gigon, O./Rupprecht, K., ‚Gnome‘, in: Lexikon der Alten Welt, Zürich 1965, 1099

Ginters, R., Die Ausdruckshandlung. Eine Untersuchung ihrer sittlichen Bedeutsamkeit, Düsseldorf 1976 (= MThSt.S 4)

Ders., Versprechen und Geloben. Begründungsweisen ihrer sittlichen Verbindlichkeit, Düsseldorf 1973 (= MThSt.S 1)

Görres, A./Beirnaert, L., ‚Askese‘ IV. Tiefenpsychologisch, in: LThK² I 937–939

Grabner-Haider, A., Paraklese und Eschatologie bei Paulus. Welt und Mensch im Anspruch der Zukunft Gottes, Münster 1968 (= NTA NF 4)

Greeven, H., Zu den Aussagen des NT über die Ehe: ZEE 1 (1957) 109–125

Gründel, J./Oyen, H. van, Ethik ohne Normen? Zu den Weisungen des Evangeliums, Freiburg 1970

Grundmann, W., ἀναγκάζω κτλ., in: ThWNT I 347–350

Ders., δόκιμος κτλ., in: ThWNT II 258–264

Ders., ἐγκράτεια κτλ., in: ThWNT II 338–340

Guibert, J. de, ‚Ascèse, Ascétisme‘ III. Questions Théologiques, in: DSp I 990–1001

Hahn, F., Neutestamentliche Grundlagen einer christlichen Ethik: TThZ 86 (1977) 31–41

Hall, T. C., ‚Asceticism‘, Introduction, in: ERE II 63–69

Halter, H., Taufe und Ethos. Paulinische Kriterien für das Proprium christlicher Moral, Freiburg 1977 (= FThSt 106)

Harder, G., πονηρός, πονηρία, in: ThWNT VI 546–566

Hare, R. M., Freiheit und Vernunft, Düsseldorf 1973

Ders., Universalisierbarkeit, in: G. Grewendorf/G. Meggle (Hrsg.), Seminar: Sprache und Ethik. Zur Entwicklung der Metaethik, Frankfurt (Main) 1974, 198–216

Harnisch, W., Verhängnis und Verheißung der Geschichte, Göttingen 1969 (= FRLANT 97)

Hasenstab, R., Modelle paulinischer Ethik. Beiträge zu einem Autonomie-Modell aus paulinischem Geist, Mainz 1977 (= TTS 11)

Hauck, F., ἀκάθαρτος, ἀκαθαρσία, in: ThWNT III 430–432

Hauser, R., ‚Askese‘ I, in: HWP I 538–541

Hiers, R. H., Jesus and Ethics. Four Interpretations, Philadelphia 1968

Hildebrandt, D. von, Christliche Ethik, Düsseldorf 1959

Hoffmann, P./Eid, V., Jesus von Nazareth und eine christliche Moral. Sittliche Perspektiven der Verkündigung Jesu, Freiburg 1975 (= QD 66)

Hofmann, R., ‚Heroismus‘, in: LThK² V 267

Holmström, F., Das eschatologische Denken der Gegenwart. Drei Etappen der theologischen Entwicklung des zwanzigsten Jahrhunderts, Gütersloh 1936

Hopfner, Th., ‚Askese' in: PWS VII 50–64

Hupfeld, R., Evangelische Askese: ZSTh 23 (1954) 387–415

Jenni, E., Die theologische Begründung des Sabbatgebotes im Alten Testament, Zollikon–Zürich 1956 (= ThSt(B)46)

Jeremias, J., Die Bergpredigt, Stuttgart 1959

Ders., Die missionarische Aufgabe in der Mischehe, in: W. Eltester (Hrsg.), Neutestamentliche Studien für Rudolf Bultmann, Berlin 1954 (= BZNW 21), 255–260

Ders., Neutestamentliche Theologie I. Die Verkündigung Jesu, Gütersloh 1971

Joest, W., ‚Gesetz' VI. Gesetz und Evangelium, dogmatisch, in: RGG³ II 1526–1531

Kähler, M., Das Gewissen. Ethische Untersuchung. Die Entwicklung seiner Namen und seines Begriffes, Halle (Saale) 1878 (Neudruck Darmstadt 1967)

Käsemann, E., Amt und Gemeinde im Neuen Testament, in: ders., Exegetische Versuche und Besinnungen I, Göttingen 1964, 109–134

Ders., Grundsätzliches zur Interpretation von Röm 13, in: ders., Exegetische Versuche und Besinnungen II, Göttingen ³1968, 204–222

Ders., Kritische Analyse von Phil 2,5–11, in: ders., Exegetische Versuche und Besinnungen I, Göttingen 1964, 51–95

Ders., Zum Thema der urchristlichen Apokalyptik, in: ders., Exegetische Versuche und Besinnungen II, Göttingen ³1968, 105–131

Kamlah, W./Lorenzen, P., Logische Propädeutik. Vorschule des vernünftigen Redens, Mannheim ²1973

Kant, I., Kritik der praktischen Vernunft, in: ders., Werke in zehn Bänden (hrsg. von W. Weischedel) VI, Darmstadt ⁴1975, 105–304

Ders., Die Metaphysik der Sitten, ebd. VII, Darmstadt ⁵1975, 303–634

Kertelge, K., Neutestamentliche Ethik. Ein Literaturbericht: BuL 12 (1971) 126–140

Ders., "Rechtfertigung" bei Paulus. Studien zur Struktur und zum Bedeutungsgehalt des paulinischen Rechtfertigungsbegriffs, Münster 1967 (= NTA NF 3)

Kirn, O., Grundriß der theologischen Ethik, Leipzig ⁶1929

Ders., Die sittlichen Forderungen Jesu, in: Biblische Zeit- und Streitfragen (hrsg. von D. Kropatschek) 6,4, Berlin 1910

Klomps, H., Ehemoral und Jansenismus. Ein Beitrag zur Überwindung des sexualethischen Rigorismus, Köln 1964

Knauer, P., Der Glaube kommt vom Hören. Ökumenische Fundamentaltheologie, Graz 1978

Koch, A., Lehrbuch der Moraltheologie, Freiburg ²1907

Labuschagne, C. J., ntn, in: THAT II 117–141

Laland, E., Die Martha-Maria-Perikope Lukas 10,38–42. Ihre kerygmatische Aktualität für das Leben der Urkirche: Studia Theologica 13 (1959) 70–85

Lau, F., ‚Askese' V. In katholischer und protestantischer Ethik, in: RGG³ I 644–648

Leeuw, G. van der, Phänomenologie der Religion, Tübingen ³1970

Lehmann, K., Unauflöslichkeit der Ehe und Pastoral für wiederverheiratete Geschiedene: IKaZ 1 (1972) 355–372

Lewis, C. S., Learning in War Time, in: ders., Fern-seed and Elephants, Glasgow 1975

Ders., The World's Last Night, ebd. 74–96

Lohfink, N., Liebe. Das Ethos des Neuen Testaments – erhabener als das des Alten?, in: ders., Unsere großen Wörter. Das Alte Testament zu Themen dieser Jahre, Freiburg 1977, 225–240

Mayer, E. W., Ethik. Christliche Sittenlehre, Gießen 1922

McCloskey, H. J., Meta-Ethics and Normative Ethics, The Hague 1969

Mensching, G., ‚Askese' I. Religionsgeschichtlich, in: RGG³ I 639 f

Metz, J. B., Zeit der Orden? Zur Mystik und Politik der Nachfolge, Freiburg 1977

Michaelis, W., Ehe und Charisma bei Paulus: ZSTh 5 (1928), 426–452

Ders., πάσχω κτλ., in: ThWNT V 903–939

Mill, J. St., Der Utilitarismus, Stuttgart 1976

Mohr, R., ,Askese' I. Religionsgeschichtlich, in: LThK² I 928–930

Müller, A. D., Ethik, Der evangelische Weg der Verwirklichung des Guten, Berlin 1937

Nell-Breuning, O. von, ,Gesetz', in: W. Brugger (Hrsg.), Philosophisches Wörterbuch, Freiburg ¹⁴1976, 142 f

Neuhäusler, E., Der Bischof als geistlicher Vater. Nach den frühchristlichen Schriften, München 1964

Newman, J. H., Entwurf einer Zustimmungslehre, Mainz 1961 (= ders., Ausgewählte Werke, hrsg. von M. Laros/W. Becker, VII)

Nieder, L., Die Motive der religiös-sittlichen Paränese in den paulinischen Gemeindebriefen. Ein Beitrag zur paulinischen Ethik, München 1956 (= MThS.H 12)

Oepke, A., γυνή, in: ThWNT I 776–790

Ders., ἐνίστημι, in: ThWNT II 540 f

Ott, L., Grundriß der Dogmatik, Freiburg ⁷1965

Paulsen, F., System der Ethik. Mit einem Umriß der Staats- und Gesellschaftslehre, 2 Bde, Stuttgart ⁶1903

Pesch, R., Freie Treue. Die Christen und die Ehescheidung. Freiburg 1971

Ders., Die neutestamentliche Weisung für die Ehe, in: N. Weil/R. Pesch u. a., Zum Thema Ehescheidung, Stuttgart 1970, 24–40

Peterson, E., ,Bergpredigt' I. Biblisch, in: RGG² I 907–910

Pohlenz, M., Die Stoa. Geschichte einer geistigen Bewegung, 2 Bde, Göttingen ³1964

Procksch, O., ἁγιασμός, in: ThWNT I, 114 f

Quesnel, Q., ,,Made Themselves Eunuchs for the Kingdom of Heaven (Matt. 19:12)": CBQ 30 (1968) 335–358

Rad, G. von/Foerster, W., εἰρήνη κτλ., in: ThWNT II 398–418

Rad, G. von, Theologie des Alten Testaments I, München ⁵1966

Rahner, K., Über die evangelischen Räte, in: ders., Schriften zur Theologie VII, Einsiedeln 1966, 404–434

Ders., Zum theologischen Begriff der Konkupiszenz, in: ders., Schriften zur Theologie I, Einsiedeln ⁷1964, 377–414

Rawls, J., Zwei Regelbegriffe, in: O. Höffe (Hrsg.), Einführung in die utilitaristische Ethik, München 1975, 96–120

Reiner, H., ,Apathie', in: HWP I 429–433

Ders., ,Erfolgsethik', in: HWP II 624

Ders., ,Erlaubt', in: HWP II 701 f

Ders., Die ethische Weisheit der Stoiker heute: Gymnasium 76 (1969) 330–357

Ders., ,Gesinnungsethik', in: HWP III 539 f

Ders., ,Gewissen', in: HWP III 574–592

Ders., ,Gut', in: HWP III 937–946

Reinhard, K., Die Krise des Helden, in: ders., Tradition und Geist. Gesammelte Essays zur Dichtung (hrsg. von C. Becker), Göttingen 1960, 420–427

Rendtorf, T., ,Beruf', in: HWP I 833–835

Rengstorf, K. H., δοῦλος κτλ., in: ThWNT II 264–283

Ders., συστέλλω, in: ThWNT VII 596 f

Ritschl, A., Die christliche Lehre von der Rechtfertigung und Versöhnung III, Bonn ²1883

Ross, W. D., The Right and the Good, Oxford 1930 (Reprinted 1973)

Schadewaldt, W., Furcht und Mitleid? Zur Deutung des aristotelischen Tragödiensatzes: Hermes 83 (1955) 129–171

Ders., Iliasstudien, Leipzig ²1943 (Neudruck Darmstadt 1966)

Schäfer, R., Das Reich Gottes bei Albrecht Ritschl und Johannes Weiß: ZThK 61 (1964) 68–88

Scheler, M., Der Formalismus in der Ethik und die materiale Wertethik. Neuer Versuch der Grundlegung eines ethischen Personalismus, Bern ⁶1966

Ders., Vorbilder und Führer, in: ders., Schriften aus dem Nachlaß I. Zur Ethik und Erkenntnislehre, Berlin 1933

Schelkle, K. H., Ehe und Ehelosigkeit im Neuen Testament, in: ders., Wort und Schrift. Beiträge zur Auslegung und Auslegungsgeschichte des Neuen Testaments, Düsseldorf 1966, 183–198

Ders., Theologie des Neuen Testaments III. Das Ethos, Düsseldorf 1970

Schlier, H., Der Christ und die Welt, in: ders., Das Ende der Zeit. Exegetische Aufsätze und Vorträge III, Freiburg ²1971, 234–249

Ders., Die Eigenart der christlichen Mahnung nach dem Apostel Paulus, in: ders., Besinnung auf das Neue Testament. Exegetische Aufsätze und Vorträge II, Freiburg 1964, 340–357

Ders., Grundzüge einer paulinischen Theologie, Freiburg 1978

Ders., Über das Hauptanliegen des 1. Briefes an die Korinther, in: ders., Die Zeit der Kirche. Exegetische Aufsätze und Vorträge, Freiburg ⁴1966, 147–159

Ders., Vom Wesen der apostolischen Ermahnung – Nach Röm 12,1–2, ebd. 74–89

Ders., ἀνήκει, in: ThWNT I 361

Ders., ἐλεύθερος κτλ., in: ThWNT II 484–500

Ders., καθήκω (τὸ καθῆκον), in: ThWNT III 440–443

Schmidt, K. L., καλέω κτλ, in: ThWNT III 488–539

Schmitz, O., παραγγέλλω, παραγγελία, in: ThWNT V 759–762

Schnackenburg, R., Die Ehe nach dem Neuen Testament, in: G. Krems/R. Mumm (Hrsg.), Theologie der Ehe, Göttingen/Regensburg 1969, 9–36

Ders., ‚Interimsethik‘, in: LThK² V 727 f

Ders., Die sittliche Botschaft des Neuen Testaments, München ²1962 (= Handbuch der Moraltheologie, hrsg. von M. Reding, VI)

Schneider, J., σχῆμα, μετασχηματίζω, in: ThWNT VII 954–959

Schrage, W., Zur formalethischen Deutung der paulinischen Paränese: ZEE 4 (1960) 207–233

Schreiner, J., Die apokalyptische Bewegung, in: J. Maier/J. Schreiner (Hrsg.), Literatur und Religion des Frühjudentums, Würzburg/Gütersloh 1973, 214–253

Schüller, B., Beansprucht die Botschaft Christi eine Zuständigkeit in Fragen des gesellschaftlichen Lebens und seiner Entwicklung?, in: Fragen des sozialen Lebens VI. Möglichkeiten und Grenzen einer katholischen Soziallehre. Bericht über das Symposium der Katholischen Sozialakademie Österreichs (8. – 10. 11. 1968)

Ders., Die Bedeutung der Erfahrung für die Rechtfertigung sittlicher Verhaltensregeln, in: K. Demmer/B. Schüller (Hrsg.), Christlich glauben und handeln. Fragen einer fundamentalen Moraltheologie in der Diskussion, Düsseldorf 1977, 261–286

Ders., Bemerkungen zur authentischen Verkündigung des kirchlichen Lehramts: ThPh 42 (1967) 534–551

Ders., Dezisionismus, Moralität, Glaube an Gott: Gregorianum 59 (1978) 465–510

Ders., Zu den ethischen Kategorien des Rates und des überschüssigen guten Werkes, in: H. Wolter (Hrsg.), Testimonium veritati. Philosophische und theologische Studien zu kirchlichen Fragen der Gegenwart (Festschrift für Bischof W. Kempf), Frankfurt (Main) 1971, 197–209

Ders., Gesetz und Freiheit. Eine moraltheologische Untersuchung, Düsseldorf 1966

Ders., Ist das Ideal des mündigen Christen eine Utopie?: Der Männerseelsorger 18 (1968) 193–199

Ders., Neuere Beiträge zum Thema „Begründung sittlicher Normen", in: F. Furger/J. Pfammatter (Hrsg.), Theologische Berichte 4, Einsiedeln 1977, 109–286

Ders., Zur Rede von der radikalen sittlichen Forderung: ThPh 46 (1973) 321–341

Ders., Todsünde – Sünde zum Tod?: ThPh 42 (1967) 321–340

Schürmann, H., Eschatologie und Liebesdienst in der Verkündigung Jesu, in: ders., Ursprung und Gestalt. Erörterungen und Besinnungen zum Neuen Testament, Düsseldorf 1970, 279–298

Ders., Das eschatologische Heil Gottes und die Weltverantwortung des Menschen: GuL 50 (1977) 18–30

Ders., Die Frage nach der Verbindlichkeit der neutestamentlichen Wertungen und Weisungen. Eine Skizze, in: J. Ratzinger (Hrsg.), Prinzipien christlicher Moral, Einsiedeln 1975, 9–39

Ders., Die Gemeinde des Neuen Bundes als der Quellort des sittlichen Erkennens nach Paulus: Catholica 26 (1972) 15–37

Schulz, A., Grundformen urchristlicher Paranäse, in: J. Schreiner/G. Dautzenberg (Hrsg.), Gestalt und Anspruch des Neuen Testaments, Würzburg 1969, 249–261

Schulz, S., Hat Christus die Sklaven befreit?: EK 5 (1972) 13–17

Schweitzer, A., Die Geschichte der Leben-Jesu-Forschung, 2 Bde, München 1966

Ders., Das Messianitäts- und Leidensgeheimnis. Eine Skizze des Lebens Jesu, in: ders., Gesammelte Werke (hrsg. von R. Grabs) V, München o. J., 195–340

Ders., Die Mystik des Apostels Paulus, Tübingen ²1954

Ders., Reich Gottes und Christentum, in: ders., Gesammelte Werke (hrsg. von R. Grabs) IV, München o. J., 511–731

Schweizer, E., Zum Sklavenproblem im Neuen Testament: EvTh 32 (1972) 502–506

Ders./Baumgärtel, F., σῶμα κτλ., in: ThWNT VII 1024–1091

Söe, N. H., Christliche Ethik. Ein Lehrbuch, München 1949

Spaemann, R., Wovon handelt die Moraltheologie?: IKaZ 6 (1977) 289–311

Spicq, C., Le vocabulaire de l'esclavage dans le Nouveau Testament: Revue Biblique 85 (1978) 201–226

Stauffer, E., ἀγών κτλ., in: ThWNT I 134–140

Strathmann, H., ‚Askese' I (nichtchristlich), in: RAC I 749–758

Stuhlmacher, P., Historisch unangemessen: EK 5 (1972) 297–299

Thalhammer, D., ‚Askese' III. Theologisch, in: LThK² I 932–937

Thrall, M. E., Greek Particles in the New Testament. Linguistic and Exegetic Studies, Leiden 1962 (= New Testament Tools and Studies III)

Thüsing, W., Per Christum in Deum. Studien zum Verhältnis von Christozentrik und Theozentrik in den paulinischen Hauptbriefen, Münster 1965 (= NTA NF 1)

Ders., Rechtfertigungsgedanke und Christologie in den Korintherbriefen, in: J. Gnilka (Hrsg.), Neues Testament und Kirche. Festschrift für R. Schnackenburg, Freiburg 1974, 301–324

Unnik, W. C. van, Die Rücksicht auf die Reaktion der Nicht-Christen als Motiv in der altchristlichen Paränese, in: W. Eltester (Hrsg.), Judentum – Urchristentum – Kirche. Festschrift für J. Jeremias, Berlin 1960 (= BZNW 26), 221–234

Urmson, J. G., Saints and Heroes, in: A. I. Melden (Hrsg.), Essays in Moral Philosophy, Seattle/London 1958, 198–216

Vögtle, A., ‚Lasterkataloge', in: LThK² VI 806–808

Ders., ‚Tugendkataloge', in: LThK² X 399–401

Vogels, H.-J., Pflichtzölibat, München 1978

Weber, H., Der Kompromiß in der Moral: TThZ 86 (1977) 99–118

Weber, M., Die protestantische Ethik I. Eine Aufsatzsammlung (hrsg. von J. Winckelmann), Hamburg ⁴1975

Ders., Wirtschaft und Gesellschaft. Grundriß der verstehenden Soziologie, Köln ⁵1964

Weiß, J., Die Predigt Jesu vom Reiche Gottes, Göttingen ²1900/³1964

Wellmann, C., ‚Ascetism', in: The Encyclopedia of Philosophy (ed. P. Edwards) I 171–174

Wendland, H.-D., Ethik des Neuen Testaments. Eine Einführung, Göttingen 1970 (NTD Ergänzungsreihe 4)

Wiederkehr, D., Die Theologie der Berufung in den Paulusbriefen, Freiburg (Schweiz) 1963 (= SF NF 36)

Wilckens, U., Weisheit und Torheit. Eine exegetisch-religionsgeschichtliche Untersuchung zu 1 Kor 1 und 2, Tübingen 1959 (= BHTh 26)

Wilder, A. N., Eschatology and Ethics in the Teaching of Jesus, New York ²1950

Wilting, H.-J., Der Kompromiß als theologisches und als ethisches Problem. Ein Beitrag zur unterschiedlichen Beurteilung des Kompromisses durch H. Thielicke und W. Trillhaas, Düsseldorf 1975 (= MThSt.S 3)

Windisch, H., Der Sinn der Bergpredigt. Ein Beitrag zum geschichtlichen Verständnis der Evangelien und zum Problem der richtigen Exegese, Leipzig 1929/²1937 (= UNT 16)

Ders., ἀσκέω, in: ThWNT I 492–494

Wolff, H. W., Anthropologie des Alten Testaments, München 1973

Wulf, F., ‚Aszese', in: HThG I 111–120

Ders., ‚Aszese', in: SM I 358–371

Zenger, E., Erfahrung – Weisheit – Weisung. Zur Struktur biblisch-appellativer Texte, in: F. Kamphaus/R. Zerfaß (Hrsg.), Ethische Predigt und Alltagsverhalten, München/Mainz 1977, 29–43.

Zöckler, O., Askese und Mönchtum I, Frankfurt a. M. 1897